SUPERSTITIO

Überlieferungs- und theoriegeschichtliche
Untersuchungen zur kirchlich-theologischen
Aberglaubensliteratur des Mittelalters

von

Dieter Harmening

ERICH SCHMIDT VERLAG

CIP-Kurztitelaufnahme der Deutschen Bibliothek

Harmening, Dieter:
Superstitio : überlieferungs- u. theoriegeschichtl.
Unters. zur kirchl.-theol. Aberglaubensliteratur
d. Mittelalters / von Dieter Harmening. - Berlin :
E. Schmidt, 1979.
ISBN 3-503-01291-5

Für

Julia und Katharina

Das Umschlagbild ist nach einem Motiv des
Spiegel der Gesundheit der Universitätsbibliothek
Würzburg gestaltet

ISBN 3 503 01291 5

© Erich Schmidt Verlag, Berlin 1979
Druck: Berliner Buchdruckerei Union GmbH., Berlin 61
Printed in Germany · Alle Rechte vorbehalten
Als Habilitationsschrift auf Empfehlung der Philosophischen Fakultät
der Universität Würzburg gedruckt mit Unterstützung der
Deutschen Forschungsgemeinschaft

Vorwort

Theorie und Kritik des Aberglaubens zur Zeit der Aufklärung darzustellen, war ursprüngliches Ziel der Beschäftigung mit dem Thema. Es zeigte sich jedoch bald, daß die Thematik nicht auf das 18. Jahrhundert eingegrenzt behandelt werden konnte. Um das Neue der Aberglaubenskritik der Aufklärung — Aberglaube als Perversion der Vernunft — zutreffend fassen zu können, waren, da tragfähige Untersuchungen fehlen, erst die ältere und anders gerichtete Position — Aberglaube als Perversion der Religion — und ihre theoretisch-systematische Fundierung zu behandeln. Vom ersten Ansatz her also will vorliegende Untersuchung nur Teil einer umfassenden Skizze zur Theorie- und Literaturgeschichte des Aberglaubens sein.

D. H.

Inhaltsverzeichnis

Vorwort 5

Einleitung 11

I. Superstitio 14

1. Wort und Begriff bei den vorchristlichen römischen Schriftstellern 14

Wahrsagen 15 — Ängstlichkeit, Bedenklichkeit 16 — besonders in religiösen Angelegenheiten 16 — synonymer Gebrauch von religio und superstitio 17 — Etymologie
von religio 17 — begrifflicher Zusammenhang von religio und superstitio 19 —
superstitio 20 — übermäßige Ängstlichkeit in religiösen Dingen 21 — superstitio,
religio, neglegentia 22 — externa religio 23 * Zusammenfassung 25

2. Etymologie 26

Cicero, Lactantius 26 — Grimm, Tylor 28 — Servius, Donat 29 — Isidor von
Sevilla 30 — Walter F. Otto 31 * Zusammenfassung 32

3. Wortgebrauch und Begriffsentwicklung in den christlichen Zeugnissen 33

Divinationskategorien 33 — Idolatrie 34 — Dämonenkult 35 — falsa superstitio 36
— intellektuelles Manko 37 — falsa religio 38 — sittliches Manko 38 — Ersatz-
religion 39 — Zusatzreligion 39 * Zusammenfassung 40

II. Die Superstitionen 43

Vorbemerkung: Superstitio und Idolatrie 43 — superstitio als historisches Problem 43
— superstitio als anthropologisches Problem 45 * Systematik der Superstitionen 46

1. Quellen und Quellenkritik. Ein Beispiel: Cultores idolorum, veneratores
lapidum, accensores facularum, et excolentes sacra fontium vel arborum 49

Die Zeugnisse 49 * Baum-, Quell- und Steinkult 49 — Gelübde 51 — Lichter 54 —
Opfer 56 — kultische Mähler 56 — Heilkult 58 — christliche Paganien- und Super-

stitionssurrogate 58 — Verwüstung der Kultstätten 61 — Verbotsgründe 62 — sacrilegium 62 — Dämonenkult 63 — persönliche Götter oder Naturgottheiten? 63 — die Autoritäten: Altes und Neues Testament 65 — ignorantia-Vorwurf 66 — gesetzliche Bestimmungen und Strafandrohungen 67 — Bußordnungen 68 — weltliches Recht 68 — Strafen: Exkommunikation 68 — Bußen 69 — Fasten 70 — in Wasser und Brot 70 — Bußkompensation 70 — Inquisition 71 * Zusammenfassung: Zeugnis und Wirklichkeit 72

2. Superstitio observationis 76

Vorbemerkung: Observatio bei Augustinus 76 — Ambrosius 76 — Caesarius von Arles 77 — Beobachten, Befolgen 77 — Sitte, Brauch 78 — reliquiae idolatriae 80 — Relikt 80 — Vernunftlosigkeit und Reliktbehauptung 80

a. Die Beobachtung von Zeichen 81

Vorzeichen 81 — Angangsglaube 81 — vorbedeutendes Niesen 81 — Gliederzucken 82 — Stolpern 83 — Angang 83 * Vogelschau, Tierweissagung 85 — Kritik 86 — Definition 86 — Quellenkritik 86 * Die Taube bei der Taufe Jesu 89 — Theorie der Tierweissagung 89 — Vögel und Dämonen 90 — Wissen der Dämonen 91 — Vogelweissagung 92 — Origines 92 — Thomas von Aquin 92 — Wilhelm von Conches 93 — Johannes von Salisbury 93 — Vision, Traum, Orakel 95 — Traumoffenbarung und Traumorakel 96 — Traumillusion 96 — der Canon episcopi 97 — dämonische Vorspiegelung 98 — Trug, Torheit, Idolatrie 99 — dämonologische Traumtheorie 99 — Traumorakel 100 — das AT 100 — das Ancyranum 101 — zur Überlieferung 101 — Makrobius, Traumkategorien 102 — Orakel 103 — Spiegel- und Becherorakel 103 — Lactantius, zur Überlieferung 104 — Strafzumessungen 105 — Thomas von Aquin, Traumtheorie 106 — rationale Erklärung, irrationale Bedeutung 106 — astrologischer Bezug 107 — Traumbücher 107 — Traumsystematik 108 — Augustinus, Zeichenlehre 109 — Thomas von Aquin 110 — Makrobius 111 — Alcher von Clairvaux 111 — oraculum 111 — visio 113 — somnium 113 — insomnium 113 — phantasma 114 — Johannes von Salisbury, Thomas von Aquin 114 — Unterscheidungskriterien wahrer und falscher Träume 115 — der Pakt 115 — das Moralische 116 — Augustinus, Grundlegung der Pakttheorie 116

b. Die Beobachtung von Zeiten 117

Der Anfang 117 — Neujahr 118 — Donnerprognostik 118 — Wetterprophetie 120 — Neujahr als Orakeltag 120 — Neujahrstermine 121 — Kalendae Januarii 121 — Euhemerismus 122 — Janusfest 122 — Fiktion des mythischen Ursprungs 122 — bäuerliche Welt als Residualbereich 123 — pagane Reste, Relikttheorie und Panmythologismus 124 — Tischbereiten 125 — seine ominöse Bedeutung 125 — Caesariusentlehnung und literarische Tradition 126 — zum Quellenwert 128 — Schwertgürtung, inpuriae 129 — Analogieaugurien 130 — Neujahrsgeschenke 131 — Verweigerungen 132 — der Kalendenklotz 132 — Wetterprognostik 133 — liber Esdrae

133 — Neujahrsmaskeraden 135 — Tiervermummung, Quellenlage 135 — Hirschmasken 136 — Caesarius 136 — Frauenmasken 138 — Kritik der Tiermasken 139 — Ambrosius: ein Spiel 140 — Chrysologus, Caesarius: Götzendienst 140 — Monstrosität 140 — Frauen- und Männermasken 141 — Quellen 141 — Martin von Braga als Vermittler orientalischer Überlieferung 142 — Kritik der Frauenmasken 143 — Obszönität 143 — Neujahrsmähler 144 — Häßlichkeit und Unzucht als religiöse Kategorien 145 — Schwelgerei, Obszönität, Monstrosität: Signalfloskeln für Heidentum 145 * Heidnische Feste 145 — Saturnalien, Brumalien 145 — Julfest? 146 — Kalenden des März 146 — Neptunalien 147 — Volcanalien 147 — Spurcalien 148 — kein germanisches Fest 151 — spurcitiae gentilium 151 — Spurkeltage 152 — als Orakeltermine 152 — Wetterprognostik? 153 — Umzüge 154 * Wochentagsheiligung 155 — Donnerstagsheiligung? 155 — Quellenlage 155 — astrologische Tagewählerei 157 — Mittwochsheiligung: 158 — Freitagsheiligung? 158 — Wochentagsastrologie 159 — zum Indiculus superstitionum Nr. 20 159 — Caesarius und die Überlieferung 162 — Wochentagsgötter 162 * Tagewahl 164 — Augustinus 164 — die ägyptischen Tage 165 — Merksprüche 166 — der Tag nach den Kalenden 168 — schlechter Reisetermin 168 * Astrologische Tage- und Stundenwahl 169 — Stundenwahl 170 — haruspices und horuspices 171 — Quellenlage 171 — Caesarius, caragi 172 — Tätigkeit der haruspices 173 — arioli 174 — Etymologie auf ara 174 — Isidor von Sevilla 175 — Hugo von St-Victor 176 — Petrus Comestor 177 — Thomas von Aquin 177

3. Superstitio divinationis 178

Vorbemerkung: Probleme der Abgrenzung 178 — zur Begriffsgeschichte 178 — Thomas von Aquin 178

Divination durch Dämonen gewirkt 180 — Astrologie 181 — im Christentum 181 — erlaubte und unerlaubte Astrologie 182 — astrale Inklination 182 — Kritik der Astrologie 183 — mathematici 185 — genethliaci 185 — die Heiligen Drei Könige 187 — Himmelszeichen 187 — influentia caeli und Willensfreiheit 188 * Augurium, auspicium, omen 188 * Chiromantie 189 * Spatulimantie 189 * Losen 191 — sors divisoria 191 — sors consultoria 191 — geomantisches Orakel 192 — Bleigießen 192 — Würfeln, Lostafeln, sortes Homericae 193 — Bibellose, Augustinus 193 — kirchliches Bibellosen 194 — profanes Bibellosen 194 — sortilegi 195 — sind Wahrsager und Zauberer 196 — sortes sanctorum 197 — Quellenlage 197 — Buchlose? 198 — Verbindung mit heidnischem Kult? 199 — vorgeblich frommes Tun 199 — germanische Lospraxis, Tacitus 201 — sortes sanctorum, eine kultische Lospraxis 203 * Divination aufgrund ausdrücklicher Dämonenanrufung 204 — praestigium 204 — Nekromantie 205 — Quellenlage 205 — nigromantia 207 * Pythonische Divination 207 — biblischer Terminus 208 — pythones und semiheretici 208 — Filastrius von Brescia 209 — Wortgebrauch 210 — Bauchreden 211 — die delphische Pythia 211 — das pneuma pythona des NT 211 — Engastrimantik 212 — Wahrsagegeist 213 — Prophetinnen 213 * Geomantie, Hydromantie, Aeromantie, Pyromantie 214 — gelehrte Tradition 214 — durch Isidor vermittelt 215 — Hydromantie 215

4. Superstitio artis magicae 217

Vorbemerkung: Zur Thomasischen Systematik 217

Magi und malefici 217 — antiker Sprachgebrauch 218 — Isidor von Sevilla 218 — Hugo von St-Victor 219 — Goëtie und Theurgie 219 — Magie als Naturphilosophie 219 — Magie als Oberbegriff 219 — Tätigkeitsmerkmale des Magiers 220 * Incantatio, magische Funktion des Wortes 221 — liturgisches Zaubern 222 — Totbeten 222 — Magier und Priester 223 — Zauber und Beschwörung 224 — incantatio sancta 225 * Zauberkategorie und Zauberrequisit 226 — veneficium als vermittelnder Begriff 226 — Zauberspruch und Zaubermittel 226 — Kräuter und Wurzeln 226 — Zaubertränke 228 — antikonzeptionelle und Abtreibungstränke 228 — Liebeszauber 230 — Speiseverbote 231 — Kultmähler und Opferfleisch 232 — superstitionskritisch motivierte Speiseverbote 234 — Maus- und Wieseltrank 234 * Das venenum diaboli 235 — ligaturae, phylacteria und Charaktere 235 — als „Fesseln der Seele" 236 — christliche Charaktere: signum crucis 237 — Unterscheidung: Ligaturen, Phylakterien, Ligamente, Servatorien, Brevien, Remedien, Charaktere 238 — Engelnamen und Salomon im Zauber 239 — Engelkult 239 — Material und Applikationsweisen der Amulette 240 — suspendere und ligare 241 — Ligaturen, medikamentöse und prophylaktische Funktion 242 — schadenstiftende ligamenta 242 — Phylakterien 244 — die Gebetsriemen der Bibel 244 — christliche Phylakterien 245 — Kritik der Phylakterien 245 * Wetterzauber 247 — germanischer Wetterzauber? 247 — obligatores 248 — ein Regenzauber des Corrector 249 — über die (Un-)Möglichkeit von Wetterzauber 249 * Der Mond im Zauber 250 — zum Indiculus superstitionum Nr. 21 und 30 250 — „Herabziehen" des Mondes im antiken Glauben 252 — Ambrosius, Mondmetapher 252 — Lärmzauber 254 — Quellenlage 254 — Hrabarus Maurus: Schlachtenlärm 257 — Indiculus: Vinceluna 257 * Zusammenfassung 257

III. Die Kritik der Superstitionen 259

Naturkundliche, rationalistische, religiöse Argumentationsmodelle 259 — Agobard von Lyon 159 — Hrabanus Maurus 259 — Maximus von Turin 260 — ignorantia-Vorwurf 260 — religiös-sittliches Manko 262 — Defizienz inneren Wissens 262 — Vertrauen und Aberglaube 263 — Verunmöglichung naturkundlicher und rationalistischer Argumentation 263 * Kreatürliche Subordination der Natur 264 — Illusionstheorie und dämonologischer Exzeptionalismus 264 — Agobard von Lyon: Argumentation aus der Bibel 266 — Absolutheit göttlichen Wirkens 267 — der Schriftbeweis 268 — der Dekalog 269 — literarische Tradition nach Austinus 271 * Superstition und Idolatrie 273 — Superstition als paganer Rest 274 — eine Fiktion? 274 — ein dogmatisches Urteil 276 — Superstition als anthropologisches Problem 278 — error, stultitia, ignorantia 278 — Ursprung von Heidentum und Superstition 279 — Martin von Braga, Wirkungsgeschichte 280 — ignorantia als Wurzel der Superstition 284 — ignorantes rustici 284 — rusticus als Topos des ignorantia-Vorwurfes 284 — paganus-Etymologien und Reliktbehauptung 285 — ignorantia: Signum des erbsündigen Menschen 287 — die Augustinische Erbsündenlehre 287 — das insipiens cor der Heiden 289 — Torheit des Dämonenkultes 289 * Zusammenfassung 291 * Dämonologische

Interpretation von Idolatrie und Superstition 292 — Natur und Funktion der Dämonen 292 — Wahrsagen, Zauber, Magie durch Dämonen 295 — Sündenfall und Superstition 296 — Adams Irrtumslosigkeit 296 — Geistverlust, Unwissenheit und Götzendienst 296 — Irrtum und Superstition 298 — Ursprung der Magie aus dem Wissen der Dämonen 298 — Ursprung der Magie aus dem Wissen der ersten Menschen 300 — das Wissen der Alten 300 — die Überlieferung des alten Wissens vor der Flut 301 — nach der Flut 301 — Cham, Chus, Zarathustra. 302 * Zusammenfassung 303 * Systematische Theorie der Superstition 303 — Augustinus: Abergläubische Dinge sind Zeichen 303 — Zeichentheorie 305 — Sprache und Sprachvertrag 304 — Verständigungspakt mit den Dämonen 305 — Übersetzung von pacta significationum 306 — Zeichentheorie und Sakramententheologie 308 — geschichtsphilosophische Konzeption der Augustinischen Kommunikationstheorie 308 — die Thomasische Rezeption der Vertragstheorie 308 — die Superstitionssystematik der Summa theologiae 310 — Begriff superstitio 310 — species superstitionis 311 — idolatria 312 — superstitio divinativa 312 — mit ausdrücklicher Dämonenanrufung 312 — ohne ausdrückliche Dämonenanrufung 313 — Astrologie 314 — Träume 314 — Augurien 315 — Lose 315 — superstitio observationum 315 — ars notoria 31 — observatio ordinata ad corporum immutationem etc. 316 — observatio ordinata ad praecognoscenda aliqua fortunia vel infortunia 316 — Amulette 316 * Zusammenfassung 317

Rückblick und Ausblick 318

Quellenverzeichnis mit Quellenkonkordanz 320

1. Christliche Literatur 320

    a. Konzilien 320

    b. Staatliche Verordnungen 322

    c. Bußbücher 322

    d. Sonstige Quellen 324

    e. Quellensammlungen 337

2. Vorchristliche Literatur 338

Literaturverzeichnis 340

Autorenregister 365

Sachregister 371

Einleitung

„Auf uns ist keine edda gebracht worden und kein einziger schriftsteller unserer vorzeit hat es versucht die überreste des heidnischen glaubens zu sammeln... Genug also ist unserer mythologie unwiederbringlich entzogen; ich wende mich zu den quellen, die ihr verbleiben, und die theils geschriebene denkmäler sind, theils der nie stillstehende fluss lebendiger sitte und sage. jene können hoch hinauf reichen, zeigen sich aber bröckelhaft und abgerissen, während noch die heutige volksüberlieferung am faden hängt, wodurch sie zuletzt unmittelbar mit dem alterthum verknüpft wird." (JACOB GRIMM)

Nach dem axiomatischen Grundsatz, im gegenwärtigen oder historischen Zeugnis Relikte älterer und ältester Mythen und Religionen zu haben, ist zwar schon vor GRIMM verfahren worden (s. bei JOSEF DÜNNINGER, BERNWARD DENEKE), jedoch ist GRIMM der erste, der diesen Gedanken durch Verbindung mit seiner Sprachwissenschaft wissenschaftlich zu begründen suchte: „gelten also in der sprache schlüsse auf das was abhanden ist, zuckt ihre gegenwärtige beschaffenheit noch weit zurück in die ältere und älteste: so muß auch in der mythologie ein ähnliches verfahren sich rechtfertigen und aus ihrem versiegenden wasser die quelle, aus den stehngebliebnen sümpfen der alte strom geahnt werden. die völker hängen und halten fest am hergebrachten, wir werden ihre übelieferung, ihren aberglauben niemals fassen, wenn wir ihm nicht ein bett noch auf heidnischem grund und boden unterbreiten." (Ebd.)

Damit war eine Prämisse mythologischer Forschung erstmals klar formuliert, die schon den Erklärungen über Aberglauben und Brauchtum vor GRIMM zugrunde lag und die in der Zeit nach GRIMM geradezu die Dignität eines fundamentalen Satzes gewann (etwa bei FRIEDRICH PANZER, Bayerische Sagen etc., 1848). Insbesondere ist die kirchlich-theologische Aberglaubensliteratur des Mittelalters als Quelle mythologischer Forschung beachtet worden. Die Zeugnisse wurden dabei durchweg vereinzelt und punktuell herangezogen. D. h. man verwertete jeweils eine oder mehrere Quellen isoliert, ohne nach dem Zeugniswert dieser Quellen insgesamt zu fragen, setzte unbesehen die historisch-regionale Faktizität der Belege voraus.

Von volkskundlicher Quellenforschung ist die Kontinuitätsprämisse von Fall zu Fall falsifiziert worden (HANS MOSER). In dieser Arbeit wird sich erweisen, daß die wichtige Quellengruppe normativer, kirchlich-theologischer Aberglaubensliteratur, aus der die Mythologen Steine für ihren Bau brachen, die Zeugnisleistung nicht erbringen kann, die man ihr abverlangte, sie zur Fundamentierung von Kontinuitätsbehauptungen sehr ungeeignet ist.

11

Schon im 19. Jahrhundert war die Gültigkeit des mythologischen Ansatzes nicht unbestritten (HEINRICH B. SCHINDLER, CARL MEYER), die Möglichkeit seiner Überwindung im Umkreis von Aberglauben und Mythos eröffneten allerdings erst Untersuchungen zu einzelnen Autoren und wichtigen Einzelzeugnissen (EDUARD DIEDERICH, RICHARD BOESE, WILHELM BOUDRIOT, MATHILDE HAIN, HOLGER HOMANN). Es bleibt jedoch diesen quellenkritischen Arbeiten zur superstitionskritischen kirchlichen Verbots- und Predigtliteratur noch die Annahme der Gleichwertigkeit von Quellen hinsichtlich ihrer Repräsentanz für je zeitgenössische Fakten gemeinsam. Es scheint, als habe allein BOUDRIOT die innere Einheit des Quellentyps der kirchlichen Aberglaubensliteratur erkannt, wenngleich er sie nicht thematisiert, sondern allein hinsichtlich ihrer Stoffe zur germanischen Religionsgeschichte quellenkritisch prüft.

Es handelt sich bei der kirchlich-theologischen Literatur zum Aberglauben um einen spezifischen Quellentypus mit einem quellentypischen Stoffverhältnis, um Verbots- und ‚Katechismus'literatur, in allgemeinster Weise also um normative Literatur. Darin kommen Verbotsliteratur im engeren Sinn (Synodalstatuten, Bußbücher, bischöfliche und päpstliche Briefe und Verordnungen, ‚staatliche' Verordnungen, soweit sie letztere bestätigen) sowie Katechismus- und Unterweisungsliteratur (Traktate, Predigten, Bekenntnisformulare) überein. Ihre Intention ist nicht, Stoffe, hier Stoffe germanischer Mythologie, abzubilden, sondern nichtchristliche Glaubens-, Kult- und Brauchformen religionskritisch zu behandeln. Diese Intention berührt nun aber den Stoff, indem sie ihn eben als S u p e r - s t i t i o n akzentuiert, verkürzt und einfärbt. Denn wo sich Superstitionskritik artikuliert, fließt notwendig ein vor-läufiges Urteil auf den Verbotsgegenstand ein, der ja nicht *ipso facto* Superstition ist, sondern es erst als Gegenstand der Kritik wird.

Diese Feststellung bedingt Aufgabe und Methode der Untersuchung, nämlich: Dieses, in der Kritik prinzipiell dem Stoff vor-läufige Urteil, dieses Vor-wissen, das in den Stoff eingegangen ist, genauer zu analysieren, und das heißt, Stoffumfang (Selektion), Kriterien der Einteilung und Systematik, sowie Meinungen, Urteile und Theorien über Superstition sichtbar und damit als das dem Stoff Fremde kenntlich zu machen. Denn theologische Aberglaubenskritik verweist selbst im kurzen, formelhaften Verbotsartikel auf eine Theologie vom Aberglauben. Verbotsliteratur und philosophisch-theologische Literatur zum Thema sind also aufs engste verschränkt.

Ist es Verbotsliteratur generell eigen, auch nach Erledigung des ursprünglichen Verbotsmotives häufig noch eine zeitlang gegenstandslos weiter tradiert zu werden, außerhalb ihres Gegenstandsbezuges ihren historischen Zeugniswert zu verlieren, so kommt bei der superstitionskritischen kirchlich-theologischen Verbotsliteratur (im weiteren Sinne das Gesamt der angeführten Quellen) aufgrund ihres superstitionskritischen Vorwissens vom Falschen des Anderen ein starker Zug zum

Allgemeinen, zur Dogmatik und zur theologischen Anthropologie zum Tragen. Damit geht die Tendenz, den enthistorisierenden Grundzug normativer Literatur verstärkend, auf Vermittlung von Autoritäten, nicht auf Abbildung des Stoffes. Die Überlieferungsgeschichte der zu behandelnden Zeugnisse wird das zu verifizieren haben. Dabei will und kann auch vorliegende Untersuchung nicht die Repräsentanz eines jeden Zeugnisses bestätigen oder verwerfen. Doch sollen durch Analyse eines möglichst vollständigen Quellenmaterials — soweit dieses gedruckt vorliegt — im wesentlichen für den germanisch-deutschen Bereich die Grundzüge der Überlieferung, d. h. vom Ergebnis her gesehen, ihr literarischer Charakter, aufgedeckt werden.

Normative Literatur schreibt vor und verbietet. Hebt aber das Verbot das Verbotene auf oder fördert es dieses nicht auch? Damit sind volkskundliche Forschungsansätze aufgenommen, die unter dem Begriff Zentraldirigierung diskutiert werden (GÜNTHER WIEGELMANN). Quellenkritik und Überlieferungsgeschichte sind also auch nicht von bloß philologisch-akademischen Belang, sondern können, so sie die gegenstandslose literarische Vermittlung superstitionskritischer Verbots- und Unterweisungsliteratur sichtbar machen, Aufschluß über mögliche Prozesse hochschichtlich vermittelter Superstitionsinnovationen geben.

Das quellentypische Stoffverhältnis normativer Literatur verbietet es also, um es hier nun noch deutlich zu sagen, andere Quellengruppen in die Untersuchung mit einzubeziehen (Legenden, Chroniken, Dichtung u. a.). Damit ist jedoch nicht gesagt, daß die Untersuchung mit ihren Ergebnissen Aussagen nur hinsichtlich spezifischer Quellentypik von Verbotsliteratur machen will. Die nur äußerlich eher allein volkskundlich relevante Darstellung des Stoffhorizontes, der Systematik, Theorie und Kritik der Superstition enthält notwendig Berührungspunkte mit einer Reihe thematisch interessierter Disziplinen, der Religionswissenschaft, der germanischen Altertumskunde, der Ketzerforschung, der historischen Homiletik u. a.; zugleich will sie ein Beitrag zur Begriffsgeschichte im Umfeld mediävistischer Religions- und Mentalitätsforschung sein, wie sie gegenwärtig wieder stärker gepflegt wird (cf. bei GEOFFREY CUMING, W. LOURDAUX).

Zeitlich ist die Untersuchung auf den Raum zwischen Spätantike und Hochmittelalter, genauer, auf die Zeit von AUGUSTINUS bis THOMAS VON AQUIN begrenzt. AUGUSTINUS legt unter Rezeption neuplatonischer Dämonologie erste Grundlagen, die dann von THOMAS VON AQUIN zu einem förmlichen System des Aberglaubens und zu einer Theorie vom Aberglauben ausgebaut werden. Mit und nach THOMAS VON AQUIN beginnen für die Geschichte des Aberglaubens neue Kapitel; zur Überlieferungsgeschichte: das Aufkommen volkssprachlicher Texte, zur Theoriegeschichte: die Systematisierung und Zentrierung ehedem heterogener Elemente des Aberglaubens im Begriff der Hexe und die Entwicklung des inquisitionsrelevanten Begriffes von hexischer Ketzerei.

I. Superstitio

1. Wort und Begriff bei den vorchristlichen römischen Schriftstellern

Sooft auch in einschlägigen Untersuchungen über Aberglaube der Versuch unternommen worden ist, die sprachliche Herkunft des Wortes *superstitio* zu erklären und in Zusammenhang zu bringen mit der allgemein bekannten Bedeutung ‚Aberglaube‘, so wird man doch verhältnismäßig selten mit dem Gebrauch des Wortes vertraut gemacht, den die ältesten Zeugnisse der römischen Literatur überliefern. Zumeist werden allein die schon von den Alten vorgeschlagenen Ableitungen vorgeführt und dem wissenschaftlichen Erkenntnisstand der Zeit entsprechend modifiziert.

Eine der wenigen originellen neuen Erklärungen des Wortes dürfte noch der Gedanke E. B. TYLORS[1] enthalten, in *superstitio* durch die Alten das ausgedrückt zu sehen, was ihm und der neueren Forschung als ‚Überlebsel‘ einer schon vergangenen Form des religiösen Lebens erscheint und deshalb ‚survival‘ heißen kann. Nun steht *superstes*, ‚überlebend‘, sicherlich in enger verwandtschaftlicher Beziehung zu *superstitio* und sind auch antike Versuche nicht unbekannt, den Begriff ‚Aberglauben‘ in Zusammenhang mit *superstes* = ‚überlebend‘ zu bringen und von dort her sprachlich abzuleiten, wie etwa die Etymologie bei CICERO[2], doch dürfte den alten Römern wohl „die historisch-folkloristische Schulung, die die notwendige Vorbedingung für die Prägung eines solchen Begriffes ist, gefehlt haben“.[3]

J. GRIMM hat nun lange vor TYLOR schon einen sprachlichen und begrifflichen Zusammenhang von *superstes* und *superstitio* angenommen und es scheinen wenigstens die sachlichen Motive zu einer solchen Etymologie eine Vorwegnahme des TYLORschen Gedankens. An eine Aufzählung von Bezeichnungen für Aberglaube aus verschiedenen Sprachen knüpft J. GRIMM die Feststellung, daß sie „alle dem lat. superstitio nachgebildet wurden, das selbst aus superstes abzuleiten ist, und ein in einzelnen menschen fortbestehendes verharren bei ansichten bezeichnet, welche die grosse menge vernünftig fahren lässt“.[4] Wenn J. GRIMM nun

---

[1] E. B. TYLOR, Primitive Culture. ⁴I. London 1871, Repr. 1929, 16 f., 72, pass.

[2] De nat. deor. II 28.

[3] W. F. OTTO, Religio und Superstitio: Arch. f. Religionswiss. 12 (1909) 550; zu Folgendem vgl. auch VERF., Aberglaube und Alter. Skizzen zur Geschichte eines polemischen Begriffes: Volkskultur und Geschichte. Festgabe für Josef Dünninger. Berlin 1970, 210—235.

[4] J. GRIMM, Deutsche Mythologie. ⁴II. Repr. Tübingen 1953, 925 (1059).

zwar den sonst in diesem Zusammenhang ganz ungewöhnlichen Hinweis auf die Bedeutung ‚Weissager' anfügt, was bei den Römern ganz richtig *superstitiosus homo* heißen könne, so hat er doch, wie es scheint, keine Möglichkeit gesehen, die verschiedenen Bedeutungen in einer allgemeineren Bezeichnung aufeinander zu beziehen, wie denn auch die Bemerkung bei ihm unvermittelt und isoliert steht.

‚Wahrsager' aber ist der überhaupt älteste feststellbare Wortgebrauch von *superstitiosus* und von dieser Bedeutung und nicht von späteren, möglicherweise nur abgeleiteten Bedeutungen sollte jeder Versuch einer Real- und Verbalerklärung ausgehen. Wenn bei PLAUTUS, *Curculio*[5] 397, steht:

> *Superstitiosus hic quidemst: uera praedicat;*

so dürfte das sinngemäß zu übersetzen sein:

> das ist ein Wahrsager, er trifft das Richtige.[6]

In vergleichbarem Zusammenhang findet sich das Wort bei PLAUTUS, *Amphytryo*[7] 323: Der heimkehrende Sosia wundert sich über die Bemerkung Merkurs:

> er kann nicht weit sein, obgleich er weit von hier entfernt war[8]

und meint:

> *illic homo superstiosust* — der Mann ist ein Wahrsager.

Oder: *Rudens*[9] 1139: Palaestra will den Inhalt eines Koffers aufzählen; wenn es ihr gelinge, solle er ihr gehören. Worauf Gripus zu bedenken gibt:

> *Quid, si ista aut superstitiosa aut hariolast, atque omnia,*
> *Quidquid inerit, uera dicet?*

Auch ENNIUS ist diese Bedeutung geläufig; Cassandra, nach dem Grund ihrer Raserei befragt, antwortet:

> *mater, optumatum multo mulier melior mulierum,*
> *missa sum superstiosis hariolationibus;*
> *neque Apollo fatis fandis dementem inuitam ciet.*[10]

---

5 T. MACCIUS PLAUTUS, Curculio, ed. J. COLLART. Paris 1962.
6 OTTO, 551.
7 PLAUTUS, Amphitruo, ed. W. B. SEDWICK. Manchester 1960.
8 Übers. v. W. LUDWIG, Antike Komödien. Plautus/Terenz. Bd. 1. Darmstadt 1966, 20.
9 PLAUTUS, Rudens, ed. F. MARX. Amsterdam 1959.
10 Alexander 34—36, ed. H. H. JOCELYN, The tragedies of Ennius. The fragments (= Cambridge Classical Texts and Commentaries 10). Cambridge 1967. — Weitere Belege bei A. HAHN, Disputatio de superstitionis natura ex Sententia veterum, inprimis Romanorum. Uratislaviae MDCCCXL; W. F. OTTO, a.a.O.; Jocelyn 212, Anm. 2.

Häufiger als in der Bedeutung ‚Wahrsagen' wird das Wort gebraucht zur Bezeichnung von ‚Ängstlichkeit', ‚Bedenklichkeit'. Dabei ist eine Einschränkung dieses allgemeinen Ausdrucks auf ein enger umgrenztes Bedeutungsfeld, etwa auf Dinge der Religion, vorerst nicht zu bemerken.

Die Unterrichtung des Schülers in Sprachen solle, so QUINTILIAN, mit dem Griechischen beginnen, weil das Lateinische, da es allgemein im Gebrauche sei, auch so gelernt würde, und weil er in den griechischen Wissenschaften doch zuerst unterrichtet werde: *non tamen hoc adeo superstitiose fieri velim, ut diu tantum Graece loquatur aut discat, sicut plerisque moris est*[11]. Der Redner möge nicht *superstitiose* am Text seiner Rede hängen: *Sed si forte aliqui inter dicendum offulserit extemporalis color, non superstitiose cogitatis demum est inhaerendum.*[12] Kleinliche Genauigkeit bei der Worterklärung heißt bei AULUS GELLIUS *superstitiose: Sed profecto non id fuit Varroni negotium, ut indutias superstitiose definiret et legibus rationibusque omnibus definitionum inserviret.*[13]

SENECA hat das Wort in vergleichbarer Bedeutung, aber schon ganz ins Positive gewendet und nicht ohne religiöse Färbung: *in iis quos velis ad beatam vitam perducere prima fundamenta iacienda sunt et insinuanda virtus. Huius quadam superstitione teneantur, hanc ament; cum hac vivere velint, sine hac nolint.*[14] *Superstitio* dürfte also soviel bedeuten wie ‚Ängstlichkeit', ‚Bedenklichkeit', ‚Sorgsamkeit', besonders in religiösen Angelegenheiten. Ähnlich gebraucht M. JUNIANUS JUSTINUS im Auszug aus POMPEIUS TROGUS das Wort: *Privata etiam regem superstitione deprecatur geniti apud ipsos Herculis, unde originem gens Aeacidarum trahat, actaeque Thebis a patre eius Philippo pueritiae.*[15] In solchen Wendungen kündigt sich eine zumindest partielle Identität der Begriffe *superstitio* und *religio* an. JUSTIN berichtet über das religiöse Leben der Parther: *In superstitionibus atque cura deorum praecipua omnibus veneratio est*[16], und meint mit *superstitio* die religiösen Gebräuche. Wenn JUSTIN von der Heiligkeit des Tempels spricht (der *superstitio templi*[17]), so könnte in diesem Zusammenhang sehr wohl auch das Wort *religio* stehen; wie auch bei VERGIL, *Aen.* XII 816 sq.:

> *adiuro Stygii caput inplacabile fontis,*
> *una superstitio superis quae reddita divis.*[18]

---

[11] Inst. I 1, 13, ed. L. RADERMACHER, M. FABI QUINTILIANI Institutionis oratoriae libri XII. Tom. I—II. Lipsiae 1959.

[12] QUINTILIAN Inst. X 6, 5.

[13] Noct. Att. I 25, 10, ed. C. HOSIUS, A. GELLII noctium Atticarum libri XX. Lipsiae 1903.

[14] Ep. 95, 35, ed. L. D. REYNOLDS, L. ANNAEI SENECAE ad Lucilium epistulae morales. Tom. I—II. Ostonii 1965.

[15] Hist. Phil. epit. XI 4, 5, ed. O. SEEL, M. IUNIANI IUSTINI Epitoma Historiarum Philippicarum Pompeji Trogi. Lipsiae 1935.

[16] Hist. Phil. epit. XLI 3, 6.

[17] Ibd. XXXIX 3.

In der zweiten Rede gegen Cajus Verres kommt CICERO auf die räuberische Wegführung der Götterbilder aus Enna in Sizilien durch Verres zu sprechen. Die Klagen, die darauf von den Abgeordneten aus Enna erhoben würden, solle man nicht zurückweisen, da es sich um Kränkungen von Bundesgenossen, um die Kraft der Gesetze und schließlich um den Ruf und die Unparteilichkeit der Gerichte handele:

> *Quae sunt omnia permagna, verum illud maximum: tanta religione obstricta tota provincia est, tanta superstitio ex istius facto mentes omnium Siculorum occupavit, ut quaecumque accidant publice vel privatimque incommoda, propter eam causam sceleris istius evenire videantur.*[19]

Die begriffliche Austauschbarkeit von *religio* und *superstitio* ist nun nicht allein auf den Umfang der positiven Bedeutung von *religio* beschränkt, sondern betrifft auch die negative Seite, die wir heute allein der Bezeichnung *superstitio* aufsparen.

LIVIUS berichtet, König Tullus sei in eine ansteckende, im Volke grassierende Krankheit gefallen:

> *tunc adeo fracti simul cum corpore sunt spiritus illi feroces, ut, qui nihil ante ratus esset minus regium quam sacris dedere animum, repente omnibus magnis parvisque superstitionibus obnoxius degeret religionibusque etiam populum inpleret. vulgo iam homines eum statum rerum, qui sub Numa rege fuerat, requirentes, unam opem aegris corporibus relictam, si pax veniaque ab diis inpetrata esset, credebant.*[20]

Bevor auf den hier belegten negativ wertenden Wortgebrauch ‚Aberglaube‘ näher eingegangen wird, soll ein Exkurs zur Etymologie von *religio* zeigen, wie in der Bedeutungsgeschichte beider Wörter der synonyme Gebrauch von *superstitio* und *religio* möglich geworden ist. Die positiven Bedeutungen von *superstitio*, die schon ermittelt wurden, vorher noch kurz zusammengefaßt: religiöse Verehrung, religiöse Gebräuche, Heiligkeit eines Ortes, heiliger Schwur, religiöse, besonders heftige Furcht.

Jeder Versuch einer Etymologie von *religio* hat sich zuerst mit CICERO und LACTANTIUS, den wichtigsten Zeugen zweier gegensätzlicher Auffassungen vom sprachlichen Ursprung des Wortes, auseinanderzusetzen. CICERO[21] leitet *religio*

---

[18] P. VERGILI MARONIS Aeneidos libri XII recens. R. SABBADINI. Editionem ad exemplum deitionis Romanae (MCMXXX) emendatum curavit L. CASTIGLIONI. Turin 1958.

[19] IV 51, ed. A. KLOTZ, M. TULLI CICERONIS scripta quae manserunt omnia. Fasc. 13: In C. Verrem actionis secundae libri IV—V. Lipsiae 1949.

[20] Ab urbe condita I 31, 6, ed. W. WEISSENBORN et H. J. MÜLLER, Titi Livi ab urbe condita libri. Tom. 1—10. Berlin 1962.

[21] De nat. deor. II 72, ed. KLOTZ. Für das Folgende vgl.: W. F. OTTO: Arch. f. Religionswiss. 12 (1909) 533—554 und 14 (1911) 406—422; AUG. HAHN l. c.; C. I. NITZSCH, Über den Religionsbegriff der Alten: Theologische Studien und Kritiken. Bd. 1. Hamburg 1828, 527—545.

ab von *relegere:* ,bedenken', ,achtgeben', so daß *religio* ,Bedenken', ,aufmerksames Achtgeben', ,Gewissenhaftigkeit' bedeutet. LACTANTIUS dagegen rechtfertigt seine Ableitung weniger sprachlich, sondern eher sachlich. Er sieht das Wesen von Religion nicht von der Form des religiösen Aktes, sondern vom Objekt der Verehrung bestimmt und leitet demgemäß *religio,* sofern damit das rechte Verhältnis zum „wahren Gott" bezeichnet ist, von *religare,* ,anbinden', ,verbinden' ab. Denn allein dem „wahren Gott" seien wir *uinculo pietatis obstricti et religati*[22]: *diximus nomen religionis a uinculo pietatis esse deductum, quod hominem sibi deus religauerit et pietate constrinxerit, quia seruire nos ei ut domino et obsequi ut patri necesse est.*[23]

Außerhalb des Christentums, wo es keine Verehrung des „wahren Gottes" gäbe, kann es für LACTANTIUS also auch keine *religio* geben, sondern, wie hier schon bemerkt werden darf, um auf den zuletzt polemischen Gehalt seiner Etymologie aufmerksam zu machen, nur *superstitio: superstitiosi ergo qui multos ac falsos deos colunt, nos autem religiosi qui uni et uero deo supplicamus.*[24]

Den Versuch der Ableitung von *religare* hat, unter anderen Voraussetzungen natürlich als LACTANTIUS, in neuerer Zeit M. KOBBERT[25] gemacht und zwar mit deutlicher Spitze gegen WALTER F. OTTO, der die CICERONISCHE Etymologie erneut vorgeschlagen hat und überzeugend durchführen konnte[26]. Auch W. WUNDT bezieht sich ganz offensichtlich noch auf die Etymologie des LACTANTIUS, wenn er bemerkt, daß „die Religion selbst schon in ihrem Namen diese Gebundenheit an die im Kultus zutage tretende Glaubensnorm zum Hauptmerkmal ihres Begriffes erhoben"[27] habe.

CICERO[28] bezeugt nun erstmals die Etymologie *religio — re-ligio — relegere:* ,achtgeben', ,bedenken':

> *Qui autem omnia, quae ad cultum deorum pertinerent, diligenter retractarent et tamquam relegerent, sunt dicti religiosi ex relegendo, ut elegantes ex eligendo, itemque ex diligendo diligentes, ex intellegendo intellegentes. His enim verbis omnibus inest vis legendi eadem, quae in religioso.*[29]

Religio von *re-ligio:* ,sorgfältig beachten' hergeleitet, hieße somit subjektiv das ,Bedenken', ,Beachten', objektiv ,das zu Beachtende'. In diesem Sinn kann es

---

[22] Diuin. inst., IV 28, 3, ed. CSEL 19.
[23] Ibd. IV 28, 16.
[24] Ibd. IV 28, 16.
[25] De verborum „religio" atque „religiosus" usu apud Romanos quaestiones selectae. (Diss.) Königsberg 1910.
[26] A.a.O.; cf. aber noch NITZSCH, Religionsbegriff.
[27] Die Entwicklung des Kultus. Völkerpsychologie II. Leipzig 1909, 598.
[28] De nat. deor. II 28.
[29] Ibd.

auch ohne unmittelbaren Bezug auf näherhin religiöse Angelegenheiten gebraucht werden:

vocat me ad cenam; religio fuit, denegare nolui.[30]

Im besonderen Maße aber meint *religio* die gewissenhafte Sorgsamkeit, die überlegtes Handeln verlangt, wo sich etwas ‚Bedenkliches‘ ereignet, etwas vorfällt, das Zeichen des Himmels zu sein scheint: „Auf Veranlassung des Zensors Ap. Claudius legte die *gens Potitia* ihr Priesteramt an der *Ara maxima,* das Herkules selbst ihr übertragen hatte, nieder, und ließ es für die Zukunft von Staatssklaven versehen. Daraufhin starb das blühende Geschlecht innerhalb eines Jahres völlig aus und der Zensor selbst erblindete nach wenigen Jahren. Diese Ereignisse sind, wie Livius sagt, geeignet, ‚bedenklich‘ zu machen gegen Änderungen im Bestand der Gottesdienste: *de movendis statu suo sacris religionem facere“.*[31]

Religio in spezifisch ‚religiöser‘ Bedeutung bezeichnet also die gewissenhafte Sorgfalt in der Beachtung von Träumen, Orakeln, Augurien, Auspizien, kurz, aller „Äußerungen des numen“.[32] Uns mag so etwas viel eher ‚superstitiös‘ als ‚religiös‘ vorkommen; dem Römer aber war eben darin: in der sorgfältigen Aufmerksamkeit auf Zeichen des Himmels ein Wesentliches von ‚Religion‘ gegeben.

Der besondere Vorzug und die letztlich auch religionsgeschichtliche Relevanz der Ciceronischen Etymologie liegt zudem darin, daß in der charakteristischen Wortbildung *re-ligio,* ‚bedenken‘, ‚beachten‘, ein ursprünglicher Bezug auf den Komplex der archaischen Religionen wichtigen Tabu-Vorstellung angesprochen ist. ‚Tabu‘: das meint die ‚Bedenklichkeit einer Sache‘; etwas, das ‚bedenklich‘ ist und das ‚Bedenken‘ erregt: Vorsicht![33] — Tabu!

Die von Gellius überlieferte Etymologie des Masurius Sabinus läßt einen Bezug auf ‚Tabu‘ besonders naheliegend erscheinen: *religiosum est, quod propter sanctitatem aliquam remotum ac sepositum a nobis est.*[34] Subjektiv heißt Tabu: ‚Achtung‘, ‚Vorsicht!‘. ‚Tabu‘ kann jede ‚Gefahrenzone‘ bezeichnen, gleich ob sie bestimmte Zeiten oder Personen oder Gegenstände oder Orte der ‚Unbedenklichkeit‘ ausnimmt.[35]

Wie die im Wort *religio* ausgesagte ‚Bedenklichkeit‘, ‚Gewissenhaftigkeit‘ leicht hinübergeht zum Begriff der ‚Angst‘, ‚Ängstlichkeit‘, so erklärt sich auch ein begrifflicher Zusammenhang von *religio* und *superstitio:* Bei Betonung der positiven Seite können beide Worte ein Lob, bei Betonung der negativen Seite einen

---

[30] Plautus, Curcul., 30; Otto, 536, schlägt die sinngemäße Lesart vor *nolui* statt *volui.*
[31] Livius, Ab urbe condita IX 29, 10; übers. Otto 1909, 535.
[32] F. Altheim, Römische Religionsgeschichte. II. Baden-Baden 1951, 220.
[33] G. van der Leeuw, Phänomenologie der Religion. 2. Auflage. Tübingen 1956, 28.
[34] Noct. Att. IV 9,8.
[35] Cf. wie Anm. 33, 27 ff.

Tadel enthalten: *religiosus is appellabatur, qui nimia et superstitiosa religione sese alligaverat, eaque res vitio assignabatur.*[36] Die tadelnde Bedeutung sieht NIGIDIUS FIGULUS durch das Suffix *-osus* bezeichnet, das immer ein Übermaß ausdrücke.

Der ältere Gebrauch des Wortes *superstitio,* resp. *superstitiosus:* ,Wahrsager'; die positive Bedeutung *religio* und der weder positiv noch negativ wertende, indifferente Begriff ,Ängstlichkeit' treten schließlich aber zurück gegenüber einem früh und häufig belegten, negativ wertenden Wortgebrauch, wie er gelegentlich zur Sprache gekommen ist.

Innerhalb des Umfangs negativer Bedeutungen läßt sich ein größerer Bereich abstecken, in dem ein negativer Gehalt des Begriffs durch attributive Wortbestimmungen besonders betont erscheint. Es liegt der Gedanke nahe, daß in solchen Wendungen eine an sich positive Grundbedeutung *superstitio* durch den negativen Gehalt des Attributs nur eingeschränkt sei.

A. HAHN war der Ansicht, ein ursprünglicher positiver Gebrauch des Wortes *superstitio* sei zwar zu Zeiten CICEROS und LIVIUS' schon ungewöhnlich gewesen oder doch in Abgang geraten, aber in den vom negativen Charakter des Attributs bestimmten Wendungen noch zugrunde liegend erhalten geblieben:

> *Et quamquam Ciceronis et Livii aetate hic nominis usus jam obsoleverat, certe oblescebat, tamen ejus vestigia haud pauca conspicua sunt; opus enim esse duxerunt vel censerunt appositione aliqua, ut prava vel vana superstitio (= religio) a vera separaretur.*[37]

Von den bei HAHN genannten Stellen sollen zwei Beispiele angeführt werden:

> *Postquam exemta fames et amor compressus edendi,*
> *rex Euandrus ait: ,Non haec sollemnia nobis,*
> *has ex more dapes, hanc tanti numinis aram*
> *vana superstitio veterumque ignara deorum*
> *imposuit ...'.*[38]

> *Nam cum omnibus in rebus temeritas in adsentiendo errorque turpis est, tum in eo loco maxime in quo iudicandum est quantum auspiciis rebusque divinis religionique tribuamus; est enim periculum ne aut neglectis iis impia fraude aut susceptis anili superstitione obligemur.*[39]

Die Annahme, es liege hier nun ein an sich positiver Sinn von *superstitio* zugrunde, verbietet sich von selbst. Mag es auch rein sprachlich möglich sein, von

---

[36] NIGIDIUS FIGULUS bei GELLIUS, Noct. Att. IV 9,2.
[37] L. c., 6.
[38] VERGIL, Aen. VIII 184 sqq., ed. u. übers. J. GÖTTE, VERGIL. Aeneis und die Vergil-Viten (= Tusculum Bücherei). O. O. 1958, 328 f.
[39] CICERO, De divin. I 7.

‚eitler Religion', oder ‚Altweiberreligion', *muliebris religio*[40], zu sprechen, so trifft die Übersetzung doch nicht den Sachverhalt, um den es geht.

Ebensowenig kann etwa *immodica superstitio*[41] Maßlosigkeit in an sich wünschenswerten Dingen der Religion heißen: Denn ein Zuviel an Religion dürfte ebensowenig Laster heißen wie ein Zuviel an Tugend. Das hat schon LACANTIUS gesehen und an der Verbalerklärung CICEROS bemängelt:

> *haec interpretatio quam inepta sit, ex re ipsa licet noscere. nam si in isdem diis colendis et superstitio et religio uersatur, exigua uel potius nulla distantia est. quid enim mihi adfert causae cur precari pro salute filiorum semel religiosi et idem decies facere superstitiosi esse hominis arbitretur?*[42]

Superstitio hat in den angeführten Fällen durchaus einen negativ wertenden Charakter und meint soviel wie eine Überängstlichkeit und Exaltation in religiösen Angelegenheiten. Die attributiven Beifügungen haben deshalb nicht eine nur einschränkende, sondern pejorative Funktion.

Die übermäßige Ängstlichkeit in religiösen Dingen, in besonderem Maße angesichts der Manifestationen des Geheimnisvollen, ist auch der explizit am häufigsten belegte Wortsinn oder liegt doch anderen, abgeleiteten Bedeutungsmöglichkeiten zugrunde. Darin war dem Römer ein wesentlicher Gegensatz zur *religio* gegeben: dem gewissenhaften Achtgeben auf himmlische Zeichen, Omina und Prodigien und deren sorgfältiger Erforschung stand die kleinliche Ängstlichkeit und unbegründete Furcht gegenüber, mit der ein *homo superstiosus* reagiert.

VARRO habe den Unterschied zwischen einem Frommen *(religiosus)* und einem *homo superstitiosus* darin gesehen, so bemerkt AUGUSTINUS[43], daß er vom letzteren sage, er fürchte die Götter, während ein Frommer sie verehre wie Eltern und sie nicht fürchte wie Feinde[44]: *cum religiosum a superstitioso ea distinctione discernat* (VARRO), *ut a superstitioso dicat timeri deos, a religioso autem tantum vereri ut parentes, non ut hostes.* Nicht anders sieht auch SENECA in der Furcht das scheidende Merkmal von *superstitio*; sie ist ein *error insanus ... amandos timet, quos colit violat.*[45]

Allerdings nicht schon als solche schon ist Furcht und Scheu der Götter tadelnswert. In der Wortgeschichte von *religio* wird die Scheu als positives Element ja geradezu konstitutiv für die geforderte gewissenhafte Sorgsamkeit in näherhin

---

[40] CICERO, Oratio de domo sua, c. 40, ed. G. PETERSON. V. Oxonii 1910, 39.
[41] HAHN, l. c., 6.
[42] Inst. diu. IV 28, 6—7.
[43] Civ. dei VI 9.
[44] Vgl. AURELIUS AUGUSTINUS, Der Gottesstaat, übers. C. J. PERL. Bd. 1—3. Salzburg 1951—53.
[45] Ep. 123, ed. REYNOLDS.

‚religiösen' Angelegenheiten. Das Unmäßige der Furchtsamkeit und Ängstlichkeit allein wird getadelt.

Wenn gerade das Wort *superstitio* im Verhältnis zur religiösen Gleichgültigkeit des *homo neglegens*[46] den anderen Gegensatz zu *religio* bezeichnen konnte, so war das durch diesen latenten Bezug auf ‚Ängstlichkeit' gegeben. Dabei ist die Richtung auf das Übermäßige durch den im Gegensatz zum Wortkern unmißverständlichen Wortsinn des Präfix *super-* schon eingeschlagen: *horum enim sententiae omnium non modo superstitionem tollunt, in qua est timor inanis deorum, sed etiam religionem, quae deorum cultu pio continetur.*[47]

Die Möglichkeit in *super-stitio* die religiöse Maßlosigkeit als Gegensatz zur *religio* auszusprechen, hat der Stoa das Wort als zu einem wichtigen Begriff der Religionslehre geeignet erscheinen lassen. Das μέσον der aristotelischen und stoischen Tugendlehre, das praktische Ideal des μηδὲν ἄγαν; der Gedanke, daß in allen Aktivitäten des menschlichen Lebens, sofern es gut und glücklich sein solle, ein rechtes Maß, ein Mittendrin zwischen zwei extremen Möglichkeiten zu halten sei, ließ auch die *vera religio* als Mitte und Ausgleich zweier widerstrebender Extreme, der *neglegentia* einerseits und andererseits der *superstitio* erscheinen, wobei diese den Überschuß und jene den Mangel, beide aber gegenüber der *religio* etwas Verkehrtes bezeichnen: *factum est alterum vitii nomen, alterum laudis.*[48]

„Betrachtet doch diesen religiösen Menschen (P. Clodius)", fordert CICERO die Oberpriester auf: *et, si vobis videtur, quod est bonorum pontificum, monete eum, modum esse religionis, nimium esse superstitiosum non oportere.*[49] Wem es nicht gelingt oder wer es nicht einmal anstrebt, ein rechtes Maß zu halten, Gewissenhaftigkeit und Sorgfalt anzuwenden, den müssen überall und zu jeder Zeit Donner und Blitz und was immer für auffällige Zeichen erschrecken. Wer von wahnhafter Angst erfüllt, sich ohne Unterlaß über wundersame Vorbedeutungen — und es gibt davon genug — beunruhigt, der ist von *superstitio* erfüllt, *qua qui est imbutus quietus esse nunquam potest.*[50] „Wie es Pflicht ist, die Religion fortzupflanzen, so ist es auch Pflicht, alle Keime der Superstition auszurotten. Denn sie ist ein gewaltiger Bedroher und Bedränger; wende dich wohin du willst, sie verfolgt dich: du magst einem Seher oder einem Vorzeichen Gehör geben: du magst opfern oder nach den Vögeln ausschauen; magst dich nach einem Chaldäer,

---

[46] Vgl. die Belege bei OTTO 1909, 537.

[47] CICERO, De nat. deor. I 117.

[48] Ibd. II 28.

[49] CICERO, Oratio pro domo sua, c. 40; vgl. MARKUS TULLIUS CICERO's Rede für sein Haus, übers. W. BINDER. Stuttg. 1869 (= Langenscheidtsche Bibliothek sämtlicher griechischen und römischen Klassiker in neueren deutschen Muster-Übersetzungen. Bd. 89 [Cicero XII]) 70; die Übersetzung BINDERS: „daß man nicht gar zu abergläubisch sein müsse" *(nimium esse superstitiosum non oportere)* verfehlt den eigentlichen Wortsinn.

[50] CICERO, De fin. I 60.

oder nach einem Haruspex umsehen; mag es wetterleuchten oder donnern, oder etwas vom Blitze getroffen sein; ist etwas wie ein Wunderzeichen zur Welt gekommen oder geschehen (und von allem diesem muß sich häufig etwas ereignen); nie kannst du festen und ruhigen Geistes da stehen. Für eine Zuflucht von aller Mühsal, von allem Kummer, gilt der Schlaf. Aber er wird gerade die Quelle gar vieler Sorgen und Angst. Diese würden an sich weit weniger Einfluß haben und weniger geachtet werden, hätten sich nicht die Philosophen zu Sachwaltern der Träume aufgeworfen, und zwar nicht gerade die am wenigstens geachteten, sondern sehr scharfsinnige, welche eben so gut das Widersprechende, als das Folgerechte, bemerken; ja, die schon fast für vollendet und vollkommen gelten".[51]

Ein gewisses Maß an Beunruhigung wird angesichts der Notwendigkeit wunderbarer Ereignisse immer bleiben — wogegen sich der Stoiker aber wendet, das waren nicht nur ‚Windbeuteleien‘ populären Orakelwesens, ‚unterschichtlich-subkulturelle‘ Religionspraktiken, sondern überhaupt alle unkontrollierte, von Angst und Furcht bestimmte Agilität. Insofern also die Kritik auf Erscheinungen innerhalb einer sozialen Tiefenschicht gerichtet war, mag man sie auch als ‚Kritik der Volksreligion‘ bezeichnen. Insoweit der gebildete Römer aber in dieser religiösen ‚Subkultur‘ Unrömisches erkennen konnte, richtet sich die Kritik gegen Überfremdung des römischen Kultus durch Einfluß ausländischer, vornehmlich orientalischer Kulte und religiöser Anschauungen.

In dem Maße, wie in Rom den besonderen wirtschaftlichen Verhältnissen entsprechend sich ein Proletariat bildete und durch den Zustrom von Menschen aus allen Teilen des Reiches eine neue Bevölkerungsschicht entstand, entwickelte sich auch eine neue Form religiösen Lebens, die je länger je stärker in Opposition zur römischen Staatsreligion geriet.

Ihrer sozialen Komponente nach betrachtet, gilt die neue Religiosität der ausgehenden Republik mit MAX WEBER als „Religiosität der sozial negativ Privilegierten"[52], nach der Heteroginität der kulturellen und nationalen Elemente betrachtet als eklektizistische Mischform. Dem individualistischen Heilsverlangen der neuen Bevölkerungsschichten entsprach die Ausbreitung orientalischer Erlösungsreligionen und Mysterienkulte. Der ältere römische Kult verlor entsprechend an Bedeutung. Den drohenden Verfall römischer Mythologie und Kultpraxis bezeugt etwa nicht nur das zu seiner Zeit aufkommende antiquarische Interesse an den verblassenden Bildern des römischen Kultes und der lateinischen Mythologie selbst, sondern auch eine schon bemerkenswerte Unkenntnis über Natur und Funktion älterer römischer Götter bei einem Mann wie VARRO (dem wir vieles unserer Kenntnis der altrömischen Religion verdanken), der bei aller antiquarischen Gelehrsamkeit gerade in diesen Dingen, da, wo er die römischen

---

[51] ID., De div. II 72, übers., G. H. MOSER.
[52] M. WEBER, Wirtschaft und Gesellschaft. ²II 277 f.

Götter zu rubrifizieren versucht, eine Gruppe unter dem Titel *dei incerti*[53] einzuführen sich genötigt sah.

Die Kritik der Fremdkulte wird so vom Prozeß der Überfremdung und des Verfalls her verständlich. Daß sie sich nun zur Bezeichnung dieser *externa religio* des Wortes *superstitio* bedienen konnte, dürfte schon durch den primären Bezug des Wortes auf Angst, Furcht, Übertreibung und Maßlosigkeit angelegt gewesen sein: Stimmungen und Tendenzen, die nicht nur Merkmal der *anilis superstitio* sind, sondern auch als Hintergrund jeder religiösen Begeisterung und Aufregung durchscheinen können.

LIVIUS hat den Zusammenhang von starker Angsterregung und Hinwendung zu neuen, exotischen Kulten gesehen. Er berichtet von einer großen Trockenheit:

> Es fehlte nicht allein an Regen, sondern die Erde war auch an eigenem Wasser so arm, daß sie kaum die Ströme fließend erhielt. An anderen Orten hatte der Wassermangel zur Folge, daß die von Durst verschmachtenden Herden an den versiegten Quellen und Bächen haufenweise fielen. Auch starb viel Vieh an der Räude. Durch Ansteckung verbreitete sich die Krankheit auch über die Menschen; zuerst brach sie unter den Landleuten und Sklaven aus; dann wurde sie in der Stadt allgemein. Doch war die Seuche, welche die Körper traf, nicht das einzige; auch der Gemüter bemächtigte sich eine vielfache, meist ausländische Abgötterei, weil diejenigen, die von den durch Aberglauben Geblendeten ihren Vorteil ziehen, durch vorgegebene Göttersprüche neue Opfergebräuche in die Häuser brachten. Endlich schämten sich die Häupter im Namen des Staates, wenn sie sahen, daß in allen Gassen und wo nur ein Götterbild stand, ausländische und ungewöhnliche Opfer gebracht wurden, durch die man die erzürnten Götter versöhnen wollte. Es wurde also den Ädilen zur Pflicht gemacht, darauf zu achten, daß keine anderen als römische Götter und nur nach vaterländischer Weise verehrt wurden.[54]

In vergleichbaren Zusammenhängen wird man also gut tun, *superstitio* nicht gleichzusetzen mit ‚Aberglaube‘, sondern mit ‚ausländische Kulte‘, ‚ungewohnte Gebräuche‘ oder auch mit ‚ganz neue Religion‘ zu übersetzen — wie auch SOKRATES, in unserer Sprache zu reden, nicht der Vorwurf gemacht wurde, er wolle ‚neuen Aberglauben‘ einführen, sondern er verführe die Jugend, indem er, wie es scheine, eine ‚ganz neue‘ Religion einführen wolle[55]. Oder wenn CICERO

---

[53] AUGUSTINUS, De civ. dei III, c. 12.

[54] LIVIUS, Ab urbe condita IV 30, übers. HEUSINGER-GÜTHLING.

[55] Zu der Stelle VERGIL, Aen. VIII 187: *Vana superstitio veterumque ignara deorum* bemerkt SERVIUS: *non ideo Herculem colimus, aut quia omnem religionem veram putamus, aut quia deos ignoramus antiquos. cautum enim fuerat et apud Athenienses et apud Romanos, ne quis novas introduceret religiones: unde et Socrates damnatus est et Chaldaei vel Judaie sunt urbe depulsi.* Vgl. SENECA, Ep. 108; TACITUS, Ann. 15, 44 über das Christentum: *exitiabilis superstitio;* ibd. 11, 15: *externae superstitiones;* ID., Agric. 11; QUINTILIAN IV 4, 5 über die Beschuldigung des Sokrates, er verderbe die Jugend und führe neuen und falschen Glauben ein: *superstitiones novas inducere;* ID. III 7, 21 *superstitio Judaica.*

von der *superstitio sagarum*[56] redet und TACITUS den Vorwurf kennt *magicas superstitiones objectare alicui*[57], so ist in beiden Fällen sicherlich mehr der Gedanke an ‚fremdländische Auswüchse' damit verbunden als die Vorstellung ‚Aberglaube', und schwingt bei TACITUS zudem noch ein Hinweis auf das Kriminelle ‚magischer Religionsausübung' mit, wäre also zu denken an das *crimen magiae*, an die mögliche Anklage auf (schadenstiftende) Zauberei, wie sie schon das *XII-Tafelgesetz* vorsieht[58].

Man wird nicht einmal den, wie es scheint, eindeutigen Begriff der *anilis superstitio* unbesehen mit ‚Altweiberaberglaube' übersetzen dürfen; denn ganz abgesehen von der Frage, ob der aufklärerisch eingefärbte und ideologisch vorbelastete Begriff ‚Aberglaube' überhaupt noch zu etwas anderem tauge, als zur Bezeichnung der Position dessen, der ihn gebraucht, ist sachlich — zumindest bei CICERO — etwas ganz anderes gemeint. CICERO redet in seiner bekannten, und von LACTANTIUS bis W. F. OTTO nur selten wohl nicht als läppisch und albern bezeichneten Etymologie von *superstitio* gar nicht von ‚Aberglaube' oder ‚ausländischen Religionsübungen', sondern von ‚religiöser Überspanntheit alter Weiber' (‚Betschwestern').

*

Soweit der vorchristliche Wortgebrauch bisher zur Sprache kam, ergab sich, kurz zusammengefaßt: Der älteste, belegte Wortgebrauch von *superstitiosus* bedeutet ‚Wahrsager', ‚Prophet' bzw. ‚prophetisch'. Neben der indifferenten, allgemeinen Bedeutung *superstitio* = ‚übertriebene Ängstlichkeit' erscheint das Wort dann meist mit Bezug auf Religion, und zwar einerseits zur Bezeichnung einer zu lobenden Gewissenhaftigkeit und Sorgfalt in der Beachtung der Zeichen und der Besorgung des Kultus, andererseits und negativ wertend, um übertriebene Ängstlichkeit und kleinliche Furcht in gleichen Dingen zu tadeln; spezifisch sodann zur Benennung eher vulgärer und besonders nichtrömischer, fremdländischer Religionspraktiken und -formen.

Wie diese Bedeutungsunterschiede zusammenhängen und auf welche Weise sie aus einer ursprünglichen, mit dem Worte verbundenen Vorstellung abgeleitet werden können, kann allein eine Untersuchung der wichtigsten alten und neuen etymologischen Versuche zeigen.

---

[56] De divin. II 63, 129.
[57] Ann. XII 59.
[58] BYLOFF, Zauberei 110 f.

2. Etymologie

Wo in der römischen Religionsgeschichte eine deutliche Besinnung auf Formen des römischen Staatskultes und damit zusammengehend die bewußte Ablehnung ‚unrömischer‘ Religionen zu bemerken ist, finden sich auch Versuche, das Wort *superstitio* begrifflich deutlicher zu bestimmen und dem kritischen Gebrauch anzupassen, der zu dieser Zeit zur Bezeichnung der *externa religio* häufiger gemacht wird. Die Versuche einer exakten Fassung des Begriffs suchen sich zumeist auf etymologische Überlegungen zu stützen oder sind doch davon begleitet. Allerdings die Notwendigkeit, überhaupt komplizierte Beweisgänge gehen zu müssen, und die Widersprüche, in die die verschiedenen etymologischen Versuche geraten, zeigen, wie wenig eindeutig der Wortsinn jener Zeit schon gewesen ist. Zumal der stark abstrakte Charakter des Wortes hat es ermöglicht, den Begriff auf sich selbst wechselweise ausschließende Bereiche auszudehnen, wobei es eben immer auf die Art ankam, wie man sich die bestimmten Bedeutungen mit der sprachlichen Herkunft des Wortes in Einklang bringen und plausibel machen konnte.

Bekannt und insbesondere durch die frühen enzyklopädischen Werke dem Mittelalter vermittelt, ist die Definition CICEROS: *qui totos dies praecabantur et immolabant, ut sui sibi liberi superstites essent, superstitiosi sunt appelati quod nomen postea latius patuit. Qui autem omnia, quae ad cultum deorum pertinerent, diligenter retractarent et tanquam relegerent, sunt dicti religiosi*[1]. ISIDOR VON SEVILLA führt in den *Etymologien* zum Stichwort *superstitio* die CICERONISCHE Worterklärung an, wie sie dann später, etwa in Glossen, immer wieder herangezogen wird: *Superstitiosus ait Cicero appellatos qui totos dies precabantur et immolabant, ut sibi sui liberi superstites essent.*[2]

Mit dieser Definition ist nun aber eine doppelte Problematik verbunden, die allen antiken und mittelalterlichen Versuchen, das Begriffsfeld von *superstitio* zu umgrenzen, innewohnt, die aber nur selten als solche erkannt worden ist: das Verhältnis von Realdefinition und Verbalerklärung. Die Relevanz der Etymologie für die Sacherklärung und Begriffsbestimmung überhaupt ist ja weder von der Antike noch dem Mittelalter in Frage gestellt worden: *Nam cum videris unde ortum es nomen, citius vim eius intelligis. Omnis enim rei inspectio, etymologia cognita, planior est.*[3] Besonders aber entsprach es stoischer Anschauung — und die Ausbildung des lateinischen religionskritischen Begriffsapparates ist im wesentlichen eine Leistung der stoischen Religionsphilosophie — daß die Etymologie (*veriloqium*) einer sprachlichen Bezeichnung zur Erhellung eines Begriffes oder einer Sache etwas beitragen könne.[4]

---

[1] CICERO, De nat. deor. II 28.

[2] Etym. X 244; cf. GOETZ V 154: *Suprestitiosus. ayt cicero ap qui totos dies precabantur et in molabant. ut sibi sui liberi subprestites essent,* Glosse des 11. Jahrhunderts.

[3] ISIDOR, Etym. I 29, 2.

LACTANTIUS hat die CICERONISCHE Etymologie rundweg abgelehnt und töricht genannt. Das ist vom sprachlichen Standpunkt aus betrachtet ganz sicher richtig. Was aber LACTANTIUS übergeht, und später immer wieder übersehen wird, ist, daß CICERO gar nicht von *superstes* = ,überlebend' ableitet: Denn den begrifflichen Gehalt von *superstitio* erklärt er nicht durch ,überlebend'; er bestimmt ihn vielmehr von der ,Maßlosigkeit' der *superstitiosi* her, die ohne jedes Maß, ,tagaus, tagein auf den Knien liegen' *qui totos dies praecabantur et immolabant!* Wie schon gesagt, ist hier deshalb viel eher an die *anilis superstitio*, an die ,religiöse Überspanntheit' zu denken, wie sie ,alten Weibern' nicht selten zu eigen schien, als an ,Aberglaube' in unserem Verständnis.

Die Worterklärung CICEROS ist also mehr eine, zudem gute Sacherklärung. Sie ist weniger eine Etymologie in unserem als ein *veriloquium* im Sinne der Stoa. Deshalb trifft auch der Vorwurf des LACTANTIUS nur zur Hälfte:

haec interpretatio quam inepta sit, ex re ipsa licet noscere. nam si in iisdem diis colendis et superstito et religio uersatur, exigua uel potius nulla distantia est. quid enim mihi adferet causae cur precari pro salute filiorum semel religiosi et idem decies facere superstitiosi esse hominis arbitretur? si enim semel facere optimum est, quanto magis saepius? ... si enim totos dies precari et immolare criminis est, ergo et semel; si superstites filios subinde optare uitiosum est, superstitiosus igitur et ille qui etiam raro id optauerit. aut cur uitii nomen sit ex eo tractum, quo nihil honestius, nihil iustius optari potest? ... nam quod ait religioso a relegendo appelatos qui retractarent ea diligenter quae ad cultum deorum pertineant, cur ergo illi qui hoc saepe in die faciant religiosorum nomen amittant, cum multo utique diligentius ex adsiduitate ipsa relegant ea quibus dii coluntur? quid ergo est? nimirum religio ueri cultus est, superstitio falsi. et omnino quid colas interest, non quemadmodum colas aut quid precere. sed quia deorum cultores religiosos se putant, cum sint superstitiosi, nec religionem possunt a superstitione discernere nec significantiam nominum exprimere. diximus nomen religionis a uinculo pietatis esse deductum, quod hominem sibi deus religauerit et pietate constrixerit, quia seruire nos ei ut domino et obsequi ut patri necesse est. eo melius ergo id nomen Lucretius interpretatus est, qui ait religionum se nodos soluere. superstitosi autem uocantur non qui filios superstites optant, — omnes enim optamus —, sed aut ii qui superstitem memoriam defunctorum colunt aut qui parentibus suis superstites colebant imagines eorum domi tamquam deos penates.[5]

LACTANTIUS bezieht seine Erklärung also ebenfalls auf die Bedeutung *superstes* — ,überlebend'. Allerdings ist seine Etymologie der sprachlichen Seite nach kaum besser als die CICERONische, doch verknüpft sie sehr geschickt mit dem Begriff *superstitio* die euhemeristische Vorstellung, daß der Götterkult aus der Verehrung verstorbener Menschen und Herrscher entstanden sei.[6] EUHEMERUS aus Messana

---

4 ALTHEIM, Religionsgeschichte II, 1951, 84.
5 LACTANTIUS, Div. inst. IV 28, 6—15.
6 Id., Epitome inst. 13; übers. BKV, 36.

habe aus Aufschriften alter Tempel Jupiters Abstammung, sein Leben und Wirken und seine Nachkommenschaft zusammengestellt; ebenso habe er von den übrigen Göttern Eltern, Heimat, Taten, Herrschaft, Tod und sogar auch ihre Grabstätten aufgeführt. Hier setzt LACTANTIUS gedanklich an und kann in rein euhemeristischer Manier über den von ihm eigens hervorgehobenen und besonders betonten Wortgebrauch der heidnischen Religionskritik zur Bezeichnung der Fremdkulte hinaus im Begriff *superstitio* das gesamte Heidentum bezeichnen und schon vom rein sprachlichen Ausdruck her abgewertet finden:

> *nam qui nouos sibi ritus adsumebant, ut deorum uice mortuos honorarent quos ex hominibus in caelum receptos putabant, hos superstitiosos uocabant, eos uero qui publicos et antiquos deos colerent, religiosos nominabant, unde Vergilius:*
>
> > *‚uana superstitio ueterumque ignara deorum.‘*
>
> *sed cum ueteres quoque deos inueniamus eodem modo consecratos esse post obitum, superstitiosi ergo qui multos ac falsos deos colunt, nos autem religiosi qui uni et uero deo supplicamus.*[7]

CICERO hat, soweit es die Sacherklärung angeht, durchaus zutreffend ein wesentliches Moment von *superstitio* in der Maßlosigkeit gesehen. Die gleiche Seite betont auch die Herleitung des Wortes bei NONIUS MARCELLUS besonders: Weil sie über der Verehrung der Götter alles übrige vernachlässigten, hießen solche Menschen *superstitiosi: sed vere superstitiosi proprietatem ex hoc habent quod prae cultura deorum supersedeant cetera, id est neglegent.*[8]

Dem Beispiel CICEROS und LACTANTIUS' folgend gehen nahezu alle alten und neueren Etymologien vom Wortsinn *superstes* ,überlebend' aus oder bringen doch *superstes* und *superstitio* in engsten begrifflichen Zusammenhang.

Der Gedanke J. GRIMMS, *superstitio* bezeichne ein „fortbestehendes verharren", ein Festhalten an unvernünftigen, längst überholten Ansichten, wurde schon angeführt.[9] Ebenso E. B. TYLORS Vorschlag: *superstitio = survival* (Überlebsel). Auch die Erklärung von E. RIESS[10] gehört hierher. Er erklärt mit ,Überbleibsel'.

---

[7] ID., Div. inst. IV 28, 16.

[8] NONIUS MARCELLUS, De compendiosa doctrina libri XX, ed. W. M. LINDSAY. III. Lipsiae 1903. Reprod. Hildesheim 1964, 696.

[9] WUTTKE, Volksaberglaube, 1900, S. 6, folgt offensichtlich der GRIMMschen Etymologie, wenn er feststellt: „Den Alten war superstitio, — von „superstes", übrig oder zurückbleibend, — eigentlich eine Ansicht, welche aus einer früheren, geschichtlich bereits überwundenen, niedrigeren Stufe religiöser Weltanschauung zurückgeblieben ist; und dies ist genau der Begriff des eigentlichen Aberglaubens." Noch F. KÖNIG, Religionswissenschaftliches Wörterbuch 1956, 1, scheint dieser Ableitung den Vorzug geben zu wollen, wenn auch schon mit größerem Bezug auf Vorstellungen TYLORS: „superstitio als überlebter Glaube mit Resten früherer Religionsformen und Kulte."

[10] PAULY, Real-Enzyklopädie I (1894) 29.

Indirekt geht auch E. Müller-Graupa[11] auf Vorstellungen Tylors zurück, wenn er ganz im Geiste der animistischen Theorie bemerkt, *superstes* heiße euphemistisch das ‚Gespenst‘ eines Toten, der seine Existenz als Spukgeist fortsetze, eben *superstes* sei, *superstitio* somit svw. ‚Dämonenwesen‘ und ‚Gespensterglaube‘ bedeute: in aufgeklärten Zeiten sei daraus ‚Aberglaube‘ geworden, ganz der Wortgeschichte des griechischen δεισιδαιμονία[12] vergleichbar. Schon A. Schopenhauer hatte eine ähnliche Auffassung vertreten: „Ich vermute den Ursprung des Wortes darin, daß es von Haus aus bloß den Gespensterglauben bezeichnet habe, nämlich: defunctorum manes circumvagari, ergo mortuos adhuc superstites esse“.[13]

Es lassen aber all diese Vorschläge den ganz allgemeinen Wortgebrauch ‚Ängstlichkeit‘, ‚Furcht‘, ‚kleinliche Ängstlichkeit‘, ‚Gewissenhaftigkeit‘ außeracht. Im übrigen ist der Name *superstes* für Geist oder Dämon, wenn an der Vorstellung selbst nichts Widersprüchliches ist, nicht einmal als euphemistischer Ausdruck belegt — und darauf käme es doch auch an.

E. Linkomies[14] modifiziert die Bezeichnung *superstes* dahingehend: sie habe ursprünglich die eingeschränkte Bedeutung ‚jemanden überleben‘ gehabt; *superstes* hätte konkret geheißen: ‚über dem Besiegten, am Boden liegenden Gegner stehen‘, woraus sich dann für *superstitio* eine Grundbedeutung von ‚Überlegenheit‘ ergeben habe, die sodann im Sinne von ‚Wahrsagen‘ und ‚Zauberkraft‘ spezifiziert worden sei. Aber auch diese Etymologie[15] wird, wenn sie auch sachlich sich auf die alte Bedeutung ‚Wahrsagen‘ bezieht, dem hier des breiteren belegten Wortgebrauch nicht gerecht.

Ähnlich direkt auf *superstes* = ‚überlebend‘ sind schon die meisten der älteren Ableitungsversuche zurückgegangen, etwa bei Aelius Donatus, dem Lehrer des Hieronymus, oder bei Servius Grammaticus. Donatus gibt zu Terenz, *Andria* III 2, 7, *deos quaeso ut sit superstes*, die Erklärung: *superstes* heiße hier soviel

---

11 E. Müller-Graupa, Primitae II 4, superstitio: Glotta. Zeitschr. f. griech. u. lat. Sprache 19 (1931) 62—64.

12 Vgl. die Schrift Plutarchs: Περὶ δεισιδαιμονίας. Auch das NT hat es in diesem Sinn; doch erscheint es Apg. 25, 19 in der Bedeutung von Religion (vgl. auch Apg. 17, 22, wo δεισιδαίμων svw. ‚religiös‘, ‚gottesfürchtig‘ heißt). (Theol. WB z. NT, Kittel 2 (1935) 20—21; L. Coenen, Theol. Begriffslexikon z. NT, 1 [1967] 167 ff.). Auch die mittelalterlichen Glossen stellen zu *superstitio(sus)* meist ‚δεισιδαιμονία‘ oder ‚δεισιδαίμων‘ (Goetz II [1888] 193, 3; 193, 13; 324, 25; 492, 27; 514, 51) aber auch: ‚θρησκεία‘ (Goetz II (1888) 193, 43; 329, 15; III [1892] 237, 66). Der schon im NT bemerkte, schwankende Wortgebrauch hat sich schließlich auch das ganze MA hindurch gehalten. Eine griech.-lateinische Glosse des 7. Jh. hat: „δεισιδαιμονία superstitia superstit(i)um superstitio religio (Goetz II (1888) 267, 31 (und ein Einsiedler Codex v. J. 1503 stellt zu δεισιδαίμων religiosus, superstitiosus (Goetz III (1892) 249, 63) Vgl. a. Du Cange, Gloss. mediae et infame Latinitatis VII Graz 1954, 670.

13 Parerga und Paralipomena II 25.

14 Arctos II 73 ff.

15 Weitere vgl. A. Walde, Lat. Etym. Wb. 3. Aufl. s. v.; zum Thema auch K. Latte, Römische Religionsgeschichte, 268.

wie *salvus* und fährt dann fort: *alias superstites sunt senes et anus, quia aetate multis superstites iam delirant. unde et superstiosi, qui deos nimis timent, quod est signum deliramenti.*[16] Servius knüpft im *Vergilkommentar*[17] offensichtlich an Donat an, bezieht sich aber zudem auch auf Lukrez[18], ohne daß an der von Servius gemeinten Stelle allerdings von *superstitio* dem Worte nach die Rede wäre: *Superstitio est timor superfluus et delirus. aut ab aniculis dicta superstitio, quia multae superstites per aetatem delirant et stultae sunt: aut secundum Lucretium superstitio est superstantium rerum, id est caelestium et divinarum, quae super nos stant, inanis et superfluus timor.* Bei Lukrez heißt die von Servius gemeinte Stelle:

> *Humana ante oculos foede quum uita iaceret*
> *in terris oppressa graui sub relligione,*
> *quae caput a caeli regionibus ostendebat*
> *horribili super aspectu mortalibus instans,*
> *prium Graius homo mortales tendere contra*
> *est oculos ausus primusque obsistere contra;*
> *quem neque fama deum nex fulmina nec minitanti*
> *murmure compressit caelum . . .*[19]

Die etymologischen Versuche der Alten, das „Rätselwort" *superstitio* sprachlich aufzuhellen, müssen als gescheitert angesehen werden. Was bei Donat, Servius und auch bei Lukrez aber besonders hervortritt, ist der betonte Bezug auf Angst und Furcht als Begriffsmerkmal, obgleich weder Donat noch Servius wirklich plausibel machen können, wie diese Bedeutung aus den sprachlichen Elementen des Wortes zu erklären ist. Allein, Servius kennt eine weitere Etymologie; und diese dürfte noch die bis dahin beste gewesen sein: *superstitio autem religio, metus, eo quod superstet capiti omnis religio.*[20]

Isidor von Sevilla, der dem Mittelalter ja auch die Ciceronische Etymologie überliefert hat, faßt die wichtigsten antiken Versuche zur Erklärung des Wortes zusammen. Er schickt aber auch eine gewissermaßen ,spezifisch christliche' Wort-erklärung voran, auf die später noch zurückzukommen sein wird:

> *Superstitio dicta eo quod sit superflua aut superinstituta observatio. Alii dicunt a senibus, quia multis annis superstites per aetatem delirant et errant superstitione quadam, nescientes quae vetera colant aut quae veterum ignari adsciscant. Lukretius autem superstitionem dicit superstantium rerum, id est caelestium et divinorum quae super nos stant; sed male dicit.*[21]

---

[16] Aelius Donatus, Commentum Terenti recens. P. Wessner. I—III. Stutgardiae 1963.
[17] Kommentar zu Aen. VIII 187, ed. Thilo-Hagen.
[18] De rerum natura I 62 sqq.
[19] T. Lvcreti Cari De rerum natura libri sex 62 sqq., ed. H. Diels. Berolina 1923, dt. Bd. 2, 1924, 3.
[20] Zu Aen. XII 816 sqq.

Daß letztlich keine der vorgeführten Etymologien annehmbar erscheint, liegt daran, wie nun zusammenfassend gesagt werden kann, daß entweder die älteste Bedeutung des Wortes überhaupt nicht berücksichtigt worden ist oder die Erklärung des Wortes nur einen Teil der Bedeutungsmöglichkeiten betraf.

Einzig noch anhand der von W. F. OTTO[22] vorgeschlagenen Etymologie kann es gelingen, alle Wortbedeutungen gleichmäßig und aus einer Wurzel herzuleiten und zu erklären. Unter den Philologen hat OTTO zwar wenig Gefolgschaft, aber auch keine überzeugenden Kritiker gefunden.

Bei der Art, wie dieses dunkle Wort „aus den geläufigsten Bestandteilen in der gewöhnlichsten Weise gebildet"[23] ist, wird es, weiterhin allein nach sprachlichen Kriterien geurteilt, mehr als eine Möglichkeit der Verbalerklärung geben, so daß schließlich auch sachliche Gesichtspunkte den Ausschlag geben können und auch gegeben haben: bei CICERO und LACTANTIUS sowohl wie bei GRIMM und TYLOR. Für welche Etymologie man sich entscheiden will, dürfte mithin weiterhin eine Frage bleiben, die vom jeweiligen Stand des wissenschaftlichen Einblicks in die Sachproblematik her mitzuentscheiden ist.

OTTO geht erstmals konsequent von der ältesten Bedeutung aus: *superstitiosus* = ‚Wahrsager‘, ‚Prophet‘, ‚der im heiligen Wahnsinn Wahrsagende‘, und untersucht, wie das Wort zur Bezeichnung des prophetischen Wahnsinns gekommen ist: Der deutliche Wortsinn von superstitio sei ‚Darüberstehen‘ oder ‚Hinauftreten‘. Wüßten wir nun einmal, daß es in ältester Zeit im Sinne der prophetischen Aufregung, der Wahrsagerei überhaupt verwendet worden sei, so könnte es nicht mehr schwer fallen, die Verbindung zwischen dem Begriff des Hinauftretens und der Aufregung bzw. Prophetie zu finden. Ein bekanntes Wort führt auf den rechten Weg. Dem Griechen ist die ἔκστασις der Zustand des begeistert Erregten. Ἔκστασις ist ἔκστασις ψυχῆς, Heraustreten der Seele. So wäre auch *superstitio* zu verstehen als *superstitio animae*. Einzig mit dem Unterschied, daß *superstitio* nicht, wie ἔκστασις, das Heraustreten der Seele bezeichnet, sondern ihr Hinaufsteigen.[24]

Daß außerordentliche psychische Zustände häufig eine Benennung mittels der sie begleitenden körperlichen Gefühlserregungen erhalten, dafür ließen sich leicht viele Beispiele anführen. Wenn wir vergleichsweise davon reden, es habe einem ‚das Herz bis zum Halse geschlagen‘, so gebrauchen wir nur ein anderes ‚Bild‘ und bezeichnen nur einen geringeren Grad der Aufregung als etwa das Gefühl meint, der Lebensatem (die Seele) steige dem Erregten in die Kehle hoch oder drohe durch Mund und Nase zu entweichen: *mihi anima in naso esse, stabam tamquam mortuus*.[25]

---

[21] Etym. VIII 3, 6—7.
[22] Religio und Superstitio 550.
[23] Ebd. 549.
[24] Ebd. 552.
[25] PETRONIUS 62.

Ist diese älteste Bedeutung des ‚Hinauf-tretens‘ bzw. der ‚Auf-regung‘, speziell im Sinne der prophetischen Aufregung gefunden, so ergibt sich die Bedeutungsentwicklung und der Zusammenhang der verschiedenen Bedeutungskomplexe wie von selbst: Denn Stimmungen der Aufregung, Angsterregung, Ängstlichkeit, Scheu und Furcht, ob unter positivem oder negativem Vorzeichen oder indifferent, wertneutral, haben sich als jede spezielle Bedeutung von *superstitio* bestimmende gezeigt.

3. Wortgebrauch und Begriffsentwicklung in den christlichen Zeugnissen

In den theologischen Schriften und den Zeugnissen der christlichen Verordnungsliteratur setzt sich die Tendenz zur Festlegung des Begriffs auf den religiösen Bereich fort und zwar in seiner negativen Bedeutung. Zum einen wird das Wort in seiner indifferenten Bedeutung ,Kleinlichkeit', ,übertriebene Ängstlichkeit' angesichts einer Sache, die zu tun oder zu lassen ist, kaum mehr gebraucht. Zum anderen wird die Verwendung des Wortes in seinem positiven Sinn ,Religion', ,Gottesfurcht' ungebräuchlich. Doch ist die Begriffsverengung kein sprunghafter Vorgang, sondern vollzieht sich in einem Prozeß, der schon in der vorchristlichen Literatur zu bemerken war, sich in den literarischen Zeugnissen des frühen Christentums fortsetzt und dort langsam aber konsequent zu einer gleichzeitigen Wertverschlechterung geführt hat. AUGUSTINUS kennt noch die indifferente Bedeutung „kleinlich"[26] und die *Vulgata* noch *superstitiosus* zur Bezeichnung einer gottesfürchtigen Haltung der Heiden: *Stans autem Paulus in medio Areopagi, ait: Viri Athenienses per omnia quasi superstitiosores vos video.*[27] Eine Glosse des 9. Jahrhunderts aber hält das Wort in diesem Sinn schon nicht mehr für gebräuchlich und bemerkt deshalb, daß es sich dabei um einen ,heidnischen Sprachgebrauch' einen *gentilis sermo* handele.[28]

Daß das Wort in der älteren, wertfreien Bedeutung ,Wahrsagen' nicht übernommen worden ist, muß nicht gesagt werden. Es sind nun aber Stellen bekannt, die es in vergleichbarer Bedeutung, wenn auch mit tadelndem Sinn bezeugen: Vorzeichen und Weissagungen, besonders aber astrologische Künste sind für AUGUSTINUS *artes . . vel nugatoriae vel noxiae superstitionis.*[29] Geradezu stereotyp wird die Astrologie ein *genus superstitionis* genannt.[30] So etwa bei PETRUS LOMBARDUS[31] in Abhängigkeit von AUGUSTINUS[32]: *nec illi ab hoc genere perniciosae superstitionis segregandi sunt, qui genethliaci, ob natalium dierum considerationes, nunc autem vulgo mathematici vocantur, qui actionum eventa praedicere!* Auf die alte Bedeutung ,Wahrsagen' ist hier kein Bezug mehr genommen. Dagegen erscheint *superstitio* als Oberbegriff, unter den die Astrologie als ein *genus* subsumiert und schließlich auch andere Formen der Wahrsagekunst gestellt werden.

---

[26] *Quisquis rebus praetereuntibus restrictius utitur, quam se habent mores eorum cum quibus vivit, aut temperans, aut superstitiosus est,* AUGUSTINUS, De doct. christ. III 12.

[27] Act. Apost. 17,22: Στατεὶς δὲ παῦλος ἐν μέσῳ τοῦ Ἀρείου πάγου ἔφη· ἄνδρες Ἀθηναῖοι, κατὰ παντα ὡς δεισιδαιμονεστέρους ὑμᾶς θεωρῶ cf. SALVIAN v. MARSEILLE, De gubern. dei VIII 23.

[28] Glossarium Amplonianum primum, GOETZ, Corp. Glos. lat. V 391,4.

[29] De doctr. christ., II 23.

[30] AUGUSTINUS, De doctr. christ. II 21; ISIDOR v. SEVILLA, Etym. VIII, ed. LINDSAY I.; PSEUDO-ALKUIN, De divin. offic. V, ed. PL 101, 1178; HRABANUS MAURUS, De magicis artibus, ed. PL 110, 1098.

[31] In epist. I ad Cor.

[32] De doctr. christ. II 21.

Ähnlich behandelt Isidor von Sevilla in unmittelbarem Zusammenhang mit der letztlich ebenfalls auf die genannte Augustinusstelle zurückgehenden Bemerkung: *... cuius superstitionis genus Constellationes Latini vocant, id est notationes siderum, quomodo se habeant cum quisque nascitur*[33], verschiedene Divinationskategorien, wie sie wieder von Augustinus erklärt und systematisch dargestellt worden sind.[34]

Nun heißen Divinationsarten und Wahrsagekünste nicht als solche *superstitiones*, sondern weil sie als Formen und charakteristische Ausprägungen von Heidentum schlechthin angesehen werden, in ihnen sich Heidentum besonders auffallend zeige. Und zwar Heidentum, sofern es ‚Götzendienst' ist, insofern es also sich dem Christentum als eine Religion der Verehrung von Götterbildern darstellt. Der Satz: *Idola colere et facere* steht konsequenterweise synonym für Heidentum und ist so auch eine Sacherklärung von *superstitio(sus): superstitiosum est quidquid institutum ab hominibus est ad facienda et colenda idola pertinens.*[35] Die Gleichsetzung von *superstitio* und *idolorum cultus* war somit vollzogen[36]; sie ist, wie die mittelalterliche Sentenz *Superstitio est idolorum servitus*[37] bezeugt, nicht wieder aufgegeben worden.

Der Begriff *idolorum servitus* ist nun allerdings wiederum nichts anderes als eine nur zur Hälfte gelungene Übersetzung des griechischen εἰδωλολατρεία[38], wie sie mit *uana superstitio*[39] schon im 3. Jahrhundert durch die *Didache* bezeugt ist. Mit dieser allgemeinen Bedeutung *superstitio* = ‚Idolatrie' scheint ein Großteil des mittelalterlichen Wortgebrauchs begriffen zu sein. Wir werden jedenfalls stets genau zu prüfen haben, ob nicht anstelle von ‚Aberglaube' zumeist besser mit ‚Idolatrie', ja besser noch mit ‚Götzendienst' (einer verhältnismäßig späten, aber doch treffenden deutschen Wortbildung[40]) zu übersetzen sein wird. Es wäre mit diesem Wort nicht nur die Sache, sondern auch die polemische Richtung besser bezeichnet. Denn nicht der ‚Aberglaube', sofern er ein ‚falscher Glaube' oder ein ‚unbegründeter Glaube' ist, ist gemeint, sondern Formen des heidnischen Götterkultes[41], der ‚Idolatrie' und des ‚Götzendienstes'.

---

[33] Isidor v. Sevilla, Etym. l. c.
[34] De diuinatione daemonum, ed. CSEL 41, 597—618.
[35] Augustinus, II De doctr. christ. XX.
[36] Cf.: *Superstitiosus falsus religiosus aut idolorum cultor*, Glossae codicis Vaticani 3321 (7. Jh.), Goetz, Corp. Gloss. lat. IV 179, 30; *Superstitiosus falsus religiosus aut idolorum cultus*, Glossae affatim (8./9. Jh.), Goetz IV 570, 56.
[37] H. Walther, Proverbia Senteniaeque Latinitatis Medii Aevi. V. (= Carmina Medii Aevi Posterioris Latina II 5). Göttingen 1967, Nr. 30 860 a.
[38] H. v. Soden, Texte u. Untersuchungen 23 (1909) 251, 345.
[39] III 4; V 1; cf. L. Wohleb, Didache 84.
[40] Kluge, Etym. WB, s. v. Götze.
[41] Z. B.: Lactantius, Instit. epitome 17; Ambrosius, Sermo de kalendis Januariis, ed. PL 17, 617; Augustinus, De civ. dei IV, 30; Gaudentius v. Brescia, Tract. IX. De evangelii lectione II 16, ed. CSEL 68, 79.

Ist der heidnische Götterdienst *superstitio* im allgemeinen, so die konkreten Äußerungen des Heidentums im besonderen, also bestimmte Kultgebräuche, kultische Speisungen[42], heidnische Schwurformeln[43], heidnische Feste und öffentliche Begehungen: die Feier der Kalenden des Januar[44] etwa oder die öffentlichen Spiele[45].

Wer die öffentlichen Spiele besucht, glaube ja nicht, so die Apologeten, das seien nur mehr oder weniger harmlose Volksbelustigungen. In Wahrheit dienten sie der Verehrung der ‚Götter‘ oder richtig der Dämonen. Wer also den Spielen beiwohne, mache sich des Dämonenkultes schuldig. Und das Gleiche gelte für alles andere, was zum Götterkult gehöre.

Ohne hier schon auf Lehren über den Götterkult, seine Entstehung und Verbreitung eingehen zu können, muß auf diesen Zusammenhang hingewiesen werden, da er für die Ausbildung späterer Theorien über das Wesen des ‚Aberglaubens‘ wichtig geworden ist: Der Götterkult ist *superstitio*, weil Verehrung von Dämonen.[46] Verehrung der Dämonen heißt aber auch, sie um Rat und Hilfe zu bitten, so daß auch alles Beratschlagen und Paktieren mit Dämonen Dämonenkult ist, also zum ‚Götzendienst‘, zur Superstition gehört.[47]

Das Heidentum ist *superstitio* aber auch im älteren und konkreteren Sinn des Wortes: ist Angst und Furcht. Man wird nicht suchen müssen, um Belege der

---

[42] Id., Tract. IV. De lectione Exodi, ed. CSEL 68, 42; Synode v. Reims, a. 627—630, c. 14, ed. MG Leg. 3 I 204; cf. Synode v. Clichy, a. 626 aut 627, c. 16, ibd. 199; hierher gehören die stets gerügten Mähler an den Kalenden des Januar: Ambrosius, Sermo VII De kal. Jan., ed. PL 17, 617.

[43] Synode v. Orleans, a. 541, c. 16, ed. MG Leg. 3 I 90.

[44] Maximus v. Turin, Homilia CIII de kal. gent., ed. PL 57, 491; Caesarius v. Arles, Sermo 193 De kal. Ian. (= Ps.-Augustin., Sermo 130, ed. PL, 39, 2003 sqq.), ed. CCL 104, 783—786; Martin v. Braga, De corr. rust. 11, ed. Caspari 16; Regino v. Prüm, De synodalibus causis et disciplinis ecclesiasticis II 365, ed. PL 132, 253; Burchard v. Worms, Decretum X 11, ed. PL 140, 835; Ivo v. Chartres, Decretum IV 1, ed. PL 161, 263.

[45] Tertullian, Apologeticus 38, 4: *Atque adeo spectaculis vestris in tantum renuntiamus, in quantum originibus eorum, quas scimus de superstitione conceptas ... praetersumus*; Cyprian, De spectaculis IV, ed. CSEL III 3, 6; Salvian v. Marseille, De gubern. dei VI, 59—61, ed. CSEL VIII: *Admisceri enim huic (sc. spectaculo) Christianum hominem superstitioni genus est sacrilegii, quia eorum cultibus communicat, quorum festivitatibus delectatur*, ibd.: *cultus est superstitionis*; cf. W. Weismann, Kirche und Schauspiele (= Cassiciacum 27). Würzburg 1972, insbes. 98—104; für Augustinus insbes. F. van der Meer, Augustinus der Seelsorger. Köln 1951, 72—83.

[46] Augustinus, De doctr. christ. II 17 sqq., ed. PL 34, 49 sqq.; Id., Enarr. in psalm. 95, 5—6, ed. PL 35, 1230 sq.; Id., Sex quaestiones contra paganos expositae, liber unus, seu Ep. 102, quaest. III., ed. PL 33, 376, sqq.; Id., De civ. dei VII 26, et VIII 22, ed. CSEL 40 1, 340 et 391; Martin v. Braga, De corr. rust. 11, ed. Caspari 16; Ratio de cathecizandis rudibus (ca. a. 800) V, ed. Heer, Missionskatechismus 86.

[47] Augustinus, De doctr. christ. XX, ed. PL 34, 50; cf. Thomas v. Aquin, Summa theol. II. II. 92, 2 et 94, 1.

christlichen Meinung zu finden, das Heidentum habe in Angst und Schrecken gelegen vor der Unzahl der in ihren Interessen und Launen widerstreitenden Götter. Das sei hier erst angemerkt, da weiter unten auf solche Feststellungen noch einzugehen sein wird.

Furcht und Schrecken im Heidentum haben über die näherhin religiöse Bedeutung aber auch Bezug auf politische Herrschaft, sind Mittel des ‚politischen Terrors'.

Die Mächtigen der Welt haben durch Betrug der Dämonen (denn das sei Heidentum) die Menschen bewußt hintergangen, um sie zuerst als ‚Staatsvolk' zu integrieren, sodann besser zu unterdrücken und beherrschen zu können. Darin sieht Augustinus die politisch-praktische Seite der *Superstitio Romanorum*. Insofern in der römischen Religion, wie auch Varro zugäbe, das Volk immer mehr den Erfindungen der Dichter geglaubt habe, sich immer mehr den Mythen als den Lehren der Philosophen zugewandt habe, sei es schließlich der Täuschung durch Dämonen und jene den Dämonen an Schlechtigkeit nicht unähnlichen Staatenlenkern erlegen: „Der Grund hierfür scheint allerdings nur der gewesen zu sein, daß die bekannten Klugen und Weisen ihre Aufgabe in der religiösen Täuschung des Volkes sahen und das Ihre dazu taten, um nicht nur die Verehrung, sondern auch die Nachahmung der Dämonen zu fördern, deren größtes Verlangen ja die Täuschung ist. So wie nämlich die Dämonen nur die besitzen können, die sie durch Betrug getäuscht haben, so haben auch die Großen, freilich nicht die gerechten, sondern die den Dämonen ähnlichen, ihren Völkern bewußt reinen Wahn als angebliche Wahrheit unter dem Namen der Religion aufgeschwätzt und konnten sie um so enger zu einer Volksgemeinschaft zusammenschweißen. Dadurch haben sie sich auf ganz ähnliche Weise wie die Dämonen der Unterworfenen bemächtigen können. Wie soll sich auch ein schwacher und ungebildeter Mensch einem Betrug entziehen, der von staatlichen Machthabern im Verein mit Dämonen ausgeübt wird?"[48]

Insofern heidnischer Kult *superstitio* ist, weil er jemanden gilt, dem Verehrung nicht gebührt, und deshalb ‚falsch Verehrung' oder ‚Verehrung eines falschen Objektes' ist, ist auch das Wissen und Glauben der Heiden über ihre Götter falsch, hohl und leer. Hier beginnt die Vorstellung des ‚Falschen' sich mit dem Begriff ‚Superstition' zu verbinden — wenn sie auch früher, etwa in der

---

[48] *Quod utique non aliam ob causam factum videtur, nisi quia hominum velut prudentium et sapientium negotium fuit populum in religionibus fallere, et in eo ipso non solum colere, sed imitari etiam daemones, quibus maxima est fallendi cupiditas. Sicut enim daemones nisi eos quos fallendo deceperint, possidere non possunt; sic et homines principes, non sane justi, sed daemonum similes, ea, quae vana esse noverant, religionis nomine populis tanquam vera suadebant, hoc modo eos civili societati velut arctius alligantes, quo similiter subditos possiderent. Quis autem infirmus et indoctus evaderet simul fallaces et principes civitatis et daemones?* Augustinus, De civ. dei IV 32, übers. C. J. Perl.

heidnisch-römischen Bezeichnung für Fremdkulte schon vorhanden gewesen ist. Aber sofern sich die Bezeichnung nun nicht allein auf das ‚Falsche' der Verehrung, sondern überhaupt des Meinens und Wissens bezieht, nimmt sie innerhalb des christlichen Raumes die Bedeutung eines intellektuellen Mangels an. Es sind jetzt nicht nur die heidnischen Götter- und Kultlehren generell ‚superstitiös'[49], sondern alle heidnischen Anschauungen[50] in vergleichbaren Bereichen überhaupt, so daß sich schließlich bei AUGUSTINUS und bei THOMAS VON AQUIN auch philosophische Lehren unter den Superstitionen befinden. Die Richtung, die der Bedeutungs- wandel des Wortes geht, ist klar: Ist das Heidentum in seinen konkreten Ge- bräuchen, Übungen, Festen, in seiner Überlieferung, seinen Lehren und An- schauungen und als Heidentum generell ‚superstitiös', falsch, leer, töricht und albern[51], so mußte sich endlich jede vom Standpunkt der ‚Orthodoxie' abweichende Meinung den gleichen Vorwurf gefallen lassen.[52] Von nun an konnte *superstio(sus)* alles sein, was in Kult und Glaube von der traditionellen Lehre abwich: *Super- stitio = superstitio gentium (sive Manichaeorum*[53]*, sive Judaeorum) = falsa religio.*[54]

---

[49] LACTANTIUS, Divin. inst. I 22, ed. CSEL 19, 88; ibd. VI 2; ID., Epitome div. inst. 17, ed. CSEL 19, 687 sq.; AUGUSTINUS, De civ. dei IV 30, VI 6, XXII 6 et pass., ed. CSEL 40; ID., De doctr. christ. II 18 et 17; BONIFATIUS, Ep. 23, ed. MG Ep. III 272; HUGO v. ST-VICTOR, Didascalion de studio legendi III 2, ed. BUTTIMER 51; ALANUS DE INSULIS, Contra haereticos.

[50] AUGUSTINUS, De civ. dei IV 30, ed. CSEL, 40, 20; HRABANUS MAURUS, Homilia 42 Contra eos qui in lunae defectu clamoribus se fatigant, ed. PL 110, 80; *Haec et his si- milia multa alia, quae nunc enumerare longum est, non quasi insultando vel inritando eos, sed placide ac magna obicere moderatione debes. Et per intervalla nostris, id est christianis, hiuscemodi conparandae sunt dogmatibus superstitiones et quasi e latere tangendae, quatenus magis confuse quam exasperate pagani erubescant pro tam absurdis opinionibus et ne nos ipsorum nefarios ritus ac fabulos estimant*, BONIFATIUS, ep. 23 (= DANIEL VON WINCHESTER an Bonif.), ed. MG Ep. ²III 272.

[51] Hier, wie bei allen vergleichbaren Anmerkungen gilt, daß die Quellenverweise na- türlich nur einen verhältnismäßig kleinen Kreis an Belegen bringen wollen: darin Voll- ständigkeit anstreben zu wollen, ja überhaupt die erfaßten Quellen *in extenso* zitieren zu wollen, scheint mir wenig zweckmäßig zu sein und würde einen über Gebühr großen Platz beanspruchen. Da zudem später auf diese charakteristischen Beiwörter noch einge- gangen wird, kann ich mich hier damit begnügen, die geläufigsten aufzuzählen: *ignorans, vanus, stultus, (error), insipiens, absurdus, caecus, demens, detestabilis, fabulosus, falsus, fatuus, frivolus, hebes, imperitus, inanis, indoctus, ineps*, etc. etc.

[52] *Haeresis non religio, sed superstitio est*, AUGUSTINUS, Contra Gaud. II 2; dieser Ge- brauch hat sich aber, bei wachsender Einsicht in den grundsätzlichen Unterschied von Häresie und Heidentum nicht durchsetzen können. Bei THOMAS VON AQUIN heißt es des- halb: *haeresis est species infidelitatis: sed idolatria est species superstitionis*, Summa theol. II. II. 94, 1 ad 1. Zum Judaismus cf. 39 f.

[53] AUGUSTINUS, Sex quaestiones contra paganos expositae, quaest. III., ed. PL 33, 377.

[54] MINUCIUS FELIX, Octavius 13, 5: *cohibeatur superstitio, impietas expietur, vera re- ligio reservetur; quae duo (= dies et nox) etiam in hoc praescius futurorum deus fecit, ut ex his et uerae religionis et falsarum superstitionum imago quaedam ostenderetur*, LACTANTIUS, Divin. inst. II 9, ed. CSEL 19, 144; AUGUSTINUS, Sex quaestiones contra

Objektiv bezeichnet somit *superstitio*, ‚falsa religio‘, jede irrige Anschauung über das Wesen Gottes, der Religion und des Kultes. Subjektiv enthält es aber zudem Vorwurf und Tadel. Die Unkenntnis des wahren Gottes und die mangelnde Einsicht in das wahre Wesen der Dinge[55] überhaupt — LACTANTIUS gebraucht das Wort geradezu im Gegensatz zu *veritas*[56] — ist über den rein intellektuellen Mangel hinaus sittlicher Mangel. Die Unmasse an ‚passenden‘ Beiwörtern und ‚schmückenden‘ Attributen, der sich die Polemik bedient, ist zwar nur ein, aber doch ein sehr nachdrücklicher Hinweis: *anilis, inanis, ineps, insanus, nefarius, nequitia, nugae, phantasma, perversus, spurcitiae, turpis, stultis, vanus, ridiculosus*, um auch hier nur einiges zu nennen.[57]

Je nach Anlage und Schwächen des Menschen, so ATTO V. VERCELLI, versuche der Teufel zur Sünde zu reizen: Den Mächtigen verführe er zum Raub, den Schlauen zum Betrug u.s.f. — den dummen und einfältigen Menschen aber zu Unglauben und Aberglaube:

> *Sed inimicus humani generis diversas sentiens infirmitates hominum, diversis nosmet nititur insidiis expugnare: sicut enim potentibus rapinam, callidis suggerit fraudem, deliciosis libidinem, robustis superbiam; sic stultis et rusticis incredulitatis vulnus obdurat, superstitiosum venena diffundit, usus defendit, duritiam munit.*[58]

Hier nun entspricht *superstitio* ganz schon unserem ‚Aberglaube‘: — einem Begriff, der nicht nur mangelnde Einsicht meint, sondern einen höchst subjektiven Vorwurf enthält, einen Vorwurf, der nicht allein auf schicksalhafte Dummheit, sondern auf als Schuld aufrechenbare Verdorbenheit des sittlichen Charakters zielt.

Der Gebrauch des Wortes zur Bezeichnung solcher Haltungen und Erscheinungen, die wir heute ‚abergläubische‘ nennen würden, läßt allerdings nur in wenigen Fällen klar erkennen, welche der charakterisierten Bedeutungsmöglichkeiten je-

---

paganos expositae, quaest. III., ed. PL 33, 377 sq.; ID., De civ. dei VI 2 et VII 35, ed., CSEL 40, 273 et 352 sq.; *Superstitiosus falsus religiosus aut idolorum cultor*, Gloss. cod. Vat. 3321 (7. Jh.), GOETZ Corp. gloss., lat., IV 179, 30; cf. auch GOETZ IV 570, 56; 289, 9; 395, 14.

[55] So steht das Wort als Gegensatz zum verbürgten Wissen, etwa über den natürlichen Einfluß der Sterne auf den Menschen: *Astrologia vero partim naturalis, partim superstitiosa est*, ISIDOR V. SEVILLA, Etym. III 27, 1—2; HUGO V. ST-VICTOR, Didascalion II 10, ed. BUTTIMER 31; oder über die medizinische Wirksamkeit von Kräutern und anderen Naturdingen: RATHERIUS, Praeloquia IV. De medicis, ed. PL 136, 152; AUGUSTINUS, De civ. dei IV, 30: *Disputat apud eum* (= Cicero) *Q. Lucilius Balbus in secundo de Deorum natura libro, et cum ipse superstitiones ex natura rerum velut physicas et philosophicas inserat, indignatur tamen institutioni simulacrorum et opinionobus fabulosis, ita loquens …*

[56] *multi enim superstitionibus uanis pertinaciter inhaerentes obdurant contra manifestam ueritatem, non tam de suis religionibus quas praue adserunt bene meriti quam de se male*, LACTANTIUS, Divin. instit. I 1, ed. CSEL 19, 5.

[57] Vgl. Anm. 51.

[58] ATTO V. VERCELLI, Sermo III in festo octavae domini, ed. PL 134, 837.

weils gemeint sind. Zumindest für den christlichen Bereich dürfte generell aber, um es erneut zu betonen, eher mit ‚Götzendienst' als mit ‚Aberglaube' zu übersetzen sein: ‚Götzendienst' als religiöse und, das kommt hinzu, als quasi-religiöse Fehlhaltung, die aus mangelnder Einsicht und Tugend das Falsche glaubt und verehrt, von näherhin religiösen Dingen bis zur quasireligiösen Anbetung und ‚Vergötzung' des Geldes, einer bestimmten Kleidung oder bestimmter Gebräuche. In diesem Zusammenhang nimmt das Wort wieder die in der stoischen Literatur besonders hervorgetretenen Bedeutung des ‚Übermäßigen' an: *Item cavendum est ne farisaica superstitione aliquis plus aurum honoret quam altare; ne dicat ei Dominus: ‚Stulte et caece, quid es maius, aurum vel altare quod sanctificat aurum?'*[59]

Als superstitiose Befolgung mosaischer Kleidervorschriften galt die Gewohnheit der Pharisäer, die von Moses gebotenen[60] Zipfelquasten zu tragen: *vestimentorum superstitio.*[61] Mag das ganz speziell eine Angelegenheit der Pharisäer und nicht der Christen gewesen sein, so hatte sich doch das Urchristentum auch in seinem Bereich mit der Frage zu befassen, ob die Vorschriften des Alten Testaments, ‚das Gesetz des Moses', für den Christen weiterhin verbindlich seien. D. h. mußte der Getaufte die ‚überholten', ‚überflüssigen' *(superfluus)*, zusätzlichen Anordnungen[62] des mosaischen Gesetzes noch befolgen, etwa die Beschneidung an sich vollziehen lassen? Das Apostelkonzil (49/50) hat die Frage verneint.[63] FILASTRIUS VON BRESCIA referiert die Beschlüsse des ersten ‚Konzils': *non debere iam homines Judaismo, id est circumcisionis aliisque talibus superstitionis uanae parere carnalibus, qui de gentibus uenientes credebant in Christum dominum nostrum saluatorem.*[64] Das Verbot der *judaicae superstitiones* ist von der einschlägigen Verordnungsliteratur weiter tradiert worden, obgleich der Sachverhalt und die Frage, mit denen das Urchristentum zu tun hatte, nicht mehr aktuell gewesen sind. Es erscheint jetzt

---

[59] Admonitio generalis, a. 798, c. 63, ed. MG Leg. 2 I 58.

[60] Num 15, 37.

[61] BONIFATIUS, Ep. 78, ed. MGH Ep. ²III 355; HIERONYMUS, Comment. in ev. Matthei IV 23, ed. PL 26, 168.

[62] HIERONYMUS, l. c., 169; das Wort *superfluus* erscheint sehr häufig nur als variierender Ausdruck für *superstitiosus*: es bezieht sich dabei deutlich auf die Bedeutung des *super-* in *superstitiosus* und meint das ‚Über-mäßige', ‚Über-flüssige', ‚Zusätzliche', das auch in *superstitio* zuweilen ausgedrückt erscheint: AUGUSTINUS, Ep. 36 (al. 86), 1, ed. PL 33, 136; ISIDOR V. SEVILLA, Etym. VIII 3, 6; HRABANUS MAURUS, De universo IV 8, ed. PL 111, 94; *Superstitio superflua institutio*, Glossae codicis Sangallensis 912 (8. Jh.), Goetz, Corp. Gloss. lat. IV 289, 18; *Suprestitio* (sic!) *superflua*, Glossae codicis Vaticani 3321 (7. Jh.), GOETZ IV 179, 29; *Suprestitio* (sic!) *superflua aut superba institutio*, Glossae affatim (8./9. Jh.), GOETZ IV 570, 55; *Suprestitio* (sic!). *superfluitas reli(gionis)*, Placidus codicis Parisini (11. Jh.), GOETZ V 154, 13; *Supersticio. superflua obseruatio*, Glossae nominum, Codice Cantabrigiensi 2.4.6. collegii S. Petri (12. Jh.), GOETZ II 594, 18.

[63] Act. Apost. 15.

[64] FILASTRIUS V. BRESCIA, Diuersarum hereseon liber, 36, ed. CSEL 38, 20.

aber auch in einem anderen, erstmals in den *Statuta ecclesiae antiqua* formulierten Zusammenhang: *Auguriis uel incantationibus seruientem a conuentu ecclesiae separandum; similiter et iudaicis superstitionibus uel feriis inhaerentem.*[65]

Ging in vorchristlich römischer Zeit die Bedeutung ‚Übermaß' von dem Praefix *super-* in *superstitio* aus, so knüpfte der christliche Sprachgebrauch an den Vorwurf des Judaismus an und verband mit *superstitio* die Vorstellung des ‚Überflüssigen', ‚Zusätzlichen'. Isidor von Sevilla: *Superstitio dicta eo qoud sit superflua aut superinstituta observatio.*[66] Oder deutlicher noch bei Bruno dem Kartäuser: *Superstitio dicitur, verae religioni superaddita falsa religio. Hi autem qui acceptae fidei legem superaddebant, merito superstitiosi dicuntur.*[67]

*

Die Untersuchung des christlichen Wortgebrauchs konnte eine Reihe polemischer Implikationen des Begriffs *superstitio* herausarbeiten: Heidentum, Idolatrie, Götzendienst, Dämonenkult, falsches und unzureichendes Wissen, falsche Religion, überholte, überflüssige Anordnungen und Gebräuche, Übertreibung, übertriebene, quasireligiöse Wertschätzung irdischer Güter.

Damit ist jedoch die Frage noch nicht beantwortet, was denn jeweils gemeint ist, wenn von ganz konkreten Dingen die Rede ist, von Praktiken der Tagewahl[68], von Heil- und Kräutersegen[69], vom Glauben an Vorzeichen[70] und Orakel[71], an dämonische Vorgänge bei einer Mondfinsternis[72] oder von der *superstitio Chaldaeorum*[73], der *superstitio magicarum artium*[74] usw. Die genannten Dinge für sich genommen: sind sie ‚heidnisch', ‚götzendienerisch' usf. zu nennen? Die Fragestellung ist unangemessen. Denn soweit der Begriff *superstitio* expliziert worden ist, erwies er sich nicht als Sachbegriff, bezeichnete *superstitio* nicht objektive Eigenschaften von Gegenständen oder Verhältnissen, sondern einen

---

[65] C. 83, ed. CCSL 148, 179; Halitgar v. Cambrai, Poenitentiale IV 27; Hinkmar v. Reims, ed. PL 132, 350; Agobard v. Lyon, De Iudaicis superstitionibus, ed. PL 104, 77 sqq.; Regino v. Prüm, De syn. caus. II 350, ed. PL 132, 350; Burchard v. Worms, Decret. X 7, ed. PL 140, 834; Ivo von Chartres, Decret., pars XI 35, ed. PL 161, 754 sq.; id., Panormia VIII 72, ibd. 1323.

[66] Etym. VIII 3, 6.

[67] Expositio in epist. ad Col. II 23, ed. PL 153, 389.

[68] Augustinus, Enchiridion, c. 79; id., Super epist. ad. Galatas, ad c. 4; Ivo v. Chartres, Decr. XI 15, ed. PL 161, 750; Decretum Gratiani, C. 26. q. 7, 17, ed. Friedberg 1046.

[69] Atto v. Vercelli, Sermo 13, ed. PL 134, 85 sq.

[70] Petrus v. Blois, Ep., 65, ed., PL 207, 194.

[71] Gregor II, Ep. 21 der Briefe Bonifatii, ed. MG Ep. 2III 269 sq.

[72] Hrabanus Maurus, Hom. 42, ed. PL 110, 78 sqq.

[73] Ambrosius, Exameron IV, n. 32—33, ed. CSEL 32, 1, 138 sq.

[74] Johannes Cassianus, Collationes patrum VIII 21, ed. PL 49, 758; Hrabanus Maurus, De magicis artibus, ed. PL 110, 1095.

Wert, näherhin den Unwert, der einer Erscheinung des religiösen Lebens zugesprochen wird. Ähnlich unserem ‚Aberglaube‘ drückt es, wo Eifer am Werk ist,
Empörung aus, oder, wo solcher fehlt, doch einen Tadel über Unvernunft und
Dummheit[75]. Deshalb ist, solange *superstitio* im polemischen Sinn gebraucht wird,
die Übersetzung mit ‚Aberglaube‘ auch zutreffend und sollte beibehalten werden.
Wo aber die polemische Richtung fehlt und mit *superstitio* allein oder doch vor-
herrschend bestimmte Gewohnheiten und Anschauungen bezeichnet, geordnet und
eingeteilt werden — die Bemerkung geht auf die anschließenden Untersuchungen —, empfiehlt es sich auch nicht mit ‚Aberglaube‘ zu übersetzen, sondern seines
abstrakteren Gehalts wegen das lateinische Wort stehen zu lassen und von
‚Superstition‘ zu sprechen.

Zusammengefaßt: Der christliche Sprachgebrauch ist aus zwei Quellen gespeist:
1. *superstitio* ist in Fortführung eines römischen Religionsbegriffes für fremde
und neue Kulte zur Bezeichnung des Heidentums und seines Kultes schlechthin
geworden. Dem Römer war alle nicht römische Religion *superstitio,* dem Christen
alle nicht christliche Religion. Nur innerhalb dieser Tradition ist etwa die Übersetzung εἰδωλολατρεία = *superstitio* denkbar. 2. An die durch das *super-* nahegelegte und mit dem Wort verbundene Vorstellung des ‚Übermäßigen‘, der
‚Übertreibung‘, knüpft der Gebrauch an, der *superstitio* als mit *superinstituere*
zusammenhängend auffaßt und es demgemäß zuerst auf den Judaismus bezieht.
Es heißt sodann in der Folge jede der ‚wahren Religion‘ ‚hinzugefügte‘ *(super-*
addere) ‚falsche Religion‘, jeder überflüssige *(super-fluus)* Brauch *superstitio.*

Für *superstitio* = ‚Aberglaube‘ bleibt sowohl die Bedeutung ‚Götzendienst‘ wie
auch der Bezug auf das ‚Übertriebene‘, ‚Übermäßige‘, auf die über die *vera religio*
hinausgehende — *superflua observatio* — *institutio* — *religio* erhalten.

So analysiert Thomas von Aquin im richtigen Verständnis der ‚christlichen‘
Bedeutung des Wortes *Superstitio*: a. *cultus divinus cui non debet*[76] (Götzendienst)
und b. *cultus exhiberi deo vero, modo indebito*[77] *(praeter dei et ecclesiae institutio-*
nem, vel contra consuetudinem communem = superfluum et superstiosum).[78]

Auf die wesentlichen Momente reduziert, umfaßt *superstitio* den religiös,
intellektuell und sittlich relevanten Vorwurf des ‚falschen Meinens‘, der ‚falschen
Verehrung‘, der ‚Übertreibung‘ und des ‚Zusätzlichen‘.

Was in der christlichen Literatur, um es nochmals zu betonen, besonders
hervortritt, ist die in der Übersetzung des Wortes nicht ausdrücklich zu machende
Unterscheidung von ‚Götzendienst‘ und ‚Aberglaube‘; denn beides heißt *super-*
stitio.

---

[75] Vgl. S. 38.
[76] S. Th. II. II. 92, 2.
[77] Ibd.
[78] II. II. 93, 2.

Entspricht der nominellen Identität von Heidentum — Götzendienst — Aberglaube eine Anschauung, Lehre oder Konstruktion der Abhängigkeit oder des Zusammenhanges dieser verschiedenen Bereiche? Ist die nominelle Identität Hinweis auf eine sachliche?

II. Die Superstitionen

Das frühe Christentum hatte sich mit der heidnischen Religion auseinander-zusetzen. Dabei wurde dem Heidentum der Vorwurf der Superstition gemacht. Doch zeigte sich, daß damit keineswegs allein ‚Aberglaube‘ gemeint war, jedenfalls nicht in der Mehrzahl der Fälle. Zwar zweifeln die Apologeten und Kirchenväter nicht daran, daß der Glaube der Heiden ‚falscher Glaube‘ sei und somit ‚Aber-glaube‘. Aber gegenüber der nicht angezweifelten Realität heidnischer Götter (Dämonen), erscheint falscher Glaube allein, d. h. abgesehen von kultischer oder privater Verehrung, von zweitrangiger Bedeutung. Schwerer wiegt der mit Superstition zugleich gemeinte Vorwurf der Idolatrie. Und damit sind primär nicht Lehren und Glaubensvorstellungen, sondern kultische Praktiken gemeint. Schwerer wiegt dieser Vorwurf deshalb, weil man so Mächte verehrt glaubt, die nicht nur nicht Götter, sondern gottfeindliche Mächte seien. Es hat deshalb die christliche Apologetik eine ‚aufklärende‘ Tendenz in doppelter Weise: Die Heiden aufzuklären über falschen Glauben (*superstitio* = Aber-g l a u b e) und auf-zuklären über die Falschheit des Verehrungobjektes, aufzuklären darüber, daß nicht Gottes-, sondern Götzendienst (*superstitio* = Idolatrie) betrieben werde.

Mit Götzendienst sind auch Versuche gemeint, sich der Hilfe der Götter zu versichern: Augurium und Orakel, Zauber und Magie.

Wenn heute ‚Aberglaube‘ Folge falscher Einschätzung des Charakters der Dinge scheint, ein subjektiver Mangel von Kenntnis der Natürlichkeit von Ge-schehen bedeutet, so ist jener Zeit nicht etwa entsprechend ‚Aberglaube‘ falscher Glaube, Aber-g l a u b e , sondern ist mit Aberglaube die abergläubische Handlung und Manipulation gemeint. Dabei wird die Effektivität superstitioser Mani-pulationen nicht bestritten. Denn die Dämonen scheinen geneigt und in der Lage, wunderbare Erscheinungen und Hilfeleistungen in Szene zu setzen, um den Ein-druck zu erwecken, hier seien Götter am Werk.

Die auf den natürlicherweise nicht zu bewirkenden Zweck gerichtete aber-gläubische Manipulation impliziert also die Möglichkeit dämonischen Wunder-wirkens, setzt somit Vertrauen in die Macht von Dämonen, ist zugleich Dokument dieser Hoffnung und wird deshalb der Idolatrie zugerechnet.

Erst mit Verschwinden öffentlichen und staatlich sanktionierten Heidentums und mit nachlassender Beschäftigung christlicher Theologie damit, gewinnt auch ‚Aberglaube‘, bis dahin als besondere Form heidnischen Kultes betrachtet, eine spezifische Qualität, wird Phänomen *sui generis*. Der Bezug auf die für die ersten Jahrhunderte des Christentums eindrucksvolle Welt des Heidentums konnte jetzt aus der Unmittelbarkeit des Gegenwärtigen verblassen. Der Superstitiose stand somit je länger je weniger innerhalb einer mächtigen und imposanten Welt heidnischer Religion, aber er schien doch Reste des Heidentums zu praktizieren. Was er tut und glaubt, gilt nun als Relikt alten Götzendienstes, wurde *antiqua superstitio*.

Der ältere, patristisch-frühmittelalterliche Begriff *superstitio* implizierte nicht nur Idolatrie, wie bei Thomas v. Aquin, sondern war Synonym für Idolatrie. Reduziert man den Unterschied auf das Wesentliche, so gilt für den älteren Sprachgebrauch, daß Superstition und Idolatrie wie identische Begriffe verwendet werden. Für den von Thomas bezeugten Begriff *superstitio* aber gilt, daß Idolatrie nur mehr unter ihm und neben anderen Gattungen der Superstition begriffen ist, und zwar neben der *superstitio indebiti cultus veri dei*, der *superstitio divinationis* und der *superstitio observationis*.[1] Sehen die Väter das, was wir heute zum Aberglauben rechnen würden, Amulette, Astrologie, Beschwören, Angangsglaube etc. als Teile des Heidentums an und stellen sie es somit unter den Begriff Idolatrie, so ist bei Thomas der ‚Aberglaube‘ verselbständigt und als Erscheinung *sui generis* neben die Idolatrie gestellt.

Eine weitere Vorbemerkung sei erlaubt. Erinnert man sich der noch heute hartnäckig gängigen Theorien vom Reliktcharakter des Aberglaubens und bedenkt, daß Aberglauben fast ausschließlich gesehen wird als vorausgesetzt *traditionelles* Element von Volkskultur, so wird man wohl auch mit weniger Verwunderung zur Kenntnis nehmen, daß die gleiche Vorstellung vom Reliktcharakter Aberglauben von Heidentum erst begrifflich abdifferenziert hat. Und die Vorstellung vom ‚superstitiösen Rest‘ ermöglichte es, ‚Aberglauben‘ als etwas in sich Zusammenhängendes zu betrachten und einem überholten, veraltetem Zustand der Menschheitsgeschichte, bzw. Heilsgeschichte zuzuweisen.

Wichtig ist hier noch zu bemerken, daß eine solche, heilsgeschichtliche Relikttheorie ein weiteres impliziert oder doch nahelegt. Das Pariser Konzil vom Jahre 829 führte ausdrücklich an, daß der von ihm gerügte Aberglaube ganz ohne Zweifel ein Rest heidnischen Kultes sei. Zu dieser Erkenntnis gelangt das Konzil primär jedoch nicht durch Betrachtung der abergläubischen Praktiken und Vorstellungen, die es nennt, oder durch historische Ableitungen von vorchristlichen Verhältnissen der Missionierten (was ernstlich ja auch niemand erwarten würde), sondern durch Verweis auf die einschlägigen Bestimmungen des Alten Testaments. D. h. aber, das Wissen über den tatsächlichen Bestand von Aberglauben ist nicht aus der Wirklichkeit gezogen, sondern aus den Offenbarungsschriften deduziert:

---

[1] Thomas v. Aquin, S. Th. II. II. 93—96.

Exstant et alia pernitiosissima mala, quae ex ritu gentilium remansisse non dubium est, ut sunt magi, arioli, sortilegi, venefici, divini, incantatores, somniatorum coniectores, quos divina lex inretractabiliter punire iubet, de quibus in lege dicitur: ‚Anima, quae declinaverit ad magos et ariolos et fornicata fuerit cum eis, ponam faciem meam contra eam et interficiam illam de medio populi sui. Sanctificamini et estote sancti, quia ego sanctus sum dominus Deus vester. Custodite praecepta mea et facite ea, quia ego Dominus, qui sanctifica vos‘[2], et alibi: ‚Magos ariolos et malificos terrae vivere ne patiamini‘.[3],[4]

Wie sehr in alttestamentlichen Verordnungen die jeweils gegenwärtige Situation präformiert erscheint[5] und andererseits die gegenwärtige Superstition den Verboten des Dekalogs einfach zugestellt wird, zeigt sehr deutlich die für die karolingische Heidenmission bestimmte *Ratio de cathecizandis rudibus*:

De decem praeceptis legis ... Deus omnipotens qui nos ad imaginem et similitudinem suam fecit, ipse dedit nobis legem, ut sciamus, quaemadmodum uiuere et deum colere debemus. Sic ergo ait per Moysem sanctum famulum suum: Idola non coles. non homicidium facies. non moechaberis. falsum testimonium non dicis. non facies furtum. non praecantabis. non auguriabis non ad montes. non ad arbores. non ad fontes. non ad flumina. non ad angulo sacrificia facies.[6]

Die Aufzählung *non ad montes* ... ist nichts anderes als ein Zitat der einschlägigen Verbote aus der Heidenmission der Zeit, auf die unten ausführlicher einzugehen sein wird.

Durch Einreihung einschlägiger Paganismen und Superstitionen unter die Dekalogfrevel erscheint Superstition wie absolut gesetzt, ihrer geschichtlichen Bedingtheit entrückt und als Möglichkeit des Menschen schlechthin. Ist Aberglaube aber eine generelle Sündenmöglichkeit des Menschen, so wäre konsequenterweise nach seiner anthropologischen Wurzel zu fragen. Es werden diese Fragen am Schluß der Untersuchung noch eingehender zu erörtern sein. Hier jedoch schon zum besseren Verständnis des Folgenden soviel:

Unsere begriffsgeschichtliche Analyse konnte für *superstitio* bei aller Breite des Bedeutungsfeldes doch als wichtigste Bedeutung, die das Wort in christlicher Zeit angenommen hat, „Götzendienst“, bzw. „Idolatrie“, kurz: „Heidentum“ erkennbar machen. Diese Bedeutung ist, wenigstens bis THOMAS VON AQUIN, nicht mehr verloren gegangen. Doch zeigte sich, daß an den äußersten Enden des schillernden Bedeutungsspektrums von *superstitio* sich ‚säkularisierende‘ Bedeutungsmöglichkeiten abzulösen schienen. Diesen Vorgang kennzeichnete die im

---

[2] Lev 20, 6—8.
[3] Ex 22, 18.
[4] Konzil von Paris a. 829, c. 69, 2, ed. MG Leg. 3 II 669.
[5] Cf. HARMENING, Aberglauben und Alter, 220.
[6] C. 2, ed. HEER 81.

Vorwurf *superstitio* implizierte Unterstellung von Dummheit und Ignoranz einerseits, eines moralischen Mankos andererseits. Allerdings, so wäre gleich richtigzustellen, ist das kein Vorgang der Säkularisation. Vielmehr: Dummheit und Ignoranz sind ihrerseits religiös-sittliche Qualitäten; und wo dem *homo superstitiosus* die Epitheta *stultus, ignorans, insipiens* usf. zugelegt werden, kann das erst dann recht verstanden werden, wenn man solche Prädikate als von der theologischen, an der augustinischen Erbsündetheologie orientierten Anthropologie her gegeben erkennt. Wir werden gegen Ende dieser Untersuchung das näher erläutern müssen. Soviel sei aber schon bemerkt: der Heide ist *homo ignorans* nicht aufgrund eines individuellen, intellektuellen Bildungsnotstands, sondern infolge des Sündenfalls, der den Menschen in Unwissenheit gestürzt hat, und über den ANSELM VON CANTERBURY sagt, daß er uns „in unsere Blindheit vergraben hat".[7]

Wie aber die Erbsünde, obzwar unausweichlich, dennoch als persönliche Sünde gilt, so gilt auch die Erbsündenfolge der Verdunkelung der Vernunft als persönliche Sünde: Ignorantiasünde. Deshalb ist der dem Heiden und Superstitiosen gemachte Vorwurf der Ignoranz nicht im Sinne aufklärerischer Vernunftkritik, sondern als schuldzumessender Sündenvorwurf zu verstehen.

Diese Vorbemerkung ist gemacht, um einem ungerechtfertigten Schluß auf rationalistische Motive der Superstitionenkritik dort vorzubeugen, wo von der Dummheit und Unwissenheit des Abergläubischen die Rede ist.

*

Die Gesamtheit der Superstitionen kann verschiedener Sehweisen des Gegenstandes entsprechend verschieden eingeteilt werden. Und zwar könnten die einzelnen Dinge und Verrichtungen unter Begriffe gebracht werden, wie sie die moderne Wissenschaft erarbeitet hat. Denkbar, wenn auch nicht realisierbar, wäre eine Einteilung nach ethnischen oder regionalen Gesichtspunkten.

Die der Geschichtlichkeit des Gegenstandes angemessene Sehweise aber müßte den Beurteilungen und Einteilungen folgen, wie sie die Zeugnisse selbst enthalten. Da es diese Arbeit mit der Analyse des kirchlichen Standpunktes gegenüber ‚Aberglauben' zu tun hat, muß sie versuchen festzustellen, ob es eine solche ‚Sehweise' gibt. Die Frage ist also: Lassen die Zeugnisse in ihrer Gesamtheit bestimmte Einteilungsprinzipien erkennen oder werden Superstitionen, wo mehrere von ihnen genannt werden, ohne erkennbare Einteilungsprinzipien aneinandergereiht?

Es wird sich zeigen lassen, daß die Quellen tatsächlich direkt oder indirekt Grundsätze der Einteilung zu erkennen geben. In wenigen Fällen direkt und

---

[7] Proslogion, c. 1.

durch Angabe der einzelnen Teile einer Obereinteilung, in anderen indirekt, insofern erst im Vergleich der Zeugnisse bestimmte traditionelle Gruppierungen sichtbar werden.

Es wäre einzuteilen:

1. *Superstitio observationum*
2. *Superstitio divinationum*
3. *Superstitio magicarum artium.*

Unter Observation, Divination und magischer Kunst darf man nun nicht allzu feste Abgrenzungen suchen. Sie betonen oft nur das auffälligste Moment einer Superstition, die unter Hervorhebung einer anderen Seite auch Gegenstand einer anderen Kategorie sein kann. Es gehört etwa die Übung, auf bestimmte Zeichen zu achten, bevor man ein Unternehmen beginnt, zur *superstitio observationum*. Sofern diese Praxis aber ein *augurium* ist — Augurien aber, soweit sie zur kunstmäßigen Augural- und Wahrsagepraktik zu zählen sind, unter die Kategorie der *superstitio divinationum* gehören — ist sie dort mitbegriffen. Oder: Das Anbinden von *ligaturae,* Amuletten, kann als eine „Befolgung bestimmter Gewohnheiten" der *superstitio observationum* zugeordnet werden, sofern das Verfertigen dieser *diabolica filacteria* aber zauberische Handlung ist und ihr Gebrauch der magischen Abwehr zauberischer Einflüsse dienen soll, gehört es unter die Kategorie der *superstitio artis magicae*. Läßt sich also auch in einigen Fällen, nach streng systematischen Kriterien geurteilt, eine eindeutige Subsumption unter eine der genannten Superstitionskategorien nicht festhalten, so hieße überhaupt darauf verzichten zu wollen, den Versuch ignorieren, zu Klassifizierungen zu kommen, wie er die mittelalterliche, kirchliche Literatur weitgehend kennzeichnet.

Im folgenden nun jede Superstition mit gleicher Ausführlichkeit zu behandeln, wie es möglich wäre, würde zuletzt doch ermüdend wirken. Es kehren dieselben Gedanken und Urteile angesichts der verschiedensten Dinge mit Regelmäßigkeit wieder. Das gilt ebenso für die Analyse der Abhängigkeitsverhältnisse der behandelten Zeugnisse. Auch hier geben sich bald Überlieferungsstränge zu erkennen, die aus einer ersten Quelle über stets gleiche Stationen bis beispielsweise in die kanonistischen Sammlungen des Hochmittelalters zu verfolgen sind. Es soll deshalb die Analyse der Überlieferungsverhältnisse nur bis zu dem Grad der Deutlichkeit geführt werden, der zum Verständnis des literarischen Charakters der kirchlichen Unterweisungs- und Verordnungsliteratur notwendig ist. Schon das Prinzip der Rationalität verbietet es, hier nun auch den allerletzten Zwitter entlarven zu wollen. Methodisch wird deshalb so verfahren, daß am Beispiel einer quellenmäßig gut belegten Superstition dem Detail größere Aufmerksamkeit geschenkt wird, um stets wiederkehrende Meinungen, Ansichten, Urteile und Lehren zur Superstition kennenzulernen, auf die in der abschließenden Darstellung zurückgegriffen werden kann. Eine Quellenanalyse der behandelten Zeugnisse soll dabei Aufschlüsse über charakteristische Abhängigkeitsverhältnisse der Quellen erbringen, wie sie auch bei der Behandlung anderer Superstitionen immer wieder sichtbar werden und deshalb wenigstens in einem Fall, dem Baum-, Quell- und Steinkult, detaillierter zu exemplifizieren sind.

Dieser Objektbereich der Superstitionskritik wurde aus mehreren Gründen ausgewählt:

1. der gegenüber anderen Mitteilungen verhältnismäßig detailreichen und differenzierten Nachrichten wegen;

2. der reichen Quellenlage wegen;

3. weil die hier zu behandelnden Quellen zugleich Mitteilungen über andere Superstitionen enthalten und somit für weite Strecken der hier behandelten Quellen überhaupt repräsentativ sind.

Mit Punkt 3 ist eine weitere, voraus zu klärende Frage gegeben, ob denn die verfolgten Kultpraktiken überhaupt in den Umkreis der Superstitionskritik gehören oder ob sie, im historischen Verständnis zur außer- bzw. vorchristlichen Religionspraktik gehörend, nicht außerhalb der hier gewählten Thematik zu behandeln wären. Das methodische Problem einer Unterscheidung von Paganien- und Superstitionskritik stellt sich allerdings erst dem wissenschaftlichen Rubrifikator der Volksglaubensforschung. Vom Ergebnis der Analyse kirchlich-theologischer Superstitionskritik her ist eine solche Unterscheidung weite Strecken der Literaturgeschichte der einschlägigen Zeugnisse über nicht erlaubt. Die Identität von Paganem und Superstition, von Heidentum und Aberglauben wird hier vielmehr primär vorausgesetzt und heilsgeschichtstheoretisch bewiesen. Erst langsam, und das heißt mit wachsendem geschichtlichen Abstand, entwickelt sich der Begriff Superstition als eigenständige, von Idolatrie unterschiedene Größe.

1. Quellen und Quellenkritik

Ein Beispiel:

Cultores idolorum, veneratores lapidum, accensores facularum, et excolentes sacra fontium vel arborum[1]

Wir kennen eine Menge Belege über Kult an Bäumen, Quellen und Steinen. Eine lange Reihe kirchenrechtlicher Zeugnisse durchziehen sich diese Kulturverbote, häufig mit der Forderung nach Zerstörung der Kultstätten verbunden. Zu den Zeugnissen der Verordnungsliteratur kommt eine Vielzahl an Belegen der theologischen Literatur pastoraler Tendenz, in Traktaten und Predigten beispielsweise, hinzu.

Was nun die wissenschaftliche Beschäftigung mit diesen und vergleichbaren Zeugnissen des von der Kirche und der christlichen Obrigkeit gerügten germanischen Heidentums angeht, so dürften zumindest in der deutschen Altertumskunde und Volkskunde wenig Zeugnisse ein annähernd großes Interesse gefunden haben. Für die mythologische Forschung waren vergleichbare Quellen ausschließlich als Sachnachweise zur Rekonstruktion der germanischen Religion von Interesse. Wo man gelegentlich über diese Intention hinaus sich literarkritisch mit Fragen der Überlieferung und des Zusammenhanges der verschiedenen Zeugnisse beschäftigte, kam man nur selten über harmlose Querverweise hinaus. Oft genügt ein kurzer Blick in die zum Vergleich zitierten Belege, um zu sehen, daß es sich in der Regel dabei allein um thematisch assonierende Zeugnisse handelt. Damit ist allerdings vorerst nicht mehr als ein relatives Alter oder die Herkunftsrichtung eines Verbotes bezeichnet. So unzureichend diese Querverweise in den gängigen Editionen etwa der Bußbücher von SCHMITZ und WASSERSCHLEBEN oder der Konzilsstatuten bei MANSI, MIGNE, HEFELE und in den MGH sind, so gibt es doch eine Anzahl wichtiger Einzeluntersuchungen der Quellen und der Tradition eines Autors oder Zeugnisses.

Für CAESARIUS VON ARLES ist durch die Untersuchung von BOESE[2], BOUDRIOT[3], und die Ausgaben von MORIN[4] viel getan. Für das Dekret des BURCHARD VON WORMS liegen seit 1908 die Dissertationen von E. DIEDERICH und M. KERNER sowie die Untersuchung von M. HAIN[5] vor. Ausgiebig hat man sich mit dem

---

[1] Conc. Tolet. XII, c. 11.

[2] R. BOESE, Superstitiones Arelatenses e Caesario collectae. (Diss.) Marburg 1909.

[3] W. BOUDRIOT, Die altgermanische Religion in der amtlichen kirchlichen Literatur des Abendlandes vom 5. bis 11. Jahrhundert, Bonn 1928, Nachdruck Darmstadt 1964.

[4] Sancti Caesarii Arelatensis sermones. 2ed. D. G. MORIN: CCL 103—104, 1953.

[5] E. DIEDERICH, Das Dekret des Bischofs Burchard von Worms. Beiträge zur Geschichte seiner Quellen. (Diss. Breslau) Jauer 1908; M. KERNER, Studien zum Dekret des Bischofs Burchard von Worms. (Diss.) Aachen (TH) 1969; M. HAIN, Burchard von Worms († 1025) und der Volksglaube seiner Zeit: Hess. Blätter für Volkskunde 47 (1956) 39—50.

Indiculus superstitionum, einem stichwortartigen Verzeichnis paganer und superstitioser Gebräuche aus dem 8. Jahrhundert, beschäftigt; zuletzt H. HOMANN in seiner Göttinger Dissertation von 1965.[6]

CAESARIUS VON ARLES darf als der Autor gelten, dessen homiletisches Werk größten Einfluß auf alle ausgeübt hat, die sich nach ihm mit heidnischen und superstitiosen Dingen, die es kirchlicherseits zu rügen galt, literarisch beschäftigt haben. Die kompendiöse Vollständigkeit seines Werkes an Bemerkungen über Superstitionen ist zu seiner Zeit unerreicht und hat, wenn sich das meiste der genannten Dinge auch auf südgallische Verhältnisse bezieht, auch für andere Landschaften, ja geradezu im ganzen christlichen Abendland Ausschreiber gefunden. W. BOUDRIOT, der den Zeugniswert der amtlichen kirchlichen Literatur für die altergermanische Religion zu bestimmen versucht hat, konnte den Großteil der von ihm herangezogenen Quellen auf CAESARIUS zurückführen und damit ihren Zeugniswert für germanische Religion erheblich einschränken.

Man wird der kirchlichen Literatur gegenüber, was ihren Quellenwert betrifft, grundsätzlich skeptisch sein müssen. Erst wenn festgestellt worden ist, ob und inwieweit die verschiedensten literarischen Nachrichten, Bestimmungen, Verordnungen und Verbote von einander abhängig sind, wird sich auch die Frage nach dem Repräsentanzcharakter der Quellen für eine bestimmte zeitliche Situation beantworten lassen. Daß etwa, um ein Beispiel zu nennen, alle Bestimmungen der mittelalterlichen Kanonessammlungen zeitgenössische Zustände widerspiegeln, ist eine kaum gemachte Behauptung. Doch wenn in diesen Fällen eben schon der Charakter einer Sammlung von Kirchenrechtsquellen eine solche Annahme verbietet, so ist für viele andere Zeugnisse ähnliches anzunehmen nicht möglich. Das gilt für bestimmte Predigttexte, Traktate und katechetische Stücke, besonders aber für Kapitularien, Konzils- und Synodalstatuten und Bußbücherbestimmungen.

In einer *Epistola canonica*[7], vermutlich des 6. Jahrhunderts, heißt es *insipientes homines, qui ad fontes atque arbores sacrilegium faciunt.* Die Bezeichnung *sacrilegium* wird auch sonst auf heidnische Übungen und Gebräuche angewandt und findet sich hier zur Bezeichnung von Baum-, Quell- und Steinkulten. So auch etwa im *Poenitentiale* PS.-BEDAE, c. 18, *Poen. Valicell. I.,* c. 113, BURCHARD v. WORMS, *Decr.* X 21, Ivo v. CHARTRES, *Decr.,* pars XI., c. 48. Ähnlich unbestimmt sind Bemerkungen in der Vita des CAESARIUS v. ARLES: *lignicolas* und *fonticolas*[8], oder wenn GREGOR I. in einem Brief an Königin Brunhilde, in der er die weltliche Macht um Mithilfe bei der Ausrottung heidnischer Bräuche bittet, schlicht von *cultores arborum*[9] spricht. Vergleichbar vage Bemerkungen finden

---

[6] H. HOMANN, Der Indiculus superstitionum et paganiarum und verwandte Denkmäler. (Diss.) Göttingen 1965.

[7] PL 56, 861 sq.

[8] Vita Caesarii I, ed. MG Script. rer. Merow. III 479 sq.

[9] GREGORIUS Brunigildae reginae Francorum, ed. MG Ep. II 7.

sich auch in anderen Zeugnissen nicht selten.[10] Das Gesetz der Priester Northumberlands (10. Jh.) stellt beispielsweise lapidarisch fest: *Si conventus superstitiosus
sit in alicuius terra, circa lapidem, vel arborem, vel fontem, vel aliquas eiusmodi
nugas.*[11]

Derartige, wenig ausdrückliche Bemerkungen können nun nicht als Zeichen
subjektiver Unsicherheit des Wissens über den Sachverhalt gewertet werden. Sie
verraten das Gegenteil: Man ist über die tatsächlichen Praktiken an den genannten
Orten hinreichend sicher, daß es eigentlich nicht lohnt, sich bestimmter aus-
zudrücken. Denn daß dort Dinge verrichtet werden, die keineswegs mit kirchlichen Vorstellungen übereinstimmen, glaubt man zu wissen:

> *Contestamur illam sollictudinem tam pastores quam presbitores gerere, ut, quoscum-
> que in hac fatuitate persistere viderint vel ad nescio quas petras aut arbores aut
> fontes, designata loca gentilium, perpetrare, quae ad ecclesiae rationem non pertinent,
> eos ab ecclesia sancta auctoritate repellant nec participare sancto altario permittant.*[12]

Was sind die sakrilegischen Praktiken an bestimmten Bäumen, Wassern und
Steinen bzw. Felsen im konkreten? Unter der wirklichen Masse an Belegen ist der
weitaus häufigste der Vorwurf, es würden „Gelübde erfüllt" *(vota (per)solvere)*
und „dargebracht" (reddere).

Die Nachrichten hierüber — man wird das gleich an den Anfang stellen
dürfen — gehen zumeist auf Caesarius von Arles zurück. Doch, auch das soll
gleich zu Anfang gesagt werden, bleibt in den stichwortartigen Notizen der
Verordnungsliteratur nichts mehr von der farbigen Anschaulichkeit der Caesarianischen Predigttexte erhalten, soweit schon nicht überhaupt nur verstümmelte
Zitate übriggeblieben sind. Zum Vergleich ein Caesarianischer Text u. a. zum
Thema:

> *Et licet credam quod illa infelix consuetudo, quae de paganorum profana observa-
> tione remansit, iam vobis castigantibus de locis istis fuerit deo inspirante sublata,
> tamen si adhuc agnoscitis aliquos illam sordidissimam turpitudinem de annicula vel
> cervulo exercere, ita durissime castigate, ut eos paeniteat rem sacrilegam conmisisse.
> Et si, quando luna obscuratur, adhuc aliquos clamare cognoscitis, et ipsos admonete,
> denuntiantes eis quod grave sibi peccatum faciunt, quando lunam, quae deo iubente
> certis temporibus obscuratur, clamoribus suis ac maleficiis sacrilego ausu se de-
> fensare posse confidunt. Et si adhuc videtis aliquos aut ad fontes aut ad arbores*

---

[10] *observationes quas stulti faciunt ad arbores vel petras vel fontes*, Capitul. missorum,
a. 802—803, c. 41; *qui arbores colunt, aut ad fontes hujuscemodi religiose accedunt*,
Atto v. Vercelli, Capit., c. 48; *arbores colere* Burch. v. Worms, Decr. X 2 (Boese, 53:
ex Caes. Arelat.) und dasselbe bei Ivo v. Cartres, Decr. pars XI, c. 31.
[11] C. 54, ed. Mansi XIX 69 sq.
[12] Conc. Turonense II., c. 23 (ex Caes. Arel., Boese 44 f.).

vota reddere, et, sicut iam dictum est, caraios etiam et divinos vel praecantatores inquirere, fylacteria etiam diabolica, characteres aut herbas vel sucinos sibi aut suis adpendere, durissime increpantes dicite, quia quicumque fecerit hoc malum, perdit baptismi sacramentum. Et quia audivimus quod aliquos viros vel mulieres ita circumveniat, ut quinta feria nec viri opera faciant, nec mulieres laneficium, coram deo et angelis eius contestamur, quia quicumque hoc observare voluerint, nisi per prolixam et duram paenitentiam tam grave sacrilegium emendaverint, ubi arsurus est diabolus, ibi et ipsi damnandi sunt. Isti enim infelices et miseri, qui in honore Iovis quinta feria opera non faciunt, non dubito quod ipsa opera die dominico facere nec erubescant nec metuant.[13]

Folgendes Stück, das BURCHARD V. WORMS, *Decr.* X 32, der *Synode von Agde*, a. 506, c. 5, zuschreibt, dürfte ein Predigtfragment des CAESARIUS sein, der Leiter der Synode gewesen ist.[14] *Perscrutandum est, si aliqua vota ad arbores vel ad fontes vel ad lapides quosdam quasi ad altari faciat, aut ibi candelam seu quodlibet munus deferat, veluti ibi quoddam numen sit.*[15]

Dieselbe Bestimmung haben übernommen: REGINO VON PRÜM, *De syn. caus.* II 43, BURCHARD VON WORMS an der schon genannten Stelle und in etwas anderem Zusammenhang lib. I, c. 94 und Ivo VON CHARTRES, *Decr.*, pars XI, c. 57. Der sichtbar werdende Einfluß und die Wirkung CAESARIUS' auf die kirchliche Verordnungsliteratur, zum wenigsten, was die Kenntnis heidnisch-superstitiöser Überlieferung betrifft, wird kaum zu überschätzen sein. Vor allem in die Bußbücher *(libri poenitentiales)*[16] haben viele CAESARIANISCHE Passagen Eingang gefunden.

So stammt der 38. Kanon des *Poenitentiale Ps.-Romanum* aus CAESARIUS[17]: *Si quis ad arbores vel ad fontes vel ad cancellum, vel ubicunque excepto in ecclesia, votum voverit aut exsolverit, III annos cum pane et aqua poeniteat, quia hoc sacrilegium est vel daemoniacum...* Die gleiche Bestimmung haben: *Poen. Merseburg. a.,* c. 27 (WASSERSCHLEBEN 394); *Poen. Bobiense,* c. 27 (W. 409); *Poen. Parisiense,* c. 21 (W. 414); *Poen. Floriancense,* c. 27 (W. 424)); EXCARPSUS CUMMEANI VII 6 (W. 481); *Poen. XXXV Capitulor.,* c. 17 (W. 517); *Poen. Ps.-THEO-*

---

[13] Sermo 13, ed. CCL 103, 67 sq. = Ps.-AUG., Sermo 265, ed. PL in App. ad op. AUG.; cf. BOESE 16.

[14] Cf. BOUDRIOT 9, Anm. 1 und BOESE 44.

[15] Conc. Agathens., a. 506, ed. MANSI VIII 340.

[16] Die Bußbücher, in Klöstern Englands, Schottlands und Irlands entstanden, breiteten sich im Gefolge der angelsächsischen und iroschottischen Mission auf dem Kontinent aus. Sie enthalten lange Reihen von Sündenkatalogen mit den jeweils entsprechenden Bußverordnungen und waren zum Gebrauch des Beichtvaters bestimmt. Bis in das 12. Jahrhundert hinein haben sie einen maßgeblichen Einfluß auf die Bußpraxis ausgeübt, besonders über den „Corrector" des Burchard von Worms. Das Decretum Gratiani hat die Entwicklung dieser Rechtsliteratur beendet — enthält aber selbst noch eine Anzahl alter Bußverordnungen.

[17] BOESE 51.

DORI, c. 18 (W. 597); *Poen. Casinense*, c. 58 (SCHMITZ I 142); *Poen. Valicellanum I.*, c. 113 (SCHM. I 330). In abgekürzter oder leicht veränderter Form liegt der Kanon zugrunde: *Poen. Valicell. II.*, c. 61 (SCHM.I 379); *Poen. Parisiense*, c. 14 (SCHM. I 683); und *Poen. Arundel*, c. 92 (SCHM. I 461).

Auch die *Musterpredigt der Vita Eligii* geht auf CAESARIUS zurück[18]. In ihr heißt es: *Nullus christianus ad fana vel ad petras aut ad fontes vel ad arbores aut ad cancellos vel trivia luminaria faciat aut vota reddere praesumat.*[19] Als Vorlage der Predigt ist der nur wenig abweichende *Tractatus de rectitudine catholicae conversionis*[20] anzusehen. Bei PIRMIN VON REICHENAU, dessen *Dicta* sowohl CAESARIUS als auch MARTIN VON BRAGA[21] verpflichtet sind, heißt dann die CAESARIUSstelle: *Nolite adorare idolis; non ad petras, neque ad arbores, non ad angulos, neque ad fontes, non ad trivios nolite adorare, nec vota reddire*[22]. Schließlich finden wir die Stelle noch in einer Predigthandschrift des 12. Jahrhunderts: *Nam et ad petras et ad arbores et ad fontes et per triuia cereolos incendere, ibi uota reddere, quid est aliud hoc, nisi cultura diaboli?*[23]

Einer anderen Traditionsreihe, die ebenfalls auf CAESARIUS zurückgeht[24], gehört der 3. Bußkanon des 30. Kapitels im *Poenitentiale* Ps.(?)-BEDAE an: *Auguria vel sortes, que dicuntur falsa sanctorum vel divinationes, qui eas observaverit vel quarumcunque scripturarum inspectione promittit vel votum voverit ad arborem vel ad quamlibet rem excepto ad ecclesiam, si clerici* etc.[25]. Zu dieser Überlieferungskette sind zu rechnen das *Poen.* EGBERTI VIII 1 (SCHM. I 581); HRABANUS MAURUS, Poenitentiale, c. 30, REGINO VON PRÜM, *De syn. caus.* II 358; BURCHARD VON WORMS, *Decr.* X 9; IVO VON CHARTRES, *Decr.*, pars. XI 37.

---

18 Cf. BOUDRIOT 14.
19 MG Script. rer. Merow. IV 706; cf. BOESE 24.
20 PL 40, 1172.
21 Cf. De corr. rust., c. 16.
22 C. 22, ed. JECKER.
23 Rede an Getaufte, ed. CASPARI: Anedocta 204.
24 BOESE 54; Cf. Ps.-AUG., Sermo 264, 4; 278, c. 1—3, 5.
25 WASSERSCHLEBEN 272. Manche Quellen nennen außer oder anstelle der bekannten Votivorte, also Baum, Quelle, Stein, andere Kultstätten, die hier wenigstens noch angemerkt werden sollen: *ad angulos*: Poen. Excarpsus CUMMEANI VII 6; Poen. XXXV capitul., c. 17 Dicta PIRMINII, c. 22; Ratio de cath. rud., ed. HEER 81; *arae*: CAES. AREL., Sermo 54; Hom. de sacril., c. 1, ed. CASPARI 6. — *ad bivia*: Vita Eligii, ed. MG Script. rer. Merow. IV 707, 708; BURCH., Corr., c. 57; ibd., c. 54: *in bivio aut in trivio.* — *ad cancellos*: Vita Eligii 706; PIRMIN, Dicta, c. 22; Poen. Ps.-BEDAE., Prol. 18 (Wasserschleben 254); Poen. Ps.-Roman., c. 38; die oben S. 6 genannten Stellen der Bußbücher: Merseburgense, Bobiense, Parisiense, Floriacense, Ps.-THEODORI; Ordo poenitentiae; Poen. Valicell. I., c. 113. — *Casulae*: de casulis id est fanis, Ind. superst., c. 4. — *fanum*: CAESARIUS, Sermo 54; id., Sermo 14 (Homilia ubi populus admonetur); id. Sermo 22; id. Sermo 26; Vita Eligii 706; Excarpsus CUMMEAN. VII 10; Poen. Valicell. I., c. 81. — *ad lucos*: GREGOR III., Ep. (Bonifatii) 43; KARL D. GR., Cap. de part. Saxon., c. 21; Ps.-AUGUST., Hom. de sacril., ed. CASPARI 17. — *Nimidas*: de sacris silvarum, quae nimi-

Den kultisch-religiösen Charakter der Votationen wollen Bemerkungen besonders herausstellen, in denen verboten wird: *Nolite ad arbores vota reddere; nolite ad fontes orare,* CAES. v. ARLES, *Sermo 14*[26]. Es dürfte sich hier rein technisch jedoch um die gleichen Votivaktionen handeln, von denen auch sonst die Rede ist. Nur der *Sermo 54* von CAESARIUS hat noch eine sonst ausgedünnte Formel: *Pro qua re,* womit das gemeinte Votieren im Sinne eines *do ut des* interpretiert erscheint: *Pro qua re nec ad arbores debent christiani vota reddere, nec ad fontes adorare, si se volunt per dei gratiam de aeterno supplicio liberari.*[27] Die PSEUDOAUGUSTINISCHE *Homilia de sacrilegiis* (8. Jh.) mahnt: *Si quis neptunalia in mare (observat) aut ubi fons aut riuus de capite exurget, quicumque (ibi) orauerit, sciat, se fidem et baptismum perdedisse*[28]. Wenn hier auch in auffälliger Weise allein von Wasser, Quellen, geredet wird, an denen man bitte, bzw. bete, so bezieht solches PIRMIN doch auf alle bisher genannten Kultplätze; für ihn gilt mit Bezug auf die Verehrung von Bäumen usf.: *nolite adorare idolis*[29].

Noch die *Provinzialsynode von Trier,* a. 1227, zählt unter die Dinge, welche man nicht „anbeten" dürfe *(adorare) fontes* und *arbores,* steht somit innerhalb der hier besprochenen Tradition. Es muß aber fraglich sein, ob im 13. Jahrhundert noch geredet werden konnte, wie in der Heidenmission des 8. Jahrhunderts. Doch wie etwa die Tradierung von Gesetzen Rechtsnormen Jahrhunderte hindurch verfügbar ließ, ohne daß die Zustände, die zu regeln sie aufgestellt worden waren, noch vorhanden gewesen sind, so haben sich gerade auf dem Gebiet der Superstitionenkritik Verordnungen und somit auch Vorstellungen über die Art des jeweils zeitgenössischen Aberglaubens erhalten, die längst nicht mehr der Wirklichkeit entsprochen haben dürften. Welche Konsequenzen das nicht nur für die kirchlichen Ansichten von der Art des ‚Volksglaubens‘, sondern für seinen tatsächlichen Bestand im Einzelnen haben konnte, liegt auf der Hand.

Die Verbote, keine Gelübde an Bäumen, Quellen und Steinen abzulegen und dort nicht zu beten, werden ergänzt durch das Verbot, man solle dort keine *faculas* oder *cereolos incendere,* resp. *accendere,* also keine Lichter anzünden: *Si in alicuius episcopi territorio infideles aut faculas accendunt aut arbores, fontes uel saxa uenerantur, si hoc eruere neglexerit, sacrilegii reum se esse cognoscat;* BURCHARD VON WORMS zitiert[30] die Bestimmung als c. 22 des *Konzils von Braga*[31]

---

das vocant, Ind. superst., c. 6. — *inter sentes* (Dornsträucher): Konz. v. Auxerre, c. 3 (Ex CAES. AREL., BOESE 45). — *ad trivia:* Martin v. Braga, De corr. rust., saec 10/11, ed. Casparii 16; Vita Eligii 706; Pirmin, Dicta 22; Burch., Corr., c. 54; Rede an Getaufte 199 f.; Rede an Getaufte, saec. 12, ed. Caspari 204.

[26] CCL 103, 71 = Homilia ubi populus admonetur, ed. CASPARI: Anecdota 215—224.
[27] CCL 103, 239.
[28] C. 3, ed. CASPARI.
[29] Cf. S. 53.
[30] Decr. X 21.
[31] Cf. MANSI IX 844.

(a. 572), ebenso das *Conc. Arelatense II.*, c. 23[32]. Aber nicht auf das *Konzil von Braga*, unter dessen Akten das Statut gar nicht überliefert ist[33], sondern auf eine Schrift des provenzalischen Bischofs geht auch diese Bestimmung zurück[34]. Denselben Kanon überliefern das *Poenitentiale Valicellanum I.*, c. 113 und Ivo VON CHARTRES, *Decr.*, pars. XI. c. 48.

CAESARIANISCH ist weiterhin eine Bemerkung, die sich in der nicht allein für die Missionsgeschichte Spaniens wichtigen Schrift *De correctione rusticorum* MARTINS VON BRAGA findet: *Nam ad petras et ad arbores et ad fontes et per triuia cereolos incendere, quid est aliud, nisi cultura diaboli?*[35] Der bei den Sueben im Norden Portugals tätige Bischof hat mit seiner Unterweisungschrift einen vergleichbaren Einfluß auf thematisch ähnlich gelagerte Missionspredigten und -traktate ausgeübt wie CAESARIUS und soweit er, wie hier, seinerseits zudem CAESARIANISCHE Stücke enthält, die Wirkung des Bischofs von Arles noch verstärkt. MARTINS Einfluß ist selbst in Norwegen und Irland in der entsprechenden Literatur nachzuweisen.[36] Zur Warnung der Gemeinde vor Sakrilegien und Superstitionen war seine Schrift, zugleich eine Musterpredigt gegen Aberglauben, geschrieben[37] und deshalb nach Anlage und Ton besonders geeignet, wieder ausgeschrieben zu werden. Zwei *Taufpredigten*[38] in Handschriften des 10./11. und noch des 12. Jahrhunderts aus Montpellier und Leiden kennen die gleiche Stelle!

Das Anzünden von Lichtern, gelegentlich ist die Rede von *luminaria*[39], hat kultischen Zweck: *Venisti ad aliquem locum ad orandum nisi ad ecclesiam... id est vel ad fontes, vel ad lapides, vel ad arbores, vel ad bivia, et ibi aut candelam, aut faculam pro veneratione loci incendisti?*[40], wird als Opfer an das gegenwärtig vorgestellte *numen* empfunden und soll, da die Bemerkung in den meisten Fällen an das *vota reddere* anschließt oder diesem vorhergeht, der Bitte bzw. dem Gelübde Nachdruck verschaffen. So fährt BURCHARD an der genannten Stelle — wiederum hat er es aus CAESARIUS entlehnt[41] — fort: *aut panem aut aliquam oblationem illuc detulisti.* C. 94 im 1. Buch des *Dekrets* BURCHARDS macht die Vorstellung noch deutlicher: *si aliquis vota ad arbores, vel ad fontes, vel ad lapides faciat, aut ibi candelam seu quodlibet munus deferat, veluti ibi quoddam numen sit, quod bonum, aut malum possit inferre.* Auch dieser Passus geht auf

---

[32] MANSI VII 881.
[33] Cf. MANSI l. c.
[34] Cf. BOESE 55.
[35] C. 16, ed. CASPARI 29 f. cf. BOESE 41.
[36] Cf. BEZZOLD, Antike Götter 11.
[37] Cf. SCHNÜRER, Kirche und Kultur I 155 f.
[38] Ed. CASPARI 199 f., 204.
[39] ELIGIUS 89; Admon. gener., c. 65; ANSEGISI capitul. coll. 178.
[40] BURCH. v. WORMS, Decr. X 21.
[41] BOESE 52.

CAESARIUS zurück[42]; er steht erstmals in der von CAESARIUS geleiteten *Synode von Agde* (506) als c. 5. In der Folge findet er sich bei REGINO VON PRÜM[43], bei BURCHARD noch ein zweites Mal im 10. Buch[44] und bei IVO VON CHARTRES.[45]

Über das Opferwesen an den behandelten Orten sind wir gut unterrichtet, zumindest was die Tatsache angeht, daß hier überhaupt bestimmte Opfer gebracht wurden. Die *Ratio de cathecizandis rudibus*, eine etwa um 800 entstandene Schrift für die karolingische Heidenmission, weist gleich zweimal auf *sacrificia* hin: *non ad angulos sacrificia facies*[46] und *non ad arbores, non ad fontes sacrificia ullomodo facere*[47]. Eine vermutlich in Mainz und zur Zeit Karls des Großen entstandene unten S. 63 zitierte (zu Anm. 107) *Musterpredigt*, die mit dem nachbonifatianischen *Sermo 6*[48] wie in vielen anderen Stücken, so auch mit der zitierten Stelle identisch ist, spricht ebenfalls von *sacrificia*. Von *sacrificia* sprechen auch die schon erwähnte *Taufrede* einer Handschrift des 10. oder 11. Jahrhunderts in Montpellier[49] und die *Synode von Szabolch* vom Jahre 1092, c. 22: *Quicumque ritu gentilium juxta puteos sacrificaverint, vel ad arbores, et fontes, et lapides oblationes obtulerint, reatum suum bene luant.*[50] Unnötig auf die vielen anderen Zeugnisse noch näher einzugehen.

Sind also einerseits hier ganz sicherlich Darbringungen bestimmter Lichter gemeint, so auch Opfer von Tieren und Brot. Im gemeinschaftlichen Kultmahl wurde die Opferspeise verzehrt. Dazu wurde getrunken, und beides, Essen und Trinken, geschah in einem für Opfermahlzeiten charakteristischen Überfluß: *Quincumque ergo, fratres, nomen Christi credet et fidem catholicam suscipit, reuersus est sicut canes ad uomitum, qui ista observare uoluerit: id est antiquas aras aut lucos, ad arbores et ad saxa et ad alia loca uadet, uel de animalibus siue aliut ibi offert, uel ibi epulatur. Sciat, se fidem et baptismum perdidisse* mahnt die von CAESARIUS abhängige[51] *Homilia de sacrilegiis* (8. Jh.)[52].

Das kräftige und wie es den Anschein hat sehr beliebte Bild, der in heidnische Gebräuche rückfällige Christ kehre wie ein Hund zu seinem Auswurf zurück, ist doppelt interessant. Im *Buch der Sprüche* wird es allein zur Charakterisierung der Torheit angeführt: „Gleich wie ein Hund, der wiederkehrt zu seinem Aus-

---

[42] BOESE 44.
[43] De syn. caus. II 43.
[44] C. 32.
[45] Decr., pars XI., c. 57.
[46] Ed. HEER, Missionskatechismus 81.
[47] L. c. 86.
[48] Ed. PL 89, 855 sq.
[49] CASPARI: Anecdota 199.
[50] Ed. MANSI XX 772.
[51] BOESE 29.
[52] C. 2, ed. CASPARI.

wurf, ist auch ein Tor, der seine Narrheit wiederholt".[53] Der *zweite Petrusbrief*[54] bezieht es aber schon auf rückfällige Christen; denn „auf solche trifft das wahre Sprichwort zu: ,Ein Hund, der zum eigenen Gespei sich wendet'[55], sowie ,Ein Schwein, das sich gewaschen hat, um sich wieder im Schmutze zu wälzen'"[56].

Mit derartigen Vergleichen war man nicht zimperlich, ob man sich nun den Heiden als im Schlamme wühlendes Schwein oder als Opferblut schleckenden Hund vorstellte: *Non est bonum tollere panem filiorum et dare canibus'*[57], *id est gentibus qui prius in superstitione positi canum more consueverant immundum sanguinem idolothytarum lambere victimarum*[58]. Seiner Teilnahme an den Kultmählern, geschehe es nun aus Einfalt oder Unwissenheit, meistens allerdings wohl der Schlemmerei wegen, müsse man sich schämen:

> *Et quia etiam et hoc pervenit ad me, quod aliqui aut per simplicitatem aut per ignorantiam aut certe, quod plus credendum est, per gulam de illis sacrilegiis, aut sacrificiis vel de illo sacrilego cybo, quae adhuc secundum paganorum consuetudinem fiunt, manducare nec timeant nec erubescant, contestor vos coram deo et angelis eius denuntio, ut nec ad illa diabolica convivia, quae aut ad fanum, aut ad fontes, aut ad aliquas arbores fiunt, veniatis.*[59]

Die *Capitulatio de partibus Saxoniae*, KARLS DES GROSSEN erstes Sachsengesetz, verbietet die Kultmahlzeiten, weil es sich dabei um Verehrung der Dämonen handele:

> *Si quis ad fontes aut arbores vel lucos votum fecerit aut aliquit more gentilium obtulerit et ad honorem daemonum comederet, si nobilis fuerit solidos sexaginta, si ingenuus triginta, si litus quindecim. Si vero non habuerit unde praesentaliter persolvant, ad ecclesiae servitium donentur usque dum ipsi solidi solvantur.*[60]

An Verordnungen der Bußbuchliteratur seien genannt: Excarpsus CUMMEANI[61]; *Poen. Parisiense*[62]; *Poen. Romanum*[63]; *Poen. Valicellanum*[64]; *Corrector* BURCHARDI[65].

---

[53] Sprüche 26, 11.
[54] 2, 22.
[55] 26, 11.
[56] 26, 11.
[57] MT 15, 26.
[58] GAUDENTIUS V. BRESCIA, Tract. IX. De evangelii lectione II 16, ed. CSEL 68, 79.
[59] CAESARIUS V. ARLES, Sermo 54, ed. CCL 103, 239 sq. = Ps. AUG. Sermo 278, ed. PL 39, 2268.
[60] C. 21, ed. MG Leg. 2 I 69.
[61] CUMMEANI Excarpsus VII 10, ed. SCHMITZ I 633.
[62] C. 23, ed. SCHMITZ I 685.
[63] C. 42, ed. SCHMITZ I 480.
[64] C. 81 et 113, ed. SCHMITZ I 305, 330.
[65] C. 57; ex CAES. ARELAT., cf. BOESE 52.

Man hat mit Bezug auf die genannten *vota, oblationes, munera* etc. einen vorchristlichen Heilkult an Bäumen, Wassern und Steinen angenommen, an den der spätere, christliche Heiligen- bzw. Wallfahrtskult unmittelbar habe anknüpfen können, fänden sich doch in letzterem etwa Votivgaben, die auch für die heidnischen ,Vorläufer' belegt seien:

> *Non licet compensos in dominibus propriis, nec pervigilias in festivitatibus sanctorum facere: nec inter sentius, aut ad arbores sacrivos, vel ad fontes vota exsolvere: sed quicumque votum habuerit, in ecclesia vigilet, et matriculae ipsum votum, aut pauperibus reddat: nec sculpitilia aut pede, aut homine lineo (al. homines ligneos) fieri penitius praesumat.*[66]

Die christlichen Zeugnisse jedenfalls wissen, daß der Besuch dieser Orte und die Opferpraxis dort weitgehend den Charakter von Heilsveranstaltungen besäßen:

> *Si alicubi in nostra parochia locus talis est, aut ad fontes, aut arbores, aut ad petras: si aliqui stulti ibi vota faciant, aut observent pro aliquam sanitatem, aut devotionem aliquam; ut illos nobis notos faciatis, et ante nos adducite, et si alia loca, infra nostram parochiam innotescere faciatis, et iterum cultores, et vota oblationem.*[67]

Wenn es auch nicht leicht wäre, einen unmittelbaren Übergang vom heidnischen zum christlichen Heilkult historisch nachzuweisen — eine Beobachtung, die zudem für den Vorgang der Übernahme und Entlehnung auch nur ein Beispiel wäre — so sollte doch gesehen werden, daß die Missionspraxis entsprechende Möglichkeiten des Heilkultes in christlichen Kirchen durchaus angeboten hat, um die Gemeinde auf dem Wege des Ersatzes von alten Kultstätten abzuziehen. Wir werden solchem Paganien- und Superstitionssurogat (im Sinn von Funktionsäquivalent) öfter begegnen. Man vergleiche etwa das zitierte *Konzil von Auxerre*[68].

Der CAESARIANISCHE *Sermo in parochiis necessarius*[69] führt den *Jakobusbrief* an: „Ist einer bei euch krank? Er rufe die Presbyter der Kirche zu sich; sie sollen über ihn beten und ihn dabei mit Öl salben im Namen des Herrn. Das gläubige Gebet

---

[66] Konzil v. Auxere, ca. a. 573—603, c. 3; cf. Vita Eligii II 15, ed. MG Script. rer. Merow. IV 700; GREGOR VON TOURS, Historia Francorum, Libri octo Miraculorum VII 2, ed. MG Script. rer. Merow. I 681; PIRMIN V. REICHENAU, Dicta, c. 22; Indiculus superstitionum, c. 29; nach BOUDRIOT 68, alle abhängig von CAESARIUS.

[67] Bei HARTZHEIM I 424 sq., als Capitula sub Carolo magno, ca. a. 744, überliefertes PSEUDO-BONIFATIANISCHES Stück (cf. BOUDRIOT 12), c. 12; cf.: *Fecisti ligaturas et incantationes, et illas varias fascinationes, quas nefarii homines bulci vel bubulci et interdum venatores faciunt, dum dicunt diabolica carmina super panem aut super herbas et super quaedam nefaria ligamenta, et haec aut in arbore abscondunt, aut in bivio aut in trivio proiciunt, ut sua animalia vel canes liberent a peste et clade et alterius perdant? Si fecisti duos annos per legitimas ferias poeniteas*, BURCHARD VON WORMS, Corrector, c. 63, ed. SCHMITZ II 423 sq.

[68] C. 3., ed. CCL 103, 64 sqq.

[69] Sermo 13.

wird dem Kranken zum Heile sein; der Herr wird ihn aufrichten und wenn er Sünden begangen hat, so werden sie ihm vergeben werden".[70] CAESARIUS fährt darauf fort:

> *Videte, fratres, quia qui in infirmitate ad ecclesiam currit, et corporis sanitatem re-*
> *cipere, et peccatorum indulgentiam merebitur obtinere. Cum ergo duplicia bona pos-*
> *simus in ecclesia invenire, quare per praecantatores, per fontes et arbores et diabolica*
> *fylacteria, per caraios aut aruspices et divinos vel sortilogos multiplicia sibi mala*
> *miseri homines conantur inferre?*[71]

Einer der „notorischen Caesarius-Ausschreiber"[72], der Verfasser der *Musterpredigt der Vita Eligii*, äußert sich so:

> *Praeterea quotiens aliqua infirmitas supervenerit, non quaeratur praecantatores, non*
> *divini, non sortilogi, non caragi, nec per fontes aut arbores vel bivios diabolica filac-*
> *teria exerceantur; sed qui aegrotat, in sola Dei misericordia confidat et eucaristiam*
> *corporis ac sanguinis Christi cum fide et devotione accipiat oleumque benedictum*
> *fideliter ab ecclesia petat, unde corpus suum in nomine Christ ungeat, et secundum*
> *apostolum oratio fidei salvabit infirmum et allevabit eum Dominus; et non solum*
> *corporis, sed etiam animae sanitatem recipiet, conplebiturque in illo quod Dominus*
> *in euangelio promisit, dicens: Omnia enim quaecumque petieritis in oratione creden-*
> *tes accipietis.*[73]

Die Absicht, die genannten superstitiosen Praktiken, durch kirchliche, näherhin sakramentalische Handlungen, Gebete und Salbungen, abzulösen, liegt deutlich zutage. Mit der neutestamentlich beglaubigten Krankensalbung war das Arsenal möglicher Ablösungsformen nicht erschöpft. Bedeutend konkreter und, weil auf die sakrale Besonderung des Kirchenraumes und dessen Ortsmächtigkeit bezogen, auch geeigneter, den *loca gentilium* Konkurrenz zu machen, war die ihrerseits wieder der antiken Religion entlehnte Inkubation. Dabei handelt es sich um die kultische Heilpraxis, in Tempeln bzw. Kirchen zu schlafen, um Heilung zu erlangen oder zu diesem Zweck eine überirdische Weisung zu erhalten.

Der 3. Kanon der *Synode von Auxerre* empfiehlt als Surrogat: *Non licet... aut ad arbores sacrivos, vel ad fontes vota excolere: sed quicumque votum habuerit, in ecclesia vigilet, et matriculae ipsum votum, aut pauperibus reddat.* Das Votum soll zu Nutzen des Matrikels oder der Armen gemacht werden. Die Synode verbietet zwar die Darbringung von *sculptilia*, doch liegt der Gedanke nahe, daß bei der Empfehlung, die Vota überhaupt in der Kirche zu erfüllen, die Gelübde schließlich auch auf vergleichbare Weise und mit ähnlichen Mitteln erfüllt wurden, wie es bisher an den *loca daemonibus consecrata* der Fall war. Denn die in Buß-

---

[70] 5, 14—16.
[71] CCL 103, 66 sq.
[72] BOUDRIOT 38.
[73] Ed. MG Script. rer. Merow. IV 707.

büchern und in sonstigen Verordnungen gängigen Formen: *Si quis ad arborem aut ad fontem aut ubicunque excepto in ecclesia votum voverit*[74], lassen die Frage völlig offen, ob eine besondere Art der Abstattung des Votums verboten sei — und, wie die recht unproblematische Gleichsetzung von *vota ad arbores* etc. mit *ad ecclesiam Dei vota* nahelegt, wohl auch nicht war: *Si quis ad arbores vel ad fontes aut ad angulos vel ubicunque nisi ad ecclesiam Dei vota voverit aut solverit. Excarpsus* CUMMEANI[75].

Auffallend ähnliche und zum Teil identische Formulierungen bringen das *Poenitentiale XXXV capitulorum*[76], *Casinense*[77], *Ps.-Romanum*[78], *Valicellanum*[79], *Merseburgense a.*[80], *Bobiense*[81], *Parisiense*[82], *Floriacense*[83], Ps.-THEODORI[84], also hauptsächlich die bei Wasserschleben als Fränkische Bußordnungen bezeichneten Bücher. In diese Reihe gehört die Wendung *non in ullo alio loco, nisi ad sanctam ecclesiam*[85], wie sie in der *Ratio de cathecizandis rudibus* steht. Innerhalb eines anderen Zusammenhanges findet sich die Formel: *vel votum voverit in arborem vel in quambilet rem, excepta Ecclesia, Poenitentiale* Ps.-BEDAE.[86] Hierher gehören das *Poenitentiale* EGBERTI[87] und Stellen bei REGINO VON PRÜM[88], BURCHARD v. WORMS[89] und Ivo v. CHARTRES[90]. Überall also — vgl. auch S. 61 den Kanon 20 der *Synode von Nantes* — allein die Einschränkung des Votums, wie es sonst an Bäumen, Quellen und Felsen eingegangen und gelöst wurde, auf den Bereich der Kirche. Vom Verbot einer bestimmten Form der ‚Votivgaben‘, wie es die *Synode von Auxerre* aussprach, ist sonst nirgends die Rede.

Wenn nun, was die Zeugnisse deutlich machen, bestimmte Formen, zunächst einmal Formen des heidnischen Votivkultes an Bäumen, Eingang in die Kirche gefunden haben, so wird man mit Rücksicht auf die geforderte Vernichtung heidnischer Opferstätten viel eher eine Wanderung zumindest der genannten Praktiken

---

[74] Poen. Casinense, c. 58, ed. SCHMITZ I 412.
[75] VII 6, ed. SCHMITZ I 633.
[76] C. 17, ed. WASSERSCHLEBEN 424.
[77] C. 58, ed. SCHMITZ I 412.
[78] C. 38, ed. SCHMITZ I 479; ex CAES. ARELAT., BOESE 51.
[79] C. 113, ed. SCHMITZ I 330.
[80] C. 27, ed. W. 394.
[81] C. 27, ed. W. 409.
[82] C. 21, ed. W. 414.
[83] C. 27, ed. W. 424.
[84] C. 18, ed. W. 597.
[85] Ed. HEER 81.
[86] C. XXX 3, ed. WASSERSCHLEBEN 272.
[87] C. VIII 1, SCHMITZ I 581.
[88] De syn. Caus. II 358.
[83] Decr. X 9.
[90] Decr., pars XI., c. 37; weiterhin Poen. Parisiense, c. 14, ed. SCHMITZ I 683 und Poen. Arundel., c. 92, ibd. 462.

in den räumlichen Bezirk der Kirchen annehmen müssen, als daß durch Errichtung von Kirchenbauten am Ort zerstörter Heiligtümer die Kontinuität der Praxis der Identität des Ortes entspräche. Wenn auch letzter Fall zur kirchlichen Missionstaktik gehörte: GREGOR DER GROSSE, der *pater superstitionum*, wie ihn HARNACK einmal genannt hat[91], ist ja noch weiter gegangen. Mit feinem Gespür dafür, daß nicht der Tempel primär, sondern der Ort für heilig gilt, hat er dem Bischof von Canterbury empfohlen, aus heidnischen Tempeln, sofern sie solide gebaut seien, nur erst einmal die Götterbilder entfernen und nach entsprechenden Lustrationen, das Gebäude als christliches Gotteshaus weiter benutzen zu lassen. Wie GREGOR sich die Übernahme vorstellt, das schildert er mit solch atemberaubender Eleganz und Glätte, daß man beim Lesen ein Gefühl der Überrumpelung empfinden kann: *sed ipsa, quae in eis sunt, idola destruantur. Aqua benedicta fiat, in eisdem fanis aspergatur, altaria construantur, reliquiae ponantur.*[92]

Die Verwüstung von Heiligtümern ist jedem, der die Viten der Missionsheiligen kennt, eine geläufige Erscheinung. Zahlreiche Verordnungen machen die Verwüstung heidnischer Kultstätten zur Pflicht:

Summo decertare debent studio episcopi, ut arbores daemonibus consecratas, quas vulgus colit, et in tanta veneratione habet, ut nec ramum vel surculum inde audeat amputare, radicitus excidantur, atque comburantur. Lapides quoque quos in ruinosis locis et silvestribus, daemonum ludificationibus decepti venerantur, ubi vota vovent et deferunt, funditus effodiantur, atque in tali loco projiciantur, ubi nunquam a cultoribus suis inveniri possint. Et omnibus annuncietur, quantum scelus sit idolatria: et quod qui haec veneratur et colit, quasi Deum suum negat, et Christianitati abrenunciat, et talem poenitentiam inde debet suscipere, quasi idola adorasset. Omnibusque interdicatur, ut nullus votum faciat, aut candelam, vel aliquod munus pro salute sua rogaturus alibi deferat, nisi in ecclesiam Domino Deo suo; scriptum est enim: „Vovete et reddite Domino Deo vestro" (Ps 75). Novimus siquidem quanta Dominus antiquo populo per prophetas suos interminatus est, quia in lucis sacrificabant, et in excelsis immolabant. Si quis hoc transgressus fuerit, fidem perdidit, et est infideli deterior. Et idcirco omnimodo a sanctae ecclesiae consortio abscindatur; et nisi digne poenituerit, non recipiatur. Synode von Nantes[93], ca. a. 658.

Auch diese Bestimmung dürfte auf Predigten CAESARIUS' VON ARLES zurückgehen.[94] Schon ein vorcaesarianisches Konzil in Arles ermahnt die Bischöfe, in der Zerstörung von Heiligtümern nicht nachlässig zu sein: *Si in alicuius episcopi territorio infideles aut faculas accendunt aut arbores, fontes, uel saxa uenerantur, si*

---

[91] Dogmengeschichte III 239.
[92] Ep. ad. Mellitum Abbatem, ed. MG Ep. II 331.
[93] C. 20.
[94] Cf. BOESE 54 und BOUDRIOT 9, Anm. 3; REGINO v. PRÜM, De syn. caus. II., c. 309, BURCH. v. WORMS, Decr. X, c. 10 und IVO v. CHARTRES, Decr., pars XI., c. 48 überliefern sie als Verordnung des genannten Konzils.

hoc eruere neglexerit, sacrilegii reum se esse cognoscat.[95] Die Admonitio generalis, a. 789, bestimmt: *Item de arboribus vel petris vel fontibus, ubi aliqui stulti luminaria vel alias observationes faciunt, omnino mandamus, ut iste pessimmus usus et Deo execrabilis, ubicumque inveniatur, tollatur et destruatur.*[96]

Über die bloße Tatsache des Verbotes hinaus gefragt: Auf welche theologischen Interpretationen und Wertungen ist das Vorgehen gegründet? Denn die allgemeinsten Qualifizierungen: *malum*[97], *vitium*[98], *peccatum*[99], *nefas*[100] oder *iste pessimus usus et Deo execrabilis*[101] besagen nicht mehr als überhaupt nur die Ablehnung.

Inhaltsreicher ist der Vorwurf des Sakrilegs: *Si quis ad arbores vel ad fontes aut ad angulos vel ubicumque nisi ad aecclesiam Dei votum voverit aut solverit, pro hoc sacrilegio III annos poenit.*[102] Si quis ad fontes vota voverit et solverit vel biberit, anno I poeniteat, quia hoc sacrilegium est.[103]

Der Wortgebrauch *sacrilegium* kann nicht in der wörtlichen Bedeutung von „Tempel"- bzw. „Kirchenraub" gemacht sein; er muß vielmehr in der christlichen Literatur eine neue Richtung bekommen haben, den man mit der erhalten gebliebenen Bedeutung „Tempelraub" allerdings nicht mehr in etymologische Verbindung zu bringen vermochte: *Sacrilegium dicitur sacrarum rerum lesio id est direptio videlicet librorum et ecclesie ornamentorum scilicet, palliorum, vestimentorum, turibulorum, calicis sive omnium ecclesiarum substantiarum.*[104] Dagegen: *Fecisti sacrilegium id est sacrarum rerum furtum et quod aruspices et augures faciunt et sortilegi, vel vota, quae faciunt ad arbores vel ad fontes et cancellos aut per ullum ingenium vovisti aut sortitus fuisti aut arborem fecisti, II annos vel III poeniteas.*[105] Dem spezifisch christlichen Wortsinn von *sacrilegium* hilft die

---

95 Conc. Arelat. II., ca. a. 443—452, c. 23; *idolorum cultus insequere, fanorum aedificia everte*, GREGOR I., Brief an König Ethelberth von Kent, a. 601, ed. MG Ep. II 308.

96 C. 65; dieselbe Verordnung wiederholt um 802/803 das Capitulare missorum item speciale, c. 41.

97 CAES. AREL., Sermo 13.

98 Vita Caes., Arel. I ed. MG Script. rer Merow. III 479 sq.

99 CAES. AREL., Sermo 13.

100 Conc. Tolet. XII., c. 11.

101 Admon. gener., c. 65.

102 Poen. XXXV Capitul., c. 17. ed. SCHMITZ I 666.

103 Poen. Hubertense, c. 30, ed. WASSERSCHLEBEN 381; cf. Conc. Arelat. II., c. 23; CAES. ARELAT., Sermo 54; id., Sermo 14; Poen. Casinense, c. 58; Poen. PS.-BEDAE, c. 18; BURCH. V. WORMS, Decr. X 21; IVO V. CHARTRES, Decr., pars XI, c. 48.

104 Poen. Valicell. II., c. 44, ed. SCHMITZ I 374.

105 Ordo poenitentiae, c. XIV 93, ed. SCHMITZ I 748; *aut arborem fecisti* gibt keinen Sinn, es dürfte eine irrige Lesart von *abortum fecisti* sein, sich also gegen Abtreibung richten: cf. *abortum facere*, Poen. Valicell. I., c. 24; *aborsum fecerit*, Poen. Arundel., c. 20; *abortivos facere*, Poen. Ps.-Roman., c. 21; *abortivum faciunt*, Poen. PS.-THEODORI, c. 24; *abortum fecerit*, Excarpsus CUMMEANI, VI 21; Poen. Mediolanense, ed. SCHMITZ I 817.

Gleichsetzung von *sacrilegium* und *daemoniacum* auf die Spur.[106] Denn das erklärt das Sakrilegische offensichtlich als Dämonenkult.

Der Besuch heiliger Stätten und die Teilnahme an den geschilderten Gebräuchen ist Götzendienst, Idolatrie, also Kult der Dämonen:

> *sacrilegium quod dicitur cultura idolorum: omnia autem sacrificia et auguria paganorum sacrilegia sunt, et omnia illa observatio quae pagania vocatur, quemadmodum sacrificia mortuorum circa defuncta corpora apud sepulchra illorum sive auguria sive filacteria sive quae immolant super petras sive ad fontes sive ad arbores Iovi vel Mercurio vel aliis paganorum, quae omnia demonia sunt, quod eis feriatos dies servant, sive incantationes et multa alia quae enumerare longum est: quae universa iuxta iudicium sanctorum patrum sacrilegia sunt, a christianis vitanda et detestanda et capitalia peccata esse dinoscuntur.*[107]

Die Sakrilegienkritik impliziert somit den Vorwurf des Heidentums und Götzendienstes. Die gängige Gegenüberstellung *christianus* und *gentilis* oder *paganus* wird durch das Gegensatzpaar *non christianus, sed sacrilegus* in einer Weise verschärft, daß heidnischer Religionsausübung der Charakter des Religiösen schlechthin abgesprochen wird. Das Sakrilegium ist, und daran lassen die desweiteren noch angeführten Stellen keinen Zweifel, den Heiden wesentlich, es kommt ihnen von Haus und Natur aus zu. In der von „Tempelraub" hergeleiteten Bedeutung ist damit das gesamte Heidentum, zum wenigsten seiner praktischen und kultischen Seite nach, als „Schändung" und „Entweihung" des Göttlichen erklärt.[108]

Das Sakrilegium, der Dämonenkult also, bestehe nun darin, an Bäumen, Quellen und Felsen zu opfern oder zu beten: als gäbe es dort ein göttliches Wesen: *Perscrutandum est, si aliqua vota ad arbores vel ad fontes vel ad lapides quosdam quasi ad altaria faciat, aut ibi candelam seu quodlibet munus deferat, veluti ibi quoddam numen sit.*[109]

Es scheint, als sei mit der Bemerkung *veluti ibi quoddam numen sit* die Vorstellung angedeutet, das verehrte Numen bzw. der Gott befinde sich am Ort wie im Tempel, sei nicht, wie denkbar wäre, mit den Dingen (Baum, Stein, Quelle) an denen man opfert, identisch. Generell ist es ein Unterschied, ob die genannten Orte als Sakralbezirke, an denen das Numen beherbergt ist, angesehen werden

---

106 Poen. Ps.-Roman., c. 38; *daemonium*, Poen. Merseburgense a., c. 27 et Poen. Floriacense, c. 27; *daemonum*, Poen. Parisiense, c. 21; Poen. Valicell. I., c. 113.

107 Karolingische Musterpredigt, ed. SCHERER 439; cf. das im Wesentlichen gleiche Stück: Ps.-BONIFATIUS, Sermo 6, ed. PL 89, 855; einen Vorwurf *sacrilegium idolatriae* macht das Conc. Tolet. XII., c. 11; cf.: *cultores idolorum*, Conc. Tolet. XVI., c. 2; *Noli adorare idolis, non ad trivios nolite adorare, nec vota reddire*, PIRMIN, Dicta, c. 22.

108 Cf. die bei CASPARI, Hom. de sacril. 42—46, angeführten Belege.

109 Concil. Agathense, a. 506, c. 5 (ex CAES. AREL., BOESE 44); davon abhängig: REGINO v. PRÜM, De syn. caus. II, c. V 43; BURCH. v. WORMS, Decret. I, c. 94; ibd. X., c. 32; Ivo, Decret., pars XI., c. 57.

oder ob man in Baum, Quelle und Felsen selbst eine Naturgottheit für verehrt glaubt. Ersteres gilt seit der hochmythologischen Forschung des 19. Jahrhunderts als unbestrittener Satz.[110] Sind solche mit dem Prunke fundamentaler Sätze einhergehenden Erkenntnisse an sich schon verdächtig, so sollten Einwürfe dagegen erst recht beachtet werden. A. MAYER jedenfalls hält auch letztgenannte Ansicht für vertretbar. Die reine Aufrechnung — „vereinzelte Formulierungen" sprechen dafür, „die große Masse der Belege"[111] aber dagegen — besagt da nichts.

Eine andere Frage aber ist es, ob darüber von der christlichen Literatur überhaupt Aufschluß erwartet werden darf. Zwar könnte eine größere Anzahl von Belegen (als etwa HOMANN vermutet) für die (christliche) Annahme angeführt werden, in diesen Naturdingen werde eine Gottheit verehrt. Doch ist dieses „Wissen" nicht aus der Sache gezogen, sondern an sie herangetragen. Der Begriff vom Heidentum ist festgelegt: Die große Torheit des Heiden bestehe ja gerade darin, daß er, von den Dämonen geblendet *(praestigiae daemonum)* glaubt, in bestimmten Bildern und Naturdingen Götter zu verehren (s. u.). Man hat deshalb die Angabe, der Heide verehre Bäume, Quellen, Steine usf. für Götter, als polemische Invektive zu nehmen: In Wahrheit seien Bäume, Quellen und Steine tote Dinge und es sei einfach erbärmlich und töricht, diesen Gegenständen göttliche Ehren zu erweisen:

> *Et videte miseriam vel stultitiam generis humani: arbori mortuae honorem impendunt et dei viventis praecepta contemnunt; ramos arboris non sunt ausi mittere in focum, et se ipsos per sacrilegium praecipitant in infernum.*[112]

Mag es also schon Dummheit und Torheit sein, tote Dinge wie Götter zu verehren, so wäre eine derart sinnlose und ins Leere zielende Andacht gegebenenfalls noch mit menschlicher Beschränkung zu entschuldigen, wenn nicht die Dämonen sich den Irrtum zunutze machten und ihn beförderten, um von den „unwissenden Menschen" als Götter verehrt zu werden. Wer deshalb an den *arbores daemonibus consecratae*[113] opfere, opfere dem Satan[114] und mache sich — nur ein Synonym für Götzendienst — der *cultura diaboli* schuldig: *Nam ad petras et ad arbores et ad fontes et per trivia cereolos incendere, quid est aliud, nisi cultura diaboli?*[115]

Soweit die Verbote von Idolatrie durch Autoritäten zu stützen waren, hat die Kritik auf ältere Synodalverordnungen, einschlägige Väterzitate — *quae ...*

---

[110] Cf. HOMANN 77.

[111] Ebd.

[112] CAES. ARELAT., Sermo 54, ed. CCL 103, 239; davon abhängig: Vita Eligii II., ed. MG Script. rer. Merow. IV 708.

[113] Konz. v. Nantes, c. 20; davon abhängig: REGINO v. PRÜM, De syn. caus., c. 359, BURCH. v. WORMS, Decret. X, c. 10, Ivo v. CHARTRES, Decr., pars XI, c. 38.

[114] *Diabolo sacrificare*, Conc. Tolet. XII., c. 11.

[115] MARTIN v. BRAGA, De corr. rust., c. 16; cf. Rede an Getaufte, saec. 10./11., ed. CASPARI 199 f., ibd. 204; alle abhängig von CAESARIUS; cf. BOESE 40 sq.

sanctorum patrum cohibent instituta[116] — und vor allem auf alttestamentliche Bestimmungen zurückgegriffen:

> *Omnia filactiria diabolica et cuncta supradicta nolite ea credire, nec adorare, neque vota illis reddere, nec nullum honorem inpendire, quia in Exodo*[117] *dominus ait: ‚Non facies tibi sculptile, neque omnem similitudinem, que est de celo desuper, et que in terra deorsum, nec horum, que sunt in aquis sub terra; non adorabis ea, neque colis.'* [118]

Der außerordentlich große Einfluß einschlägiger Bestimmungen und Verbote des Alten Testaments auf die christlichen Superstitionenkritik ist nirgends zu übersehen. Dabei wird der inhaltlichen Seite nach die historisch einmalige Situation des AT, der sachliche Umkreis alttestamentlicher Paganien-Kritik, wie absolut gesetzt und bleibt für die christliche Kritik superstitioser Zeitzustände relevant.

Aufschlußreich ist aber auch, in welchem Kontext Zitate aus dem AT erscheinen. Sie können direkt dem AT entlehnt sein, und geben sich als solche leicht zu erkennen. Andererseits aber können sie mit außerbiblischen Stücken soweit verschmolzen sein, daß die Interpolation nicht mehr erkannt werden konnte:

> *De decem praeceptis legis . . . Deus omnipotens qui nos ad imaginem et similitudinem suam fecit, ipse dedit nobis legem, ut sciamus, quemadmodum uiuere et deum colere debemus. Sic ergo ait per Moysem sanctum famulum suum: Idola non coles. non homicidium facies. non moechaberis. falsum testimonium non dicis. non facies furtum. non praecantibus. non auguriabis non ad montes. non ad arbores. non ad fontes. non ad flumina. non ad angulos sacrificia facies.*[119]

Zwar bezieht sich der etwa um 800 geschriebene Text nicht auf den Dekalog, sondern auf eine unter dem Namen *Lex Dei* bekannte Schrift aus der Zeit um 400, in der im Sinne von TERTULLIAN[120] der Versuch gemacht wird, die Vorrangigkeit des mosaischen Gesetzes vor dem römischen zu erweisen, doch konnte der irreführende Titel die Subsumption der Superstition unter die Dekalogfrevel zumindest unterstellen. Die fortschreitende Dämonisierung der Superstition mit ihrem immanenten Idolatrievorwurf hat dann schließlich der kirchlich-theologischen Superstitionskritik ihren Ort nahezu ganz der Dekalogkatechese zum 1. Gebot zugewiesen. Hier finden sich dann auch, v. a. in volkssprachlichen Texten des Spätmittelalters, umfangreiche Aberglaubenslisten.[121]

---

[116] Conc. Tolet., c. 2.

[117] 20, 4 sq.

[118] PIRMIN, Dicta, c. 22; dort desweiteren zitiert: Ex 22, 19; Lev 19, 26; Dt 18, 10—12; 22, 5; 27, 5; Jer 29, 8—9.

[119] Ratio de cathecizandis rudibus, ed. HEER, Missionskatech. 81.

[120] Apolog. 45.

[121] Verf. hofft, demnächst eine quellenkritische Würdigung dieser wichtigen volkskundlichen Quellentexte publizieren zu können.

Der Kult an Bäumen, Quellen und Steinen verstößt gegen die Verordnungen des Alten Testamentes, der christlichen Väter und gegen den christlichen Glauben: *Pervenit ad nos quosdam, quod dici nefas est, arbores colere, et multa alia contra Christianam fidem illicita perpetrare.*[122] Konsequent ist also, wenn die, die sich solcher Dinge schuldig machen, als *infideles*[123] bezeichnet werden. Zumeist wird in diesem Zusammenhang ein Zitat aus dem *Ersten Timotheusbrief* herangezogen, das allerdings keinen Bezug auf pagane Zustände hat und bei PAULUS heißt: „Dies schärfe ein, daß sie untadelig seien! Wer aber für die Seinen, zumal für seine Angehörigen, nicht Sorge trägt, der hat den Glauben verleugnet und ist schlimmer als ein Ungläubiger"[124]: *Novimus siquidem quanta Dominus antiquo populo per prophetas suos interminatus est, quia in lucis sacrificabant, et in excelsis immolabant. Sie quis hoc transgressus fuerit, fidem perdidit, est infideli deterior*[125]: Er sei noch schlimmer als Ungläubige und stürzte sich in den Abgrund der Hölle: *et se ipsos per sacrilegium praecipitant in infernum.*[126]

Bei der Hartnäckigkeit der Superstitionenkritik und solcherart aufgefahrenen schweren Geschützen erstaunt es immer wieder zu bemerken, daß diejenigen, die solches glauben und tun, als töricht, dumm und unwissend bezeichnet werden und der Kult als Irrtum, Wahn oder Windbeutelei abgetan wird.[127] Es fällt schwer zu glauben, daß damit allein die Dummheit gemeint sei, gegen die selbst Götter vergebens kämpfen. Der Vorwurf intellektuellen Mangels schwingt sicherlich mit. Das konnte schon für den allgemeineren Gebrauch des Wortes *superstitio* nachgewiesen werden. Es wird aber der gesamte Komplex *error — insipia — ignorantia — stultitia* in einem größeren Zusammenhang zu sehen sein. Die Frage zumindest drängt sich auf, ob der vordergründige Vorwurf der Dummheit, des Irrtums und der Torheit nicht eine in der religiösen Natur des Heiden prinzipiell gegründete Form von ‚Dummheit' nur verdeckt.

---

[122] BURCH. V. WORMS, Decr. X 2; Ivo v. CHARTRES, Decr., pars XI, c. 31 (ex CAES. ARELAT., BOESE 53).

[123] Conc. Arelat. II., c. 23.

[124] 1 Tim V 7—8.

[125] Konz. v. Nantes, c. 20 (ex CAES. ARELAT., BOUDRIOT 9, 3. Anm.); davon abhängig: REGINO V. PRÜM, De syn. causis, c. 159; BURCH. v. WORMS, Decret. X, c. 10; Ivo v. CHARTRES, Decr., pars XI, c. 38; auf CAESARIUS, Sermo 13, geht die vergleichbare Formel zurück: *Sciat, se fidem et baptismum perdidisse,* cf. die von CASPARI, Homilia de sacril. 18, angeführten Stellen.

[126] Cf. CAESARIUS, Sermo 54.

[127] *per simplicitatem aut per ignorantiam,* CAES. ARELAT., Sermo 54; *insipientes homines, qui ad fontes* etc., Epistola canonica 16; *insipientes homines captivati diabolicis culturis,* Conc. Tolet. XII, c. 11; ibd., *qui ad talem errorem concurrent; Et videte miseriam et stultitiam generis humani: arbori enim mortuae honorem impendunt* etc., CAES. ARELAT., Sermo 54; davon abh.: Vita Eligii II.; *stulti,* Capitul. incerti anni, ca. a. 744; Capitul. missor. item speciale, c. 41; Admon. gener., c. 62.

Lapides quoque quos in ruinosis locis et silvestribus, daemonum ludificationibus decepti venerantur, ubi et vota vovent et deferunt, funditus effodiantur, atque in tali loco projiciantur, ubi nunquam a cultoribus suis inveniri possint. Et omnibus annuncietur, quantum scelus sit idolatria: et quod qui haec veneratur et colit, quasi Deum suum negat, et Christianitati abrenuntiat.[128]

Auch die ersten Menschen sind durch den Teufel, die Dämonen, „getäuscht" und „hintergangen" worden. Und seither gilt *ignorantia* als Signum des erbsündigen Menschen. Ursünde und *ignorantia* — die mittelalterliche Theologie hat noch ein weiteres Merkmal dazugerückt: Torheit. Wir werden jedenfalls solche Bemerkungen aufmerksam zu beachten haben, die vorerst nicht mehr zu sagen scheinen, als daß alle Superstition objektiv nichts andres sei als eine große „Windbeutelei"[129] und subjektiv eine große Dummheit.

*

Die Kirche des Mittelalters ist mehr als eine geistliche Macht. Sie besitzt direkte und indirekte Mittel, ihrem exklusiven Wahrheitsanspruch nötigen Nachdruck zu geben. Die Verhinderung abweichender religiöser Meinungen kann sie nicht allein in einem Kampf mit geistigen Waffen betreiben; sie ist in den Besitz konkreter Zwangsmittel gelangt, die es ihr möglich gemacht haben, abweichende Lehre und kultische Praxis unter Strafe zu stellen und verfolgen zu lassen.

In Wechselwirkung mit weltlicher Rechts- und Strafgewalt wie auch kirchenimmanent in der Entfaltung von Disziplinar- und Bußordnungen haben sich in einem Prozeß immer stärkerer Differenzierung Formen der Strafandrohung, Verfolgung und Bestrafung ausgebildet. Neben allgemeinem Verbot des Götzendienstes, Wahrsagens, der Zauberei usw. — *non praecantabis. non auguriabis* (s. o.) — tritt die Angabe von Eventualfällen: *si quis . . .*, gewinnt somit ein kasuistischer Zug immer größere Bedeutung. Hinzu kommt der Austausch von Konzilsstatuten über größere Räume und ihre Tradierung über eine lange Zeit ohne besondere Rücksicht auf die jeweils veränderten Situationen. MARTIN VON BRAGA etwa übersetzt orientalische Verordnungen und läßt sie auf dem *Konzil von Braga,* a. 572, verlesen. Sie wandern von da durch das ganze Abendland, wobei ihre Herkunft sich mehr und mehr verdunkelt: Unterschiedlich zitiert *ex concilio Braccarensi* oder MARTINI — die Synode wurde von MARTIN VON BRAGA geleitet — bringt BURCHARD VON WORMS eine Stelle daraus *ex decreto* MARTIALIS.[130] *Wilhelm Mannhardt*[131] schreibt sie einem Papst namens MARTIANUS zu und BILFINGER[132] einem portugiesischen Bischof MARCIANUS.[133]

---

[128] Konzil von Nantes, ca. a. 658, c. 20 (ex CAES. ARELAT., BOUDRIOT 88); dass.: REGINO V. PRÜM, De syn. caus., c. 359 und BURCH. V. WORMS, Decr. X, c. 10.
[129] Gesetze der Priester Northumberlands, c. 54.
[130] Decr. X 15.
[131] Wald- und Feldkulte I 241.

Z. B.: Die Bußbücher, Vorläufer der mittelalterlichen kanonistischen Sammlungen, differenzieren sich hinsichtlich der Bußansätze für jeweils das gleiche Delikt im senkrechten Aufriß ihrer Entwicklungsgeschichte sowie im horizontalen Querschnitt ihres Nebeneinanders. Die große Unregelmäßigkeit in der Beurteilung des gleichen Vergehens hat bei Verbreitung unterschiedlicher Redaktionen einzelner Bußbücher in die verschiedensten landschaftlichen Bereiche, zu großer Unsicherheit in der Bußpraxis überhaupt geführt. In der karolingischen Zeit ist das Fehlen einer maßgeblichen und für alle Teile des Reiches einheitlichen Bearbeitung dann auch deutlich gespürt und ihm durch verschiedene Neubearbeitungen abzuhelfen versucht worden, durch das Bußbuch HALITGARS, Bischof von Cambrai (817—831) etwa, oder durch die beiden Bußbücher des HRABANUS MAURUS (841 und 853).

Die Bußbücher gehen in ihrem Bestand großenteils auf Konzils- und Synodalstatuten zurück, nehmen aber auch Stücke disziplinarischen Charakters aus Briefen und anderen Schriften der theologischen Lehrer und Päpste auf. Bei der auf jeweils eine besondere, geschichtlich und regional bestimmte Situation bezogenen Verordnungsliteratur konnte die Anwendung derselben Statuten unter anderen Umständen nicht zu einer Vereinheitlichung, sondern mußte zu den divergierendsten Straf- und Bußzumessungen führen. Erst die Ausbildung der mittelalterlichen Kanonistik, die mit Hilfe scholastischer Prinzipien das Gegensätzliche in den Bestimmungen überkommener Kirchenrechtssatzungen und Disziplinarverordnungen zu eliminieren suchte, hat zu einer größeren Einheitlichkeit auf diesem Gebiet geführt.

Neben kirchlichen Bußordnungen und Rechtsbestimmungen spielt in der Superstitionenkritik und Paganienbekämpfung die weltliche Gerichtsbarkeit vor allem in Zeiten und Gebieten christlicher Heidenmission eine große, natürlich letztlich eine politische Rolle. Die karolingischen Kapitularien beispielsweise wenden sich immer wieder gegen superstitiose Gebräuche und Anschauungen und enthalten verschiedene Strafandrohungen. Auch sie stehen in Austausch mit der kirchlichen Verordnungsliteratur — teils nehmend, teils gebend.

Da in allen Fällen der Superstitionskritik durchweg nur das Buß- bzw. Strafmaß variiert, nicht jedoch die besondere Art der Strafen, sollen beispielhaft für den gesamten Komplex der Kritik hier am Falle der behandelten Paganien und Superstitionen die einschlägigen Bestimmungen behandelt werden.

Die Kirchenstrafe *par excellence* ist die Exkommunikation. Sie bedeutet den Ausschluß aus der kirchlichen Gemeinschaft und die Verweigerung der Sakramente. Als Mittel der Kirchenzucht ist sie seit der christlichen Urzeit bekannt.[134] Die Feststellungen, es habe, wer Kult an Bäumen, Quellen und Steinen veranstalte, Glau-

---

132 Julfest 64.
133 Cf. BOUDRIOT 11, Anm. 4.
134 Mt 18, 17; 1. Kor 5, 45; u. a.

ben und Taufe verloren, sind als Feststellung des Ausschlusses aus der Kirchen-
und Sakramentsgemeinschaft anzusehen.[135] Ausdrücklich angedroht wird die Strafe
der Exkommunikation u. a. im *Konzil von Tours*, a. 567, im *Poenitentiale* EGBERTI
VIII 1, bei REGINO v. PRÜM, *De syn. caus.*, c. 358, ATTO v. VERCELLI, *Capit.*, c. 48,
BURCHARD v. WORMS, *Decr.* X, c. 9 und IVO v. CHARTRES, *Decr.*, pars XI, c. 37.
Wenn der Exkommunizierte eine bestimmte Bußleistung vollbringt, kann er in die
kirchliche Gemeinschaft wieder aufgenommen werden: *Si quis haec transgressus
fuerit, fidem perdidit, et est infideli deterior. Et idcirco omnimodo a sanctae
Ecclesiae consortio abscidatur, et nisi digne poenituerit, non recipiatur.*[136]

Die Bußzumessungen sind, wie bemerkt, den verschiedenen Bußbuchredaktionen
entsprechend unterschiedlich. Oft werden sie zudem als bekannt vorausgesetzt:
*nisi per prolixam et duram paenitentiam tam grave sacrilegium emendaverint,
ubi arsurus est diabolus, ibi et ipsi damnandi sunt.*[137] In anderen Fällen wird auf
vergleichbares Vergehen hingewiesen, dessen Bußzumessung verbindlich sei. So verordnet das *Konzil von Nantes* eine Buße, wie sie im Falle von Idolatrie zugemessen wird: *talem poenitentiam inde debet suscipere, quasi idola adorasset.*[138] Die
Bußleistungen variieren sodann nach der auferlegten Bußzeit, nach bestimmten
Bußerschwerungen und nach dem Stand des Deliquenten. Ohne Anspruch auf Vollständigkeit seien charakteristische Bußsätze genannt: *qui ad fontes vel ad arbores
sorte aliquid manducaverit aut biberit, I peniteat anno.*[139] Eine einjährige Bußzeit
schreiben auch vor: das *Poenitentiale Hubertense*[140], *Merseburgense*[141], sowie das
Poenitentiale Casinense.[142] Das *Poenitentiale Arundel* hat den Kanon: *Qui votum
voverit ad arborem vel ad lapidem vel ad fontem aut alicubi non ad sanctam
ecclesiam, II annos peniteat.*[143]

Eine eigenartige Verbindung der bis dahin üblichen Fragenkataloge, wie sie der
Beichtvater in der Privatbeichte benutzte, mit den Bußbestimmungen der Bußbücher stellt der seit dem 9. Jahrhundert in der Beichtpraxis gebräuchliche *Ordo
poenitentiae* dar. Es werden darin die älteren Fragestücke über Glauben und reuige
Gesinnung durch Fragen nach der Art des Vergehens erweitert und die entsprechenden Bußzumessungen der Poenitentialbücher angefügt.

---

[135] Cf. die von CAESARIUS VON ARLES abhängige Homilia de sacrilegiis, c. 2: *Sciat, se
fidem et baptismum perdedisse* und die oben angeführten Stellen.

[136] REGINO VON PRÜM, De syn. caus., c. 359 (= Konz. v. Nantes, c. 20).

[137] CAES. ARELAT., Sermo 13; cf. Sermo 54; *poenitentiae tempus exsolvant,* Synode von
Clichy, a. 626.

[138] C. 20; übernimmt REGINO v. PRÜM l. c.; BURCH. v. WORMS X c. 10, IVO v. CHARTRES,
Decr., pars X, c. 38.

[139] Poen. Paris. 23.

[140] C. 30.

[141] C. 27.

[142] C. 58.

[143] C. 92.

Die Bußbücher verloren zwar in der Folge ihre praktische Bedeutung, doch sind sie für die Kanonessammlungen des Hochmittelalters als Quellen von Wichtigkeit gewesen, so daß ihr Verschwinden nicht auch zugleich das Vergessen der von ihnen tradierten Verordnungen bedeutet.

Eine gewisse Variationsbreite bei der Bußzumessung ist nicht nur unter verschiedenen Redaktionen festzustellen. Gelegentlich werden im gleichen Paragraphen eines Bußbuches verschiedene Angaben gemacht, zwischen denen der Bußpriester bei bestimmten Voraussetzungen wählen konnte. Der *Ordo poenitentiae* des Codex Monte Cassino 451 bestimmt[144]: *Fecisti sacrilegium id est sacrarum rerum furtum et quod aruspices et augures faciunt et sortilegi, vel voto, quae faciunt ad arbores vel ad fontes et cancello aut per ullum ingenium vovisti aut sortitus fuisti aut arborem fecisti*[145], *II annos vel III poeniteas*[146]. Die Buße ist dadurch bestimmt, daß der Büßer die entsprechende Zeit über alle „gesetzlichen Feiertage" *(feriae legitimae)* zu fasten habe. Entschloß er sich aber dazu, nicht nur die *feriae legitimae*, sondern auch die Wochentage über zu fasten, oder die entsprechenden Ersatzleistungen zu tun, etwa Almosen zu geben, so konnte die gesamte Bußzeit auf den geringeren Zeitraum beschränkt werden. Um keinen Irrtum über die Tage, an denen zu fasten sei, aufkommen zu lassen, bestimmt deshalb der *Corrector* BURCHARDI: *Si fecisti aut consensisti, tres annos per legitimas ferias poeniteas.*[147]

Eine Erschwerung des Fastengebots ist die Buße in Wasser und Brot. Dabei gilt sie entweder für die gesamte Zeit der auferlegten Buße[148] oder wird nur für einen Teil der Bußzeit vorgeschrieben:

> *Si quis ad arbores vel ad fontes aut ad angulos vel ubicumque nisi ad aeclesiam Dei votum voverit aut solverit, pro hoc sacrilegio III annos poenit(eat), I ex his i(n) p(ane) e(t) a(qua) et qui ibidem ederit aut biberit, I annum poenit(eat).*[149]

Im *Poenitentiale Parisiense*[150] findet sich der Zusatz: *humanius autem III quadragesimas*, womit dem Bußpriester ein Maß an die Hand gegeben wurde, die Buße, sollten es besondere persönliche Umstände des Büßers erforderlich machen, etwa Krankheit oder körperliche Schwäche, entsprechend zu erleichtern.

Man hat die Bußsätze ja nicht unbesehen der Person, die sie aufzunehmen hatte, angewandt. Es leuchtet ein, daß ein Kleriker für Idolatrie schwerer zu büßen habe als ein Laie, daß ein Reicher eine größere Geldbuße zu leisten habe als ein Armer: *omnes excommunicentur. Si ad poenitentiam venerint, clerici annos tres, laici*

---

144 SCHMITZ I 746 sqq.
145 Cf. oben, Anm. 105.
146 SCHMITZ I 748.
147 C. 66, ed. SCHMITZ II 424.
148 Cf. Poen. Ps.-Romanum, c. 38 und die schon weiter oben angeführten Kanones.
149 Poen. XXXV Capitul., c. 17; cf. Poen. Valicell. II., c. 61 et Poen. Parisiense, c. 14.
150 C. 14.

unum et dimidium poeniteant.[151] Anstelle von Bußfasten verfügt die *Capitulatio de partibus Saxoniae* die in Deutschland üblichen Kompensationen:

> *Si quis ad fontes aut arbores vel lucos votum fecerit aut aliquit more gentilium obtulerit et ad honorem daemonum comederet, si nobilis fuerit solidos sexaginta, si ingenuus triginta, si litus quindecim. Si vero non habuerit unde praesentaliter persolvant, ad ecclesiae servitium donentur usque dum ipsi solidi solvantur.*[152]

Das heißt also, sofern jemand die Strafe nicht bezahlen könne, werde er solange Sklave der Kirche, bis die Zahlung geleistet sei. Ist hier die Strafe nach dem sozialen Stand als Geldleistung modifiziert, so modifiziert die *16. Synode von Toledo*, a. 693, nicht nach Höhe des Strafmaßes, sondern nach der Art der Bestrafung, wobei der soziale Status des Büßers Kriterium der Einteilung bleibt: Wer vornehm sei, habe 3 Pfund Gold zu zahlen, der Geringe aber erhalte 100 Hiebe.[153]

Betreffen diese Bestimmungen den Deliquenten, so mahnen andere Zeugnisse die Obrigkeit, darauf zu achten, daß die verbotenen Dinge nicht innerhalb ihres Territoriums praktiziert werden: Ein Bischof, der es versäume zu verhindern, daß in seiner Diözese Bäume, Quellen oder Felsen verehrt würden, mache sich des Sakrilegs schuldig; und wenn der zuständige Landesherr sich weigere, die Sache zu bereinigen, wäre er exkommuniziert.[154]

Ivo von Chartres zitiert in den *Dekreten*[155] aus dem *Registrum epistolarum* Gregors d. Grossen (590—604) einen Brief an Bischof Agnellus von Terracina:

> *Pervenit ad nos quosdam (quod dici nefas est) arbores colere, et multa alia contra Christianam fidem illicita perpetrare. Et miramur cur hoc fraternitas tua districta emendare ultione distulerit. Propterea scriptis praesentibus adhortamur hos diligenti investigatione perquiri, et ut veritate cognita talem in eis faciatis exercere vindictam, quatenus et Deus placari possit, et aliis eorum ultio correctionis exemplum sit.*

Aus dem Munde eines in der Heidenmission verhältnismäßig wenig rigorosen und akkomodationsfreudigen Papstes wie Gregor klingt die Aufforderung zur Inquisition und exemplarischen Bestrafung paganer Superstitionen ungewöhnlich scharf. Bei aller Konsequenz im Kampf gegen heidnische Relikte und superstitiose Gebräuche lassen sich solche Töne doch vermehrt erst im 13. Jahrhundert hören

---

151 REGINO v. PRÜM, De syn. caus., c. 358; cf. Poen. Ps.-BEDAE, c. 30, 3, ed. WASSER-SCHLEBEN 272; BURCH. v. WORMS, Decr., X 9; Ivo v. CHARTRES, Decr., pars XI, c. 37.
152 C. 21.
153 C. 2, ed. MANSI 12, 69 sq.
154 Konzil v. Arles, ca. a. 443—452, c. 23; cf. BURCHARD VON WORMS, Decr. X 21; Ivo v. CHARTRES, Decr., pars XI, c. 48. Ähnliche Bestimmungen enthalten auch die Epistola canonica, c. 16, und die Gesetze der Priester Northumberlands, c. 54.
155 Ivo, Decr. p. XI, c. 31, ed. PL 161, 753 sq., auch MG Ep. II 21.

und signalisieren zu dieser Zeit den Übergang vom Verbot der Superstition zur
Verfolgung und Inquisition, wie sie sich im Zusammenhang mit der Ketzer- und
Hexeninquisition gegen Ende des Hochmittelalters ausbildet. Der Mithilfe der
weltlichen Macht allerdings hat man sich von Anfang an zu bedienen gewußt.
Und das war ohnehin vonnöten, sollte das Vorgehen gegen ‚Aberglaube‘ und
‚pagane Reste‘ überhaupt erfolgreich sein.

> *Eos vero qui ad talem errorem concurrunt, et verberibus coerceant, et onustos ferro*
> *suis dominis tradant. Si tamen domini eorum per jurisjurandi attestationem promit-*
> *tant, se eos tam solicite custodire ultra illis non liceat tale nefas committere. Quod*
> *si domini eorum nolunt hujusmodi reos in fide sua suscipere, tunc ab eis, a quibus*
> *coerciti sunt, regis conspectibus praesententur: ut principalis auctoritas liberam se*
> *talibus donandi potestatem obtineat. Domini tamen eorum qui nunciatos sibi talium*
> *servorum errores ulcisci distulerint, excommunicationis sententiam perferant, et jura*
> *servi illius, quem coercere nolunt, se amisisse cognoscant. Quod si ingenuorum per-*
> *sonae his erroribus fuerint implicitae, et perpetua excommunicationis sententia*
> *ferientur, et arctiori exilio ulciscentur.*[156]

*

Die Untersuchung hat bisher von Fall zu Fall die Abhängigkeitsverhältnisse der
einzelnen Zeugnisse aufgezeigt. Da es nicht primär Ziel dieser Arbeit ist, die Frage
nach der historischen Faktizität der gerügten Superstition zu stellen, zu fragen, ob
einem Zeugnis im Umkreis seines Benutzers je eine den Verordnungen und Unterweisungen korrespondierende Wirklichkeit entsprach, sondern Vorstellungen und
Lehren vom Umfang und Begriff des Aberglaubens, weltanschauliche Kritik und
Vorgehen der Kirche zu analysieren, konnte auf eine weitere Untersuchung der
Abhängigkeitsverhältnisse auch beim ‚letzten Zwitter‘ verzichtet werden, sobald
überhaupt erst der literarisch-traditionelle Charakter unserer Quellen sichtbar
wurde. Denn damit ist ein wichtiger Aspekt der kirchlichen Superstitionsliteratur
sichtbar gemacht: Sie bildet aufs Ganze gesehen, keine Wirklichkeit ab, sondern
tradiert und überträgt.

Damit wäre allerdings nur ein Aspekt behandelt, die Repräsentanzfrage. Über
die Frage hinaus, inwieweit Verordnungs- und Unterweisungsliteratur dieser Kategorie Wirklichkeit spiegelt, muß aber auch bedacht werden, ob sie nicht, wo ihr
keine Wirklichkeit entspricht, Wirklichkeit schließlich provoziert. Konkret: Wenn
ständig nach Dingen gefragt wird und Dinge verboten werden, die man nicht
kennt, dann wird das schließlich nach dem Motto: „da muß doch was dran sein“,
auch probiert. Man vergleiche dazu etwa die gelegentlich recht detailreiche Behandlung von Liebes- und Abtreibungszauber in den Bußbüchern.[157] Es kann deshalb die Frage nach der Wirklichkeit einer Superstition, wie sie sich in einem

---

[156] 12. Konzil v. Toledo, a. 681, c. 11.
[157] Unten S. 238 ff.

Verbot zu spiegeln scheint, von der Tatsache des Verbots selbst nicht getrennt werden. Formelhaft ausgedrückt: Verordnungen über Superstitionen stehen in einem doppelten Verhältnis zur Wirklichkeit: sie können sie abbilden, können sie aber auch erst schaffen.

Es wird sich zeigen, wie unvorstellbar schwankend und unsicher der Boden ist, auf dem die hier des breiteren und exemplarisch behandelten Zeugisse stehen. Die Monotonie mit der derartiges in einer Masse von Zeugnissen wiederholt wird, hat schließlich, wie erläutert, zu vermittelten Sproßformen von Superstitionen führen müssen.

Wenn etwa alle angeführten Belege, die auf CAESARIUS VON ARLES zurückgehen, als Quellenbelege für deutsche, resp. germanische Anschauungen und Gebräuche außeracht zu lassen wären, würde sich die „ganze Wolke von literarischen und kirchenrechtlichen Nachrichten"[158] in das auflösen, was sie tatsächlich ist, nämlich in Nebel. Man muß sich wundern, daß ein so guter Kenner der einschlägigen kirchlichen Literatur wie W. BOUDRIOT nicht die einzige Konsequenz aus dem Überlieferungsbefund gezogen hat. BOUDRIOT weist einerseits immer wieder auf die gar nicht zu überschätzende Einflußnahme caesarianischer Texte hin. Bei Behandlung der einzelnen Sachen bezeichnet er zudem alle auf CAESARIUS zurückzuführenden Stücke als für die Rekonstruktion deutsch-germanischer Religionsanschauungen und -praktiken unbrauchbar. Gerade deshalb bleibt aber die Art, wie BOUDRIOT den gerade verabschiedeten Bischof nun durch die Hintertür wieder hereinläßt, nicht ganz verständlich: „Wenngleich Caesarius nur den Aberglauben gekannt hat, der in Südgallien heimisch war, also griechisch-römischen mit starken orientalisch-synkretistischem Einschlag, so war das bei ihm zu findende Bild dieses Aberglaubens so reichhaltig, daß es für die Praxis schlechthin umfassend genannt werden konnte ... Es ist überflüssig zu betonen, ... daß ein Zug, der sich im Spiegel unserer Quellen als arelatisch oder römisch oder sonst irgend etwas erweist, darum nicht auch an sich in das Bild der altgermanischen Religion gehören kann."[159] Das Bild dieser Religion wird nach solch halbherzigen Sätzen denn auch prompt weiter mit erborgten Farben gemalt. In der Dissertation über den *Indiculus superstitionum* von HOLGER HOMANN erscheinen so wieder als wichtigste Zeugnisse der „kirchlichen Quellen für den deutschen Wald- und Baumkult":

Homilia de sacrilegiis, c. 2. — BURCHARD v. WORMS, *Corrector*, Venisti ad aliquem locum, ed. WASSERSCHLEBEN = c. 57; ed. SCHMITZ = c. 66. — *Rede an Getaufte*, ed. CASPARI, 199. — *Judicia* GREGORII III (= *Poen.* PS.-GREGOR.) c. 26. — *Konzil v. Toledo* XII, a. 681, c. 11. — *Konzil v. Auxerre*, ca. a. 587, c. 3. — *Dicta* PIRMINII, c. 22. — *Poen. Merseburgense*, c. 27.[160]

---

158 HEER, Missionskatechismus 24.
159 BOUDRIOT 5 f.
160 HOMANN, Indiculus, 54.

Alles Stücke, die keinen Bezug auf germanisch-deutsche Verhältnisse haben und auf CAESARIUS V. ARLES zurückzuführen sind.

Um deutlich werden zu lassen, wieviel, oder besser, wie wenig an guten Zeugnissen der kirchlichen Literatur für unseren Fall übrigbleibt, sind im folgenden alle wichtigen Stellen zusammengefaßt[161], die sich mit Kult an Bäumen, Quellen, Steinen oder Felsen beschäftigen und die auf CAESARIUS zurückgehen oder doch keinen ursprünglichen Bezug auf deutsche Verhältnisse haben:

Conc. Arelat. II., a. 443—452, c. 23 (vorcaesarianisch; BOESE 55; BOUDRIOT 25). — *Conc. Bracarense*, a. 572, c. 22. — BURCHARD V. WORMS, *Decr.*, pars X 21. — Ivo v. CHARTRES, *Decr.*, pars XI, c. 38.

Conc. Agathense, a. 506, c. 5 (BOESE 44; BOUDRIOT 27). — REGINO V. PRÜM, *De syn. caus.* II 5, 43. — BURCHARD V. WORMS, *Decr.* I 94, 42 et X 32. — Ivo v. CHARTRES, *Decr.*, pars XI, 57.

Conc. Turon. II., a. 567, c. 23; (BOESE 44 sq.; BOUDRIOT 25).

MARTIN V. BRAGA, *De corr. rust.*, c. 16 (BOESE 40 sq.; BOUDRIOT 27, 34). — *Rede an Getaufte saec. 10/11.*, ed. CASPARI 199. — *Rede an Getaufte saec. 12.*, ed. CASPARI 204.

Conc. Autissiodorense, ca. a. 587, c. 3 (BOUDRIOT 41, 68). — *Vita Eligii*, II 15; PIRMIN V. REICHENAU, *Dicta*, c. 22; *Indiculus superstitionum*, c. 29.

Conc. Rothomagense, a. 650, c. 4 (unecht) (BOUDRIOT 39; BOESE 50, 52). — REGINO v. PRÜM, *De syn. caus.* II 5, 44. — BURCHARD V. WORMS, *Decr.* X 18. — Id., *Correct.*, c. 63. — Ivo v. CHARTRES, *Decr.*, pars II, c. 45.

Conc. Nannetense, c. a. 658, c. 20 (unecht) (BOUDRIOT 27). — REGINO V. PRÜM, *De syn. caus.* II 360. — BURCHARD V. WORMS, *Decr.* X 10. — Ivo v. CHARTRES, *Decr.*, pars X, c. 38. — ROBERT V. FLAMBOROUGH, *Liber poen.* V 6, 3, ed. FIRTH, nr. 332, 39—41.

Conc. Toletanum XII., a. 681, c. 11 (BOUDRIOT 25).

Excarpus CUMMEANI VII 6 (WASSERSCHLEBEN 481), (BOESE 52). — Poen. Paris. II., c. 21 (W. 414). — *Poen. Merseburg.*, c. 27 (W. 394). — Poen. XXXV Capit., c. 17 (W. 517). — *Poen. Valicell. I.*, c. 113 (SCHMITZ I 330). — *Poen. Valicell. II.*, c. 61 (SCH. I 379). — *Poen. Casin.*, c. 48 (SCH. I 412). — *Poen. Arundel.*, c. 92 (SCH. I 462). — *Poen. Ps.-Roman.*, c. 38 (SCH. I 479). — *Poen. Ps.-THEODOR.*, c. 18 (W. 597). Ps.-ELIGIUS, *Tractat. de rectitud. cath. convers.* (BOESE 24; BOUDRIOT 14).

Vita Eligii (eingeschobene *Musterpredigt*), II (MGH Script. rer. Merow. IV 705 sqq.) (BOUDRIOT 14, 25 f., 38). — *Homilia dies dominicas* (ed. NÜRNBERGER 43 ff.).

---

[161] Cf. auch die Quellenkonkordanz mit dem Verzeichnis der Einzelnachweise.

BURKHARD V. WÜRZBURG, *Homilia 23* (BOESE 36 f.; BOUDRIOT 34, 38).

PIRMIN V. REICHENAU, *Dicta* c. 22 (BOESE 24; BODRIOT 14, 27, 34, 39). — *Rede an Getaufte saec.* 12., 204.

GREGOR III, *Ep. 43* (BOUDRIOT 35).

Poen. EGBERTI VIII 1 (SCHM. I 581) (BOESE 54.) — *Poen.* PS.-BEDAE, 30, 3 (W. 272). — HRABANUS MAURUS, Poenitentiale, c. 30. — REGINO V. PRÜM, *De syn. caus.* II 358. — BURCHARD V. WORMS, *Decr.* X 9. — IVO V. CHARTRES, *Decr.*, pars. XI, c. 37. — ROBERT V. FLAMBOROUGH, *Liber poen.* V 6, 3, ed. FIRTH, nr. 331, 33—37.

Homilia de sacrilegiis, c. 2 et 3 (BOUDRIOT 25, 30, 34). — *Vita Eligii* II 15. — *Tract. de rectitud. cath. convers.,* ed. PL 40, 1172. — *Poen. Valicell. I.,* c. 89 (SCHM. I 312).

BURCHARD V. WORMS, Corrector, c. 54, 57, 66, 94.

Poen. PS.-GREGORII, C. 26 (W. 544) (BOESE 51; BOUDRIOT 31).

BURCHARD V. WORMS, *Decr.* X 2 (BOESE 53). — IVO V. CHARTRES, *Decr.*, pars XI, c. 31.

Die einzige Aussage, die unsere Quellen über ihren Gegenstand machen können, ist, daß die gerügten Superstitionen entweder allein römisch-keltische Verhältnisse reflektieren oder über das gesamte Abendland verbreitet waren oder, was auch nicht unwahrscheinlich ist, durch die christliche Superstitionenkritik verbreitet worden sind. Ob den Germanen vergleichbare kultische Übungen an den genannten Orten bekannt waren, soll nicht entschieden werden. Vieles spricht dafür. Die kirchlichen Zeugnisse allein aber können nicht als gute Belege für germanischen oder deutschen Kult angesehen werden.[162]

---

[162] Für die behandelten Quellen gilt prinzipiell also, was KYLL, Quellenverehrung, 506, hinsichtlich des Zeugniswertes der Bußbücher für Zustände seines Untersuchungsgebietes ganz richtig betont: „Für bestimmte begrenzte Landschaftsräume, im vorliegenden Fall das Trierer Land, sind sie nur als mögliche Hinweise zu betrachten, deren örtliche Wirklichkeit jeweils festzustellen bleibt."

2. Superstitio observationis

In den zwanziger Jahren des 5. Jahrhunderts schrieb Augustinus auf Veranlassung eines Freundes das *Enchiridion*, eine Abhandlung *De fide, spe et caritate,* wie sie Augustinus genannt hat. Inhalt dieses Handbüchleins ist eine Darlegung und Erklärung des christlichen Glaubens.

Im 79. Kapitel setzt Augustinus die Erörterung verschiedener Sünden fort: Es gäbe[1] Sünden, die man für leicht halten könnte, wenn die Schrift nicht bewiese, daß sie schwerer seien, als man glaube. Zu diesen Sünden gehöre auch, auf Zeiten zu achten, je nachdem, ob sie als günstig oder ungünstig für den Beginn eines Unternehmens angesehen würden:

> *Aut quis aestimaret, quam magnum peccatum sit, dies observare et menses et annos et tempora, sicut observant, qui certis diebus sive mensibus sive annis volunt vel nolunt aliquid inchoare, eo quod secundum vanas doctrinas hominum fausta vel infausta existiment tempora, nisi huius mali magnitudinem ex timore apostoli pensaremus, qui talibus ait: ,Timeo vos, ne forte sine causa laboraverim in vobis'.*[2,3]

Augustinus bezieht die Ablehnung der *observatio temporum* also auf den Galaterbrief.

Auch Ambrosius (333/340—397) führt, wo er Superstitionen am Neujahrstage (Kal. Jan.) nennt, den Galaterbief an, nun allerdings ausdrücklich:

> *ait Apostolus: ,Dies observatis, et menses, et tempora, et annos; timeo ne sine causa laboraverim in vobis'. Observavit enim diem et mensem, qui his diebus aut non jejunavit, aut ad Ecclesian non processit: observavit diem, qui hesterna die non processit ad Ecclesiam, processit ad campum. Ergo, fratres, omni studio gentilium festivitatem et ferias declinemus; ut quando illi epulantur et laeti sunt, tunc nos simus sobrii atque jejuni; quo intelligant laetitiam suam nostra abstinentia condemnari.*[4]

Daß sich Paulus im Brief an die Galater gegen abergläubische Beobachtung bestimmter Zeiten gewendet habe, scheint somit zeitgenössische Interpretation dieser Textstelle gewesen zu sein. Obgleich nun aber das ganze Mittelalter hindurch das Galaterzitat als Schriftargument für das Verbot von Praktiken der Tagewahl u. ä. herangezogen wurde[5], hat Paulus mit Sicherheit nicht die superstitiose *observatio temporum* gemeint, sondern sich dagegen ausgesprochen, daß

---

[1] Cf. die Übersetzung in der Ausgabe von J. Barbel (Testimonia I). Düsseldorf, 1960.
[2] Gal 4, 10.
[3] Ed. Barbel, 142; das Stück bei Ivo v. Chartres, Decr., p. XI, c. 19; ders., Panormia VIII 80; Gratian, Decr., p. II, causa 26, quaestio 7, can. 17; Bartholomäus von Exeter, Poen., c. 104.
[4] Sermo 7, ed. PL 17, 618.
[5] Cf. Burchard v. Worms, Decr. X, c. 11.

die Galater bei Verrichtung ihrer religiösen Übungen am jüdischen Kalender und den Festzeiten des Alten Testaments festhielten.[6] Die gängige Fehlinterpretation lag andererseits nahe. Die lateinische Übersetzung des Paulusbriefes gibt das griechische παρατηρεῖσθε mit *observatis* wieder und gebraucht damit einen *terminus technicus* der römischen Auguralpraxis, die mit *observare* speziell die Tätigkeit des Augurn bezeichnet, der nach vorbedeutenden Zeichen ausschaut. Angesichts dieses speziellen Wortgebrauchs hat auch Caesarius von Arles nicht wissentlich den Sinn des Galaterzitates verfälscht, wenn er schließlich noch einen Schritt weiter als Ambrosius und Augustinus geht und *expressis verbis* feststellt, Paulus habe hier von ,Augurien' geredet: *,Dies observatis et tempora; timeo ne sine causa laboraverim in vobis'. Ecce apostolus dicit quod, qui auguria observaverit, sine causa doctrinam eius acceperit. Et ideo, quantum potestis, circumventiones diaboli fugite.*[7]

Vergleichen wir das so auffällig einmütige Wortverständnis dieser Kirchenschriftsteller mit der Bedeutung des gleichen Wortes und im Umkreis der gleichen Sache bei Thomas von Aquin. Thomas unterscheidet verschiedene Arten der Superstition; eine davon bezeichnet er als *superstitio observationum*[8] oder auch als *superstitio observantiarum*.[9] Im 96. Kapitel der *Secunda Secundae* der *Summa Theologiae* erläutert Thomas diese *species superstitionis* als eine in vier Gruppen eingeteilte Art von Superstition, die es mit gewissen Übungen und Verrichtungen zu tun habe. Der bisher festgestellte Wortgebrauch ,Beobachtung', speziell im Sinne der Erkundung bestimmter Zeichen und Zeiten, ist hier zugunsten der Bedeutungsmöglichkeit ,Befolgung von etwas' unbeachtet geblieben. Schon der synonyme Gebrauch von *observatio* und *observantia* (,Observanz') verdeutlicht die engere Auslegung des Begriffs bei Thomas von Aquin. Natürlich ist die Bedeutung nicht neu. Allein der ausschließliche Gebrauch zur Bezeichnung abergläubischer Praktiken ist für das thomasische Superstitionensystem charakteristisch. Bis dahin bezeichnet *observatio* bei Nennung abergläubischer Anschauungen das ganze Bedeutungsspektrum zwischen ,Beobachten' und ,Befolgen'. Parallele Ausdrücke für *observare*, wie *inspicere*[10], *considerare*[11], *custodire*[12], *attendere*[13], *intendere*[14] erläutern schon für sich die Wortbedeutung ,beobachten'.

---

6 Cf. BKV, 49, 467, Anm. 4.
7 Sermo 54, ed. CCL 103, 237 sq.
8 Summa Theol. II. II. 92, 2.
9 L. c. II. II. 96.
10 Pseudoaug. Hom. de sacril., c. 8.
11 Caesarius v. Arles, Sermo 54, ed. CCL 103, 236; Vita Eligii II, c. 16.
12 Hrabanus Maurus, De magic. artib., ed. PL 110, 1098.
13 Caesarius v. Arles, Sermo 54, ed. CCL 103, 236; Vita Eligii II, c. 16; Martin v. Braga, De corr. rust., c. 12; Decr. Gratiani, pars II, causa 26, quaestio 7, c. 16.
14 Admonitio generalis, c. 65; Hrabanus Maurus, De magic. artib.

Den *terminus technicus* ‚Vorzeichen beobachten, erkunden' belegen dagegen dem römischen *augurium agere* analoge Wendungen wie *observationes agere* und die stereotyp wiederkehrende, formelhafte Bezeichnung *auguria observare*.[15]

Die Seite der ‚Observanz', der Befolgung bestimmter ‚Gewohnheiten', des ‚Gebräuchlichen' oder auch des ‚Brauches', betonen andere formelhafte Ausdrücke. Dabei liegt das Sinngewicht des von *servare* abgeleiteten Wortes mehr auf der ‚Verbindlichkeit' des ‚Brauches', der ‚Sitte'. Damit rückt das Wort in den Begriffsumkreis von *mos: Secundum morem gentium observare*.[16] Andererseits bleibt der Sinn von *observare* verhältnismäßig häufig die Bezeichnung des ‚Gewöhnlichen', ‚Gewohnheitsmäßigen': *aliquid de paganorum consuetudine ... observare*.[17]

Es zeigen diese Beispiele schon den seitens der kirchlichen Literatur angenommenen Bezug von Superstition auf Heidentum. So ist neben Erläuterungen von *observatio*, wie *vana*[18], *inutilis*[19], *perversa*[20], *iniqua*[21], *sacrilega*[22] auch die Beifügung *paganorum* oder *pagana* nicht selten[23], ja selbst der synonyme Gebrauch von *oberservatio* und *pagania* möglich geworden.[24] Ähnliche Bedeutungserweiterungen von Begriffen im Sachbereich des Aberglaubens sind schon für *superstitio* und *sacrilegium* behandelt worden und werden uns noch öfters begegnen.

Zur Erklärung des Begriffes *superstitio observationum* kann die Gleichsetzung von *observatio* und *pagania* allerdings nichts beitragen, da das Wort in dieser Bedeutung mehr unter sich begreift, einen Oberbegriff zur *superstitio observationis* bildet. Es bleiben somit als konstruktive Elemente des Begriffs allein die Bedeutungen von *observatio*: ‚Beobachtung', ‚Beachtung', ‚Befolgung' übrig.

Mit welchen Gegenständen, Praktiken oder Verrichtungen hat es die *superstitio observationis* zu tun? Von welchen Dingen und Übungen sagen unsere Zeugnisse,

---

[15] Konzil v. Ankyra, c. 24; Caesarius v. Arles, Sermones 54, 52, 192; Konzil v. Orleans, a. 511, c. 30; Martin v. Braga, De corr. rust., c. 16; Rede an Getaufte saec. 12., ed. Caspari 204; Synode von Clichy, a. 627, c. 16; Excarpsus Cumm. VII 16; Poen. Ps.-Theodori XV 4, ed. Schmitz I 537; Poen. Paris., c. 13, ed. Schmitz I 682; karoling. Musterpredigt, ed. Scherer 439; Alcuin ad Carol., ed. Jaffé 1. 1. VI. 886 Nr. 295; Hrabanus Maurus, Hom 42; u. a.

[16] Zacharias an Bonifatius: Bonif., Ep. 51 (= Ivo, Decr., pars XI, c. 7); Poen. Paris., c. 13.

[17] Caesarius v. Arles, Sermo 192; *propter paganorum consuetudinem observare*, Ep. canonica, c. 5; cf. Caesarius, Sermo 33 et 54; Vita Eligii II., c. 16; Martin v. Braga, Capitula, c. 71 (cf. Conc. Ancyr., c. 24).

[18] Martin v. Braga, De corr. rust, c. 12.

[19] Caesarius, Sermo 193, ed. CCL 104, 783; Decr. Gratiani, pars II, causa 26. quaest. 7, can. 16.

[20] Hrabanus Maurus, De magic. artib., ed. PL 110, 1095.

[21] Martn v. Braga, Capitula, c. 73; cf. Conc. Laod., c. 39.

[22] Gregor an Große und Volk in Hessen: Bonif., Ep. 43.

[23] Caesarius, Sermo 33; Bonifatius, Ep. 78; Karlmann, Capitulare, a. 742, c. 5.

[24] Karoling. Musterpredigt, ed. Scherer 439; cf. Martin v. Braga, Capitula, c. 73.

daß man sie ‚beobachte', ‚beachte', ‚befolge' *(aliquid observare)* oder daß sie *observationes* seien? Es werden, in willkürlicher Reihenfolge aufgezählt, genannt: Sonne, Mond und Sterne[25]; Stunden, Tage, Festzeiten, Monate, Jahre, Zeiten[26]; Zeichen, Augurien[27]; Auspizien[28]; Haruspizien[29]; Träume[30]; Herdorakel, Weissagungen und Wahrsagerei[31]; *incantationes*[32]; Phylakterien[33]; Totenfeiern[34], Totenopfer[35]; Opferspeisen[36]; Verrichtungen an Bäumen, Quellen und Felsen[37]; Sprüche beim Kräutersammeln[38]; Maßnahmen gegen Unwetter[39] — und, um diese all-

---

[25] Hieronymus, Homil. 7 (cf. Ivo v. Chartres, Decr., pars XI, c. 9); Martin v. Braga, Capitula, c. 72; Synode v. Rouen, a. 650, c. 13; Homil. de sacril., c. 10; Poen. Arundel. c. 95; Burchard v. Worms, Decr., X, c. 3 (cf. Gratian, Decr., pars II, causa 26, quaest. 5, c. 3; cf. ibd., qu. 7, c. 16).

[26] Cf. oben; Caesarius v. Arles, Sermo 13 et 54; Martin von Braga, De corr. rust., c. 16; Vita Eligii, l. c. 705; Bonifatius, Ep. 43; Ps.-Bonifatius, c. X, ed. Hartzheim, I 424; Epistola canonica, c. 5; Hraban. Maur., De magic. artib., 1098; Poen. Arundel., c. 95; Gratian, Decr., pars II, causa 26, qu. 7, c. 16.

[27] Conc. Ancyr., c. 24; Caesarius v. Arles, Sermones 52, 54, 192; Konzil v. Orleans, a. 511, c. 30; Martin v. Braga, De corr. rust., c. 16; Synode v. Clichy, a. 627, c. 16; Excarpsus Cumm. VII 16; Poen. Ps.-Theodori XV 4; Bonifatius, Ep. 51; Ps.-Bonifatius, Ep. 51; Ps.-Bonifatius, Statuta, c. 33; Poen. Paris., c. 13; karoling. Musterpredigt, ed. Scherer 430, Alcuin ad Carol.; Gratian, Decr., pars II, caus. 26, qu. 5, c. 9; ibd., qu. 7, c. 16; cf. die Hinweise zu *Sortes*.

[28] Excarpsus Cumm. VII 16; Hrabanus Maurus, De magic. artib., 1098.

[29] Poen. Ps.-Theodor. XV 4; Gregor d. Gr., Alia decreta, ed. PL 77, 1340, = Poen. Halitgar., c. 12; Regino v. Prüm, De syn. caus. II, c. 349; Burchard v. Worms, Decr. X, c. 23; Ansegis X, 50; Ivo, Decr., XI, c. 1; Ivo, Panorm. VIII, c. 61; Gratian, Decr., pars II, causa 26, qu. 5, c. 1.

[30] Conc. Ancyr., c. 24; Excarpsus Cumm. VII 16; Poen. Ps.-Theodor. XV 4; Admonitio gener., c. 65, Capitul. missor. item speciale, a. 802—803, c. 40; Ps.-Bonifatius, Statuta, c. 33; Indic. superst., c. 17; Poen. Egberti VIII, c. 1; Ps.-Bonifatius, Statuta, c. 33; Hrabanus Maurus, Ep. ad Heribald., c. 30; Regino v. Prüm, De syn. caus. III, c. 358; Burchard v. Worms, Decretor. X., c. 9; Ivo, Decr., pars XII, c. 37.

[31] Conc. Ancyr., c. 17; Konz. v. Orleans, a. 511, c. 30; Martin v. Braga, De corr. rust., c. 16; Ps.-Bonifatius, Statuta, c. 33; Excarpsus Cumm. VII 16; Poen. Ps.-Theodor. XV 4; Poen. Paris., c. 13; Duplex legationis edictum, a. 780, c. 20; *Arioli:* cf. oben zu ‚Haruspicien': Gregor d. Gr. u. a. und zu *Sortes*.

[32] Bonifatius, Ep. 51; karoling. Musterpredigt, ed. Scherer 439, cf. oben zu ‚Haruspicien': Gregor d. Gr. u. a.

[33] Bonifatius, l. c.; Ps.-Bonifatius, Statuta, c. 33; Musterpredigt, l. c.

[34] Totenfeier: Regino v. Prüm, De syn. caus. II, c. 382 (= Burchard v. Worms, Decr. X, c. 34; Ivo, Decr., pars XI, c. 59).

[35] Musterpredigt, l. c.

[36] Homil. de sacril., c. 2.

[37] Conc. Turon. II., a. 567, c. 23; Admon. gener., c. 65 (= Ansegisi capitul. coll., c. 62); Homil. de sacril., c. 2; Capitulare missorum item speciale, a. 802—803, c. 41; karoling. Musterpredigt, ed. Scherer 439.

[38] Martin v. Braga, Capitula, c. 74; cf. Conc. Bracar., c. 21; Poen. Halitgar., c. 26.

[39] Homilia saec. 8, ed. Morin: Revue bénédict. 22, 518.

gemeineren Bezeichnungen durch konkrete Dinge zu ergänzen Vögel[40], Füße[41], Niesen von Menschen und Tieren[42] und anderes mehr.

Die Heterogenität der genannten Superstitionen entspricht der unterschiedlichen Bedeutungsmöglichkeit von *observare*. Einerseits werden Dinge ‚observiert‘, sofern man sie beachtet, ihnen eine Bedeutung als Zeichen oder Vorzeichen zumißt, andererseits, sofern man Gewohnheiten, hier speziell als Reste des Heidentums aufgefaßte Gewohnheiten befolgt. Verrichtungen an Bäumen, Quellen und Felsen etwa sind etwas, das man befolgt — *sicut mos est*. Vorzeichen, Unglückstage, den Lauf der Sterne beachtet man, weil sie etwas bedeuten — aber auch das geschieht *more paganorum*.

Observatio, ‚Beachtung‘, impliziert zumeist das Urteil, es werde etwas ‚beibehalten‘, ‚befolgt‘. Noch THOMAS VON AQUIN, der Angangsglaube und bestimmte Formen populärer Orakeldeutung zur *superstitio observationis* zählt, nicht etwa zur Idolatrie, verrät eine gewisse Unsicherheit des Urteils, wenn er meint: *videtur esse quaedam reliquiae idolatriae*.[43]

Superstitio idolatriae ist für THOMAS eine intakte, wenn auch vergangene Größe, ist zwar eine falsche, aber doch eine Religion. Die Relikte der Idolatrie aber gehören einer anderen Kategorie an: dem Gewohnheits- und Brauchmäßigen. Das zum superstitiosen Rest verflüchtigte Heidentum hat sich zu einer Größe eigener Art verselbständigt; und zwar, auch das ein von THOMAS am gleichen Ort andeutungsweise genannter Vorgang, verselbständigt nicht nur gegenüber der intakten Größe des Heidentums als trümmerhaftes, geschichtsloses Durativ einer verschwundenen Religion, sondern verselbständigt auch gegenüber dem ‚gelehrten Aberglauben‘, den professionell betriebenen Wahrsagekünsten der Divination. Über die ominöse Bedeutung des Gliederzuckens, Niesens, Stolperns, des Angangs u. a. urteilt THOMAS:

> *Et videntur esse quaedam reliquiae idolatriae, secundum quam observabantur auguria, et quidam dies fausti vel infausti (quod quodammodo pertinet ad divinationem quae fit per astra, secundum quae diversificantur dies): nisi quod hujusmodi observationes sunt sine ratione et arte.*[44]

Die Observation, das Befolgen herkömmlicher Dinge, geschieht also ohne „theoretische Kunstregeln“ *(sine ratione et arte)*. Darin unterscheidet sie sich von den gelehrten Wahrsagekünsten, der Divination, und darin gibt sie sich als bloß durch die Verbindlichkeit des Herkommens legitimiert und somit als paganen Rest zu erkennen.

---

[40] HIERONYMUS, Hom. 7; cf. Ivo, Decr., pars XI, c. 9; ALCUIN ad Carol., l. c.
[41] MARTIN V. BRAGA, De corr. rust., c. 16.
[42] Homil. de sacril., c. 27.
[43] S. Th. II. II. 96, 3.
[44] S. Th. II. II. 96, 3.

Die Nähe der Argumentation zu modernen Interpretationsmodellen ist erstaunlich. Weil der Superstition kein vernünftiger Grund abzusehen ist, kann ihr Grund nur im Historischen liegen. Ohne Kunstregeln geübt, gibt sie sich als Relikt eines ehemals integrierten Ganzen, als trümmerhafter Rest zu erkennen. Schon die mittelalterliche Theorie gewinnt Superstition (hier in der Form der Observation) als eigenen Begriff über die Behauptung der Vernunftlosigkeit und der darin implizierten Reliktbehauptung.

a. Die Beobachtung von Zeichen

Sobald etwas geschieht oder erscheint, das ein anderes vorbedeutet, sprechen wir von einem ‚Vorzeichen‘ oder ‚Zeichen‘. In einem Zeichen kündigt sich etwas Zukünftiges an. Wenn man weiß, welche Zeichen das sind und wie sie zu deuten sind, wird man sich vor bösen Überraschungen schützen können oder den sich ankündigenden günstigen Umstand recht zu nützen wissen. Ein Donnerwetter mitten im Winter oder gar am Heiligen Abend bedeutet etwas. Man darf das nicht unbeachtet lassen. Das Zucken eines Gliedes, das Niesen eines Menschen oder Tieres, der Schrei eines Vogels, der Schatten eines Vorübergehenden, der auf etwas fällt, ein Traumbild — all das muß etwas bedeuten. Wenn man am Morgen, gewissermaßen auf nüchternem Magen, einem Priester begegnet, darf das nicht unbeachtet bleiben; denn etwas Gutes bedeutet das bestimmt nicht.

Zeichen kommen ungerufen, fallen auf, man begegnet ihnen und beachtet sie sorgfältig. Das meint *signa observare: signa per auicellas et sternutus et per alia multa adtenditis.*[1] Es kündigt sich ein Zukünftiges deutlich und jedem vernehmbar an in einem Vorzeichen, das Aufmerksamkeit erregt.

Aber zukünftige Ereignisse werfen doch auch feinere Schatten voraus, die das ungeübte Auge nicht wahrnimmt. Oft sind sie verborgen und müssen aufgedeckt werden und bisweilen stellen sie sich erst einem Experiment. Solche feinen Beobachtungen anzustellen, verlangt ein besonderes Wissen und ein kunstmäßiges Vorgehen. Das meint *divinatio.*

Wie eine Sache ihren Anfang nimmt, so wird sie auch enden. Ist der Anfang schlecht gemacht, so wird auch das Ende nicht gut sein können. Es ist deshalb auf jedes Zeichen zu achten, das auf einen ungünstigen Ausgang hinweist: *De observatione ... in inchoatione alicuius rei.*[2]

Muß man beispielsweise, während man sich morgens die Schuhe anzieht, niesen, dann lege man sich besser gleich wieder in's Bett: *redire ad lectum, si quis, dum*

---

[1] MARTIN V. BRAGA, De corr. rust., c. 16; cf. Reden an Getaufte, ed. CASPARI 200, 205; *Et qui signa caeli et stellas ad auratum inspicet*, Hom. de sacril., c. 10.
[2] Ind. superst., c. 17.

se calciat, sternutauerit.[3] Denn Niesen ist ein böses Omen. Zuweilen aber auch ein gutes — wie überhaupt alle Vorzeichen ambivalent sind: sie können Gutes oder Schlechtes vorbedeuten — je nachdem.

Für die Antike ist das Niesen als Omen gut belegt. Neben AUGUSTINUS erwähnen es AMBROSIUS[4] und CHRYSOSTOMUS.[5] MARTIN VON BRAGA verbietet es[6], ebenso die *Vita Eligii*[7] und PIRMIN[8]. Diese letzten Belege gehen auf CAESARIUS VON ARLES zurück[9]: *Illas vero non solum sacrilegas sed etiam ridiculosas sternutationes considerare et observare nolite.*[10] Ob das Zeugnis des *Indiculus superstitionum*[11] unter diesen Umständen als guter Beleg für germanische Mantik angesehen werden kann, muß zweifelhaft sein.[12] Doch wird das Niesen auch von ALKUIN[13] und HRABANUS MAURUS[14] erwähnt — bezeichnenderweise ist die Stelle bei HRABANUS allerdings wieder identisch mit dem CÄSARIANIschen Text[15].

Überraschend wie Niesen kommt plötzliches Gliederzucken. Auch das hat mantische Bedeutung. Es wird zumeist im Zusammenhang mit Niesen genannt und behandelt.[16] AUGUSTINUS erwähnt das vorbedeutende Gliederzucken im *Buch über die christliche Lehre.*[17] ISIDOR geht auf AUGUSTINUS zurück: *Salisatores*[18] *vocati sunt, qui dum eis membrorum quaecumque partes salierint, aliquid sibi exinde prosperum seu triste significare praedicunt.*[19] Von ISIDOR abhängig ist in der Folge wiederum HRABANUS MAURUS.[20] Das Wahrsagen aus dem Zucken eines Gliedes

---

[3] GRATIAN, Decr., pars II, causa 26, qu. 2, c. 6 nach AUGUSTINUS, De doctr. christ., II 20; cf. IVO, Decr., pars XI, c. 13; cf. die Belege bei KLAPPER, Aberglaubensverzeichnis, 85.

[4] Sermo 333: *Qui colunt augures vel sacrilegos, vel auspices, divines et praecantatores, et qui confidunt in phylacteriis et charakteribus, aut sternutationibus, avibus cantatibus, divinationibus, aut mathematicis, aut aliis quibuscunque malis artibus, damnabuntur.*

[5] *Es si asinus exclamaverit, et si gallus, et sie qui sternutaverit*, Homil. 12 ad Ephes.

[6] De corr. rust., c. 16.

[7] Lib. II, c. 16.

[8] Dicta 22.

[9] Sermo 54, cf. BOESE 12.

[10] Sermo 54, ed. CCL 103, 236.

[11] C. 13.

[12] Cf. dagegen HOMANN 88.

[13] Ad Carol., ed. JAFFÉ, p. 886.

[14] Homil. 43, ed. PL 110, 81.

[15] Cf. auch die zwei Reden an Getaufte, ed. CAPSARI 200 und 205, die wiederum auf ELIGIUS bzw. CAESARIUS zurückzuführen sind; cf. PETRUS v. BLOIS, Ep. 65, ed. PL 207, 191.

[16] AUGUSTINUS, De doctr. christ. II 20; GRATIAN, Decr., pars II, causa 26, qu. 2, c. 6; ibd., qu. 2 et 4, c. 1; IVO, Decr., pars XI, c. 13.

[17] De doctr. christ. II 20.

[18] AUGUSTINUS: *Salitores.*

[19] ISIDOR, Etym. VIII 9.

[20] De magicis artibus, ed. PL 110, 1098 und De universo XV ed. PL 111, 424; cf. IVO, Decr., pars XI c. 68 et Panorm. VIII, c. 66; GRATIAN, Decr., pars. II, causa XXVI, qu. 3 et 4, c. 1.

scheint somit allein der antiken, näherhin orientalischen, niederen Mantik anzugehören.[21]

Wenn man beim Verlassen des Hauses irgendwo anstößt, stolpert, ist das kein gutes Zeichen man kehre wieder ins Haus zurück! Auch diesen Glauben bezeugt AUGUSTINUS an der genannten Stelle.[22]

Das Zusammentreffen mehr oder weniger auffälliger Vorgänge, die Begegnung mit einem bestimmten Menschen oder Tier ist Vorzeichen. Der Umfang dieser glück- oder unglückverheißenden Angänge ist kaum abzumessen. Begegnung mit Menschen, je nachdem ein gutes oder schlechtes Vorzeichen, ob Mann oder Frau, ob eines bestimmten Standes oder Berufes usw. Begegnung mit Tieren: glücklich, wenn es ein Wolf ist oder eine Katze, eine Krähe, eine Schlange oder ein Bussard; unglücklich, wenn es ein Hase, eine Maus, ein Schaf, Schwein, Fuchs oder ein Rabe — oder auch glücklich, je nachdem, ob von links oder rechts, ob entgegenkommend oder überholend, ob morgens oder abends und so fast alle möglichen Verhältnisse hindurch.[23] Der Angang durch Tiere wird aber in unseren Quellen, vergleicht man etwa das reiche Material wie es für das späte Mittelalter belegt ist[24], kaum genannt, abgesehen allerdings von vielen Belegstellen für Angang durch Vogelflug und Vogelschrei.

Daß die Begegnung mit einem Priester Unglück bingen soll, wird besonders übel vermerkt: *Et qui clericum uel monachum de mane aut quacumque hora uidens aut obuians, abominosum sibi esse credet, non solus paganus, sed demoniacus est, qui christi militem abominatur.*[25]

ELIGIUS kennt den Angang, nennt aber, vom Vogelschrei abgesehen, nicht, welche Begegnungen gemeint sind: *nullus sicut dictum est observet egrediens domum, quid sibi occurat, vel si aliqua vox reclamantis fiat, aut qualis avis cantus garriat vel quid etiam portantem videat, quia qui haec observat ex parte paganus dignoscitur.*[26] Die *Homilia de sacrilegiis* führt an der vergleichbaren Stelle noch das vorbedeutende Hundeheulen mit an: *et qui passeres et quascumque aues uel latratus canum*

---

[21] Cf. FLEISCHER, Gliederzucken; H. DIELS, Beiträge zur Zuckungsliteratur des Occidents und des Orients: Abh. d. kgl. preuß. Ak. d. Wiss. phil.-hist. Kl. 1907 f.

[22] De doctr. christ., II 20; die Stelle bezieht sich also zuerst auf antiken Aberglauben. Doch ist das Stolpern schon an sich etwas Auffälliges, daß es auch anderenorts als etwas Ominöses bekannt gewesen sein muß. Auch im germanischen Bereich bedeutet das Straucheln mit dem Fuß nichts Gutes, GRIMM Myth. 4II 240. Vielleicht meint auch das bislang nicht hinreichend erklärte Stelle *pedem observare* bei MARTIN VON BRAGA, De corr. rust., c. 16; PIRMIN, Dicta c. 22 und der Rede an Getaufte, saec. 12, ed. CASPARI 204 nichts anderes.

[23] Cf. KLAPPER, Aberglaubensverzeichnis 87 f.; L. HOPF, Thierorakel und Orakelthiere in alter und neuer Zeit. Stuttgart 1888.

[24] Cf. KLAPPER, Aberglaubensverzeichnis 85 ff. und GRIMM, Myth. 4II 937 ff.

[25] Homilia de sacrilegiis, c. 11.

[26] Vita Eligii II, c. 16.

et reclamationes hominum per sibelos et iubilos et sternudus auguria colit, iste non christianus, sed paganus est.[27]

Obgleich es sich beim Angang um *observationes improvisas* handele, rechnen sie ISIDOR und sein Ausschreiber HRABANUS MAURUS doch zu den Augurien: *Augures sunt, qui volatus avium et voces intendunt, aliaque signa rerum vel observationes improvisas, hominibus occurentes, ferunt.*[28]

Eine Fundgrube für Angang von Tieren ist der *Policraticus* des JOHANNES VON SALISBURY.[29] Eine wichtige Stelle daraus hat J. GRIMM[30] abgedruckt. Über den Angang durch eine Krähe schreibt JOHANNES, wohl nicht ohne phantasievolle Ausschmückung: „Höre eifrig zu, was die Krähe schwatzt, und beachte ja ihre Stellung, wenn sie sitzt, oder wenn sie fliegt. Es liegt nämlich sehr viel daran, ob sie zur Rechten sitzt oder zur Linken, in welcher Haltung sie auf den Ellbogen des Gehenden zurückblickt; ob sie geschwätzig sei oder lärmig oder ganz still, ob sie vorausfliegt oder folgt, das Näherkommen des Vorbeigehenden abwartet oder flieht, und wohin sie wegfliegt; achte nicht nachlässig darauf".[31] Ein Schüler des JOHANNES VON SALISBURY, PETRUS VON BLOIS, erwähnt den Angang im 65. *Brief:*

> *Somnia igitur ne cures, amice charissime, nec te illorum errore involvas, qui occursum leporis timent, qui mulierem sparsis crinibus, qui hominem orbatum oculis, aut mutilatum pede, aut cucullatum habere obvium detestantur; qui de columba, si a sinistra in dexteram avis s. Martini volaverit, si in egressu suo remotu audiant tonitrum; si hominem gribbosum obvium habuerint aut leprosum.*[32]

Man vergleiche Chrysostomus: πολλάκις ἐξελθών τις τὴν οἰκίαν τὴν ἑαυτοῦ εἶδεν ἄνθρωπον ἑτερόφθαλμον ἢ χωλεύοντα, καὶ οἰωνίσατο — ἐὰν ἀπαντήσῃ παρθένος, φησίν, ἄπρακτος ἡ ἡμέρα γίγνεται. ἐὰν δὲ ἀπαντήσῃ πόρνη, δεξιὰ καὶ χρηστὴ καὶ πολλῆς ἐμπορίας γέμουσα[33].

Wir werden somit auch hier stärkste literarische Tradition annehmen müssen. Vergleichen wir etwa AUGUSTINUS: *limen calcare, cum ante domum suam transit ... redire ad domum, si procedens offenderit.*[34] Bei JOHANNES VON SALISBURY steht sodann: *si egrediens limen calcaveris aut in via offenderis, pedem contine.*[35] Offensichtlich ist AUGUSTINUS ausgeschrieben, aber falsch interpretiert.

---

27 C. 9, ed. CASPARI; cf. a.a.O., 24, Parallelbelege.

28 De magicis artibus, ed. PL 110, 1098; das Zitat ist wörtlich den Etymologien ISIDORS VON SEVILLA entnommen; Etym. VIII 9.

29 Cf. besonders B. HELBLING-GLOOR, Natur und Aberglaube im Policraticus des Johannes von Salisbury (= Geist und Werk der Zeiten 1). (Diss.) Zürich 1956.

30 Myth. 4II 938.

31 I 13; cf. HELBLING-GLOOR 35.

32 Ep. 65, ed. PL 207, 195.

33 JOHANNES CHRYSOSTOMUS, Ad popul. Antioch. hom. 21; cf. CHRYSOST., Ad illum. catech. 5; In Ephes. hom. 12, 3.

34 De doctr. christ. II 20.

CAESARIUS VON ARLES hält es für albern, zu glauben, dem Niesen eines Menschen käme irgendeine Vorbedeutung zu. Das ist ein verhältnismäßig bescheidener Einwurf. Die Verspottung und Veralberung solcher Dinge gehört schließlich zur besten Tradition. CATO etwa soll auf die Frage, was es denn wohl bedeute, daß die Mäuse die Schuhe angefressen hätten, geantwortet haben, das bedeute garnichts — anders wäre es schon, wenn die Schuhe die Mäuse angefressen hätten! AUGUSTINUS, dem wir die Kenntnis dieser Anekdote verdanken, schließt sich dem im Tone an: „Hierher gehören sodann die tausenderlei ganz törichten Gebräuche, z. B.: Wenn irgendein Glied zuckt oder wenn mitten zwischen zwei nebeneinandergehende Freunde ein Stein, ein Hund oder ein Kind gerät: daß sie den Stein als Trenner der Freundschaft mit Füßen treten, das ist noch leichter zu ertragen, als wenn sie dem unschuldigen Kind Ohrfeigen geben, weil es zwischen spazierengehende Leute hineinläuft. Manchmal trifft es sich freilich recht schön, daß diese Kinder von den Hunden gerächt werden; denn sehr häufig kommt es vor, daß einige Leute so abergläubisch sind, daß sie auch einen Hund, der zwischen sie hineinläuft, zu schlagen wagen. Dies kommt ihnen aber teuer zu stehen: denn gar schnell trifft es sich, daß der Hund den, der ihn schlug, um sich dadurch törichterweise (vor den schlimmen Folgen der Begegnung) zu bewahren, zu einem Arzt schickt, (der ihn wirklich heilen muß).[36]

*

War der niederen Mantik noch mit Ironie und rationalistischer Argumentation reinsten Wassers beizukommen, so hat sich die christliche Kritik der Augurien aus Vogelflug und der Traumdeutung schwerer getan. Einerseits kennt ja auch das *Alte* und *Neue Testament* Traumoffenbarungen: Paulus wird durch ein Traumgesicht zur Überfahrt nach Mazedonien aufgefordert[37], und die Drei Könige werden durch einen Traum zur Rückkehr in ihre Heimat veranlaßt.[38]

Andererseits besaß die Vogelschau in der römischen Religionspraxis eine zu wichtige Rolle, als daß sie einfachhin abgetan werden konnte. Zudem mußte es scheinen, daß den Vögeln tatsächlich eine Art von Kenntnis zukünftiger Dinge zu eigen sei, die Veränderung des Wetters etwa oder das Eintreten von Katastrophen.

Das Weissagen aus dem Verhalten von Vögeln war auch den germanischen Völkern bekannt.[39] TACITUS berichtet davon in *Germania* X. Während aber die Römer insbesondere aus der Bewegung, woher also ein Vogel kommt oder wohin

---

[35] I 13.
[36] AUGUSTINUS, De doctr. christ. II 20, übers. BKV 49, 77 f.
[37] Acta Apost. 16, 9.
[38] MT 2, 12.
[39] K. HELM, Altgermanische Religionsgeschichte. I. Heidelberg 1913, 279.

er fliegt, voraussagten, galt bei Germanen mehr die Beobachtung der Vogelstimme, wurde dem *cantus avium* die Bedeutung eines Omens zugelegt.[40]

Was uns an Zeugnissen christlicher Verbotsliteratur bekannt ist, dürfte somit auch zu seiner Zeit einen Gegenstand gehabt haben — eine Feststellung, die, wie öfter betont worden ist, nicht selbstverständlich sein darf; zumal auch für diesen Fall literarische Traditionen nachweisbar sind, die aus entfernteren Zeiten und Ländern gekommen sind und im gesamten Abendland sich stets dort niedergeschlagen haben, wo immer man sich mit der Kritik heidnischer Anschauungen und Gebräuche beschäftigt hat. Wüßten wir nicht aus anderen Quellen von der Tatsächlichkeit der Vogelweissagung auf germanisch-deutschem Gebiet —, die nicht selten klischeehaften Wendungen unserer Quellen allein könnten kein ausreichendes Zeugnis darüber abgeben. Oft verraten sie zudem durch Betonung des Vogelfluges ihre antike Herkunft.[41]

In die Auseinandersetzung mit der antiken Religion beziehen die christlichen Väter und frühen Theologen zumeist auch die Widerlegung der Augurien ein. ORIGINES hat gegen CELSUS darüber gehandelt, LACTANTIUS spricht davon in den *Göttlichen Unterweisungen*, CYRILL VON JERUSALEM in den *mystagogischen Katechesen*[42], JOHANNES CHRYSOSTOMUS in den *Homilien über den Galater- und 1. Timotheusbrief*[43], HIERONYMUS in der Predigt *Super Jesu nave*[44].

Aus der *Homilie* des HIERONYMUS hat IVO VON CHARTRES in die Dekretalensammlung aufgenommen: *qui volatus avium, et caetera hujusmodi, quae in saeculo prius observabantur, inquirunt.*[45] ISIDOR VON SEVILLA nennt schon beides, Vogelflug und Vogelschrei:

> *Augures sunt, qui volatus avium et voces intendunt, aliaque signa rerum vel observationes inprovisas hominibus occurentes. Idem et auspices. Nam auspicia sunt quae iter facientes observant. Dicta sunt autem ausspicia, quasi avium aspicia, et auguria, quasi avium garria, hoc est voces et linguae.*[46]

Den *Etymologien* direkt entlehnt findet sich dieselbe Definition bei HRABANUS MAURUS[47] und verkürzt bei PSEUDO-ALKUIN.[48] Indessen steht die isidorische Er-

---

[40] Cf. H. WESCHE, Der althochdeutsche Wortschatz im Gebiet des Zaubers und der Weissagung. Halle 1940, 68.

[41] Wenn einerseits auch das römische *Auspicium* auf die Stimme der Weissagevögel achtet und andererseits, zumindest in jüngerer Zeit, auch in unserem Bereich Vorzeichen aus dem Flug der Vögel gesucht worden sind; Cf. HOMANN 85.

[42] CYRILL, Catech. mystag. IV 37, ed. Florileg. patrist. 7, 2 (21935), übers. BKV 41.

[43] CHRYSOSTOMUS, In Galat. I 8; in 1 Tim. hom. 10, 3.

[44] HIERONYMUS, Super Jesu nave hom. 7.

[45] Decr., pars XI, c. 9.

[46] Etym. VIII 9.

[47] De magic. artib., ed. PL 110, 1098.

klärung auch im *Poenitentiale* PSEUDO-GREGORII III.: *Augures dicuntur, qui in volatus avium vel voces intendunt.*[49] RICHARD BÖSE erkennt in dem Kanon, dem das Stück zugehört, eine Entlehnung aus CAESARIUS.[50] Es wäre demzufolge die ISIDORstelle zumindest teilweise arelatisch. Wenn nun zwar der kürzere und näherliegende Weg zwischen PSEUDO-GREGOR und ISIDOR geht und die Annahme viel mehr für sich hat, der Kanon sei teilweise ISIDOR entlehnt, so sind doch auch Exzerpte ISIDORS aus CAESARIUS nachgewiesen[51] und läßt sich der provenzalische Bischof auch für den Glauben an die Vorbedeutung des Vogels als erstes Glied einer langen Traditionskette ausmachen. *Sermo 54*[52]: *Similiter et auguria observare nolite, nec in itinere positi aliquas aviculas cantantes attendite, nec ex illarum cantu diabolicas divinationes annuntiare praesumite.*[53] Wörtlich wiederholt das HRABANUS MAURUS.[54] Schon die *Vita Eligii* kennt den Text: *Similiter et auguria vel sternutationes observare nolite, nec in itinere positi aliquas aviculas cantantes adtendatis*[55]; MARTIN VON BRAGA schöpft aus der gleichen Quelle[56] und fast wortwörtlich MARTIN folgend überliefert die *Rede an Getaufte* aus einer Handschrift des 12. Jahrhunderts die gleiche Version: *Dimisistis signum crucis, quod in baptismo accepistis, et alia diaboli signa per aues et sternutationes et alia multa adtendistis.*[57] CAESARIUS verpflichtet ist auch die Ps.-AUGUSTINISche *Homilia de sacrilegiis: et qui passeres et quascumque aues ... auguria colit* (c. 9). Eine andere, ebenfalls CAESARIUS zuzurechnende Überlieferung[58] wird eine Reihe von Bußbüchern hindurch wenig variiert: *Si quis sacrilegium fecerit, quod haruspices vocant, si per aves et auguria colunt, Poenitentiale Bobiense*[59] — *Si quis sacrilegium fecerit, i. e. quod haruspices vocant, qui auguria colunt per aves aut quocumque auguriaverit, Excarpsus* CUMMEANI[60] — *Si quis ariolos aut aruspices, qui augurari solent aut per aves aut quocunque ingenio augurant, Casinense*[61] — *Si quis hariolos, id est divinos*

---

[48] De divin. offic., c. 13, ed. PL 101, 1196: *Augures, qui auguria et volatus atque voces avium intendunt.*

[49] WASSERSCHLEBEN 542 .

[50] BOESE 49.

[51] MORININ CCL 104, 779 für Sermo 192.

[52] CCL 103, 235 sqq.

[53] Ibd. 236.

[54] „Ebenso beobachtet keine Vorzeichen, wie unterwegs den Gesang der Vögel, um daraus teuflische Vorbedeutungen zu entnehmen", Hom. 43 contra paganicos errores, quos aliqui de rudibus Christianis sequuntur; cf. CRUEL, Predigt, 63.

[55] Sie fährt mit einer häufig belegten christlichen Ablösung fort: *sed sive iter seu quodcumque opere arripitis, signate vos in nomine Christi et symbolum vel orationem dominicam cum fide et devotione dicite, et nihil vobis nocere poterit inimicus*, Vita Eligii, II 16.

[56] MARTIN VON BRAGA, De corr. rust., c. 16.

[57] CASPARI, 205; cf. die Rede saec. 10./11., ibd., 200.

[58] BOESE 47 f.

[59] WASSERSCHLEBEN 409.

[60] Ebd. 481.

[61] C. 70, ebd. I 414.

aut haruspices, qui auguria colunt, qui per aves aut quoscumque ingenio auguriantur, Poenitentiale XXXV Capitulorum[62] — *Si quis sacrilegium fecerit, id est, quos aruspices vocant, qui auguria colunt, si per aves auguriaverit aut quocunque malo ingenio, Ps.-Romanum*[63] — *Si quis sacrilegium fecerit id est aruspices vocant aut per auguria colunt sive per aves aut quocunque malo ingenio, Valicellanum I.*[64] — *Si quis sacrilegium fecerit, id est quod aruspices vocant, si ad fontes vel ad cancellos in quadruvio vel ad arbores vota reddiderit aut sacrificium obtulerit, aut divinos de qualibet causa interrogaverit, aut per aves aut quocunque malo ingenio auguriaverit, Hubertense*[65] — *Si quis sacrilegium fecerit, id est quod haruspici vocant, qui auguria colunt sive per aves aut quocumque malo ingenio auguraverit, Merseburgense a.*[66] Die gleiche Stelle kennt PIRMIN. Wenn er auch merklich von allen angeführten Zeugnissen abweicht, läßt sich doch die Herkunft erkennen: *sternutus et auguria per avicellas vel alia ingenia mala.*[67] Der entsprechende Bußkanon im *Poenitentiale Valicellanum II.: Si quis ariolos vel divinos aut aruspices aut augures, qui in avibus auguriantur, introduxerit in domum suam ad divinationem inquirendam*[68] klingt deutlich an MARTIN VON BRAGA *Capitula*, Nr. 71[69] an. Auch das zitierte *Bußbuch der 35 Capitula*[70] fährt unmittelbar fort: *introduxerit in domum suam ad hariolandum.* Bei MARTIN heißt es: *Si quis . . . divinos et sortilegos in domo sua introduxerit* — das wiederum gehört als Kapitel 24 des Ankyranums zu den von MARTIN aus dem Griechischen übersetzten Konzilsverordnungen! Nimmt man den Einschub im *Poenitentiale Hubertense* noch in Betracht und überblickt das Ganze, dann kann wohl ein gutes Bild von dem kombinatorischen Verfahren dieser Literaturgattung entstehen.

Auf Nr. 73 und 75 der genannten von MARTIN übersetzten *Capitula ex orientalium Patrum synodis* stützt sich, das sei noch angemerkt, auch der fälschlich AUGUSTINUS zugeschriebene Kanon 16 des *Decretum* GRATIANI, pars II, causa 26, quaestio 7.

Wie die Überlieferungsverhältnisse liegen, wird der Nr. 13 des *Indiculus superstitionum* wenigstens partieller Zeugniswert für deutsche Verhältnisse eingeräumt werden dürfen: *De auguriis vel avium vel equorum vel bovum stercora vel sternutationes.* Denn nimmt man noch das 30. Kapitel im 10. Buch der Dekretalensammlung BURCHARDS VON WORMS für CAESARIUS in Anspruch[71], dann fallen innerhalb dieser Überlieferungslandschaft nur zwei Stellen durch Vereinzelung besonders

---

[62] C. 1, ebd. 516.
[63] C. 34, SCHMITZ I 479.
[64] C. 86, ebd. 310.
[65] C. 24, WASSERSCHLEBEN 380.
[66] C. 22, ebd. 393.
[67] Dicta, c. 22.
[68] C. 59, SCHMITZ I 379.
[69] Ed. BARLOW 140.
[70] = Capitula Judiciorum bei SCHMITZ I.
[71] BOESE 55.

auf und dürften deshalb auf Verhältnisse bezug nehmen, die tatsächlich im Umkreis des jeweiligen Autors anzusiedeln wären: Die *passeres* der Ps.-AUGUSTINI-schen *Homilia de sacrilegiis* (o. S. 87) und die *equorum vel bovum stercora* des *Indiculus superstitionum.*

So gering auch die Ausbeute hinsichtlich origineller Bemerkungen ist, so erweist sich der Wert einer tatsächlichen Reduktion der Zeugnisse auf eine Überlieferungslandschaft von Paganienliteratur doch eben darin, daß erst dadurch wenigstens eingesprengten Splittern ihr Zeugniswert gesichert werden kann.

Zwei (gute) Belege des 10. Jahrhunderts für deutsche Verhältnisse lassen sich dem noch anfügen:

Credidisti quod quidam credere solent? Dum iter aliquod faciunt nisi cornicula ex sinistra eorum in dexteram illis cantaverit, inde se sperant habere prosperum iter. Et dum anxii fuerint hospitii, si tunc avis illa, quae muriceps vocatur, eo quod mures capiat, et inde pascatur nominata, viam per quam vadunt ante se transvolaverit, se illo augurio et omini magis committunt quam Deo. Si fecisti, aut ista credidisti, quinque dies in pane et aqua debes poenitere.

Credidisti quod quidam credere solent? Dum necesse habent ante lucem aliorsum exire, non audent, dicentes quod posterum sit, et ante galli cantum egredi non liceat, et periculosum non sit eo quod immundi spiritus ante gallicinum plus ad nocendum potestatus habeant, quam post, et gallus suo cantu plus valeat eos repellere et sedare, quam illa divina mens quae est homine sua fide et crucis signaculo? Si fecisti aut credidisti, decem dies in pane et aqua debes poenitere.[72]

✳

„Als alles Volk sich taufen ließ und Jesus nach der Taufe betete, tat sich der Himmel auf; der Heilige Geist stieg auf ihn in leiblicher Gestalt wie eine Taube nieder."[73] Alle Evangelien berichten von der Erscheinung einer Taube bei der Taufe Jesu[74] und deuten das als ein Zeichen der Herabkunft des Geistes auf Christus. Wissen wir, daß die Taube in Palästina als heiliger Vogel galt[75], so können wir in dem Flug der Taube, ihrem Verweilen und der Deutung dessen, von einem Fall von Vogelweissagung sprechen. Die älteren Kirchenschriftsteller unterlassen es denn auch im Falle der Behandlung heidnischer Augurien und Auspizien die Stelle heranzuziehen.

THOMAS VON AQUIN allerdings zieht zur Erläuterung der Frage, *Utrum divinatio quae est per auguria et omina et alias huismodi observationes exteriorum rerum,*

---

[72] Corrector BURCHARDI, c. 149 et 150, ed. SCHMITZ II 441 f.
[73] LK 3, 22.
[74] MT 3, 16; MK 1, 10; JOH 1, 32 d.
[75] Cf. F. LENTZEN-DEIS, Die Taufe Jesu nach den Synoptikern (= Frankfurter Theologische Studien 4). Frankfurt a. M. 1970, 170—183.

sit illicita[76], den neutestamentlichen Bericht mit an und erklärt, daß Tiere neben rein körperlichen Veranlassungen zu ihrem Verhalten auch durch geistige Einflüsse bestimmt werden könnten, durch Gott näherhin oder durch Einwirkung der Dämonen. Die Taube, die über Jesus herabgeschwebt sei, habe dies auf Veranlassung Gottes getan.[77] In der Auffassung, das Verhalten speziell der Weissagetiere werde von den Dämonen, den gefallenen Engeln also, gelenkt, geht THOMAS auf alte christliche Lehre über diesen Punkt zurück, ja stimmt noch mit vorchristlichen Auffassungen über die Mitwirkung der Dämonen beim Zustandekommen von Augurien, Orakeln und vielerlei anderen mantischen Künsten überein.

ORIGINES ist in seiner Schrift *Gegen Celsus* auf den Gedanken der Lenkung der Weissagevögel durch Dämonen eingegangen. CELSUS, ein heidnischer Philosoph, dessen Streitschrift ORIGINES zu widerlegen sucht, führt über den antiken Vogelglauben unter anderem aus: „Wenn man aber glaubt, den Menschen über die andern lebenden Wesen stellen zu dürfen, weil er sich Vorstellungen von der Gottheit gebildet hat, so sollen die Verfechter dieser Meinung wissen, daß auch darauf viele von den andern lebenden Wesen Anspruch erheben können. Und ganz natürlich; denn was möchte einer wohl göttlicher nennen als das Vorauserkennen und Offenbaren der Zukunft? Dieses also lernen die Menschen von andern lebenden Wesen, und zumeist von den Vögeln. Und alle die Personen, die auf das achtgeben, was diese anzeigen, sind der Weissagung kundig. Wenn nun die Vögel und alle andern weissagenden Tiere, denen Gott diese Erkenntnis verliehen hat, uns durch Zeichen Aufschlüsse geben, so scheinen jene von Natur in einem so viel näheren Verkehr mit der Gottheit zu stehen und weiser und von Gott mehr geliebt zu sein."[78] CELSUS fügt sodann weitere Anschauungen über die Heiligkeit der Tiere an, etwa die Bemerkung, es gäbe wohl kein Wesen, das den Eid treuer zu halten pflege als die Elefanten.

„Man beachte", entgegnet nun ORIGINES, „wieviel Dinge hier Celsus zusammenrafft und als ausgemachte Sätze anführt, worüber die Philosophen nicht nur der Griechen, sondern auch der andern Völker noch nicht einig sind, sei es, daß sie das Wissen über die weissagenden Vögel und die andern Tiere, durch die den Menschen gewisse Weissagungen zuteil werden sollen, selbst gewonnen oder diese Dinge von gewissen Dämonen erlernt haben. Denn zuerst ist Gegenstand des Streites, ob es überhaupt eine Vogelschaukunst und die durch Tiere vermittelte Wahrsagekunst gibt oder nicht. Zweitens aber sind diejenigen, welche eine durch Vögel vermittelte Wahrsagekunst als vorhanden annehmen, doch über die Ursache nicht einig, welche der Wahrsagekunst zugrunde liegt. Denn die einen behaupten, daß von gewissen Dämonen oder Göttern, welche die Zukunft kennen, die Bewegungen der Tiere veranlaßt würden, nämlich bei den Vögeln ihr verschiedenartiger Flug oder ihr

---

[76] S. Th. II. II. qu. 95, art. 7.
[77] L. c., art. 7.
[78] ORIGINES, Contra Celsum IV 88; dt. BKV 52, 413.

verschiedenartiges Geschrei, und bei den übrigen Tieren diese oder jene Bewegung; andere aber erklären, die Seelen der Tiere seien göttlicher und zu solcher Tätigkeit geeignet, was ja ganz unglaublich ist."[79]

MINUCIUS FELIX schon bezieht sich im Dialog *Octavius* auf den Glauben, die unreinen Geister, oder wie die Philosophen sie nennen würden, die Dämonen, würden den Vogelflug leiten.[80] Und TERTULLIAN überliefert, es geschähe durch Dämonen, daß sogar Ziegen und Tische weissagen könnten.[81]

Was im Christentum über den Anteil der Dämonen am Zustandekommen solcher Weissagungen bekannt war, geht also auf antiken Glauben und Philosophie zurück. Und was das Verhältnis von Dämonen und Vögeln angeht, so schien die Möglichkeit des dämonischen Einflusses im besonderem Maße schon dadurch gegeben, daß beide Wesen in der Luft ihr Lebenselement haben, den Dämonen ein luftartiger Leib zu eigen sei.[82] Ein feines Wissen um natürliche Verhältnisse, größerer Scharfsinn als ihn Menschen besitzen, die besondere Schnelligkeit, mit der sie von einem Ort zu einem anderen fliegen können — all das befähigt die Dämonen dazu. Nichts scheint ihnen unmöglich zu sein: *Omnia, quae visibiliter fiunt in hoc mundo, possunt fieri per daemones*, davon ist THOMAS VON AQUIN überzeugt.[83] Es geschieht dies allerdings nur *deo permittente*. Gott läßt das zu, um Menschen zu prüfen:

> *et, sicut in evangelio legimus, quando ab hominibus expulsi sunt daemones, rogaverunt ut vel in porcos ire permitterentur.*[84] *Considerate rogo vos, fratres: si in porcos non sunt ausi introire daemones, nisi a domino permissionem acciperent, quis ita erit infidelis, ut eos bonis christianis credat aliquid posse laedere, nisi deus pro sua dispensatione permiserit? Permittit autem hoc deus duabus ex causis: ut aut nos probet, si boni sumus, aut castiget, si peccatores.*[85]

Kommen wir auf die Beurteilung der Auspizien zurück, um nicht den falschen Eindruck zu erwecken, die Ansichten christlicher Schriftsteller und Theologen über diese Dinge seien durchwegs gleichartig. Vor AUGUSTINUS hat ORIGINES die Auslassungen von CELSUS über die Heiligkeit und das göttliche Wissen von Tieren, speziell der Zukunftserkenntnis der Vögel, als ungereimt bezeichnet und zu widerlegen gesucht: „Wir sagen nun: Wenn ihnen wirklich eine göttliche Kraft innewohnte, die ihnen die zukünftigen Dinge vorher bekannt macht, und zwar in so reichen Maße, daß sie von ihrem Überfluß uns auch jedem beliebigen Menschen die Zukunft offenbaren können, so würden sie offenbar das viel früher erkennen,

---

79 L. c., 414.
80 Dialog. Octavius 27, 1; dt. BKV 14, 61 f.
81 PL 1, 411; dt. BKV 2, 190.
82 Über Wesen und Wirken der Dämonen weiter unten.
83 Quaestiones disputatae de malo, quaest. 16, art. 9.
84 MT 8, 31.
85 CAESARIUS VON ARLES, Sermo 54, ed. CCL 103, 238.

was sie selbst berührt; und würden sie dies erkennen, dann würden sie sich hüten, auf den Ort herabzufliegen, wo die Menschen Schlingen und Netze aufgestellt haben, um sie zu fangen, oder dahin, wo Bogenschützen die fliegenden Vögel zum Ziel nehmen und Geschosse gegen sie entsenden."[86]

Doch auch für ORIGINES schien die Leistungsfähigkeit der Augurienpraxis nicht bestreitbar zu sein und mußte auch er für seine theoretischen Erörterungen auf antike Dämonenlehre zurückgreifen: „Nach unserer Ansicht haben gewisse böse und sozusagen titanische oder gigantische Dämonen gegen das wahrhaft Göttliche und gegen die Engel im Himmel gefrevelt, sind deshalb vom Himmel herabgefallen und treiben nun auf Erden ihre Wesen in den dickeren und unreinen Leibern. Dabei haben sie einen gewissen Scharfblick für das Zukünftige, da sie selbst nicht mit irdischen Leibern bekleidet sind. Weil nun ihr ganzes Streben und Tun nach ihrer Herabkunft gerichtet ist, das Menschengeschlecht zum Abfall vom wahren Gott zu bewegen, so nehmen sie in den Leibern der reißendsten, wildesten und bösartigsten Tiere ihren Aufenthalt und lenken diese, wohin sie wollen, und wann es ihnen gefällt; oder sie wirken auf deren Einbildungskraft ein und machen, daß sie auf diese oder jene Weise fliegen und sich bewegen, damit sich die Menschen von dieser in den unvernünftigen Tieren vorhandenen weissagenden Kraft blenden lassen und den das All umfassenden Gott nicht suchen, auch nicht die wahre Gottesverehrung ergründen, sondern ihr Denken dem Irdischen, den Vögeln und Schlangen, den Füchsen und Wölfen zuwenden".[87]

THOMAS VON AQUIN folgt in seiner Beurteilung der Vogelwahrsagung der AUGUSTINISchen Dämonologie. Auch hier rechnet THOMAS AUGUSTIN unter die *auctores*, zählt ihn zu den Lehrern der Kirche, deren Schriften zum indiskutablen Lehrbestand des Christentums gehören. Er setzt sich somit mit AUGUSTINUS nicht mehr auseinander, sondern übernimmt ihn auch dort, wo er andere Möglichkeiten der Beurteilung kennt.

THOMAS wirft zuerst die Frage auf, ob Weissagen aus Augurien, Omen und dergleichen mehr überhaupt unerlaubt sei. Das scheine nämlich nicht, bedächte man etwa, daß Josef in Ägypten mit einem Becher gewahrsagt habe[88], daß Gideon, der nach PAULUS[89] unter die Heiligen zu wählen sei, an Träume geglaubt habe[90] oder daß man bei JEREMIAS von gewissen Vögeln lese, die ein Wissen um Zukünftiges hätten.[91] Dazu im Gegensatz heiße es aber: *Non inveniatur in te qui observet auguria.*[92]

---

[86] Contra Celsum IV 90; dt. BKV 52, 417.
[87] Ibd. 92; dt. ebd. 419 f.
[88] Gen 44, 5.
[89] Hebr 11, 32.
[90] Richter 7, 15.
[91] Jer 8, 7.
[92] Deut 18, 10.

Was nun die Vögel angehe, so liege ihrem Verhalten eine Art von Instinkt zugrunde; denn sie seien nicht Herr ihrer Verrichtungen. Dieser Instinkt könne eine zweifache Ursache haben, eine körperliche und eine geistige. Die körperliche Ursache sei im Zusammenhang mit der Tatsache gegeben, daß Tiere allein ein sensitives Seelenvermögen *(anima sensitiva)* besäßen. Auf welche Weise nun THOMAS aus dieser Feststellung Schlußfolgerungen zieht, kann erst später gezeigt werden. Bis dahin kann es genügen mitzuteilen, daß das Verhalten der Vögel manchmal wirklich Zeichen zukünftiger Dinge sei, zukünftiger Geschehnisse allerdings einmal nur insoweit sie durch die Bewegung der Sterne, die zugleich einen Einfluß auf das Verhalten der Tiere hätten, bewirkt werden und zum anderen nur insoweit sie einen Bezug auf diese Tiere hätten, es sich näherhin um Ereignisse handele, die für ihr Leben von Bedeutung seien, beispielsweise das Wetter. Der alle Verrichtungen der Vögel lenkende Instinkt, habe aber eine geistige Ursache, sofern Gott oder die Dämonen auf das Verhalten der Tiere Einfluß nehmen:

> *Alio modo instinctus hujusmodi causantur ex causa spirituali. Scilicet vel ex Deo: ut patet in columba super Christum descendente ... Vel etiam ex daemonibus, qui utuntur hujusmodi operationibus brutorum animalium ad implicandas animas vanis opinionibus.*[93]

Für die Frage, ob die Wahrsagung aus dem Vogelflug und Ähnliches erlaubt sei, ergibt sich für THOMAS die Feststellung, daß ein Wissen um zukünftige Dinge nur angestrebt werden darf, wenn es nicht über das hinausgehe, was der natürlichen Ordnung und der göttlichen Vorhersehung entspreche.[94]

Auf Erklärungen der offensichtlichen Fähigkeit der Vögel, das Wetter vorauszuahnen, soll hier nur hingewiesen werden. Letztlich, das haben die wenigen Mitteilungen zu THOMAS VON AQUIN schon gezeigt, liegt den Erklärungen ein kosmologisches Modell zugrunde, näherhin eine Lehre über den möglichen Einfluß der Sterne auf irdisches Leben und Geschehen.

Schließt sich THOMAS in dieser Frage an die Philosophie des ARISTOTELES an, so lassen die Lehren, die JOHANNES VON SALISBURY über unseren Gegenstand vorträgt, platonisches Gedankengut erkennen; steht doch JOHANNES auch über seinen Lehrer WILHELM VON CONCHES in engster Beziehung zur Schule von Chartres, in der eine an platonischer Philosophie orientierte Naturwissenschaft betrieben wurde.[95] Für WILHELM VON CONCHES zuerst einmal gilt, daß Wasservögel aus den Elementen Wasser und Luft bestünden[96], womit sich die Erklärung der

---

[93] II. II. 95, 7.
[94] Ibd. 7.
[95] M. GRABMANN, Die Geschichte der katholischen Theologie seit dem Ausgang der Väterzeit. Freiburg i. Breisgau 1933, Nachdruck, Darmstadt 1961, 38; DERS., Die Geschichte der scholastischen Methode. II. Freiburg i. Breisgau 1911, Nachdruck, Darmstadt 1961, 410 ff.; HEBLING-GLOOR 20.

Vorauserkenntnis des Wetters wie von selbst ergibt. JOHANNES VON SALISBURY wandelt diese Theorie dahingehend ab, daß er solche Fähigkeiten den Tieren allein deshalb zuschreibt, weil sie in ständigem Kontakt mit jenen Elementen stünden, von denen sie auch bestimmte Eigenschaften erhalten hätten, beispielsweise das Wetter vorauszuerkennen.[97] Vögel sind „nach meiner Meinung", so schreibt JOHANNES im *Policraticus*[98], „nicht ohne Begünstigung der sie hervorbringenden Natur, Taucher, Eisvogel und Schwan eröffnen häufig Geheimnisse der Natur ... Wenn du nämlich die Körper der Wasservögel besonders gierig ins Wasser tauchen siehst, erwarte Regen. Wenn du am Morgen das Geschrei der Krähe hörst, holt es Regen. ,Und ich glaube nicht, daß sie einen göttlichen Geist oder größere Einsicht in die Dinge durch das Schicksal besitzen'[99]; sondern weil sie in der Luft weilen, spüren sie deren Bewegung schneller in sich selbst und empfangen davon Freude oder Trauer".[100]

Der antike Glaube an das nahezu göttliche Wesen der Vögel, der modifiziert zwar aber doch bis in die Dämonenlehre des einflußreichsten Theologen der mittelalterlichen Kirche, THOMAS VON AQUIN, nachblinkt — das scheint JOHANNES VON SALISBURY schon nicht mehr der Rede wert gewesen zu sein.

In einem Brief[101] erläutert PETRUS VON BLOIS einem Freund auf dessen Bitte hin seine Meinung darüber, was man von der Zukunftserforschung durch Angänge, Augurien, Visionen, Träume und dergleichen mehr zu halten habe. Der mit PETRUS befreundete Adressat des Briefes war Zeuge folgenden Vorfalls geworden: Ein gewisser Magister G. hatte seine Wohnung verlassen, um sich auf eine Reise zu begeben. Da begegnete ihm ein Mönch. Dieser machte G. darauf aufmerksam, daß diese Begegnung (Angang durch Kleriker) nichts Gutes bedeute und dem G. große Gefahr drohe, wenn er seine Reise fortsetze. G. aber, ein vollkommener Christ, verbat sich das unsinnige Gerede als mit dem christlichen Glauben nicht vereinbar und machte sich unbekümmert auf den Weg. Nach einer kurzen Strecke schon stürzte er, unvorsichtig genug, mit seinem Pferd in ein tiefes Wasser und ertrank.

Was soll man nun von solchen Dingen halten? PETRUS VON BLOIS, ein an der antiken Literatur gebildeter theologisch-philosophischer Schriftsteller, versucht darauf Antwort zu geben. Sein Gedankengang sei kurz skizziert: Nur zu gut kennen wir — mit PAULUS[101a] — die Verschlagenheit des Teufels: vielerlei Trugbilder kann er dem menschlichen Geist einsenken und durch den Flug der Vögel, durch

[96] De philosophia mundi I 22, ed. PL 172, 55.
[97] Policr. II 2.
[98] Ibd.
[99] Vergil, Georg. I 415 sq.
[100] Übers. HELBING-GLOOR 40.
[101] Ep. 65, ed. PL 207, 190-195.
[101a] 2 Kor 2, 11.

die Begegnung mit Menschen und Tieren, durch Träume oder andere Dinge verheißt er Wissen um Zukünftiges. Und auf solche Weise verkündet er einen glücklichen oder unglücklichen Ausgang, um die Ruhe des Herzens durch eitle Neugierde zu erschüttern und nach und nach die Reinheit des Glaubens zu beschmutzen. PETRUS zählt nun verschiedene Manipulationen und Künste auf, die hierher gehörten. Das Verfertigen von Wachs- und Lehmpuppen um jemandem Schaden zuzufügen, unterschiedliche Arten der Wahrsagekunst, Orakel, Träume, Visionen, Vorzeichen u. a. Dazu führt er allerlei Beispiele an aus dem *Alten Testament,* der Antike, aus den frühen christlichen Zeugnissen und aus der Historie. Dabei findet sich nun aber, daß es nicht nur falsche Orakel und Traumgesichte gegeben hat, sondern auch zutreffende — wenn letzteres auch verhältnismäßig selten. Was an wahren Offenbarungen vorkomme, das geschehe *ex dispensatione divina:* etwa die Traumdeutung des Daniel und des ägyptischen Josef oder die Visionen des Ezechiel und Johannes.

Grundsätzlich gibt es somit die Möglichkeit göttlicher Offenbarungen durch Visionen und Träume; und angesichts der Traumoffenbarungen des *Alten Testaments* und *Neuen Testaments* kann eine göttliche Legitimation der Traumdeutung kaum bestritten werden. Doch auf Träume und Visionen seine Hoffnung zu setzen, das ist das Abergläubische daran: *Jam vero in visionibus sperare superstitiosum est et saluti contrarium.*[102]

Daß es bei solchen Voraussetzungen schwer fallen mußte, wahre Träume von falschen zu unterscheiden, wird sich zeigen. Soviel steht PETRUS doch für den Fall jenes Magisters G. fest: Daß dieser auch, ohne daß ihm ein Mönch begegnet wäre, in Wassernot geraten wäre. Aber wie es in solchen Dingen zumeist zugeht, ist mit dieser Erklärung schließlich nichts gewonnen. Ein kausales Verhältnis von Vorzeichen auf das Zukünftige wird ja weder von ihm noch anderswo behauptet. Es sind *signa,* Zeichen; oder sie werden doch als solche aufgefaßt, seien sie nun trügerische Vorspiegelungen der Dämonen oder göttliche Offenbarungen.

In deutlicher Rezeption der Begrifflichkeit und Formulierung seines Lehrers JOHANNES VON SALISBURY beschließt PETRUS VON BLOIS den Brief mit einer Reihung der auch schon von uns behandelten Observationen, denen er die Träume zuzählt:

Somnia igitur ne cures, amice charissime, nec te illorum errore involvas, qui occursum leporis timent, qui mulierem sparsis crinibus, qui hominem orbatum oculis, aut mutilatum pede, aut cucullatum habere obviam detestantur: qui de jucundo gloriantur hospitio, si eis lupus occursaverit, aut columba: si a sinistra in dexteram avis sancti Martini volaverit: si in egressu suo remotum audierint tonitruum, si hominem gibbosum obvian habuerint, aut leprosum.[103]

---

[102] PL 207, 194.
[103] Ibd. 195; cf. JOHANNES VON SALISBURY, Policr. I—II.

Als der Weisheit Schluß läßt er, wie schon angeführt, noch folgen: *Opinio autem mea est magistrum G. submersionis illius incurrise periculum, etsi nullus ei monachus occurrisset.*[104]

Auch der doch mehr dem beginnenden Frühhumanismus als der mittelalterlichen Philosophie nahestehende erzbischöfliche Kanzler von Canterbury konnte sich nicht dem Dilemma zwischen alt- und neutestamentlich legitimierter Traumdeutung und -offenbarung[105] einerseits und den superstitiosen Traumorakeln andererseits entziehen. Bedenkt man, daß sich Josef in Ägypten seinen Brüdern gegenüber als *in augurandi scientia* unübertroffen vorgestellt hat, so wird man verstehen, daß dem erklärtermaßen als *Terminus* der heidnischen Praxis bezeichneten Begriff *augurium* bei RUPERT VON DEUTZ auch christlicherseits ein positiver Sinn nicht abzusprechen war: *Etenim augurari quidem gentilium est, et ex lege Dei illicitum est, attamen rem divinam, id est futurorum intelligentiam, qua gratia somniorum quoque fides erat interpres, verbo augurandi recte illum significasse non dubium est.*[106]

Zwar bedient sich Gott zuzeiten des Traumes als Offenbarungsmittel; doch zumeist sind es die Dämonen, der Teufel, die den Menschen durch allerlei Trugbilder und Vorspiegelungen im Schlafe erschrecken. Torheit ist es deshalb auf Träume seine Hoffnung zu setzen. Die Dämonen verstehen sich ja so gut auf Täuschung, daß zuweilen das Traumerlebnis selbst für Wirklichkeit gehalten wird, wie es etwa diejenigen als real Erlebtes ausgeben, die glauben mit Diana zur Nachtzeit durch die Lüfte zu reiten. „Auch das ist nicht zu verschweigen, daß einige gottlose Weiber, die sich abermals dem Satan zugewendet haben, durch die Vorspiegelungen und Trugbilder der bösen Geister irregeführt, vorgeben, daß sie zur Nachtzeit mit einer großen Menge von Weibern auf gewissen Thieren reiten und so nächtlicher Weile einen großen Theil der Erde durchzögen, ihr als einer Frau gehorchten und zu ihren Diensten in andern Nächten gerufen werden! Und wenn nur diese allein in ihrem Aberglauben verdürben und nicht auch Andere mit in den Untergang zögen! Denn eine unzählige Menge läßt sich durch diesen Wahn bethören und hält ihn für Wahrheit, irrt vom rechten Pfade ab und versinkt in heidnischen Irrthum, da sie glaubt, es gäbe außer Gott noch ein göttliches Wesen. Daher müssen die Priester in den ihnen anvertrauten Gemeinden dem Volke auf das Eindringlichste predigen, daß all' dies falsch und daß solche Vorspiegelungen nicht von einem göttlichen, sondern von einem bösen Geiste den Seelen der Menschen eingegeben werden. Es nimmt nämlich der Satan die Gestalt

---

[104] Ibd.

[105] Cf. A. RESCH, Der Traum im Heilsplan Gottes. Deutung und Bedeutung des Traums im AT. Freiburg 1964.

[106] RUPERT VON DEUTZ, Commentariorum de operibus S. Trinitatis libri 42, In genes. lib. IX, c. 10: De eo quod (Josephus) dixit: ‚An ignoratis, quod non sit similis mei in augurandi scientia', ed. PL 167, 538.

eines Engels des Lichtes an, und verwandelt sich, sobald er den Geist irgend eines
Weibes befangen und sich diese durch ihren Unglauben unterjocht hat, in entgegen-
gekehrte Gestalten und zeigt der von ihm gefangen gehaltenen Seele im Traume
bald Freudiges, bald Trauriges, bald bekannte, bald unbekannte Personen und
führt dieselbe auf alle Abwege; der Mensch aber wähnt, all' das gehe nicht nur
geistiger, sondern auch körperlicher Weise vor. Wer hat nämlich nicht schon in
Träumen und nächtlichen Gesichten Dinge gesehen, die er im wachenden Zustand
nie gesehen hat? Wer aber sollte so töricht und dumm sein, daß er glaube, all' dies,
was er bloß im Geiste gesehen habe, bestehe auch dem Leibe nach? Daher ist Allen
öffentlich zu verkündigen, daß wer Solches und Ähnliches glaubt, den Glauben
verliert, und daß, wer den rechten Glauben an Gott nicht hat, nicht diesem, sondern dem gehört, an den er glaubt, d. h. dem Teufel. Denn vom Herrn steht
geschrieben: durch ihn ist Alles geschaffen. Wer immer also glaubt, er könne irgend
ein Geschöpf in eine andere Gesalt von Jemanden anderem als dem Schöpfer um-
gewandelt werden, ist zweifelsohne ein Ungläubiger und schlechter als ein Heide."[107]

Dieser hier *in extenso* angeführte Glaube und seine dämonologische Erklärung
geht auf den sog. *Canon episcopi* zurück, einem zuweilen und fälschlich dem
Ancyranum[108] oder auch AUGUSTINUS zugeschriebenen[109] Auszug eines karolingischen Kapitulare oder Konzils der gleichen Zeit.[110] Zuerst überliefert erscheint diese
Passage in der bekannten Visitationsanweisung des REGINO VON PRÜM aus der Zeit
um 906.[111] BURCHARD VON WORMS, aus dem die Stelle angeführt ist, hat
sodann das Kapitel des *Canon episcopi* in das 1. Kapitel des 10. und in leicht
gekürzter Form in das 90. Kapitel des 19. Buches *(= Corrector)* übernommen.
Diese doppelte Anführung der von REGINO überlieferten Verordnung hat dann
auch die Übernahme der Bestimmung in das kanonische Recht sichergestellt. Denn,
wäre die Stelle allein in den sog. *Corrector (sive Medicus)*, also das 19. Buch des
Decretum BURCHARDI, aufgenommen worden, hätte diese besonders für die Geschichte des Hexenprozesses wichtige Bemerkung nicht Eingang in die *Collectio* des
IVO VON CHARTRES[112] und das *Dekret* des GRATIAN[113] gefunden, da die späteren

---

[107] BURCHARD VON WORMS, Decr. X 1, ed. PL 140, 831 sq. = Canon episcopi bei REGINO
VON PRÜM; Nachweise u. Text s. unten S. 265 Anm. 23; übers. FEHR, Aberglaube, 115 f.

[108] BURCHARD VON WORMS, Decr. X 1, ed. PL 140, 831 sq. und IVO VON CHARTRES,
Decr., pars XI, c. 30, ed. PL 161, 752 sq. ließen sich durch die Überschrift *Unde supra* bei
REGINO VON PRÜM, De syn. caus. II, c. 374, ed. PL 132, 352, verleiten und bezogen den
Kanon auf das bei REGINO vorher genannte Concilium Ancyranum; cf. FRIEDBERG 1030,
Anm. 142.

[109] Cf. BYLOFF 327, Anm. 37.

[110] Cf. ebd. und HANSEN, Quellen 38, Anm. 1.

[111] REGINO VON PRÜM, De syn. caus. II 371, 373, 374; cf. W. HELLINGER, Die Pfarrvisitation nach Regino von Prüm: Zeitschr. d. Savigny-Stiftung für Rechtsgesch., Kanon.
Abt. 48 (1962) 1—116 und 49 (1963) 76—137.

[112] Cf. Anm. 108.

[113] Decr. GRATIANI, pars II, causa 26, quaest. 5, can. 12, ed. FRIEDBERG 1030 sq.

Kanonisten gerade das 19. Buch aus BURCHARDS Dekretalensammlung unberücksichtigt gelassen haben.[114]

Zur Rolle des Kanons in der Geschichte der Hexenverfolgung und in der mythologischen Forschung muß nichts mehr gesagt werden. SOLDAN[115] und HANSEN[116]
nehmen dazu ausführlich Stellung; welche Bedeutung und Interpretation diese Überlieferung in der mythologischen Schule des 19. Jahrhunderts gewonnen hat, ersieht
man am besten aus GRIMMS *Mythologie*[117], wo auch alle einschlägigen, mitteleuropäischen Traditionen herangezogen werden.

Im Zusammenhang unserer Untersuchung ist es allein wichtig festzustellen, daß
also bis ins *Decretum* GRATIANI hinein die Vorstellung des Hexenfluges als satanische Illusion und reiner Traum behandelt wird. Wer etwas anderes annimmt,
gilt als Ungläubiger und Heide: *Quisquis ergo aliud credit posse fieri, aut aliquam
creaturam in melius aut in deterius immutari, aut transformari in aliam speciem,
vel similitudinem, nisi ab ipso Creatore qui omnia fecit et per quem omnia facta
sunt, procul dubio infidelis est et pagano deterior.*[118] Später dann kehrt man gewissermaßen zum ursprünglich als heidnisch bekämpften Standpunkt zurück und
verfolgt jene, die nicht daran glauben, daß solches in Wahrheit und *realiter* geschehen könne.

Die offizielle Ansicht über das, was Aberglaube sei, ist also keineswegs fixiert,
sie wandelt sich, wie wir auch in anderen Fällen feststellen können, und verkehrt
sich hier geradezu in ihr Gegenteil. Ursprünglich kirchlicherseits sanktionierte oder
gar geforderte Übungen und Glaubensvorstellungen werden später zu Superstitionen erklärt und vormals gerügte Aberglauben werden zu verbindlichen Glaubensnormen, die zudem noch auf dem Wege der Inquisition durchgesetzt werden.
Dabei geht also der Weg keineswegs zu maßvolleren Praktiken und Ansichten.
Wir sehen, wie die ‚aufgeklärte‘ Interpretation des Hexenfluges — der Nachtfahren, wie der wohl ältere Name ist[119] — des *Canon episcopi*, selbst schon Bestand des kanonischen Rechts geworden, unter dem Zwang anderer Anschauungen
einer späteren Zeit gewissenmaßen *in fraudem legis* weginterpretiert[120] worden ist.

Die auf den *Canon episcopi* zurückgehenden Erklärungsversuche machen deutlich, um es erneut zu betonen, daß die Vorstellung des dämonischen Nachtfluges,

---

[114] HANSEN, Quellen, 40; cf. E. DIEDERICH, Das Decret des Bischofs Burchard von
Worms. Beiträge zur Geschichte seiner Quellen. Diss. Breslau 1908.
[115] SOLDAN, Hexenprozesse.
[116] HANSEN, Quellen.
[117] 4II 878 (1004)—885 (1012).
[118] REGINO, wie Anm. 108; BURCH. v. WORMS, Decr. X 1, ed. PL 140, 382; Cf. Ivo
und GRATIAN l. c.
[119] Cf. J. GRIMM a.a.O.
[120] Cf. BYLOFF 327.

bzw. Nachtrittes, als trügerische Vorspiegelung des Teufels gilt, eine Illusion, deren Zweck Verführung zu Götzendienst und Idolatrie sei.

Das Verhältnis von Torheit, Trug und Idolatrie wird besonders deutlich. Denn solche Träume seien Illusionen des Satans und es sei Dummheit, dem den Charakter von Tatsächlichem beizulegen. *Quis vero tam stultus et hebes sit, qui haec omnia quae in solo spiritu fiunt, etiam in corpore accidere arbitretur?*[121] Denn diese Trugbilder für Wirklichkeit zu nehmen, hieße in Götzendienst zu fallen: *Nam innumera multitudo hac falsa opinione decepta haec vera esse credit, et credendo a recta fide deviat, et in errore paganorum revolvitur.*[122] So ist auch im Falle des Traumglaubens und der vermeintlichen Zukunftsschau durch visionäre Erlebnisse das Verbot durch die Nähe zur Idolatrie motiviert. Ganz so hatte schon LACTANTIUS gemeint, die Dämonen schickten Träume, die entweder Schreckbilder seien, damit man sich bittend an sie wende, oder deren Ausgang der Wirklichkeit entspreche, um die eigene Verehrung zu erhöhen.[123]

Unter den Werken des mit AUGUSTINUS befreundeten PROSPER VON AQUITANIEN befindet sich eine um die Mitte des 5. Jahrhunderts in Rom zusammengestellte Summe der augustinischen Theologie.[124] Darin steht der bezeichnende Satz aus AUGUSTINUS' Psalmenerklärung: *Sic sunt qui colunt idola, quomodo qui in somniis vident vana.*[125] Götzendienst und Traum — sie sind nicht nur ähnlich, sondern ihrem Ursprung nach identisch, stehen auch unter dem gleichen Zweck. Sie kommen von Dämonen und sollen Dämonenkult bewirken. Wir sehen, daß auch der dämonologischen Traumerklärung AUGUSTINUS wichtige Vorarbeit geleistet hat, auf die das Mittelalter zurückgreifen konnte. Für die superstitiose Traumauffassung allerdings hatte man allein die Erklärung bereit, Träume stammten vom Teufel; man solle nicht glauben *in somnia vana, quia diabolus fecit.*[126]

Wie hoch AUGUSTINUS die Mitwirkung der Dämonen für das Zustandekommen einer perfekten Traumillusion veranschlagt hat, kann noch am besten eine Stelle aus dem *Gottesstaat* zeigen. AUGUSTINUS setzt sich dort[127] mit einer antiken Überlieferung auseinander, wonach es in einer bestimmten Gegend Italiens Wirtinnen gäbe, die einkehrenden Wandersleuten besonders präparierten Käse vorzusetzen pflegten, nach dessen Verzehr der nichtsahnende Gast in ein Lasttier verwandelt würde, sodann entsprechende Schleppdienste verrichte und erst nach getaner Arbeit wieder seine alte Gestalt gewönne. „Ich denke nicht", meint nun AUGUSTINUS

---

[121] Canon episc. bei REGINO VON PRÜM, De syn. caus., wie Anm. 108.
[122] REGINO, wie Anm. 108.
[123] LACTANTIUS, Inst. epitome 23, übers. BKV 36 154.
[124] J. MARTIN: LThK ²VIII 811 f.
[125] Sententiarum ex operibus s. Augustini delibatarum, 216, ed. PL 51, 457 = AUGUSTINUS, Enarr. in ps. 62, n. 4.
[126] Poenitentiale Laurentianum, c. 11, ed. SCHMITZ I 786.
[127] AUGUSTINUS, De civ. dei XVIII 18.

dazu, „daß die Dämonen Seele oder Leib eines Menschen in tierische Glieder oder tierische Wesenszüge umformen können, aber sie können auf einem unbeschreiblichen Weg das Trugbild eines Menschen in leiblicher Gestalt an die Sinne anderer heranführen. Etwas derartiges ereignet sich auch in unserem Denken oder Träumen bei tausend verschiedenen Dingen, und wenn es auch kein Körper ist, nimmt es doch mit wunderbarer Schnelligkeit körperähnliche Formen an und wirkt auf die betäubten oder unterdrückten Sinne des Menschen in einer ganz unfaßbaren Art als Trugbild, das nur auf seiner Gedankenvorstellung beruht, während der menschliche Leib selbst an einem andern Platz mit verschlossenen Sinnen, lebendig zwar, aber doch in einer Bewußtlosigkeit liegt, die tiefer und betäubter sein kann als im Schlaf. So kann ein solches Trugbild in körperlicher Gestalt anderen erscheinen, und auch ein Mensch kann sich selbst so erscheinen, wie er sich im Traume selbst erscheinen kann, und kann sogar Lasten tragen dabei. Sind diese Lasten wirklich körperhaft, dann sind es die Dämonen, die sie tragen, um die Menschen zu foppen".[128]

Abgesehen von den Betrügereien der Dämonen, die in solchen Träumen geschehen, widerspricht der Glaube an Träume zudem dem *Alten Testament*. Es sind also auch hier die Verbotsgründe vorwiegend den Verordnungen des *Alten Testaments* entnommen. So fordert GREGOR II. in einem für Bayern bestimmten Kapitular[129] dazu auf, das Volk gründlich zu belehren, daß es nicht auf Träume und Orakel achte, weil das den Aussprüchen des göttlichen Gesetzes zuwider sei. Träume und Traumdeuten rügen auch die Ps.-BONIFATIANIschen *Statuten*, c. 33, das *Konzil von Paris*, a. 829, c. 69, 2 und HERARD VON TOURS, *Capitula*, c. 3. Zuweilen sind es nur allgemeine Anspielungen auf das *Alte Testament*, wie etwa in dem schon genannten Kapitel des *Konzils von Paris*[130], wo Traumdeuter zusammen mit den geläufigen Kategorien der *arioli, sortilegi, venefici, divini, incantatores* einfachhin der zitierten Begrifflichkeit *magi, arioli, malefici*[131] subsumiert werden. Speziell für den Fall der Traumdeutung sind *Deut,* 13, 1—4 und 18, 9—10 die einschlägigen Bestimmungen, die vergleichsweise die *Admonitio generalis,* c. 65 heranzieht und das *Decretum* GRATIANI zusammenstellt.[132]

Während aber noch in der *Admonitio generalis* (c. 65) deutlich der Bezug auf *Deut.* 18, 10—11 erhalten ist (so auch in der *Collectio* des ANSEGIS VON FONTENELLE, C. 62[133]), verordnet das *Capitulare missorum item speciale,* a. 802/803, c. 40[134] ganz ohne Hinweis auf die alttestamentliche Herkunft dasselbe. Es mußte

---

[128] AUGUSTINUS, l. c.; übers. PERL III 178 f.
[129] C. 8, ed. HARTZHEIM I 36.
[130] MG Leg. 3 II 669.
[131] Cf. Lev 20, 6—8; Ex 22, 17.
[132] Decretum GRATIANI, pars II, causa 26, quaest. 5, can. 14, ed. FRIEDBERG 1032; cf. PETRUS VON BLOIS, Ep. 65, ed. PL 207, 193.
[133] ANSEGISI Capitularum collectio (a. 827), ed. MG Leg. 2 I 402.
[134] Ed. MG Leg. 2 I 104.

somit aussehen, als handele es sich nicht um eine Bestimmung des *Alten Testaments*, sondern um königliches Dekret *ad hoc*. Man vergleiche etwa die Fassung der *Admonitio generalis: Omnibus. Item habemus in lege Domini mandatum: ,non auguriamini'; et in deuteronomio: ,nemo sit qui ariolos sciscitetur vel somnia observet vel ad auguria intendat*[135] mit dem Kapitular aus der Zeit um 802/803, c. 40: *Ut nemo sit qui ariolos sciscitetur vel somnia observet vel ad auguria intendat: nec sint malefici nec incantatores nec phitones, cauculatores nec tempestarii vel obligatores; et ubicunque sunt, emendentur vel damnentur.*[136] Wie schon hier, so bleiben eine große Zahl von Belegen in der Herkunft ihrer Verbotsmotive unbestimmt. Sie zählen den Traum in einer einfachen Reihung von superstitiosen Anschauungen und Manipulationen auf, ohne daß näherhin noch wichtig erscheint zu erläutern, auf welche Autoritäten sich ihr Verbot stützt.

Von besonderer Bedeutung für die mittelalterliche Superstitionenkritik ist das *Konzil von Ankyra* v. J. 314. Es ist, sofern es den Glauben an bestimmte Vorstellungen, später verbindliche Glaubensnormen, über die Wirksamkeit des Teufels- bzw. Dämonenpaktes als unerlaubt und heidnisch bezeichnet, zu einem wichtigen Zeugen des Vorganges geworden, demzufolge kirchlicherseits Anschauungen darüber, was als Superstition anzusehen sei, nicht nur die Zeiten hindurch schwankend sind, sondern selbst zu ihrer Zeit auf dem Wege der Jurisdiktion durchgesetzte Glaubenssätze in ihr Gegenteil verkehrt und später als Aberglaube deklariert werden können. Uns interessiert vorerst nur das Kapitel 24.[137] Es enthält zwar keinen expliziten Hinweis auf Traumorakel und auch die Übersetzung unter den *Capitula* des Martin von Braga[138] spricht diesbezüglich nur von *divini* und *sortilegi*, doch liegt der Kanon des *Ancyranum* ganz offensichtlich einer Reihe von Bestimmungen zugrunde, wie sie vor allem die Bußbücher enthalten. Boese hat ein Teil dieser Belege — weitere, eng verwandte Stücke aus anderen Sammlungen wären hinzunehmen — für Caesarius von Arles vereinnahmt.[139] Möglich, daß auch Martin, für den sich auch sonst die Übernahme Caesarianischer Stücke nachweisen läßt[140], von Caesarius abhängig ist.[141] Ihrer besonderen Formulierung und vor allem auch der ausdrücklichen Nennung der Träume nach zu urteilen, aber gehen sie weiter zurück; sie finden sich schon in einer römischen Kanonessammlung, vermutlich aus der Zeit Leos d. Gr.:

> *Qui auguria, auspiciaque, sive somnia, vel divinationes quaslibet secundum morem gentium observant, aut in domos suas hujusmodi introducunt in exquirendis aliqua*

---

[135] Admon. gener., a. 789, c. 65, ed. MG Leg. 2 I 58 sq.
[136] Wie Anm. 134.
[137] Conc. Ancyranum, c. 24, ed. Mansi II 522.
[138] C. 71, ed. Barlow 140.
[139] Boese 48.
[140] Cf. oben, pass.
[141] Cf. Boudriot 11, Anm. 4.

arte maleficiis aut ut domos suas lustrent; confessi poenitentiam quinquennio agant secundum regulas antiquitus constitutas.[142]

Das *Poenitentiale* Cummeani, XVI 2[143], bezieht sich auf das *Konzil von Ankyra* und bestimmt:

> *Qui auguria, aruspicia sive somnia vel divinationes quaslibet secundum morem gentium observant aut in domos hujusmodi introducunt ad exquirenda aliqua arte maleficia aut ut domos suas lustrent, isti, si de clero sunt, abiciantur. Si vero saeculares confessi fuerint, V ann. paenit., secundum regulas antiquitas constitutas.*[144]

Zu dieser Überlieferungsgruppe des *ankyra*nischen Kanons gehören: eine weitere Anführung im *Excarpus* Cummeani: VII 16 (Schmitz I 633 f.), *Poenitentiale* Ps.-Theodori I, c. 15, 4 (Wasserschleben 20; Schmitz I 537 f.); *Poen. Parisiense*, c. 13 (Schmitz I 683), *Poen. XXXV Capitulorum* XVI 2 (Wasserschleben 516), das 38. Kapitel der *Capitula* des Rudolf von Bourges[145], wie auch das als Variante zum *Ancyranum* bei Mansi, II 522, mitgeteilte Stück aus dem 11. Jahrhundert. Zumeist sind die genannten Bußverordnungen ausdrücklich als Kanon des griechischen Konzils angeführt, was ja allerdings nur zum Teil stimmt. Wichtig ist zu sehen, welche andere Autorität es ist, auf die die Kritik zurückgreift: die Konzilsstatuten der Frühzeit des Christentums, so daß sich, soweit jetzt erkennbar, auch hier eine Dreiheit der Autoritäten bestätigt findet: Schrift, Väter und frühchristliche Konzilsbeschlüsse.

Ein nachhaltiger Einfluß auf mittelalterliche Klassifikationsversuche zum Thema Traum ist von dem Kommentar des Makrobius zu Ciceros *Somnium Scipionis* ausgegangen.[146] Makrobius rechnet unter den allgemeinen Begriff ,Traum' *(somnium)* neben dem Traum im engeren Sinn, das *insomnium*, das *visum*, die *visio* auch das *oraculum*.[147] Spätere Autoren haben diese Einteilung übernommen, so etwa der Ps.-Augustinische, heute Alcher von Clairvaux zugeschriebene *Liber de spiritu et anima*, auf den noch zurückzukommen sein wird. Ein Orakel sei, wird hier wie bei Makrobius erklärt, wenn etwa die Eltern oder eine heilige

---

[142] C. 24, *Ancyritani concilii*, Appendix ad. S. Leonis Magni opera. Codex canonum eccles. et constitutorum S. Sedis Apostol., ed. PL 56, 442.

[143] Ed. Schmitz I 666.

[144] Bei Mansi II 522 heißt der Kanon in der lateinischen Übersetzung: *Qui vaticinantur, et gentium consuetudines sequunter, vel in suas aedes aliquos introducant ad medicamentorum inventionem, vel lustrationem, in quinquenii canonem incidant, secundum gradus praefinitos, tres annos substrationis, et duos annos orationis sine oblatione.*

[145] Ed. PL 119, 722.

[146] S. u. S. 111; zu den antiken Traumtheorien vgl. E. R. Dodds, Telepathie und Hellsehen in der Antike (: Journal of Parapsychology 10 [1946] 290—309), gekürzte Übers. bei H. Bender, Parapsychologie. Entwicklung, Ergebnisse, Probleme (= Wege der Forschung IV). Darmstadt 1966, 6—25.

[147] Macrobius, Commentarii in somnium Scipionis I 3, 2, ed. F. Eyssenhardt. Leipzig 1893, 484.

oder verehrungswürdige Person oder Gott selbst im Traum erscheine, um etwas zu verkünden.[148] Davon zu unterscheiden ist das *omen;* sonst in der superstitionskritischen Begrifflichkeit nicht gebräuchlich, nimmt es PETRUS VON BLOIS zur Bezeichnung von Augurien durch Angänge.[149] THOMAS VON AQUIN erklärt *omen* als *consideratio circa verba hominum alia intentione dicta.*[150] Doch ist *omen* kein biblischer oder theologischer Begriff: *omen quippe me legisse non recolo siue in sacris litteris nostris siue in sermone cuiusdam ecclesiastici disputatoris, quamuis abominatio inde sit dicta, quae in diuinis libris adsidue reperitur,* wie AUGUSTINUS feststellt.[151]

Die Kritik des Orakelwesens ist verständlicherweise auf die Zeit des frühen Christentums beschränkt, auf eine Zeit also, zu der das öffentliche Orakelwesen der Heiden noch intakt gewesen ist. Aber auch hier konnte man sich ganz ähnlich wie im Falle der Augurienpraktik nicht der Tatsache verschließen, daß durch Orakel zuweilen doch Wahres verkündet worden war. Denn „ganz unzutreffend sind alle diese fabelhaften Orakelsprüche der Dichter über die Geflogenheiten der Dämonen ja nicht, in etwas kommen sie der Wahrheit schon nahe"[152], bemerkt AUGUSTINUS über weinende Apollostatuen. Ob solche Orakel nun zuträfen oder nicht, so gehe das in jedem Fall auf Tätigkeit der Dämonen zurück, die die Orakel erfunden und eingeführt hätten, wie auch schon TERTULLIAN[153] oder PETRUS CHRYSOLOGUS[154] meinen.

Spätere Zeugnisse sind verhältnismäßig selten und lassen sich häufig als traditionelle Formeln auf ältere literarische Fixierungen zurückführen. Eine Ausnahme bildet hier in etwa das Spiegel- oder Becherorakel, das auch in kirchlichen Zeugnissen bestätigt wird. Von Orakeln im ‚klassischen' Sinn, wie bei Makrobius, kann hier allerdings nur noch gesprochen werden, wenn das Erscheinen eines Menschen und der mantischen Ausbeutung dieser Erscheinung das eigentliche ‚Orakel' darstellt.

Das Wahrsagen Josefs in Ägypten aus einem Becher ist bekannt.[155] Je nachdem ob ein Becher oder ein größeres Metallgefäß verwendet wurde, wird von ‚Kylikomantie'[156] oder ‚Lekanomantie'[157] gesprochen. Älteste Spiegelorakel dürften aus

---

148 ALCHER VON CLAIRVAUX, Liber de spiritu et anima, c. 25, ed. PL 40, 798; cf. MACROBIUS, Comm., l. c. I 3, 8.
149 PETRUS VON BLOIS, Epistola 65, ed. PL 207, 190.
150 THOMAS VON AQUIN, S. Th. II. II. 95, 6.
151 Retract. I 1, ed. CSEL 36, 14.
152 AUGUSTINUS, De civ. dei III 11, übers. Perl. I 165.
153 PL, TERTULLIAN, Apol. I 408.
154 BKV 243, 221.
155 Gen 44, 5.
156 Cf. CASPARI, Hom. de sacril., 20; von Κύλιξ (Becher).
157 Cf. A. ABT, Die Apologie des Apuleius von Madaura und die antike Zauberei. Beiträge zur Erläuterung der Schrift de magia (= Religionsgesch., Versuche u. Vorarbeiten 4, 2). Gießen 1908, 176 f.; von λεκάνη (Schüssel, Becken).

Wasserspiegeln orakelt haben, so daß sich die Spiegelweissagung gelegentlich unter dem Stichwort ‚Hydromantie' behandelt findet[158]: *Numa . . . hydromantiam facere compulsus est, ut in aqua videret imagines deorum vel potius ludificationes daemonum, a quibus audiret, quid in sacris constituere atque observare deberet.*[159]

Einen bisher wenig beachteten Beleg enthält die PSEUDO-AUGUSTINische *Homilia de sacrilegiis: Et qui cum orcios (= urceis) diuinare confingit.*[160] Es läßt sich allerdings nicht entscheiden, ob es sich dabei um zeitgenössische Superstition oder um literarisch tradierte Angabe handelt, da die Bemerkung allein geblieben ist.

Das Wahrsagen aus Spiegeln von PAUSANIAS im 2. Jahrhundert erwähnt, bei HIERONYMUS CARDANUS dann im 16. Jahrhundert *Katoptromantie* genannt[161] ist besser bezeugt[162], vor allem durch einen Erinnerungsbericht des JOHANNES VON SALISBURY: „Ich danke Gott, der mir schon im zarten Alter gegen die Anschläge des bösen Feindes den Schild seines Wohlwollens vorgehalten hat. Da ich nämlich als Knabe, damit ich die Psalmen lernte, einem Priester anvertraut war, der zufällig auch die Spiegelmagie übte, trug es sich zu, daß er mich und einen etwas größeren Knaben, nach gewissen mißlichen Handlungen, wie wir so zu seinen Füßen saßen, zu der gottlosen Spiegelkunst führte, damit in unseren Fingernägeln, die mit Öl oder geweihter Salbe bestrichen waren, und in einem gefegten und geglätteten Becken das, was er fragte, durch unsere Angabe offenbar würde. Nachdem er also Namen ausgesprochen, die mir durch ihre Schrecklichkeit selbst, so klein ich war, diejenigen von Dämonen zu sein schienen, und Beschwörungen vorausgeschickt hatte, die ich durch Gottes Fügung nicht (mehr) weiß, gab mein Gefährte an, er sehe irgendwelche Bilder, freilich schwach und nebelhaft; ich hingegen zeigte mich demgegenüber derart blind, daß ich nichts sah als die Fingernägel oder das Becken und die anderen Dinge, die ich so schon kannte".[163]

Was uns an systematischen Bemerkungen zum Orakel ganz allgemein bekannt ist, geht zumeist[164] auf ISIDORS *Etymologien* zurück: *Per quandam scientiam futurorum et infernorum et vocationes eorum (scl. angelorum malorum) inventa sunt aruspicia, augurationes, et ipsa quae dicuntur oracula et necromantia.*[165] Auf ISIDOR gehen zurück: HRABANUS MAURUS, *De universo* XV, 4; DERS., *De magicis artibus*, ed. PL 110, 1097; IVO VON CHARTRES, *Decr.,* pars XI, c. 66; GRATIAN,

---

[158] Cf. unten.

[159] AUGUSTINUS, De civ. dei VII 35.

[160] Hom. de sacril, c. 9, ed. CASPARI 7.

[161] De sapientia (1544), ed. Opera tom. I (1663) 562 sqq.; von Κάτοπτρον (Spiegel).

[162] Für das christliche Mitteleuropa erstmals ein irisches Konzil vermutlich des 8. Jahrhunderts: ARMAND DELATTE, La catoptromancie grecque et ses dérivés: Bibliothêque de la faculté de philosophie et lettres de l'université de Liège 48 (1932) 13 f.

[163] JOHANNES VON SALISBURY, Policr. II 28, übers. HELBING-GLOOR 65.

[164] Die Stellen etwa ausgenommen in einem für Bayern bestimmten Capitulare GREGORS II., c. 8, ed. HARTZHEIM I 36 und bei IVO v. CHARTRES, Decr., pars. XI, c. 29.

Decr., pars II, causa 26, quaest. 2, can., 7; MARTINUS LEGIONENSIS, *Sermo 7, In Septuagesima*, ed. PL 208, 566. Doch ist die IsIDORstelle Exzerpt aus Lactantius: *Daemonum inventa sunt astrologia, et aruspicina, et auguratio et ipsa quae dicuntur oracula, et necromantia.*[166]

Da sie repräsentativ auch für Straf- bzw. Bußzumessungen bei anderen Superstitionsfällen sind, sollen noch die Strafen angeführt werden, denen die zu unterwerfen sind, die gegen das Verbot der Traumdeutung verstoßen. In allen genannten Fällen wird die Traumdeutung bzw. der Glaube an Träume nicht als Einzelnes und gesondert behandelt, sondern steht innerhalb einer Aufzählung, die auch andere Superstitionen begreift, wobei es sich durchweg um Formen der Wahrsagung und magischer Künste handelt. Für beide Superstitionskategorien wird somit unterschiedlos ein gleiches Strafmaß genannt und es ist nicht so, wie man es etwa erwarten könnte, daß Magie und Zauberei härter geahndet oder Wahrsagekünste weniger stark verurteilt worden wären. So war schon das *Ancyranum* verfahren; es differenziert nur die Bußleistung selbst und nach dem Stand des Büßers: *Qui..., in quinquenni canonem incidant, secundum gradus praefinitos, tres annos substrationis, et duos annos orationis sine oblatione.*[167] Die *Admonitio generalis* und die davon abhängige Verordnung des *Capitulare missorum item speciale* dagegen bestimmten nur, man solle solche Leute bessern oder büßen lassen *(emendentur vel damnentur).*[168] Unbestimmt, soweit es das Strafmaß betrifft, ist auch das dritte Kapitel der *Capitula* HERARDS VON TOURS: *ut prohibentur et publica poenitentiae multentur.*[169] Die Aufzeichnung innerhalb der Kanonessammlung unter den Werken LEOS D. GR.[170] bezieht sich aber noch deutlich auf das orientalische Konzil: *confessi poenitentiam quinquennio agant secundum regulas antiquitus constitutas.* Auch Kapitel 33 der Ps.-BONIFATIANIschen *Statuten* läßt das wenigstens noch durchblicken: *sciat se canonum subjacere vindictis.*[171] Das alte Strafmaß von 5 Jahren führen auch die Bußbücher Ps.-THEODOR und *Parisiense* an; dabei bemißt ersteres nach dem Stand des Büßers differenzierend: *poenitentes isti, si de clero sunt abjiciantur, si vero saeculares, quinquennio poeniteant*[172]; letzteres stellt darüber hinaus die Möglichkeit einer flexiblen Behandlung der Bußzumessung frei: *si de clero sunt abjiciantur, si seculares quinquennio vel levius triennio poenitentiam agant; humanius autem III quadragesimas juxta modum culpae.*[173]

---

[165] ISIDOR VON SEVILLA, Etym. VIII 9, 3—4, ed. LINDSAY I.
[166] LACTANTIUS, Div. inst., ed. PL 6, 336; cf. ID., Inst. epitome, c. 23.
[167] C. 24, ed. MANSI II 522.
[168] Admon. gener., c. 65, wie Anm. 135; Capitul. miss., c. 40, wie wie Anm. 134.
[169] Ed. PL 97, 764.
[170] Wie Anm. 142.
[171] Ed. HARTZHEIM I 75.
[172] C. XV 4, ed. SCHMITZ I 537 sq.
[173] C. 13, ibd. 683.

Neben der dämonologischen Interpretation des Traumerlebnisses sind psychologische und physiologische Erklärungen schon immer bekannt gewesen. Hier sei zuerst auf THOMAS VON AQUIN hingewiesen[174], in dessen *theologischer Summe* die verschiedenen Erklärungsversuche Eingang gefunden haben. Er behandelt die Frage, *utrum divinatio quae fit per somnia sit illicita*[175], indem er die Möglichkeiten darstellt, wie ein Traum und aufgrund welcher Dispositionen zustande kommen kann. Die Frage, *quae sit causa somniorum,* expliziert er durch die Unterscheidungen von *causa interior* und *causa exterior;* erstere differenziert sich unter dem Gesichtspunkt einer *causa animalis* und *causa corporalis;* davon bewirke wiederum die erste, daß dem Menschen im Schlaf erscheine, was ihn wachend beschäftigt habe; die zweite aber liege in einer körperlichen Disposition, so daß etwa jemand, dem es kalt sei, träume, er befinde sich in Wasser oder in Schnee. Die *causa exterior* fasse unter sich eine *causa corporalis* und *causa spiritualis;* davon bezeichne die erste den Einfluß, den etwa die Luft und die Gestirne auf Träume nehmen könnten; die zweite dagegen die Einflußnahme, die Gott und die Geister auf die Hervorbringung bestimmter Traumbilder nehmen könnten. Nur sofern hierbei Träume durch das Wirken der Dämonen zustande kämen, in denen denjenigen, die mit diesen einen Pakt geschlossen hätten, etwas Zukünftiges enthüllt werde, wäre das eine *divinatio illicita et superstitiosa.*

Die psychologisch gute Erklärung war nicht bloß gelehrte, nur einem kleinerem Kreis geläufige Tradition, sondern seit antiker Zeit breitesten Schichten durch didaktische Literatur bekannt geworden. Der *Cato,* ein lateinisches Lehrgedicht des 3. oder 4. Jahrhunderts n. Chr., seit dem 13. Jahrhundert ins Deutsche übersetzt und bis in die neueste Zeit hinein verbreitet, bezeugt die Popularität der Erklärung:

> Nicht achte der treüme, wen was der mut
> wachende begert adir tut,
> mit hoffnunge das selbige czwar
> wirt her im sloffe gewar.[176]

Die Interpretation ist also legitim; nur daß sie nach Auskunft der Zeugnisse nicht hinreicht, das Phänomen in seiner Gesamtheit zu erklären. Hier, wie auch in vergleichbaren Fällen, bleibt eine Ambivalenz stets erhalten, die über der Möglichkeit einer rationalen Erklärung doch die religiöse Bedeutung zugleich festhält, die all dem zugesprochen wird. Alle rational eben nur schwer zugänglichen Anschauungen und Praktiken der Superstition bleiben in den Konflikt von wahrer Religion und dämonologisch interpretierter Idolatrie einbezogen, sind, solange

---

[174] Zur Antike und anderen Autoren vgl. DODDS, Telepathie, 6—25.
[175] S. Th. II. II. 95, 6.
[176] Neusohler Cato II 31, ed. L. ZATOČIL, Berlin-Charlottenburg 1935, 94; Zusammenfassendes und neue Handschriften zum deutschen Cato: D. HARMENING, Neue Beiträge zum deutschen Cato: ZfdPh 3 (1970) 346—368.

ihnen die irrationale Bedeutung zugelegt bleibt, Zeichen einer letztlich doch dualistisch verstandenen Welt. Daß dabei das Argument, sofern die Dämonen dabei ihre Hand im Spiel hätten, handele es sich um nackten Betrug, nicht abbauend wirken konnte, ist klar. Bedenkt man noch, daß auch das immer nur eingeschränkt vorgetragen worden ist, und daß dem dämonischen Wirken durchaus auch die Fähigkeit der Vermittlung der Kenntnis wirklicher und wahrer Sachverhalte zugemutet wurde, wird man verstehen, daß die Phantasie nur angeregt wurde, nach Wegen zu suchen, solche Kenntnisse zu gewinnen. Einer eigenartigen Mischung von Obskurismus und Rationalität, von Religion und Philosophie, von Astrologie und Kosmologie war die Tür offen gehalten. Wenn den Gestirnen ein Einfluß, welcher Weise nach auch immer, auf den Menschen zugestanden wurde, sollte dann nicht auch der Mond Einfluß auf die Traumwelt haben? Daß vom Mondstand zumindest Aufschluß über die Erfüllung der Träume zu erwarten ist, steht zu Anfang des 12. Jahunderts in einer Handschrift der Vatikanischen Bibliothek[177]:

> *Luna I quicquid in somni uideris, siue bonum malum, non est dubium quod in gaudium conuertentur... Luna II et III quidquid uideris, uanum est nec in animo ponas... Luna IIII et V effectum, spem et remedium et actus futurum significat. Luna VI et VII quicquid uideris orienti commenda. Luna VIII et VIIII cito fiet quidquid uideris in somnio tuo. Luna X uanum est, sed nec in animo ponas et pro nichilo ducas. Luna XI inter tres dies fiet somnium tuum. Luna XII quicquid uideris in somnio, scies quia certum est. Luna XIII quicquid uideris, inter dies octo fiet usf.*

In den weitverbreiteten Traumbüchern[178] werden ähnliche Zusammenhänge und Anweisungen zur Traumdeutung mehr oder weniger minuziös dargestellt und mitgeteilt. Eine Reihe derartiger Traumbücher sind unter dem Namen Daniels überliefert, also einem alttestamentlich beglaubigten ‚Fachmann‘ zugeschrieben, fälschlicherweise allerdings, wie etwa das *Decretum* GRATIANI, zwar nicht im ‚textkritischen‘, sondern in superstitionskritischen, polemischen Sinn feststellt: *siue qui adtendunt somnialia scripta, et falso in Danielis nomine intitulata.*[179] GRATIAN schreibt den Kanon, der diese Stelle enthält, AUGUSTINUS zu; doch dürfte das mit Sicherheit nicht so sein. Einige Passagen weisen vielmehr deutlich auf MARTINS VON BRAGA *Capitula.*[180]

---

[177] Cod. Vat. lat. 642, f, 91 sqq.; im folgenden der Text nach dem Abdruck bei M. FÖRSTER, Die Kleinliteratur des Aberglaubens im Altenglischen: Arch. f. d. Stud. d. neueren Sprachen und Literaturen NS 10 (1903) 356; dort auch zwei altenglische Paralleltexte.

[178] Einen kurzen Überblick dazu neuerdings: G. HOFFMEISTER, Rasis' Traumlehre. Traumbücher der Spätmittelalters; Arch. f. Kulturgesch. 51 (1969) 137—159; W. SCHMITT, Deutsche Fachprosa des Mittelalters (= Kleine Texte für Vorlesungen und Übungen 190). Berlin, New York 1972, 101 f.; cf. auch W. v. SIEBENTHAL, Die Wissenschaft vom Traum. Berlin—Göttingen 1953.

[179] Decr. GRATIAN., pars II, causa 26, quaest. 7, can. 16. ed. FRIEDBERG 1045.

[180] Cf. C. 71, 73, 75.

Daß bei der zwielichten Mischung von Religionsübung, Zukunftserforschung und populärer Weltbetrachtungsweise jedes große Vorbild zur Legitimation herangezogen wird, ist kaum noch zu bemerken. Josef in Ägypten, Salomon und vor allem Daniel, der alle Wahrsager am Hofe Nebukadnezars durch seine Deutungen übertroffen hatte und von dem König zum „Obersten der Wahrsagepriester, Zauberer, Kaldäer und Sterndeuter bestellt" worden war: „Denn einen außergewöhnlichen Geist, Kenntnis, einsichtsvolles Geschick, Träume zu deuten, Rätsel zu erraten und Knoten zu lösen, konnte man bei Daniel finden"[181] — das sind die Autoritäten, denen die Traumbücher zugeschrieben wurden. Josef zum Verfasser zu haben, gibt ein Zürcher Traumbuch vor[182]; auch ein *Sompnile* DANIELIS bezeugt MOHLBERG für Zürich.[183]

Das sogenannte *Traumbuch* DANIELS dürfte am weitesten verbreitet und am häufigsten im Gebrauch gewesen sein. Das läßt wenigstens die große Zahl der auf uns gekommenen handschriftlichen Exemplare aus mittelalterlichen Bibliotheken vermuten.[184] Sehen wir von der Überlieferung weiterer, nicht ausgewiesener, aber vermutlich auch zum größeren Teil zur Tradition der genannten Bücher gehörigen Traumbücher ab[185], so wird auch am Beispiel des *Somniale* DANIELIS die Richtung deutlich, aus der ein Teil des Bestandes mittelalterlicher Techniken der Zukunftserforschung kommt: die griechisch-orientalische Welt. M. FÖRSTER[186] hat z. B. für eine altenglische Version eines lateinischen Traumbuches auf die griechische Vorlage zurückgreifen können: Ὀνειροκριτικὸν βιβλίον τοῦ προφήτου Δανιὴλ πρὸς τὸν βασιλέα Ναβουχοδονοσὸρ κατὰ ἀλφάβητον[187]. Auch hier haben wir es also wieder mit starker literarischer Tradition zu tun.

Um die Frage nach der angenommenen Leistungsfähigkeit von Traumdeutung stellen zu können, soll auf einzelne Traumsystematiken noch eingegangen werden.

---

181 Dan 5, 11—12.

182 C. MOHLBERG, Mittelalterliche Handschriften, I 625.

183 Ebd.

184 Cf. dazu die Hinweise bei M. FÖRSTER, Beiträge zur mittelalterlichen Volkskunde: Archiv f. d. Stud. d. neuer. Sprachen u. Literaturen 120 (1908) 302—305, 121 (1908) 32, pass.; V. ROSE, Verzeichnis der lat. Hss. d. kgl. Bibl. z. Berlin. II 3. Berlin 1905, 1405 s. v.; L. THORNDIKE and P. KIBRE, A Catalogue of Incipits of Mediaeval Scientific Writings in Latin. Revised and Augmented Edition. London 1963, s. v. Daniel; J. TELLE, Beiträge zur mantischen Fachliteratur des Mittelalters: Studia Neophilologica. A Journal of Germanic and Romance Philology 42 (1970) 188, 3. Anm.

185 Cf. etwa CLM 666 (15. Jh.) f°, 377; CLM 7746 (15. Jh.) f°, 17; CLM 14554 (15. Jh.) f° 114: Tract. De somniis; J. A. SCHMELLER, Die deutschen Hss. d. k. Hof- und Staatsbibl. zu München (= Catalogus Codicum Manu Scriptorum Bibliotheca Regiae Monacensis VI) II. München 1866, 661; Cod. Scal., 49 (10. Jh.) f° 79' (cf. MG Script., XIII 72), Codices Scaligerani (= Bibl. Univers. Leidens. Cod. man. II). Lugduni-Batavorum 1910, 15.

186 FÖRSTER, Kleinliteratur (wie Anm. 177) 356—358.

187 Ebd. 357; die lateinische Version ist überschrieben: De somniorum diversitate secundum ordinem abcdarii Danielis prophetae.

Es wurde betont, daß die verschiedenen Praktiken der Wahrsagekünste gelegentlich nicht leicht einer festen Gruppe von Superstitionen zuzuordnen sind. Besonders deutlich wird diese Schwierigkeit beim Traumorakel und bei der Traumdeutung. Von den schematisierenden Trauminterpretationen der populären Traumbücher, in denen jeweils einem bestimmten Bild, Symbol, eine entsprechende Bedeutung beigelegt wird, über die professionelle, für Honorar tätige Traumdeutung der *conjectores*[188], über ganzheitliche Trauminterpretation unter Einbezug der verschiedenen Umwelts- und Persönlichkeitsfaktoren, physiologischer und psychologischer Aspekte, bis zu erkenntnistheoretischen Überlegungen, was Träume sind, woher sie kommen und welche Bedeutung ihnen unter den Erkenntniskräften zukomme, geht das Interesse am Traum von landläufigen *observationes* zur kunstmäßigen Form der *divinatio* und schließlich zu rationalen, wissenschaftlichen Analysen über.

Daß nach Ausweis der Bibel der Traum als göttliches Offenbarungsmittel legitimiert war, daran soll nur erinnert werden. Aber eben dieses ‚Zugeständnis‘ machte zu einer wichtigen Frage, wie man denn ‚wahre‘ Träume von ‚falschen‘ unterscheiden könne.

Auch die Traumbilder gehören zu den ‚Zeichen‘ *(signa)*. Im Gegensatz zum Ding *(res)* sei ein Zeichen etwas, das außer sich selbst noch einen anderen Gedanken nahelege. So definiert AUGUSTINUS im 2. Buch *De doctrina christiana:* „Ein Zeichen ist nämlich eine Sache, die außer ihrer sinnenfälligen Erscheinung aus ihrer Natur heraus noch einen anderen Gedanken nahelegt: sehen wir z. B. eine Spur, so denken wir uns, es sei das Tier vorübergegangen, dessen Spur es ist; oder sehen wir Rauch, so erkennen wir, daß auch Feuer in der Nähe ist; hören wir die Stimme eines Tieres, so können wir daraus auch einen Schluß auf seine Gemütsstimmung ziehen" usf.[189] Die Definition, die JOHANNES VON SALISBURY anführt, *Signum . . . est quod seipsum sensui, et praeter se aliquid animo ostendit*[190], geht auf AUGUSTINUS zurück, wenn auch nur mittelbar über PSEUDO-AUGUSTIN, *Principia dialecticae.*[191] Die ganze Stelle heißt bei JOHANNES: „Ein Zeichen macht sich selber dem Sinn und etwas, das über es hinausführt, dem Geiste bemerklich. Doch gibt es gewisse Zeichen, die keinem körperlichen Sinn etwas zeigen, sondern dem Geist durch Vermittlung der Gestalt irgendeines Dinges oder ohne Umweg über ein

---

188 *somniatorum coniectores,* Conc. Paris., a. 829, IV, ed. MG Leg. 3 II 669; *somniarii,* HERARD V. TOURS, Capitula, 3, ed. MGH IV 794 (PSEUDO-ISIDOR); *conjectores somniorum,* PETRUS COMESTOR, Historia scholastica, liber deuteron., c. 8, ed. PL 198, 1253; JOHANNES VON SALISBURY, Policr. I 12; PSEUDO-ALKUIN, De divinis officiis, c. 13, ed. PL 101, 1196, nennt *fanatici conjectores* solche, *qui sub nomen fictae religionis, per quasdam (quas sortes sanctorum vocant) divinationes et scientiam profitentur,* gebraucht das Wort also in der weiteren Bedeutung von Wahrsagen, hier mit Bezug auf das Ausdeuten von Losen.

189 AUGUSTINUS, De doctr. christ. II 1, 1, übers. BKV 49, 49.

190 JOHANNES VON SALISBURY, Policr. II 14.

191 C. 5, ed. PL 32, 1410; cf. HELBLING-GOOR 75, Anm. 276.

Mittelding Wahres und auch Falsches häufig zutragen. Denn die Zeichen sind bisweilen wahr, bisweilen falsch. Wer weiß nicht, daß die Träume mancherlei Bedeutung haben, welche die Erfahrung bestätigt und die Autorität der Alten erhärtet?"[192] Die wichtige Funktion, die AUGUSTINUS den *signa data* für das Zustandekommen von Superstition, Divination und Magie, durch die Mithilfe der Dämonen zumißt, läßt JOHANNES unberührt.

Sprach AUGUSTINUS oben von den „natürlichen Zeichen", so erläutert er weiter unten, was man unter „gegebenen Zeichen", den *signa data,* zu verstehen habe. *Signa data* seien konventionelle Zeichen und Zeichensysteme wie Sprache und Schrift. Wörtlich fährt AUGUSTINUS fort: „So hat z. B. auch die Gestalt ein und desselben kreuzweise geschriebenen Buchstabenzeichens X bei den Griechen einen anderen Wert als bei den Lateinern; und zwar kommt ihm diese verschiedene Bedeutung nicht schon von Natur aus zu, sondern weil man eben stillschweigend gerade über diese Bedeutung übereingekommen ist. Wer also von diesen beiden Sprachen etwas versteht, der wird, wenn er an einen Griechen schreibt, diesen Buchstaben in anderer Bedeutung schreiben, als wenn er an einen Lateiner schreibt. Auch ein und dasselbe Wort ‚beta' ist bei den Griechen der Name eines Buchstaben, bei den Lateinern aber die Bezeichnung eines Gemüses; ferner wenn ich ‚lege' sage, so denkt sich bei diesen zwei Silben sowohl der Grieche als der Lateiner etwas anderes (lies, sage). Wie nun all diese Bezeichnungen (der Sprache) gerade so auf die Geister wirken, wie die daran interessierten Kreise eben darüber übereingekommen sind, und wie ihre Wirkung verschieden ist, wenn die Übereinstimmung eine verschiedene ist, und wie sich die Menschen bezüglich dieser Bezeichnung nicht deshalb verstanden haben, weil diese Bezeichnung schon an sich eine bezeichnende Kraft besaß, sondern sie vielmehr nur deshalb ihre bezeichnende Kraft hat, weil man sich eben bezüglich ihrer miteinander verstand, so haben auch die Zeichen, durch die man sich die verderbliche Gesellschaft der Dämonen erwirbt, Kraft nur nach der Tätigkeit desjenigen, der sie beobachtet".[193]

THOMAS VON AQUIN hat diese Vorstellung aufgegriffen und zur Grundlage seiner Theorie vom Dämonenpakt genommen. Denn entweder hat etwas auf natürliche Weise eine gewünschte Wirkung — und dann darf man solche Mittel anwenden; oder aber es hat diese nicht auf natürliche Weise, dann kann solches nur Zeichen sein, mit dessen Hilfe man sich, um das Gewünschte zu erlangen, der Hilfe der Dämonen versichern will:

> *Si autem naturaliter non videantur posse tales effectus causare, consequens est quod non adhibeantur ad hos effectus causandos tanquam causae, sed solum quasi signa. Et sic pertinent ‚ad pacta significationum cum daemonibus inita'.*[194]

---

[192] Wie Anm. 545; übers. HELBLING-GLOOR 75.
[193] II 24.
[194] THOMAS VON AQUIN, S. Th. II. II. 96, 2.

Soweit Thomas über abergläubische Mittelchen. So kann auch Traumdivination, von göttlichen Traumoffenbarungen abgesehen, nur mit Hilfe der Dämonen zustande kommen:

> *Si autem huiusmodi divinatio causetur ex revelatione daemonum cum quibus pacta habentur expressa, quia ad hoc invocantur; vel tacita, quia huismodi divinatio extenditur ad quod se non potest extendere; erit divinatio (per somnia) illicita et superstitiosa.*[195]

Soweit also die Frage nach der Wahrheit von Träumen, nach den Kriterien der Unterscheidung von *signa vera* et *signa falsa* zu stellen ist, gilt sie in umfassenderer Weise in bezug auf die *observationes*, die Techniken des *observare signa* überhaupt. Deshalb auch wird der Besprechung des Traums und der theologischen Kritik der Traumdeutung ein größerer Abschnitt gewidmet, um am konkreten Fall Urteile und Lehren über Zeichendeutung beispielhaft zu erörtern.

Wie Johannes von Salisbury seiner Untersuchung des Traumes die Traumsystematik des Makrobius zugrunde legt, so hat auch eine andere wichtige, von der Hochscholastik oft herangezogene Schrift des 12. Jahrhunderts die von Makrobius angeführten Traumkategorien aufgegriffen: Der Ps.-Augustinische *Liber de spiritu et anima*.[196] Diese Rezeption zeigt nicht allein den großen Einfluß des Makrobius auf das 12. Jahrhundert, sie ist besonders geeignet zu zeigen, daß nicht nur die Tradition ,konkreter' Superstitionen durch literarische Überlieferungsprozesse vermittelt ist, sondern daß auch Beurteilungen, Motive und Mittel der Kritik gelehrter Tradition verpflichtet sind.

Im Kommentar zu Ciceros *Somnium Scipionis*[197] hatte Makrobius seinerseits schon ältere, griechische Autoren heranziehend[198] 5 Traumkategorien unterschieden:

> *Omnium, quae videre sibi dormientes videntur, quinque sunt principales et diversitates et nomina, aut enim est* ὄνειρος *secundum Graecos quod Latini somnium vocant, aut est* ὅραμα *quod visio recte appelatur, aut est* χρηματισμός *quod oraculum nuncupatur, aut est* ἐνύπνιον *quod insomnium dicitur, aut est* φάντασμα, *quod Cicero quotiens opus hoc nomine fuit, visum vocavit.*[199]

Unter Weglassung der griechischen Begrifflichkeit hat Alcher von Clairvaux, dem der genannte Ps.-Augustinische *Liber de spiritu et anima* zugeschrieben wird[200], die Traumsystematik des Makrobius übernommen, ebenso Johannes von Salisbury.

---

[195] Ibd. 95, 6.

[196] PL 40, 779—832.

[197] W. H. Stahl, Macrobius' Commentary on the Dream of Scipio. New York 1952.

[198] Ebenda 87 f.; C. Blum, Studies in the Dream-Book of Artemidorus. (Diss.) Uppsala 1936.

[199] Macrobius, Commentarii in somnium Scipionis I 3, 2, ed. Stahl 484.

[200] G. Fussenegger: LThK 2I 297.

Grundlage unserer Darstellung soll der *Liber de spiritu et anima* sein, da sich in ihm die „traditionelle Lehre der Psychologie zusammengefaßt"[201] findet und sich die dort überlieferte Traumlehre nach unten der des AUGUSTINUS und nach oben der des THOMAS VON AQUIN gegenüberstellen läßt. ALCHER VON CLAIRVAUX befaßte sich zuerst mit dem Orakel: *Oraculum est, cum in somnis parens vel aliqua sancta gravisque persona, seu sacerdos, vel etiam Deus eventurum aliquid aperte vel non eventurum, faciendum vel devitandum denuntiat.*[202] Soweit also wie MAKRO-BIUS I, 3, 8.

JOHANNES VON SALISBURY läßt noch eine Erklärung folgen, und es scheint, daß ihm die Subsumption des Orakels unter den Traum nicht ganz problemlos erschien. Die näheren Ausführungen laufen bei JOHANNES schließlich auf eine grundsätzliche Abgrenzung von heidnischen und christlichen Traumorakeln hinaus, so daß verständlich wird, warum er das Orakel erst zum Schluß der überlieferten 5 Traumkategorien bespricht. Zuerst also erläutert er den Begriff eines Orakels. MAKROBIUS hatte das Orakel definiert als die Erscheinung einer heiligen Person oder eines Gottes im Traume, die etwas verkünde oder etwas empfehle. JOHANNES nun erklärt so: „Wenn aber eine Sache dem Schlafenden durch die Verkündigung eines andern offenbar wird — vorausgesetzt aber, daß der Verkündigende eine achtbare und verehrungswürdige Person sei — so fällt der Traum in die Gattung der Orakel. Ein Orakel ist nämlich, wie jemand sagt[203], der göttliche Wille, der durch den Menschen einem Menschen angezeigt wird. Als Mensch aber wird bezeichnet, was in menschlicher Gesalt erscheint, ob es ein Mensch, ein Engel sei, oder Gott, oder irgendein Geschöpf. Die Person aber ist immer achtbar und verehrungswürdig, entweder von Natur, wie die Eltern; oder durch die Stellung, wie der Herr; oder durch die Sitten, wie ein Geistlicher; oder durch das Glück, wie ein Würdenträger; oder durch die Religion, wie Gott, ein Engel oder ein Mensch, der durch das Heilige oder durch die göttliche Zeremonien geweiht ist".[204]

Hier, wo JOHANNES nun über die Mitteilungen bei MAKROBIUS hinausgeht, wird die Tendenz deutlich, christliche Offenbarung von heidnischen Orakeln abzusetzen: „Daraus geht, wenn auch nicht schlechthin, so doch in der Ableitung hervor, daß die Traumdeutung nicht nur achtbare, sondern auch minderwertige Personen, unter dem Namen von verehrungswürdigen, einschließt. So wie nämlich die Männer der katholischen Religion Gott und den Dingen, welche durch ihn heilig sind, in frommer Andacht zugetan sind, so zollen die Menschen einer ketzerischen und abergläubischen Religion, falschen Götzen, ja vielmehr den wirklichen Dämonen und ihren abscheulichen heiligen Gegenständen nicht die schuldige Ehrfurcht, welche

---

201 Ebenda.
202 ALCHER VON CLAIRVAUX, De spiritu et anima, c. 25, ed. PL 40, 798.
203 SENECA, Controversiae, praef. 9.
204 JOHANNES VON SALISBURY, Policr. II 15, übers. HELBLING-GLOOR 83 f.

keine ist, sondern den schimpflichsten Dienst. Dies läßt sich noch ausführlicher den Büchern heidnischer Autoren entnehmen".[205]

Bei ALCHER VON CLAIRVAUX folgt dann die Definition: *Visio est, cum id quis videt quod eodem modo quo apparuerat eveniet.*[206] Im Verhältnis zum Orakel, dessen Charakter dadurch bestimmt ist, daß es immer eine Person ist, die etwas verkündet, bezeichnet *visio* das Erschauen eines Sachverhaltes, der so, wie er vorhergeschaut wird, später eintrifft. Für die christliche Offenbarungstheologie war das ein wichtiger Begriff. Das zeigt schon, wie JOHANNES der Definition des MAKROBIUS, die ALCHER noch unverändert anführt, über die Seite der objektiven Schau noch das subjektive Moment des Ursprungs des visionären Bildes hinzufügt: „Wenn sie (die Wahrheit) sich aber in unmittelbarem Lichte selber ausgießt, so ist es eine Vision, da sie sich dann in ihrer vollen und wahren Gestalt den Augen dazubieten scheint".[207] Der Terminus *visio* war also zur Bezeichnung göttlicher Offenbarungserfahrung durch sinnenfällige Schau der Wahrheit geeignet, zumal er auch in der Bibel im positiven Sinn gebräuchlich war, etwa im Gegensatz zu *divinatio*, wie RUPERT VON DEUTZ feststellt: *Visio et divinatio hoc differunt, quod divinatio nunquam in Scripturis in bonam partem accipitur.*[208]

Als 3. Traumkategorie nennt ALCHER das *somnium*, also den „Traum". Die Differenzierung, die schon MAKROBIUS vornimmt, voraussetzend, wonach zwischen *somnium* im allgemeineren Sinn (Bezeichnung aller Erlebnisse und Bilder, welche im Schlafe vorkommen) und *somnium* im engeren Sinn eines Gattungsbegriffes, als Begriff einer bestimmten Art von Träumen, zu unterscheiden ist, definiert ALCHER den engeren Begriff: *Somnium est figuris tectum, et sine interpretatione intelligi non potest.*[209] JOHANNES führt die Stelle aus dem Kommentar des MAKROBIUS noch ausführlicher an: „Der Traum, welcher mit dem allgemeinen Namen bezeichnet wird, obgleich er eine besondere Gattung bedeutet, führt die Bilder der Dinge durch gewisse Umhüllungen ein, mit welchen sich die Disziplin der Traumdeuter vornehmlich beschäftigt".[210]

Als 4. und 5. Traumkategorie behandelt ALCHER das *insomnium* und die *phantasmata*. Das *insomnium* ist ein nächtliches „Wahngebilde", das von besonderen körperlichen oder seelischen Dispositionen her zu erklären ist:

Insomnium est, quando id quod fatigaverat vigilantem, ingerit se dormienti; sicut est cibi cura vel potus, vel aliqua studia, vel artes, vel infirmitates. Secundum namque studia quae quisque exercuit, somniat; et solitarum artium simulacra in praesentia

---

[205] Ebd. 84.
[206] Wie Anm. 202.
[207] Wie Anm. 204.
[208] RUPERT VON DEUTZ, Comment. in XII proph. min.: In Mich. I, ed. PL 168, 469.
[209] Wie Anm. 202.
[210] Wie Anm. 204, 81.

mentis impressa apparent in somnis. Juxta etiam infirmitatum diversitates diversa accidunt somnia. Etiam secundum morum et humorum varietates variantur somnia. Alia namque vident sanguinei, alia cholerici, alia pflegmatici, alia melancholici. Illi vident rubea et varia; isti nigra et alba.[211]

Id quod fatigaverat vigilantem, ingerit se dormienti meint also soviel, wie die schon angeführte Theorie, daß, was den Menschen am Tage beschäftigt, ihm nachts im Traume erscheine. Gemeint sind Produktionen, die THOMAS VON AQUIN der *causa interius (s. animalis, s. corporalis)* zuordnet. ALCHER läßt die individuell motivierte Modifikation solcher Träume zudem durch die Verschiedenheit der Temperamente bestimmt sein: *Alia namque vident sanguinei, alia cholerici, alia pflegmatici, alia melancholici.*

Phantasmata sind Träume im Halbschlaf,

quando qui vix dormire coepit, et adhuc se vigilare aestimat, aspicere videtur irruentes in se, vel passim vagantes formas discrepantes et varias, laetas vel turbulentas. In hoc genere est ephialtes, quem publica persuasio quiescentes opinatur invadere, et pondere suo pressos ac sentientes gravare. Quod non est aliud nisi quaedam fumositas a stomacho vel a corde ad cerebrum ascendens, et ibi vim animalem comprimens.[212]

In diesem Dämmerzustand zwischen Wachen und Schlafen erscheinen phantastische Gestalten und Formen, welche es in der Natur nicht gibt. So weiß eine moderne Versuchsperson über „Bildvorstellungen im hypnagogischen Zustand" zu berichten: „Eine Prozession von Eichhörnchen, mit Säcken auf den Schultern, die zielbewußt über ein Schneefeld marschierten".[213]

Hier wäre auch der Alptraum *(ephialtes)* zu nennen[214], sowie, wie wir ergänzend hinzufügen können, der Incubustraum, zumal ἐφιάλτης ursprünglich den Incubustraum bezeichnete.[215]

Daß die letzten beiden Traumarten für die Zukunftsforschung nichts taugen, hatte schon MAKROBIUS festgestellt.[216] JOHANNES schließt sich dem an. Die wichtige Frage nun, was an Träumen Wahres sein könne und wie sich falsche von wahren Träumen unterscheiden ließen, verknüpft er mit einer Untersuchung des Orakels. Bei THOMAS VON AQUIN, dessen Traumlehre kurz skizziert wurde, war die Untersuchung rein theoretisch und ganz ohne Bezug auf die doch wohl auch THOMAS bekannte traditionelle Traumsystematik durchgeführt worden. Dafür war bei

---

[211] Wie Anm. 202.

[212] Ebd.

[213] P. McKELLAR, Denken und Vorstellung: Bild d. Wiss. 6 (1969), 423.

[214] Cf. E. JONES, Der Alptraum in seiner Beziehung zu gewissen Formen des mittelalterlichen Aberglaubens (= Schriften zur angewandten Seelenkunde 14. Hg. v. S. FREUD). Leipzig und Wien 1912.

[215] HOPFNER, Offenbarungszauber I 54.

[216] MACROBIUS, Comm. I 3, 8.

THOMAS der Anteil besonders betont, den die Dämonen am Zustandekommen der Traumillusion hätten, und ausdrücklich die Möglichkeit zugestanden, man könne mit Dämonen ‚Wahrsageverträge' schließen. Natürlich kennt auch JOHANNES die dämonologische Interpretation; doch von Verträgen mit den Dämonen zum Zwecke der Traumdivination redet er nicht.

Ein anderer Unterschied zu THOMAS sei noch aufgezeigt: JOHANNES, der sich allerdings auch viel intensiver mit dem Thema als THOMAS beschäftigt, läßt seiner Ablehnung der Traumdeutung eine Relativierung des Traumes durch vielfältigste individuelle und umweltliche Faktoren vorangehen. Eine Verunsicherung der Traumdeutung sieht er auch in der prinzipiellen Mehrdeutigkeit der Traumsymbole — all das weithin traditionelle Elemente der Interpretation des Traums als psycho-physisches Phänomen. Erst nach diesen Ausführungen setzt JOHANNES zu einer grundsätzlichen Kritik der Traumdeutung an: „Für den Traum selbst gilt der allgemeine Grundsatz, daß ihm nur dann Bedeutung zugemessen werden darf, wenn er der christlichen Religion nicht widerspricht und der Seele nicht schadet: ‚Aber da dies von den Geistern um die Menschen her getan wird, so soll die gläubige Seele nur dasjenige Bild der Dinge nicht von sich weisen, das die Unschuld unversehrt läßt. Wenn es aber den Lastern Stoff zuführt, an die Lust appelliert oder an die Habsucht, oder die Herrschbegier einführt, oder was es dergleichen zur Verderbnis der Seele gibt, so sendet es zweifellos das Fleisch oder der böse Geist, der in gewissen Menschen, durch ihre Schuld veranlaßt, mit Gottes Erlaubnis in solcher Freiheit sein Wesen treibt, daß sie höchst elender und unwahrer Weise glauben, es vollzöge sich in ihren Körpern, was sie im Geiste erleiden' ".[217] An diese letzte Bemerkung, die uns von der Erklärung des Nachtfluges[218] her bekannt ist, knüpft JOHANNES eine Besprechung des Hexenfluges, die er ganz im Sinne der traditionellen Auffassung als trügerische Illusion charakterisiert.

Da THOMAS nicht die Frage nach einem Unterscheidungskriterium von falschen und wahren Träumen stellt, sondern es ihm allein darum geht darzulegen, an welche Träume zu glauben verboten sei, reduziert sich ihm die Wahrheitsfrage auf die Ursprungsfrage. Diese Frage aber ist für THOMAS beantwortet, sobald ihm die Ableitung des dämonischen Ursprungs der Traumbilder gelingt. Doch wie soll man von Fall zu Fall, das Theoretische einmal beiseite, erkennen, welche Träume dämonische sind? Bei den *pacta expressa (cum daemonibus)* liegt die Sache klar: Die Dämonen werden ausdrücklich um Traumoffenbarungen ersucht. Aber wie beurteilt THOMAS die ‚ungerufen' kommenden Träume, und inwiefern haben die Dämonen daran Anteil? Solange die Traumbilder auf natürliche Weise oder durch göttlichem Offenbarungswirken hervor. Sofern sie keine natürliche Wirkungen sehen. Wenn aber von Träumen mehr erwartet wird als das, was sich auf natür-

---

[217] HELBLING-GLOOR 90, zit. Policr. II 17.
[218] S. unten S. 265, Anm. 23.

liche oder außerordentlich-göttliche Weise zeigen kann, dann wird ein „stillschweigender Vertrag" *(pactum tacitum)* mit Dämonen geschlossen. Denn wenn von einer Sache Wirkungen erwartet würden, die sie nicht haben kann, dann setze man sein Vertrauen darin, daß die Wirkungen auf eine andere, nicht natürliche Weise zustande kämen, nämlich durch die Kraft der Dämonen.

Johannes von Salisbury hatte zuletzt das Moralische als Kriterium der Unterscheidung von wahren und falschen Träumen angesetzt: Sobald der Traum den Lastern Vorschub leiste oder die Unschuld beschmutze, sei das ganz sicherlich ein Traum, der vom Fleisch und dem bösen Geist komme. Thomas hebt die Unvereinbarkeit solcher Träume mit natürlichen und logischen Voraussetzungen und dem göttlichen Offenbarungswirken hervor. Sofern sie keine natürliche Wirkungen seien oder keine göttliche Ursache hätten, hieße, wider alle Vernunft darauf zu hoffen, den Wunsch nach einer *revelatio daemonum* zu bekunden.

Wir sehen uns hier an die Definition des Petrus von Blois erinnert: *Jam vero in visionibus sperare superstitiosum est*[219] — vor allem aber wieder an Augustinus, auf den die thomistische Theorie der ‚Wahrsageverträge' zurückgeht.[220]

Augustinus hat das Tragen von Amuletten u. a. als für sich und ihrer natürlichen Beschaffenheit zufolge zu dem gewünschten Erfolg als völlig untaugliche und alberne Dinge angesehen. Doch gewännen sie Kraft durch ihre Funktion als Zeichen. Denn „Dies alles hat nur insoweit Kraft, als es durch den die Geister beherrschenden Wahn als der gemeinsamen Sprache mit den Dämonen verabredet worden ist".[221] „Nicht weil es Kraft hatte, gab man sich damit ab, sondern weil man sich mit diesen Dingen abgab und sie bezeichnete, erlangten sie erst Kraft. Daher kommt für jeden aus ein und derselben Sache etwas besonderes heraus, je nach seinen Gedanken und Vermutungen".[222]

Entkleidet man die Erklärungen Augustins ihres mythologischen Hintergrundes, der Dämonologie, so wird man das feinsinnige Gespür für die Psychologie des Aberglaubens bewundern: Diese Mittelchen und Praktiken sind ja in der Tat bei der großen Fülle und Variabilität in Beliebigkeit gestellt —, nur daß es darauf auch gar nicht ankommt, sondern „je nach seinen Gedanken und Vermutungen, für jeden aus ein und derselben Sache etwas anderes heraus(kommt)". In dem man sich damit abgab —, in unserem Fall also: *in visionibus sperare*[223] und *quia hujusmodi divinatio extenditur ad quod se non potest extendere*[224], erlange so etwas Kraft und Bedeutung nach Tätigkeit der Dämonen, so daß die bunte Vielfalt der

---

[219] Wie Anm. 102.
[220] Augustinus, De doctr. christ. II 20.
[221] Ibd. II 24.
[222] Ibd.
[223] Petrus von Blois, Ep. 65.
[224] Thomas von Aquin, S. Th. II. II. 95, 6.

Superstition der Wahrheit nach ein großes und differenziertes Kommunikations- und Zeichensystem, eine Sprache ist, in der man mit den Dämonen reden kann.

Man wird die Lehre vom Dämonenpakt erst von hier aus richtig verstehen können. Auch die Sprache unter den Menschen ist für Augustinus ein konventionelles Zeichensystem: Daß man sich untereinander überhaupt verständigen kann, ist in einer Übereinkunft gegründet, dieses und jenes Zeichen, diesen und jenen Laut, der Bezeichnung dieser und jener Sache vorzubehalten.

Analog gilt von der Superstition, daß sie ein auf Übereinkunft gründendes Kommunikationssystem mit den Dämonen ist. Wer sich als Mensch einer Sprache bedient, um sich mit seinesgleichen zu verständigen, kann dieses nicht, ohne daß er jenen die Sprache betreffenden Vertrag als eine verbindliche Vereinbarung anerkennt, gleich ob er sich dessen nun bewußt wird oder nicht. Kommt also das Sprechen einer Anerkennung dieses „Kommunikationsvertrages" gleich, so ist auch der Gebrauch der Zeichen des mit den Dämonen abgesprochenen Kommunikationssystems *de facto* eine Anerkennung der Verbindlichkeit dieser Übereinkunft mit den bösen Geistern. Und wie Menschen zumeist nicht vor Beginn ihrer Unterredung sich der Befolgung jenes ‚Sprachpaktes' versichern müssen, ihn aber dennoch stillschweigend als verbindlich voraussetzen, so anerkennt auch der, der sich ‚abergläubischer' Mittel bedient, jenen „Verständigungspakt" mit den Dämonen stillschweigend *(pactum tacitum)*.

b. Die Beobachtung von Zeiten

Ein Zeichen ist für sich allein schon von Bedeutung: ein besonderes Gewicht gewinnt es aber, wenn es zu seiner Zeit kommt. Bei der Beurteilung von Träumen trat die jahreszeitliche Komponente hervor oder der Bezug auf die Monate des Jahres, die verschiedenen Mondphasen. Beim Angang spielt die Tageszeit eine große Rolle. Bei Beginn oder Beschluß einer wichtigen Sache sind Zeichen sorgfältig zu studieren: Denn jedes Unternehmen hat seine Zeit; die gilt es durch genaue Beobachtung unglück- oder glückverheißender Zeichen zu finden: *De observatione ... in inchoatione rei alicuius,* Beobachtungen bei Beginn einer Sache, das zählt der *Indiculus superstitionum*[1] zu den heidnischen Gebräuchen.

Der Beginn und Anfang von etwas enthält in sich, unentwickelt zwar noch, aber doch schon keimhaft ganz das sich entwickelnde Geschehen. Der Anfang ist, sobald er zur Ausführung gekommen ist, nicht etwas Vergangenes, sondern bleibt als das Bewegende, als Grund des Geschehens immer gegenwärtig: Was unter ‚ungünstigem Stern' seinen Anfang genommen hat, das steht fortan und bleibt unter einem ungünstigen Stern. So kann die Zeit in ihren verschiedenen Momenten und Phasen

---

[1] Nr. 17.

sich selbst repräsentieren, der Augenblick des Anfangs das Ganze der Ausführung oder ein Tag viele andere oder ein Monat ein ganzes Jahr.

Ein Zeichen am Tag der Geburt eines Menschen erlangt Bedeutung und Vorbedeutung für dessen Leben, ein Zeichen am Jahrestag des Geburtstags deutet das Schicksal des kommenden Jahres an. Das Jahr enthält sich so gewissermaßen in einem einzigen Tag als neuen Anfang selbst und legt sich aus. Bestimmte Tage repräsentieren einzelne Phasen, Jahreszeiten und Monate des Jahres und die Zeichen, die an solchen Tagen gesehen werden, haben Vorbedeutung für die ihnen zugeordneten Monate und Jahreszeiten. Wir kennen diese Vorstellung aus Wetterregeln und Bauernpraktiken, die heute zumeist ins Scherzhafte gewendet sind.

In einzelnen Fällen, beispielsweise der Prognose von einem Tag auf einen Monat anhand bestimmter Zeichen, die an jenem Tag zu bemerken sind, ist es schwer zu unterscheiden, wohin man diesen Glauben — rein äußerlich — stellen soll: ob unter die *observatio signorum* oder unter die *observatio temporum*.

Die PSEUDO-AUGUSTINISCHE *Homilia de sacrilegiis,* der wir einen der wenigen Belege kirchlicher Superstitionenkritik für die Mantik des Becherorakels verdanken[2], zählt in dem jener Stelle vorhergehenden Paragraphen zu den Paganismen die Beschäftigung mit astrologischen Schriften und mit „Donnerbüchern": *Et qui . . . astrologia et tonitrualia legit, iste non christianus, sed paganus est.*[3] Auch in diesem Fall erweckt die CAESARIUS VON ARLES nahestehende *Homilia*[4] den Eindruck sach- und zeitbezogener Kenntnis konkreter und praktizierter Superstitionen für die Zeit ihrer Niederschrift (8. Jh.). Aber wir wissen, daß wie die angeführte Lekanomantie auch die Donnerprognostik mediterranes Erbe ist. Ein Grund mehr, beim sonstigen Fehlen spezieller Information, die Schrift dem Bischof von Arles zuzuweisen, der es in der Provence eben mit synkretistischen Superstitionen des Mittelmeerraumes zu tun hatte. Das muß nicht heißen, daß es im 8. Jahrhundert und früher bei den Germanen keine Donnerprognosen gegeben habe. Nur daß die genannten Tonitrualien, auf griechisch „Brontologien", ihrer literarischen Herkunft nach nicht in diesen Kreis gehören, sondern gelehrter Tradition angehören, wenn sie auch später sehr verbreitet waren und sich besonders für die Zeit des Hoch- und Spätmittelalters in großer Zahl belegen lassen.

Die Brontologien enthalten Ausdeutung für Donnerschläge, je nachdem diese zu bestimmten Tages- und Nachtzeiten, zu den kanonischen Gebetsstunden, den Wochentagen, den Monaten usf. zu verzeichnen sind.[5] Wenn es beispielsweise gegen abend donnert, so bedeutet das die Geburt eines großen Mannes[6], ein Donnergrollen von Osten verkündet dagegen den Tod des Königs.[7]

---

[2] Cf. S. 104.
[3] Hom. de sacril., c. 8, ed. CASPARI 7.
[4] Ibd. 3.
[5] FÖRSTER, Beiträge 120 (1908) 43—52, 128 (1912) 284—281.

Häufiger als Donnerprognosen über politische Veränderungen oder kriegerische Ereignisse werden Aussagen über kommendes Wetter gemacht. Dabei stehen bestimmte Tage, an denen es donnert, für bestimmte Monate oder Jahreszeiten, für welche dann dieses Donnerzeichen eine bestimmte Witterung vorausbedeutet. Die Regeln sind in den Brontologien oder Donnerprognostiken[8] verzeichnet. Zumeist sind es Prognosen über Wetter, politische Ereignisse, Seuchen, o. ä. aus dem Zeitpunkt, an dem der erste Donner im Jahr gehört wird[9]:

> *Si tonat in Januario, in illo anno erunt validi uenti, annona bona et omnes fructus, strages magna in populo et habundantia rerum est.* (fol. 183[a]) *Si in Febrario, erunt multi infirmi. Si in Martio, strages magna est in populo et habundantia rerum omnium. Si in Aprili, annus bonus erit et fertilis et fures peribunt. Si in Maio, fames erit. Si in Junio, est habundantia omnium rerum et pestilentie in populo. Si in Julio, annona multa et pugnantes peribunt. Si in Augusto, principes moriuntur et multi infirmi erunt. Si in Septembri, annona multa est et strages populi erunt. Si in Octobri, multi uenti erunt et annona bona. Si in Novembri, omnium rerum est habundantia. Si in Decembri, multa erit rerum habundantia et pax bona erit.*[10]

---

6 *Si tonitruaverit hora vespertina significat nativitatem cuiusdam magni...*, British Museum Cotton Ms Tiberius A III, saec. 11, f⁰ 37ʳ, ed. FÖRSTER: Arch. f. d. Stud. d. neuer. Sprachen u. Literaturen 120 (1908) 50—51.

7 *Vox tonitrui ab oriente mortem regis significat...*, Cambridge, University, Library, Gg. I. 1, a. 1400, f⁰ 394ᵛ, THORNDIKE, Incipits, 1712.

8 Dazu: F. BOLL, Sternglaube und Sterndeutung. Die Geschichte und das Wesen der Astrologie. 5. Aufl. H. G. GUNDEL. Darmstadt 1966, Nachdruck d. 4. Aufl., Leipzig und Berlin 1931, 186 f.; verschiedene Prognostiken: "De tonitruis et significationibus earum", C. DU PLESSIS D'ARGENTRÉ, Collectio judiciorum de novis erroribus qui ab initio duodecimi seculi post Incarnationem Verbi, usque ad annum 1713, in Ecclesia proscripti sunt et notati, editio nova. I. Paris 1755, ii, 326b; "Iste est ordo tonitrum", St. Gallen, Cod. 932, saec. 15, p. 509 und Cod. 1395, saec. 8/9, 468 "Tonitruales menses", G. SCHERRER, Verzeichnis der Handschriften der Stiftsbibliothek von St. Gallen. Halle 1875; "Nota quod in quocumque tonitru erit quecumque signa", Cambridge Trinity College, Ms. 1081 (0. 1. 57), saec. 15, f⁰ 70ʳ, THORNDIKE, Incipits, 936; Donnerprognostiken für Zürich verzeichnet C. MOHLBERG, Mittelalterliche Handschriften (= Katalog der Handschriften der Zentralbibliothek Zürich I). Zürich 1932—52; zwei Donnerprognostiken (Karlsruhe, Cod. St. Georgen 73; UB Heidelberg, Cpg 575) ediert u. bespricht TELLE, Beiträge, 188—193.

9 BOLL, Sternglaube, 186.

10 Erfurt, Wiss. Bibl. Cod. Amplon., O. 62ᵇ, f⁰ 182ᵇ sq., FÖRSTER, Kleinliteratur, 351; cf. *In Ianuario si tonitruum sonuerit. ventos validos*, Berlin, Phill. 1687 (Metz), saec. 11., f⁰ 150ᵇ, V. ROSE, Verz. d. lat. Handschr. d. kgl. Bibl. z. Berlin. I. Berlin 1893, 52 f.; *Si in mense Jan. tonitrua concrepant*, Göttingen UB, Cod. theol. 196., saec. 12/13, W. MEYER, Die Handschriften in Göttingen (= Verzeichnis der Handschriften im Preußischen Staate I 1). Berlin 1893, 395; "Was das donnern bedewt in itlichem monad", Inc.: "Die meister sprechent in welchem mond es von ersten donert das etwas bedeut", Ebenda. Cod. Jurid. 391, a. 1474, Bl. 143ᵇ: *Mense Januarii si tonitrum fuerit, ventos validos et habundantiam frugum et bellum futurum in eo anno significat*, Göttingen, St. Johanniskirche, 1, MEYER, a.a.O., I 3, 1894, 525; weitere Donnerprognostiken verzeichnet THORNDIKE, Incipits: Für Cambridge (13. u. 14. Jh.), 1466, 867, für London (14./15. Jh.), 1466, für Oxford (15. Jh.), 1466, für Paris (15. Jh.), 652, für München 653 für Rom, 867.

Astrologische Donnerbücher stellen Prognosen jeweils nach dem Ort des Mondes im *Zodiakus*[11]: *Cum luna fuerit in ariete et tonitruum auditur*...[12]

Die Tradition der Tonitrualien ist alt. Cicero berichtet von den *libri tonitruales* der Etrusker.[13] Ein Auszug aus der Βροντοσκοπία des Johannes Laurentius Lydos ist der fälschlich unter dem Namen Bedas[14] überlieferte *De tonitruis libellus ad Herefridum*.[15]

Ähnliche Weisen der Wetterprophetie seien kurz erwähnt: Sonnenschein-prognosen auf die Weihnachtszeit: *Si in die natalis domini sol videatur letabuntur servi dei*...[16] und die ‚Zwölften'[17], oder Sonnenaufgangsprognosen[18]; Prognosen aus dem Wehen des Windes in den zwölf Nächten: „Waecht der wint an der heiligen naht ze weihennechtn, so sterbent die fuersten in dem lant vnd reich leut..."[19] Wenn Weihnachten auf einen Sonntag fällt: *hyems bona*.[20]

Solche Jahreszeitprognosen aus dem Jahresanfang — entweder Weihnachten oder Neujahr — deuten auf die besondere Rolle hin, die dem Neujahrstag nicht

---

[11] Cf. Boll, Sternglaube, 134.

[12] Vat. Palat., 1416, saec. 15, f⁰ 171ᵛ, Thorndike, Incipits, 315; cf. Thorndike 1451, 1504.

[13] Cicero, De div. I 33.

[14] PL 90, 609 sqq.

[15] Cf. C. W. Jones, Bedae Pseudepigrapha. Ithaca N. Y. 1939, 45—47; L. Thorndike, A History of Magic and Experimental Science During the First 13 Centuries of Our Era. I. New York 1923, 636.

[16] Oxford, Bodleian Library, Digby 88, saec. 15, f⁰ 40ʳ, Thorndike, Incipits, 1451; cf. Förster, Kleinliteratur, 350; ders., Beiträge, 128 (1912) 64—71.

[17] Förster, Beiträge, 128 (1912) 64 ff.

[18] Ebd. 350.

[19] Wien, Ser. n. 262, saec. 14ᵉˣ., f⁰ 1ʳᵃ, O. Mazal und F. Unterkircher, Kat. d. abendl. Handschr. Österr. Nationalbibl. Series nova (Neuerwerbungen) (= Museion. Veröffn. d. Österr. Nationalbibl. Neue Folge, 4. Reihe, II 1). Wien 1963, 88; cf. Boll, Sternglaube, 186; Förster, Beiträge, 128 (1912) 55—64; andere Wetterprognosen: „Prognostica tempestatis", Clm 14733, saec. 12, f⁰ 43, Catalogus cod. lat. bibl. reg. Monac. II. Ed. II 2, 225; „Liber de prognosticatione aeris et quod accidat de pluuiis uentis et tonitruis et de pestilentia", Clm 11067, a. 1445—1450, f⁰ 73, Cat. cod. etc., II 2, 6; Clm 1464, saec. 15, f⁰ 108 (dt.); ibd., 230; Cgm. 238, a. 1477, f⁰ 149, J. A. Schmeller, Die deutschen Handschr. d. k. Hof- u. Staatsbibl. z. München. I (= Catalogus Codicum Manu Scriptorum Bibliothecae Regiae Monacensis V.). München 1866, 47.

[20] Borghesi 200, saec. 13, f⁰ 8ᵛ, A. Maier, Codices Burghesiani Bibliothecae Vaticanae. 1952.; als älteste deutschsprachige Christtagsprognose ist Heidelberg, Cpg 214 (v. J. 1321) anzusehen, cf. Telle, Beiträge, 203 f. mit weiteren Nachweisen und der Edition (205 f.) von Cgm 725, f. 105v—107v, Inc.: „So der cristag geuellet an den suntag, so wirtt der wintter warem vnd gutt"; weitere Nachweise bei G. Sandner, Spätmittelalterliche Christtagsprognosen. (Diss. Masch.) Erlangen 1948; „Nün merck hie welcher puchstab Cristag wirt, wie es darnach wittert", Inc.: „Ir sollt wiessen, so der cristag gefelt an den suntag...", Göttingen UB, Cod. Jurid. 391, a. 1474, Bl. 143, Meyer, Handschriften 394 f.; Thorndike, Incipits, 1446 (London), 1446 (Cambridge), 1451 (Dijon). Wolfenbüttel, Cod. Guelferbytanus 23.3 Augusteus 4° (15. Jh.), Wind-, Donner- u. Christtagsprognosen.

nur als metereologischen Lostag, sondern als Orakeltag überhaupt zukam. Eine Fülle kirchlicher Belehrungen und Verbote bezeugt seit der Antike die christliche Kritik der Observation dieses Tages und der an den Kalenden des Januar, dem 1. Januar, angestellten *observationes*. Wüßte man nicht von der ominösen Bedeutung des Neujahrstages, so könnte man sich wohl über den heftigen Ton wundern, den MARTIN VON BRAGA anschlägt, wenn er sich entrüstet, daß gewisse ahnungslose Leutchen glaubten: *ut Kalendas Ianuarias ... anni esse initium, quod omnio falsissimum est.*[21]

Das Fest des Anfanges *katexochen* ist Neujahr. Nichts, was an diesem Tag geschieht, kann ohne Vorbedeutung sein und alles, was man tut oder unterläßt, steht unter dem Aspekt der Repräsentation des kommenden Jahres im Tage seines Anfanges, ist *omen principii*.

Der kalendarische Beginn des neuen Jahres wurde unterschiedlich datiert[22]: Weihnachten, Dreikönig, Ostern, der 1. März oder 25. März und natürlich der 1. Januar, seit dem 2. Jahrhundert offizieller Jahresbeginn in Rom. Die verschiedenen Termine wechseln nach Zeiten und Landschaften und erst 1691 wird der Jahresbeginn von INNOZENZ XII. endgültig auf den 1. Januar festgelegt. Bei der Wichtigkeit des Neujahrstages als Orakeltag lassen sich, wie man erwarten darf, für alle Termine sehr ähnliche und identische Orakelbräuche und prognostische Praktiken belegen. Sie sind nicht an einen beliebigen Kalendertag, sondern an den Jahresanfang, wo der auch immer gesetzt sein mag, gebunden; sie folgen entweder der kalendarischen Verschiebung des Jahresbeginns oder fixieren durch Verhaftung an anderen Terminen ein älteres Neujahrsdatum. Daten des Klimajahres (Sonnenwende) und Naturjahres (Frühlingsanfang) kommen hinzu.

Die heftige Polemik gegen die Feier des 1. Januars zeigt aber nun, daß diesem Datum unter allen anderen die weitaus größte Bedeutung zugemessen wurde. *Annos sic colunt,* so zitiert REGINO VON PRÜM die Auslegung einer PAULUSstelle[23] durch AMBROSIUS[24], *cum dicunt: Kalendis Januarii novus est annus, quasi non quotidie anni impleantur.*[25] Doch, vorerst noch davon abgesehen, was diesen Tag den christlichen Volkserziehern so verhaßt machte, interessant für den Zusammenhang dieser Arbeit ist zu sehen, auf welche Weise und mit welchen Mitteln versucht worden ist, die Bedeutung dieses Tages zu mindern. Auch hier gilt der programmatische Satz AUGUSTINS, der bis in die theologische Summe des Thomas hinein der Superstitionenkritik die Richtschnur abgab: *superstitiosum est quidquid institutum ab hominibus est ad facienda et colenda idola pertinens.* Denn auch das

---

[21] MARTIN VON BRAGA, De corr. rust. 12 sq.

[22] Cf. M. P. NILSSON, Primitive time reckoning. Lund 1920.

[23] Gal 4, 10—11.

[24] AMBROSIUS, Expos. in epist. ad Galat., in cap. 4.

[25] REGINO VON PRÜM, De syn. caus. II 365, ed. PL 132, 353; dass., BURCHARD VON WORMS, Decr. X 11, ed. PL 140, 835; IVO VON CHARTRES, Decr., pars XI, 1.

Fest der Kalenden des Januar wurde als eine von Menschen erfundene Einrichtung aufgefaßt, die der Verehrung der Dämonen diene.

Wir begegnen hier neben der schon bekannten dämonologischen Interpretation des heidnischen Götterwesens und Kultes der euhemeristischen Erklärung, wie sie schon der heidnischen Religionsphilosophie bekannt gewesen ist und wonach die Götter in Wahrheit Produkt der Verehrung von Herrschern, Heroen und weiser Lehrer sei. So hatte es der griechische Schriftsteller EUHEMEROS aus Messene um 330 v. Chr. in einem Reisebericht geschrieben.

Janus, dem zu Ehren dieser Tag gefeiert wird, sei also in Wirklichkeit ein Mensch gewesen, ein schlechter zudem, und ein Herrscher und König über die Heiden, den armselige und ungebildete Menschen, da sie ihn als Herrscher fürchteten, wie einen Gott verehrten:

> *Dies kalendarum istarum, fratres dilectissimi, quas ianuarias vocant, a quodem Iano homine perdito ac sacrilego nomen accepit. Ianus autem iste dux quondam et princeps hominum paganorum fuit: quem inperiti homines et rustici dum quasi regem metuunt, velud deum colere coeperunt; detulerunt enim ei inlicitum honorem, dum in ei expavescunt regiam potestatem.*[26]

Und weil diese Leute nun behaupteten, am 1. Januar ginge das eine Jahr zu Ende und ein anderes fange an, stellten sie den Janus, dessen Fest an diesem Tag gefeiert wurde, mit zwei Gesichtern dar, eines vorne, eines hinten, eines, das in das alte und eines, das in das neue Jahr blicken sollte: *Et hinc est quod antiqui idolorum cultores ipsi Iano duas facies figurarunt: unam ante ipsum, aliam post ipsum; unam, qua praeteritum annum videretur aspicere, aliam qua futurum.*[27] Dieweil sie nun vermeinten, einen Gott zu machen, geriet ihnen das zu einem Monstrum: *Ac sic homines insipientes duas ei facies deputando, dum eum deum facere cupiunt, monstrum esse fecerunt.*[28]

Nun ist früh der mögliche Einwand belegt, man wolle doch keinen Götzendienst treiben, sondern allein den Anfang eines neuen Jahres feierlich begehen; man denke gar nicht, so etwas sei Gotteslästerung, sondern man wolle nur seine Freude über einen neuen Anfang ausdrücken. PETRUS CHRYSOLOGUS jedenfalls unterstellt die Möglichkeit einer solchen Argumentation: „Doch es mag jemand einwenden: es soll dies keine Gotteslästerung sein, es ist nur lustige Tollerei! Es ist dies nur der Ausdruck der Freude über die neue Zeit, nicht soll es sein das Werk des alten Wahnglaubens! Es ist ja die Absicht, den Jahresanfang zu feiern, nicht eine an-

---

[26] CAESARIUS VON ARLES, Sermo 192 De kalendis Ianuariis, ed. CCL 104, 779; von CAESARIUS abhängig: Conc. Turonense II., a. 567, c. 23 (resp. 22) und c. 23 der Ps.-AUGUSTINischen Homilia de sacrilegiis.

[27] CAESARIUS, Sermo 192, ibd. 780; cf. die Anm. 26 angegebenen abhängigen Quellen.

[28] Ibd.

stößige Handlung des Heidenglaubens! Mensch du täuscht dich! Das sind keine Scherze, sondern Verbrechen!"[29]

Die Begehung des Festes durch Gelage, Gesänge, Umzüge und Vermummungen, wie noch zu zeigen ist, ist den Akteuren, problemlos genug, zuerst einmal einfach Ausdruck der Freude. Aber nun geschieht eben das, was sich bei aller Unterschiedenheit der Motive bis in die Neuzeit durchzieht: die Rückprojizierung auf einen mythischen Ursprung und Sinn. Das Bewußtsein jener *inperiti homines et rustici*, in neuerer Terminologie also jenes *vulgus in populo*, ist unmittelbar und naiv in seinen Gegenstand vertieft; die Reflexion und, wir werden noch Gelegenheit haben, darauf einzugehen, die ideologisch motivierte ‚historische', mythologisierende Rückbeziehung ist eine andere Sache. Man wird annehmen dürfen, daß ein Gutteil dessen, was in der Folge im Volk selbst an Vorstellungen über den ‚Sinn' dieser Begehung zutage tritt, Rücklauf der Belehrung ist.

Eine charakteristische Kombination euhemeristischer und dämonologischer Interpretationselemente, besonders eindringlich schon in Martins von Braga[30] Instruktion vorgeführt, gelingt auch Atto von Vercelli. Bei ihm findet sich nun aber auch ausdrücklich die Meinung bezeugt, was an heidnischen Gewohnheiten und Ansichten um die Kalenden des Januar sich erhalten habe, das überdauere vor allem hartnäckig *in rusticis*, unter der Landbevölkerung, oder wie wir sagen würden, ‚auf dem flachen Lande'. Bislang war der Vorwurf der Superstition mit dem Vorwurf der Dummheit verknüpft und soweit auch für die heidnisch-antike Mythologie generell galt, sie habe vor allem unwissende und dumme Menschen täuschen können, war auch mit dem Epitheton *rusticus* mehr ein intellektuelles Manko gemeint. Atto von Vercelli stellt nun aber schon fest, daß die Überlieferung alter, heidnischer Vorstellungen und Gebräuche besonders auf dem Lande stark und ungebrochen sei, eine Feststellung, die auch Caesarius hinsichtlich der superstitiosen Tischbereitung zu Neujahr trifft[31], und will offensichtlich der bäuerlich-ländlichen Welt das Moment der Bewahrung älterer Zustände und Ansichten zusprechen.[32] Die Entwicklung der Auffassung vom ländlichen Bezirk als Residualbereich, in Dingen der Religion zumal, wäre an sich weiter und auf breiterer Quellenbasis zu analysieren.

Nach Atto waren Mars und Janus schlechte Menschen, der eine ein Mörder, der andere verrückt. Nach ihrem Tod seien ihnen nach Sitte der Heiden Standbilder errichtet worden, in die dann Dämonen eingezogen seien, um als Götter verehrt zu werden. Sie hätten den Kult der Kalenden eingeführt, eine Verirrung,

---

29 Petrus Chrysologus, Sermo 155 De kalendis Januarii, ed. PL 52, 611, übers. BKV 243, 351. cf. F. van der Meer, Augustinus, 81 f.
30 Martin von Braga, De cor. rust., s. o.
31 S. unten S. 126.
32 Cf. hierzu aber unten S. 285 ff.

der nahezu alle Menschen erlegen seien. Von da her also stammten die heidnischen Kultsitten, die, wie er glaube, noch heute unter der Landbevölkerung weiterlebten.

Mars namque et Janus homines perversi et infelices fuerunt, quorum unus homicida et adulter, alter in tantum fuit vanus et demens, ut etiam se ipsum flammis cremaret. Post quorum interitum, paganorum illis more fabricatae sunt statuae, in quibus ob eorum scelerum immanitatem daemonibus placuit habitare; et ut facilius homines deciperent, praedictorum sibi nomina placuit fingere, sicque se vivere, et does esse jactabant; duorum mensium principia sibi sacranda dicebant, atque suo nomine eosdem menses, scilicet Martium et Januarium, a Marte et Jano appellari jubebant: et qualiter per singulas ipsas Kalendes solemnia colerent, qualesque cultus peragerent edocebant. Qui error in tantum frequentando crevit, ut pene ab omnibus coleretur subversis. Et inde esse existimo quod hodieque durat in rusticis.[33]

Bildet sich die Zuweisung der Tradition von Relikten des Heidentums an bestimmte, mit dem Verdacht intellektueller Minderbemittlung behaftete, soziale Gruppen auch erst langsam aus, so ist die Meinung, daß es sich bei den verpönten Gebräuchen, hier also des Kalendenaberglaubens, um Reste des Heidentums handele, von Anfang an belegt. Zuerst sind das natürlich noch objektiv gewisse Feststellungen, später dann aber mehr und mehr stereotype Floskeln und polemische Topoi, wie schon bei der Behandlung von ,Naturkulten' zu sehen war. Man wird hier und in anderen Fällen sagen, es könne ja nun wirklich kein Zweifel darüber bestehen, daß die Aussagen der Zeugnisse der Missionszeit objektiv und mit Recht von Resten des ,Heidentums' sprächen. Nur wird dabei als ausgemacht vorausgesetzt, all jene Verrichtungen, gegen welche sich die kirchliche Polemik richtet, seien primär religiös bestimmte Begehungen.

Der von CHRYSOLOGUS bezeugte Einwand, brauchmäßige Feiern zu Neujahr würden allein als Ausdruck der Freude über einen neuen Anfang aufgefaßt, sollte zu denken geben! Als könnte es nicht auch im ,Heidentum' Feiern und rituellgebundene Begehungen rein brauchmäßig-spielerischen Charakters geben. Wenn wir also die Richtigkeit von Urteilen über den paganen Reliktcharakter von Superstition selbst in den Fällen in Zweifel ziehen, wo sie der Konfrontation des Missionars mit ,heidnischen' Gebräuchen entstammen, so allein deshalb, um Zweifel an der Rechtmäßigkeit der *interpretatio Christiana* und ihrem Panmythologismus anzumelden.

Wie zu vermuten, ist auch für die Kritik der Kalendensuperstitionen wieder CAESARIUS VON ARLES, wenn auch nicht so fast uneingeschränkt, wie im Falle der Zeugnisse über Baumkult usw. sichtbar wurde, der Gewährsmann für MARTIN VON BRAGA, ELIGIUS, PIRMIN, verschiedene Homilien unter dem Namen des AUGUSTINUS und ELIGIUS, bestimmte Bußbuchredaktionen usw. Bei CAESARIUS konnte man knappe und, wie es schien, zutreffende Bemerkungen in stark verdichteter Sprache

---

[33] ATTO VON VERCELLI, Sermo 3 In festo octavae domini, ed. PL 134, 836.

über nahezu alle Sparten von Aberglauben finden. Seine Predigten sind so gewissermaßen zu einem Arsenal jederzeit verfügbarer Wendungen und Formulierungen geworden. Es kommt deshalb nicht unerwartet, wenn gerade unter den von CAESARIUS abhängigen Texten eine stark formelhafte Sprache und eine Richtung auf Superstitionen-Topik zu bemerken ist.[34]

Fragen wir, was den kirchlichen Zeugnissen nach Heidnisches an diesem Tag praktiziert worden ist, so fällt unter der Vielzahl der gerügten Dinge der Häufigkeit ihrer Nennung zufolge zweierlei besonders auf: Das Bereiten üppig gedeckter Tische und Umzüge maskierter und vermummter Gestalten.

Zu jedem Fest gehört auch ein Festmahl. Wir könnten also meinen, daß, sofern Festgelage an den Kalenden des Januar verboten wurden, nicht das festliche Mahl als das eigentlich Sündhafte und der christlichen Praxis Konträre angesehen worden ist, sondern der dadurch bezeichnete Glaube, man müsse diesen Tag überhaupt festlich begehen. Dem würde das Verbot der Teilnahme an heidnischen Festen überhaupt entsprechen, wie es nach Kanon 39 der Synode von Laodikeia von MARTIN VON BRAGA formuliert worden ist: *Non liceat iniquas observationes agere Kalendarum et otiis vacare gentilibus.*[35]

Das Verbot der Tischbereitung zu Neujahr steht nun regelmäßig innerhalb eines Kontextes, der die Auffassung verbietet, es handele sich hier um reine Festtafeln oder -gelage. Am Neujahrstage gedeckt, haben diese Tische vor allem ominöse Bedeutung: Mit Speisen und allem, was man zum Essen benötigt, beladen, bleibt der Tisch die Nacht hindurch unberührt stehen; denn man glaubte, so üppig diese Neujahrstafel, so reichlich wäre der Tisch das ganze Jahr hindurch gedeckt. Der Bezug, den das *Poenitentiale Arundel* auf die „Parzen", Schicksalsgöttinnen nimmt, unterstreicht diese Bedeutung: *Qui mensam praeparavit in famulatu parcarum, II annos peniteat;* BURCHARD VON WORMS informiert uns ausführlicher:

Fecisti ut quaedam mulieres in quibusdam temporibus anni facere solent: ut in domo tua mensam praeparares, et tuos cibos, et potum cum tribus cuttellis supra mensam poneres, ut si venissent tres illae sorores, quas antiqua posteritas et antiqua stultitia parcas nominavit, ibi reficerentur, et tulisti divinae pietati potestatem suam, et nomen

---

[34] Zu CAESARIUS, Sermo 13, ed. CCL 103, 67: *Et licet credam quod illa infelix consuetudo, quae de paganorum profana observatione remansit,* betr. Bräuche am 1. Januar vergleiche man: Poen. Valicell. I., c. 88, Poen. Hubertense 35, Poen. Merseburgensea., 32, Poen. Floriacense 31; von den Neujahrsgebräuchen als einem Rest des Heidentums reden weiterhin: PETRUS CHRYSOLOGUS, Sermo 155; CAESARIUS, Sermo 192; das zweite Konzil von Tours (a. 567), c. 23 (resp. 22); MARTIN VON BRAGA, De corr. rust., c. 11; BURCHARD VON WORMS, Corrector, c. 99; und eine weitere Reihe von CAESARIUS abhängiger Stücke (cf. BOESE 54): *Si quis in Kalendis Januariis aliquid fecerit quod a paganis inventum est,* Synode von Rouen, a. 650, c. 17, ed. MANSI 10, 1202, REGINO VON PRÜM, De syn. caus. II 51, BURCHARD VON WORMS, Decr. X 17, IVO VON CHARTRES, Decr., pars XI, 44.

[35] MARTIN VON BRAGA, Capitula, c. 73, ed. BARLOW 141; davon abhängig: BURCHARD VON WORMS, Decr. X 15 und IVO VON CHARTRES, Decr., pars XI, c. 42.

suum, et diabolo tradidisti, ita, dico, ut crederes illas quas tu dicis esse sorores, tibi posse, aut hic aut in futuro prodesse? Si fecisti, aut consensisti, unum annum per legitimas ferias poeniteas.[36]

Das macht aber auch einen Zusammenhang mit den altrömischen ‚Seelentischchen‘ nahelegend, wie es eine Reihe von Arbeiten über die Geschichte der Kalendenbräuche im Mittelalter und ihren überlieferungsgeschichtlichen Zusammenhang mit römischen Praktiken erwiesen hat.[37]

Alle Traditionsreihen, die das Tischbereiten an Neujahr belegen, lassen sich auf CAESARIUS zurückführen, der über die Gegend um Arles aber schon zu berichten weiß, daß dieser Brauch nur auf dem Lande noch zuhause sei.[38]

Stücke der CAESARIanischen Sermonesliteratur konnten schon öfter als Anfang langer literarischer Überlieferungsreihen ermittelt werden. Ein besonders krasser Fall der CAESARIUsentlehnung, wie folgender, ist uns allerdings noch nicht begegnet: Zu Anfang des Jahres 742 schreibt BONIFATIUS aus Deutschland an Papst ZACHARIAS: aus Rom zurückgekehrte Alemannen, Bayern oder Franken hätten von der in Rom üblichen Neujahrssitte berichtet, am Neujahrstag neben anderen heidnischen Gewohnheiten auch Tische mit Speisen zu bereiten. Das wären aber Sünden, die er verbiete:

Et qui carnales homines, idiotae, Alamanni vel Baioarii vel Franci, si iuxta Romanam urbem aliquid facere viderint ex his peccatis, quae nos prohibemus, licitum et concessum a sacerdotibus esse putant et nobis inproperium deputant, sibi scandalum vitae accipiunt. Sicut adfirmant: se vidisse annis singulis in Romana urbe et iuxta aecclesiam sancti Petri in die vel nocte, quando Kalende Ianuarii intrant, paganorum consuetudine choros ducere per plateas et adclamationes ritu gentilium et cantationes sacrilegas celebrare et mensas illa die vel nocte dapibus onerare et nullum de domo sua vel ignem vel ferramentum vel aliquid commodi vicino sui praestare velle.[39]

Unter dem Namen AUGUSTINS fügt BONIFATIUS kurz danach noch eine Bemerkung aus CAESARIUS *Sermo* 54[40] an. Aber auch anderes, selbst bis in die

---

[36] Poen. Arundel, c. 83, ed. SCHMITZ I 460; BURCHARD VON WORMS, Corrector, c. 153, ed. SCHMITZ II, 443; cf. BERTHOLD VON REGENSBURG: *non debes de nocte preparare mensam tuam felicibus dominabus, ut quidam. totum preparasti demonibus, qui animam tuam abducent,* A. E. SCHÖNBACH, Studien zur Geschichte der altdeutschen Predigt. Zweites Stück: Zeugnisse Bertholds von Regensburg zur Volkskunde: Sitzungsber. d. philos.-histor. Cl. d. kaiserl. Akad. d. Wiss. (Wien) 142, 7. Abh. Wien 1900, 18.

[37] F. BÜNGER, Geschichte der Neujahrsfeier in der Kirche. Göttingen 1911; M. P. NILSSON, Studien zur Vorgeschichte des Weihnachtsfestes: Archiv. f. Religionswiss. 19 (1916) 50—150; F. SCHNEIDER, Über Kalendae Ianuariae und Martiae im Mittelalter: Ebenda 20 (1920—21) 82—134, 360—410.

[38] CAESARIUS VON ARLES, Sermo 192.

[39] BONIFATIUS, Ep. 50, ed. MG Ep. III, Merow. et Karol. aevi I, ²II 1957, 301.

[40] Ed. CCL 103, 235 sqq. = Ps.-Aug. Sermo 278.

Formulierung hinein, weist auf CAESARIUS hin.[41] Die glücklicherweise erhalten-
gebliebene Antwort des Papstes enthebt uns der Frage, ob BONIFATIUS sein Wissen
nur aus CAESARIUS habe. Denn ZACHARIAS bestätigt die Angaben für Rom[41a], und
wir dürfen somit annehmen, daß es tatsächlich Romfahrer gewesen sind, die
BONIFATIUS die entsprechenden Angaben gemacht haben, um, wie dem Brief an
ZACHARIAS zu entnehmen ist, der Schelte des Missionars entgegenzuhalten, solches
würde in Rom auch praktiziert und könne deshalb kaum unerlaubtes Tun sein.
Daß der Kalendenbrauch in Rom zu dieser Zeit tatsächlich in Übung gewesen ist,
ist überdies dadurch bezeugt, daß es der Papst für notwendig hielt, noch im gleichen Jahr seiner Antwort an BONIFATIUS auf einer römischen Synode eine Verordnung gegen den Brauch zu erlassen. Aber wiederum merkwürdig: Der Kanon
des römischen Konzils enthält nichts anderes als die entsprechende Passage aus dem
Brief des BONIFATIUS!:

> *ut nullus Kalendas Ianuarias et bromas ritu paganorum colere praesumat. Si quis*
> *Kalendas Ianuarias et bromas colere praesumpserit aut mensas cum dapibus in do-*
> *mibus praeparare et per vicos et per plateas cantationes et choros ducere, quod ma-*
> *xima iniquitas est coram Deo, anathema sit.*[42]

Für die Tischbereitung an Neujahr bedeutet dieses Zeugnis aber, daß es sich bei
dem *mensas dapibus onerare* keinesweges um autochthon germanischen oder auch
keltischen, sondern alten römischen Brauch handelt.[43] ATTO VON VERCELLI belegt
für das 10. Jahrhundert die Festsitte für Italien in einer Predigt zum Jahres-
wechsel. Den Kanon des römischen Konzils von 743 hat er in seine Kanonessammlung übernommen[44] — mit einer, wie es scheint, geringfügigen Änderung:
er ersetzt das *dapibus* durch *lampadibus* und mag damit italienischen Brauch belegen. Lampen als Neujahrsgeschenke, oft mit Abbildungen der Victoria oder
Fortuna, sind jedenfalls schon für das Rom der vorchristlichen Zeit nachweisbar.[45]
Die von ATTO überlieferte Version des römischen Kanons hat dann Eingang gefunden in die Rechtssammlung BURCHARDS VON WORMS, wobei vorerst dahingestellt
bleiben muß, ob das Kapitel direkt aus ATTO entlehnt oder einer ATTO und BUR-
CHARD gemeinsamen Vorlage zuzuweisen ist[46]: *Si quis Kalendas Januarias ritu*
paganorum colere, vel aliquid plus novi facere propter novum annum, aut mensas
cum lapidibus (sic!) *vel epulis in domibus suis praeparare, et per vicos et plateas*

---

[41] Dazu die Nachweise bei SCHNEIDER, Kalendae, 127 ff; auch die vergleichbare Stelle
der PSEUDO-AUGUSTINISchen Homilia de sacrilegiis: *Quicumque in kalendas ienuarius*
mensas panibus et aliis cybis ornat et per noctem ponat, ist von CAESARIUS abhängig zu
machen, näherhin von Sermo 192, ed. MORIN I 2, 740.

[41a] BONIFATII ep. 51, ed. MG Ep. ²II 302—305.

[42] Conc. Romanum, a. 743, c. 9, ed. MG Leg. 3 II 15 sq.

[43] Cf. SCHNEIDER, Kalendae, 131 ff.

[44] ATTO VON VERCELLI, Capitula, c. 49, ed. PL 134.

[45] NILSSON, Vorgeschichte des Weihnachtsfestes, 65.

[46] Cf. SCHNEIDER, Kalendae, 134, Anm. 2.

cantatores et choros ducere praesumpserit, anathema sit.[47] Aus BURCHARD sodann ist der Kanon bei Ivo und GRATIAN übernommen.[48]

Das alles mag einen Eindruck über Herkunft und Umlauf ähnlicher Verordnungen vermitteln: Eine römische Festsitte erhält sich in der Provinz des Reiches — CAESARIUS VON ARLES bekämpft sie im 6. Jahrhundert als Rest des Heidentums — die Schilderung geht im 8. Jahrhundert unter dem Namen AUGUSTINS in einzelnen Zügen in einen Brief des BONIFATIUS nach Rom ein — für Rom bestätigt Papst ZACHARIAS die Superstition in einem Antwortbrief — eine gleichzeitige römische Synode erläßt eine Verordnung, die die BONIFATIANISCHE Passage übernimmt — ATTO VON VERCELLI verzeichnet den römischen Kanon im 10. Jahrhundert — von dort (oder aus dessen Vorlage) kommt das, vielleicht mit Rücksicht auf italienische Zustände leicht modifizierte Statut zu Anfang des 11. Jahrhunderts wieder zurück nach Deutschland in die Sammlung BURCHARDS VON WORMS — um von dort in die Rechtssammlungen des Ivo und GRATIAN und somit im 12. Jahrhundert in das kanonische Recht zu gelangen! Angesichts einer solchen Zirkulation täte man gut, derartigen ‚Versatzstücken‘ den Jahrhunderten hindurch von Fall zu Fall bezug auf je gegenwärtige Praxis abzusprechen. Doch scheint, bei BONIFATIUS und ZACHARIAS und auch bei ATTO war das nicht möglich. Das hieße dann aber auch, daß der Nachweis literarischer Tradition die Gegenwärtigkeit der gerügten Superstition nicht schlechterdings ausschließt — ein positiver Beweis dafür, das dürfte aber klar geworden sein, kann kirchliche Verordnungsliteratur allerdings nicht sein. Doch die Frage bleibt, weshalb BONIFATIUS sein Wissen aus eigener Erfahrung in Worte des CAESARIUS kleidet. Vielleicht liegen die Dinge gerade für Entlehnungen aus CAESARIUS anders. Fast möchte man meinen, daß das Predigtwerk des provenzalischen Bischofs gegen jede Art von Paganien und Superstitionen gewissermaßen als ‚Missionskatechismus‘ und als ein ‚Handbuch des Aberglaubens‘ zur Ausrüstung jener Missionare gehört hat, die ihre Abhängigkeit von CAESARIUS auf Schritt und Tritt bezeugen; die Vollständigkeit der Homilien in der Beschreibung heidnischer Gewohnheiten nicht weniger als die Autorität AUGUSTINS, unter dessen Namen schon BONIFATIUS CAESARIUS zitiert, wird sie zu ähnlichem Gebrauch empfohlen haben; so daß selbst bei Mitteilung über zeitgenössische Superstitionen aus der Erinnerung CAESARIANISCHE Formulierungen einfließen mußten.

So langwierig und ermüdend auch die Quellenanalyse unserer Zeugnisse ist, sie bleibt notwendig, um überhaupt eine einigermaßen gesicherte Aussage über die Faktizität des Mitgeteilten zu ermöglichen. Nur wo ein Zeugnis über den literarisch-traditionellen Befund hinaus etwas Neues vermerkt, darf man schließlich den Quellenwert höher anschlagen. Ein gutes Beispiel für ein solches Verhältnis

---

[47] BURCHARD VON WORMS, Decr. X 16, ed. PL 140, 835.
[48] IVO VON CHARTRES, Decr., pars XI, c. 43; GRATIAN, Decr., pars. II, causa 26, quaest. 7, can. 14.

von literarisch fixierter ‚Kern'-Mitteilung und angehängter Erläuterung aus zeitgenössischem Bestand kann eine unter anderen Stellen aus dem *Corrector* des BURCHARD VON WORMS abgeben. Schon A. HAUCK[49] und jetzt M. HAIN haben „auf Burchards Intention hingewiesen, die kirchlichen Rechtsbestimmungen mit dem kirchlichen Zustand in Übereinstimmung zu setzen".[50] M. HAIN kann als Beispiel auf eine interessante, kleine Zufügung hinweisen: „innerhalb der Bestimmungen über die Meßfeier im V. Buch der Dekrete wird dem Volk verboten, während der Messe Ähren, Trauben, Öl und Weihrauch auf den Altar zu legen. Das war schon in Burchards Vorlagen zu lesen. Der Wormser Bischof als Kenner des einheimischen Volksbrauches fügt noch zwei Worte hinzu: *et fabas* (und Bohnen)".[51]

Besonders instruktiv ist auch eine Erweiterung des besprochenen Kanons der römischen Synode von 743, die im *Corrector* zu finden ist. Im 10. Buch war der Kanon in unveränderter traditioneller Gestalt zu finden. Im *Corrector,* einem auf die seelsorgerische Praxis eingerichteten Handbuch für den Beichtvater, konnten und mußten bei aller angestrebten Überlieferungstreue mehr zeitbezogene Dinge angeführt werden:

> *Observasti Kalendas Januarias ritu paganorum, ut vel aliquid plus faceres propter novum annum quam antea, vel post soleres facere, ita dico ut aut mensam tuam cum lapidibus vel epulis in domo tua praepares eo tempore, aut per vicos et per plateas cantores et choros duceres.*

Das ist traditioneller Bestand und nur von sehr geringem Quellenwert. Die unmittelbar folgende Erweiterung dürfte als besserer Beleg für Brauch und Glauben des 10./11. Jahrhunderts sein:

> *aut supra tectum domus tuae sederes, ense tuo circumsignatus, ut ibi videres et intelligeres quid tibi in sequenti anno futurum esset vel in bivio sedisti supra taurinam cutem, ut et ibi futura tibi intelligeres? vel si panes praedicta nocte coquere fecisti tuo nomine, ut, si bene elevarentur, et spissi et alti fierunt, inde prosperitatem tuae vitae eo anno praevideres?*[52]

Die von F. SCHNEIDER geäußerte Meinung, hier sei „Bezugnahme auf deutschen Brauch unbedingt sicher"[53], hat dennoch nur eingeschränkte Gültigkeit.

Übersetzt heißt die angeführte Praxis der Zukunftsschau: „Sitzt du auf dem Dach deines Hauses, mit deinem Schwert umgürtet ‚um zu sehen und zu erkennen,

---

[49] Berichte über die Verh. der Kgl. Ges. d. Wiss., phil.-hist. Kl. 46 (1894).
[50] M. HAIN, Burchard von Worms († 1025) und der Volksglaube seiner Zeit: Hess. Bll. f. Vk. 47 (1956) 50.
[51] Ebenda.
[52] BURCHARD VON WORMS, Decr., XIX (= Corrector sive Medicus), 62, ed. SCHMITZ II 423.
[53] F. SCHNEIDER, Kalendae, 363.

was dir im folgenden Jahr zukünftig sei?" Die detaillierte Beschreibung scheint auf eigene Beobachtung oder Kenntnis des Orakelbrauches hinzuweisen. Vergleichbares verzeichnet jedoch schon PIRMIN: *Nolite hoc credere neque in inpurias, que dicunt homines super tectus mittere, ut aliqua futura possint eis denuntiare, quod eis bona aut mala adveniat.*[54] Auch in der *Vita Eligii* ist die Praxis nicht unbekannt: *Nullus christianus inpuras credat neque in cantu sedeat, quia opera diabolica est.*[55] CASPARI hat im Kommentar zu der Stelle bei PIRMIN[56] auf die offensichtliche Verwandtschaft des Wortes *inpuriae* mit den griechischen ἔμπυρα (Brandopfer) hingewiesen. Aus diesen „Brandopfern" verkündete der ἐμπυροσκόπος den Griechen die Zukunft. Alle späteren Kommentare dieser Stelle folgen der Erklärung CASPARIS zu recht[57] — auf die griechische Wurzel hatten allerdings schon die Mauriner hingewiesen.[58]

Der Name *inpuriae* und die Tatsache, daß er von ‚notorischen' CAESARIUSausschreibern, der Musterpredigt der *Vita Eligii* und PIRMIN, überliefert wird, weist erneut auf den Bischof von Arles, den Paganienprediger einer Stadt hin, in der griechischer Einfluß immer sehr groß gewesen ist.[59] Zwar erwähnt BURCHARD VON WORMS die *inpuriae* nicht[60], doch wird eine gewisse Verwandtschaft der Belege bei PIRMIN zumindest und BURCHARD anzunehmen sein, so daß die Abhängigkeit BURCHARDS von CAESARIUS auch an dieser Stelle nicht auszuschließen ist. Nur die Schwertgürtung ist sonst nicht belegt; und es scheint doch etwas gezwungen, der *Homilia de sacrilegiis* zuzumuten, sie enthalte möglicherweise nur verderbt eine sachlich ähnliche Mitteilung über die Technik der Rauch- bzw. Feuerorakel zu Neujahr, wo sie unter den verbotenen Kalendenbräuchen aufzählt: *Quicumque in kalendas jenuarias ... auguria aspicet uel arma in campo ostendit*[61], was soviel heißen mag, wie: sich zu Neujahr auf dem Felde in Waffen zu zeigen.[62]

Was BURCHARD sonst noch über Auguralpraktiken am 1. Januar erwähnt, dürfte, wie die Schwertgürtung, ebenfalls gutes Zeugnis zeitgenössischen, deutschen Wahrsagegebrauchs sein: Am Kreuzweg auf einer Ochsenhaut zu sitzen, um die Zukunft zu erkennen, oder in besagter Nacht, Brot zu backen, *tuo nomine*, um,

---

[54] PIRMIN VON REICHENAU, Dicta, 22, ed. JECKER.
[55] Vita Eligii II 16b, ed. MG Script. rer. Merow. IV.
[56] CASPARI 174.
[57] BOUDRIOT, Altgermanische Religion, 33; BOESE, 76; JECKER, Pirmin, 142 f.
[58] Im Kommentar zu der mutmaßlichen Vorlage der Musterpredigt in der Vita Eligii, dem Tractatus de rectitudine catholicae conversionis, PL 40, 1172, Anm. 4.
[59] Die unter den Werken LEOS D. GR. überlieferte „Epistola canonica", teilweise CAESARIanisch, cf. CAESARIUS, Sermo 192 (Ps.-Aug. Sermo 129, PL 39; cf. Anm. g zur ep. can., PL 56, 891), enthält den bislang nicht beachteten Hinweis auf die Tätigkeit sogenannter *suffitores* an Neujahr, worunter wohl „Räucherer" zu verstehen sind, PL 56, 891.
[60] Was HOMANN, Indiculus, 102, übersieht.
[61] Hom de sacril., c. 17, ed. CASPARI 10.
[62] CASPARI, a.a.O., 154.

sobald es aufgehe und hoch und fest werde, daraus Rückschlüsse auf das Wohlergehen im künftigen Jahr zu ziehen. Wir können derartige Auguralpraktiken Analogie-Augurien nennen.

Ähnlich zu beurteilen wäre die Gewohnheit, sich zu beschenken — ein Brauch, der in unserer Weihnachtsbescherung und auch in gelegentlichen Verehrungen zu Neujahr noch praktiziert wird. Denn sich gegenseitig Gaben zu bringen, das geschieht *quasi in principio anni boni fati augurio*[63] und nur wer *cumulatus oblationibus advenerit*[64], durfte an diesem Tage als erster das Haus betreten[65]!

Die Neujahrsgeschenke heißen zumeist *strenae* — ein Hinweis auf die römische Herkunft dieses Brauchkomplexes[66]: *multi praeterea strenas et ipsi offerre, et ab aliis accipere solent.*[67] MAXIMUS VON TURIN geißelt die Neujahrsbeschenkung als einen Ausdruck der Habgier:

> *Illud autem quale est, quod surgentes mature ad publicum cum munusculo, hoc est, cum strenis unusquisque procedit; et salutaturus amicos, salutat praemio antequam osculo? Labiis labia porrigit, et manui manum inserit, non ut amoris reddat affectum, sed ut avaritiae persolvat obsequium, et uno eodemque officio amicum complectitur et fraudatur.*[68]

Das Konzil von Auxerre erläßt im ersten Kanon die Verordnung: *Non licet kalendis Ianuarii vetolo aut cervolo facere vel streneas diabolicas observare, sed in ipsa die sic omnia beneficia tribuantur, sicut et reliquis diebus.*[69] Anfänglich dürfte *strena* nur den grünen Zweig bedeutet haben, der zu Neujahr gebraucht wurde. Der Brauch blieb erhalten, während der Name *strena* auf die Neujahrsgeschenke allgemein überging. *Kalendas obseruare, mensas ornare, lauros ponere . . . quid est aliud, nisi cultura diaboli?*[70] Was mit *lauros ponere* gemeint ist, wird aus einer anderen ebenfalls von MARTIN VON BRAGA überlieferten Stelle eher ersichtlich:

---

[63] GRATIAN, Decr., pars II, causa 26, quaest. 7, can. 16, ed. FRIEDBERG 1045; die Überschrift *Item Augustinus* ist irreführend: denn das Stück stammt mit Sicherheit nicht aus AUGUSTINUS; verschiedene Passagen dieses Kanons sind vielmehr MARTIN VON BRAGA, Capitula, c. 71, 73, 75 zuzuweisen.

[64] ATTO VON VERCELLI, Sermo 3, ed. PL 134, 836.

[65] Für spätere Belege sei hier nur auf BERTHOLD VON REGENSBURG hingewiesen: *kalendis Ianuariis munera dare*, SCHÖNBACH, Studien, 25.

[66] Cf. NILSSON, Studien, 61 f.

[67] CAESARIUS VON ARLES, Sermo 193, ed. CCL 104, 784; cf. *diabolicas etiam strenas et ab aliis accipiunt, et ipsi aliis tradunt*, ID., Sermo 192, ibd. 740 — davon abhängig: Konzil von Auxerre, a. 573—603, 1, *neque strenas . . . exerceat*, Vita Eligii II, ed. MG Script. rer. Merow. IV 705 und IVO VON CHARTRES, Decr., pars XI, c. 16.

[68] MAXIMUS VON TURIN, Homilia 103 De calendis gentilium, ed. PL 57, 492.

[69] Konzil von Auxerre, c. 1, ed. MG Leg. 3 I 179.

[70] MARTIN VON BRAGA, De corr. rust., c. 16, ed. CASPARI 31 sq.; PIRMIN, Dicta, c. 22: *laurus ponire*; Rede an Getaufte, saec. 12, *lauros ponere*, ed. CASPARI 204.

Non liceat iniquas observationes agere Kalendarum et otiis vacare gentilibus neque lauro aut viriditate arborum cingere domos.[71]

FRIEDBERG hat den Kanon des Konzils von Auxerre, in dem die Rede von Neujahrsgeschenken *(streneae)* innerhalb einer an sich schon doppeldeutigen Formulierung steht, übersetzt: „auch Geschenke sollen nicht gegeben werden mehr als an anderen Tagen".[72] Er scheint somit der Ansicht gewesen zu sein, *non licet . . . streneas diabolicas observare, sed in ipsa die sic omnia beneficia tribuantur, sicut et reliquis diebus,* bezöge sich allein auf die Neujahrsgeschenke und der zweite Halbsatz wäre nur variierender Ausdruck. Doch sind diese Bemerkungen ganz sicher als Verbot von ‚Verweigerungen' aufzufassen, die als andere Seite der ‚Schenk-Agurien' zu gelten haben. Wie man Geschenke zu Neujahr als gutes Omen für das kommende Jahr empfindet, so hütet man sich, etwas aus dem Hause zu geben; denn das wäre ein schlechter Beginn. Der Kanon enthält somit die Aufforderung, es sollten auch an diesem Tag alle Hilfeleistungen und Gefälligkeiten erwiesen werden, wie an anderen Tagen. Stellt man die CAESARIUSstelle daneben, von der auch dieser Kanon abhängig ist, so wird deutlich, was damit gemeint ist: *Sunt enim qui in kalendis ianuariis ita auguria observant, ut focum de domo sua vel aliud quodcumque beneficium quicumque petenti non tribuant.*[73] Der Bischof nennt also ein Beispiel: die Weigerung, vom eigenen Herd Feuer aus dem Haus zu geben.[74] Die gleiche Stelle übernehmen die *Homilia de sacrilegiis* und IVO VON CHARTRES.[75]

Weniger Augurien als vielmehr Handlungen magischen Charakters sind angesprochen, wo die Rede ist von Leuten, *Qui Kalendas Januarii magis incantationibus et maleficiis observant.*[76] Solche zauberischen und magischen Handlungen dürften Opfer von Wein und Feldfrüchten über dem sogenannten Kalendenklotz, einem im Herdfeuer brennenden Holzklotz, gewesen sein. Das älteste Zeugnis für

---

[71] MARTIN VON BRAGA, Capitula, c. 73, ed. BARLOW 141; BOESE 42, zitiert die Verordnung noch nach BRUNS II 57 als einen Kanon der zweiten Synode von Braga, ein seit der Aufnahme des Kanons in die „Hispana" unausgeräumter Irrtum, der zu vielerlei Verwechslungen geführt hat: derselbe Kanon steht mit verschiedener Überschrift bei BURCHARD VON WORMS, Decr. X 15, ed. PL 140, 835: *Ex decret. Martial. papae,* bei IVO VON CHARTRES, Decr., pars XI, c. 42, ed. PL 161, 756: *Ex decretis Martini episcopi,* bei GRATIAN, Decr., pars II, causa 26, quaest. 7, can. 13, ed. FRIEDBERG, 1044: *Item Martinus Papa;* über die Zuweisungen bei MANNHARDT und BILFINGER cf. oben S. 67).

[72] FRIEDBERG, Bußbücher, 26.

[73] CAESARIUS VON ARLES, Sermo 192, ed. CCL 104, 781.

[74] Cf. Sermo 193, ed. CCL 104, 784: *Sunt enim aliqui, quod peius est, quos ita observatio inimica subvertit, ut in die kalendarum, si forte aut vicinis aut peregrinantibus opus sit, etiam focum dare dissimulent.*

[75] Hom. de sacril., c. 25, ed. CASPARI 14; IVO VON CHARTRES, Decr., pars XI, c. 16.

[76] Poenitentiale Arundel, c. 93, ed. SCHMITZ I 462; von Incantationen am 1. Januar schreibt Papst ZACHARIAS an Bonifatius: Bonifatii epistola 51, ed. MG Ep. ²III 304, davon abhängig IVO VON CHARTRES, Decr., pars XI, c. 7.

diesen Brauch dürfte MARTIN VON BRAGA überliefern: *effundere in foco super truncum frugem et uinum, et panem in fontem mittere, quid est aliud, nisi cultura diaboli?*[77] Kapitel 22 der *Dicta* PIRMINII ist eindeutig von MARTIN abhängig[78]; ebenso die wiederholt zitierte *Rede an Getaufte* aus einer Handschrift des 12. Jahrhunderts.[79] Es dürfte sich bei diesen Praktiken um romanischen Brauch handeln, wie auch das genannte Brotopfer an Quellen nicht germanischen Brauch bezeugen muß.[80]

Bevor abschließend die reich bezeugten und leidenschaftlich verfolgten Neujahrsmaskeraden, Vermummungen und Umzüge besprochen werden sollen, muß zur Abrundung des Bildes dieses Orakeltages auf die angeführten Wetter- und Jahreszeitprognostiken zurückgekommen werden, also auf die verpönten Praktiken der Volksastrologie an diesem Tage. Die volksastrologische Bedeutung des Jahresanfangs ist schon wiederholt angesprochen worden. Es ist wirklich nicht zufällig, wie F. SCHNEIDER meint[81], daß sich gerade und schon im *Galaterkommentar* des AMBROSIUS[82] an die Erörterung der Kalendensuperstitionen das Verbot der Tagewählerei und der Beobachtung astrologischer Zeiten anknüpft: *Si quis in Kalendis Januariis aliquid fecerit quod a paganis inventum est, et dies observat, et lunam, et menses; et horarum effectiva potentia aliquid sperat in melius aut in deterius verti: anathema sit.*[83]

Sieht man von den spätmittelalterlichen, rein astrologischen Wettervorhersagen ab, so kommen für die populäre Meteorologie zwei Weisen der Wetterprophetie in Betracht: die aus mehr oder weniger natürlichen Wetterzeichen und die aus angeblich prognostischen Zeichen zu festen Jahreszeiten, vornehmlich zum Jahresbeginn.[84] Das wohl älteste Prognostikon dieser Art läuft unter dem Namen des alttestamentlichen Propheten ESRA, der, man denke etwa an den apokryphen *Liber quartus Esdrae*[85] und die ebenfalls apokryphe *Visio beati Esdrae*[86], es ja auch sonst zu einem gewissen Ansehen als Prophet und Wahrsager gebracht hat: τοῦ προφήτου Ἔσδρα Διάγνωσις περὶ τῶν ἑπτὰ ἡμεσῶν[87]. Bis in die Neuzeit

---

[77] MARTIN VON BRAGA, De corr. rust., c. 16, ed. CASPARI 30 sq.

[78] *effundire super truncum frugem et vinum, et panem in fontem mittere*, ed. JECKER.

[79] Ed. CASPARI, Anecdota, 204 sq.

[80] Zum „Kalendenklotz" cf. SCHNEIDER, Kalendae Ianuarii, 119 f.

[81] F. SCHNEIDER, Kalendae Ianuariae, 361.

[82] Cf. oben.

[83] Synode von Rouen, a. 650, c. 13, ed. MANSI 10, 1202; dieselbe Bestimmung überliefern REGINO VON PRÜM, syn. caus. II, c. 51; BURCHARD VON WORMS, Decr. X, c. 17 und IVO VON CHARTRES, Decr., pars XI, c. 44.

[84] Zur metereologischen Literatur des MA cf. G. HELLMANN, Die Wettervorhersage im ausgehenden Mittelalter (XII. bis XV. Jahrhundert): Beitr. z. Gesch. d. Metereologie 2 (Berlin 1917) 167—229.

[85] Ed. R. JAMES: Texts and Studies III 2.

[86] Ed. MERCATI: Studie Testi 5 (1901) 70.

[87] FÖRSTER, Kleinliteratur, 347.

ist dieses Schriftchen Grundlage einer großen Zahl von Bearbeitungen und Übersetzungen in verschiedenen Sprachen gewesen.[88]

M. Förster, der sich um die Erforschung und systematische Sichtung altenglischer Aberglaubensliteratur besonders verdient gemacht hat, hat eine Reihe von Handschriften und Drucken, bzw. entsprechende Zusammenstellungen, namhaft gemacht. Ergänzend sei hier noch auf folgende Handschriften hingewiesen:

Clm 22059, saec. 9, f. 21 — Clm 6382, saec. 11, f. 42v [89] — Clm 677, saec. 13, f. 18v — Clm 21412, saec. 15, f. 1 — Clm 26666, saec. 15, f. 159r [90]; Cgm 398, v. J. 1435, f. 29 — Cgm 317, 15. Jh., f. 124[91]; London, Brit. Mus., Harley 3017, saec. 9, f. 63r — Sloane 1620, saec. 13, f. 45 — Sloane 3469, saec. 14, f. 37r — Sloane 282, saec. 14/15, f. 86r — Sloane 122, saec. 15, f. 125r [92]; Montpellier 384, saec. 10/11, f. 109r [93]; Rom, Vat. Palat. 235, saec. 10/11, f. 39 — Ibd. 1226, a. 1226, f. 227v [94]; Einsiedeln, Cod. 72, saec. 12, f. 60v [95]; Wien, Nationalbibl. Hs. 2532, saec. 12, f. 130v [96] — Wien, Ser. n. 262, 14ex. Jh.: „Gestet aber der Ebenbeichtag dez grozzen kalende Januarij an dem Suntag, so wirt der winter warm"[97]; Paris, Bibliothèque Nationale, Lat. 6584, saec. 13, f. 35v [98]; Zürich, Zentralbibl. C. 56 (273), saec. 15, f. 134v [99].

Die unter den Werken Bedas überlieferte[100] lateinische Version gehört in diese Überlieferung[101]: *Si prima feria fuerint Kalend. Januarii, hiems bona erit, ver ventuosum, aestas sicca, vindemia bona, boves crescunt, mel abundabit, vetulae morientur, abundantia et pax erit* — man sieht, daß sich solche Prognostiken keineswegs auf Wettervorhersage beschränken, sondern, neben der Prophezeiung eines gesegneten und friedlichen Jahres, auch die überraschende Ankündigung machen können, daß, fällt der 1. Januar auf einen Sonntag, im kommenden Jahr „alte Frauen" sterben; vielleicht sollte man hier aber besser *vetulae* in der Bedeutung „alte Hexen" übersetzen: das paßte denn auch besser zur Verheißung eines Jahres voller Überfluß und in Frieden.

Haben die oben behandelten Analogie-Augurien und Veranstaltungen von Anfangszauber vor allem das persönliche Wohlergehen des Einzelnen und seines

---

[88] Ebenda 348.
[89] Thorndike, Incipits, 1449, 805.
[90] Ebenda 1449, 805, 1444, 1453, 1449.
[91] Schmeller, Handschriften I 54, 44.
[92] Thorndike, Incipits, 805; (dazu ders., History of Magic I 678), 1451, 1435, 805.
[93] Ebenda 806.
[94] Ebenda 1451 (auch Thorndike, History of Magic I 678), 1453.
[95] G. Meier, Catalogus codicum manu scriptorum, qui in bibliotheca monasterii Einsidlensis O. S. B. servantur, tom I completens quinque priores. Lipsiae 1899, 68.
[96] Thorndike, Incipits, 653.
[97] Mazal I 88.
[98] Thorndike, Incipits, 1453.
[99] Mohlberg, Mittelalterliche Handschriften, 30.
[100] PL 90, 951.
[101] Cf. Anm. 15.

Hauses zum Zwecke, wird somit der Beginn eines neuen Jahres als Neubeginn und neuer Anfang des individuellen Lebens empfunden, so bezeugt die Wetterprognostik zu Neujahr aber auch die Bedeutung, die man dem ersten Januar als Wendepunkt des Klima- und Vegetationsjahres zumaß. Vielleicht, daß vom Wendepunkt des Vegetationsjahres her auch das ausgelassene, gelegentlich laszive Treiben zu erklären ist?

Die Neujahrsmaskeraden sind oft Gegenstand von Untersuchungen gewesen.[102] Dabei ging es vor allem um die Frage, welchem Kulturkreis sie ihrer Herkunft nach zuzurechnen sind: ob sie germanischen, keltischen oder orientalisch-römischen Ursprungs sind. So dezidiert wird sich die Frage nicht beantworten lassen. Denn Maskeraden ähnlicher Art sind so geläufig und weit verbreitet, daß ihr Vorhandensein allein noch keinen Rückschluß auf Traditionen zuläßt. Nur, wo charakteristische Züge, etwa der Gebrauch bestimmter Masken, hervortreten, wird man eher Verwandtschaft annehmen dürfen.

Doch zuerst: Was berichten die Zeugnisse? Den weitaus größten Teil der Nachrichten nehmen Mitteilungen über Vermummungen in Tierfelle und Tiermasken und Verkleidungen in Frauenkleider ein.

Betrachten wir zuerst die Zeugnisse für Tiervermummungen, so fällt, wie kaum anders zu erwarten ist, wiederum eine gewisse Verwandschaft der Quellen untereinander auf. Bei einer ersten Sichtung des Materials lassen sich jedoch schon zwei etwa gleich große Überlieferungsstränge unterscheiden; je nach dem, ob sie als Prädikat *vadere* bzw. *ambulare* oder *facere* haben. So heißt es besonders in einer Reihe von Bußbüchern: *Si quis in Kalendis Januarii, quod multi faciunt, et in cervolo dicunt, aut in vetula vadit, III annos poeniteat.*[103] Denselben Kanon, nur sehr geringfügig modifiziert, enthält das *Poenitentiale Parisiense*, c. 26.[104] Die Bemerkung, daß es sich bei diesen Bräuchen um etwas handele, was *adhuc de paganis residet*, was also aus der Zeit des Heidentums übriggeblieben sei, flechten mit ein die verwandten Verbote der Bußbücher *Valicellanum I.*, c. 88, *Floriacense*, c. 31, *Merseburgense a.*, c. 32: *Si quis quod in Kalendis Januarii, quod multi faciunt, adhuc de paganis residet, in cervolum quod dicitur aut in vetula vadit, III annos peniteat, quia hoc demonium est.*[105] Eine enge Verwandtschaft der Bestimmungen im *Poenitentiale Valicellanum II.* und *XXXV Capitulorum*, c. 18, läßt sich nicht übersehen: *Si quis in calendas januarias consuetudine paganorum cum cervulo aut qualibet vecula ambulaverit, III annos paenit., quia et hoc*

---

102 Cf. bei SCHNEIDER, Kalendae Ianuariae, 85 ff.

103 Poenitentiale Ps.-Romanum, c. 36, ed. SCHMITZ I 479.

104 *Si quis, quod in Kalendis Ianuar. multi faciunt, in cervolum quod dicitur aut vecola vadit, III an. poen., quia hoc daemonum est*, ed. WASSERSCHLEBEN 414.

105 Poenitentiale Valicellanum I., c. 88, ed. SCHMITZ I 311; hierher dürfte auch der 35. Kanon des Hubertense zu rechnen sein: *Si quis in Calendis Ianuarii cervolam vel vetolam, quae de paganis remansit, tribus annis poeniteat*, ed. WASSERSCHLEBEN 382.

demonum est.[106] Weiterhin gehören in diese Überlieferungsgruppe der *Excarpsus* CUMMEANI VII 9, der 31. Kanon des *Bobiense* und der 16. des *Sangallense: Si quis Calendas Ianuarias in cervolo vel vicola vadit, tres annos poeniteat*[107] und nicht zuletzt die wichtige Stelle in den *Dicta* PIRMINII, c. 22: *Cervulos et veculas in Kalandas vel aliud tempus nolite ambulare.*[108] Sehen wir von der sprachlichen Bedeutung der stark differierenden Bezeichnungen *vetula*[109], *vetola*[110], *vecula*[111], *vecola*[112], *vicola*[113], *vehicula*[114] oder *veluculo*[115] ab — sie scheinen allerdings eine gewisse Unsicherheit der Quellen über den Gegenstand wiederzuspiegeln —, so kann der 19. Kanon des Ps.-THEODORIschen Bußbuchs erklären, was mit diesen etwas dunklen Bemerkungen gemeint ist:

> *Si quis in Kalendas Ianuarii in cervulo aut vetula vadit, id est, in ferarum habitus se communicant (commutant?), et vestiuntur pellibus pecudum, et assumunt capita bestiarum, qui vero taliter in ferinas species se transformant, III annos poeniteant, quia hoc daemoniacum est.*[116]

Die naheliegende Erklärung, *in vetula vadere* heiße soviel wie in Kleidung alter Frauen sich verkleiden, macht die Stelle für sich allein genommen nicht möglich; es heißt vielmehr ausdrücklich, daß es sich in beiden Fällen der Vermummung um Tiermasken handele, einmal um eine Vermummung in Gesalt wilder Tiere, das andere mal in Fellen von Vieh. Um welche Tiere es sich dabei handelt, wird noch zu klären sein, wenn alle Zeugnisse vorgeführt worden sind. Aber, nun schon mit den einschlägigen Predigten des CAESARIUS VON ARLES aufs engste vertraut, hören wir auch hier CAESARIANIsches; im *Sermo 19* lesen wir:

> *Quis enim sapiens credere poterit, inveniri aliquos sanae mentis, qui cervulum facientes in ferarum se velint habitus commutare? Alii vestiuntur pellibus pecudum; alii adsumunt capita bestiarum, gaudentes et exultantes, si taliter se ferinas species transformaverint, ut homines non esse videantur.*[117]

Die CAESARIUSstelle ist für die Überlieferungsgeschichte der Belege dieser Neujahrsmaskeraden nun in doppelter Hinsicht interessant. Zuerst nämlich, insofern

---

[106] Poen. XXXV Capitul., c. 18, ed. WASSERSCHLEBEN.
[107] Poenitentiale Bobiense, c. 31, ed. WASSERSCHLEBEN 410.
[108] Ed. JECKER.
[109] Ps.-THEODORI, c. 19; Valicellanum I., c. 16; Sangallense 16.
[110] Hubertense, c. 35.
[111] XXXV Capitul., c. 18; PIRMIN, Dicta (wie zu Anm. 108).
[112] Excarpsus CUMMEANI VII 9; Merseburgense a., c. 32; Parisiense II., c. 26.
[113] Bobiense, c. 31.
[114] Floriacense 31.
[115] Valicellanum II., c. 62.
[116] Poenitentiale Ps.-THEODORI, c. 19, ed. WASSERSCHLEBEN 597.
[117] CAESARIUS VON ARLES, Sermo 192, CCL 104, 780.

auch die jüngeren Zeugnisse sich eindeutig auf CAESARIUS zurückführen lassen,
wenn auch der provenzalische Prediger nur das *cervulum facere* nennt. Zunächst
findet die Stelle Eingang in den 1. Kanon der Synode vom Auxerre (a. 573—603):
*Non licet kalendis Ianuarii vetolo aut cervolo facere vel streneas diabolicas ob-
servare . . .*[118] Die schon oben angeführte Bemerkung über die *strenae* und das Ver-
weigern zu Neujahr machen die Abhängigkeit von CAESARIUS schon deutlich. Eine
Merkwürdigkeit aber führt noch weiter. CAESARIUS hat ja nicht das *vetolo facere*,
wie es im Kanon des Konzils von Auxerre steht. Gerade dieser Umstand aber ist
für die Erklärung des noch dunklen Wortes *vetolo, vetula,* oder wie auch immer
das Wort überliefert ist, von Wichtigkeit. Denkt man an den ebenfalls gut belegten Brauch der Neujahrsmaskerade in Frauenkleidern, so scheint nichts anderes mit *vetula* gemeint zu sein, als „alte Frau"; *in vetula vadere* also soviel zu
heißen wie in Frauenkleidern umherzuziehen. Doch ist bei CAESARIUS in diesem
Zusammenhang von Frauenkleidern gar nicht die Rede; er kommt erst später
auch darauf zu sprechen. Es werden dafür aber zwei verschiedene Formen der
Tiermaske benannt: *in ferarum habitus* und *pellibus pecudum.* Es ist das schon
übersetzt worden mit: in Form wilder Tiere und in Fellen von Vieh. Das Erstere
erläutert CAESARIUS eindeutig mit *cervulum facere,* was zu übersetzen wäre mit
„als Hirsch verkleiden". Parallelbelege über keltische Hirschmasken bestätigen die
Richtigkeit dieser Übersetzung.[119] Doch von derartigen Hirschmasken unterscheidet
CAESARIUS eindeutig: *alii vestiuntur pellibus pecudum.* Sehen wir uns den Kanon
von Auxerre an, so finden wir die CAESARIANischen Erläuterungen reduziert auf
die Formel: *Non licet . . . vetola aut cervolo facere.* Die Abhängigkeit von CAE-
SARIUS ist unbestritten, wenn sie auch, wie SCHNEIDER irrtümlich annimmt, nur
inhaltlich dasselbe zu bringen scheint. SCHNEIDER sah nämlich in der charakteristischen Wendung *cervolo facere* eine spezifische Neuformulierung des Konzils.
Doch ist das *cervulum facere* schon von PACIANUS, dem vor 392 gestorbenen Bischof
von Barcelona bezeugt: *hoc enim puto proxime cervulus ille profecit, ut eo dili-
gentior fieret, quo impressius notabatur. — puto nescierant cervulum facere, nisi
illis reprehendendo monstrassem.*[120] Es dürfte sich dabei um die volkssprachliche
Bezeichnung und vulgärlateinische Wendung für die keltische Tiermaskerade handeln.[121] Indem nun das genannte Konzil, so SCHNEIDER weiterhin, die „rhetorisch
gefärbte Sermonprosa des CAESARIUS"[122] durch die dem Volke geläufige Aus-
drucksweise ersetzt habe, bezeuge es zugleich für seine Zeit die Tatsächlichkeit
dieser Superstition im Kalendenbrauch. SCHNEIDER hat aber übersehen, daß die

---

[118] Ed. MG Leg. 3 I 179.
[119] Literatur bei SCHNEIDER, Kalendae Ianuaria, 93 f.
[120] PACANIUS, Paraenesis ad poenitentiam, ed. PL 13, 1082; PACIANUS scheint dem
Thema ein ganzes Buch gewidmet zu haben, wie der Titel seiner verlorenen Schrift Cervulus vermuten läßt.
[121] Cf. SCHNEIDER, Kalendae Ianuariae, 97.
[122] Ebenda.

angeblich der Synode von Auxerre angehörende Floskel schon bei CAESARIUS stand[123] und von der Synode nur übernommen worden ist.

Nur das *vetolo* ist für *pellibus pecudum* substituiert worden. Das ist wichtig; denn von hier aus allein verbietet sich auch die Übersetzung für *vetula* = „alte Frau", wie sie DU CANGE[124] und in dessen Gefolge HEFELE[125] und andere[126] angenommen haben. *Vetulo* ist vielmehr, das hat schon *Caspari* erkannt[127], die vulgärlateinische Form für *vitulus*, also „Kalb". Daß es sich keineswegs um „alte Frauen" handeln kann, hat schließlich schon der oben angeführte, ebenfalls von CAESARIUS abhängige Kanon des *Poenitentiale* Ps.-THEODORI[128] bewiesen. Es handelt sich somit um Maskeraden und Vermummungen als Hirsche und Kühe, resp. Kälber.

Auch unsere zweite Traditionskette geht somit über das Konzil von Auxerre auf CAESARIUS zurück; und zwar: CAESARIUS VON ARLES, *Sermo 192* (Text S. 136)[129] — Konzil von Auxerre, a. 573—603, c. 1, ed. MG Leg. 3 I 179 — *Epistola canonica*, c. 5, ed. PL 56, 891 — *Vita Eligii* II, ed. MG Script. rer. Merow. IV 705 — *Homilia de sacrilegiis*, c. 24, ed. CASPARI 14 (und c. 17, CASPARI 10) — *Poenitentiale* Ps.-BEDAE, prol. 33, ed. WASSERSCHLEBEN 255 — *Ordo poenitentiae*, ed. SCHMITZ I 749 — BURCHARD VON WORMS, *Corrector*, c. 99, ed. SCHMITZ II 431.

Der 62. Kanon des *Trullanum*, a. 691[130], auf den man sich in diesem Zusammenhang gerne beruft[131], weiß von Tiervermummungen nichts zu berichten. Doch verbietet die orientalische Synode, *ut nullus vir deinceps muliebri veste induatur* — und das mag ein Hinweis darauf sein, daß die Verkleidung in Frauenkleider weder originär gallischen, noch römischen, sondern orientalischen Ursprungs ist. NILSSON[132] sieht darin das Fortleben eines in der Kaiserzeit aus dem Orient in die Kalendenfeier eingedrungenen Soldatenbrauches; er betont allerdings auch, daß diese für die christliche Zeit ausschließlich von der kirchlichen Literatur bezeugte Kalendensitte nicht zum geringsten Teil rein literarische, von MAXIMUS VON TURIN abhängige Tradition sein mag[133]:

---

[123] *cervulum facientes.*

[124] DU CANGE, Glossarium ad scriptores mediae et infimae Latinitatis. 1678, Neudruck nach der Ausgabe von L. Favre (1883—88). Graz 1954, s. v. *vetula.*

[125] HEFELE [2]III 42.

[126] Cf. SCHNEIDER, Kalendae Ianuariae, 98 f.

[127] In der Anmerkung zu *uetulas* bei PIRMIN: Kirchenhistorische Anecdota I 175, Anm. 2.

[128] Siehe oben.

[129] Desweiteren cf. CAESARIUS, Sermo 13 und Sermo 193.

[130] Concilium Quinisextum von Konstantinopel, ed. MANSI XI 971.

[131] SCHMITZ, Bußbücher, I 311.

[132] Vorgeschichte des Weihnachtsfestes 71.

[133] Bei NILSSON, Vorgeschichte des Weihnachtsfestes, 71—75, auch eine Zusammenstellung und Analyse der einschlägigen literarischen Zeugnisse.

vir virium suarum vigoro mollito totum se frangit in feminam tantoque illud ambitu atque arte agit, quasi poeniteat illum esse, quod vir est. numquid non universa ibi falsa sunt et insana, cum se a Deo formati homines aut in pecudes aut in feras aut in portenta transformant?[134]

Die Weibermasken sind zahlenmäßig weniger häufig belegt. Mag sein, daß die seltenere Nennung schon Hinweis auf die fremde Herkunft ist. Daß sich gerade im Gefolge solcher Maskenbräuche auch manches Obszöne und Laszive einstellte, darf *per se* angenommen werden. Die Herkunft aus dem Orient und die Vermittlung durch das Militär[135] kann die Vermutung nur bestärken.

Der Tiermaskerade wurde seitens der kirchlichen Kritik der Vorwurf gemacht, wer solches treibe, schände das Menschenbild und, weil darin das Ebenbild Gottes, mache sich der Gotteslästerung schuldig:

> *Quid tam demens, ... indui ferino habitu, et caprae aut cervo similem fieri, ut homo ad imaginem dei et similitudinem factus sacrificium daemonum fiat? Per haec ille malorum artifex se intromittit, ut captis paulatim per ludorum similitudinem mentibus dominetur.*[136].

Häßlich, monströs und furchterregend[137] seien die Masken, selbst die Dämonen müßten davor erschrecken: *Quid tam demens, quam deformare faciem, et vultus induere, quos ipsi etiam daemones expavescunt?*[138] Nur ein gesteigerter Ausdruck des Abscheus? Es ist zu vermuten, daß solche Bemerkungen Licht auf eine mythologisierende Interpretation der Tierverkleidung wirft. Denn, an sich ist bei den

---

134 Maximus von Turin, Homilia 16, ed. PL 57, 257.

135 Daß es sich auf europäischem Boden um eine ursprüngliche Militärmaskerade gehandelt hat, läßt noch der Zusammenhang bei Caesarius, Sermo 192, ed. CCL 104, 780, erkennen: *Et merito virilem iam fortitudinem non habent, qui in muliebres habitus transierunt; iusto enim indicio dei evenisse credendum est, ut militarem virtutem amitterent, qui feminarum se specie deformassent.*

136 Caesarius von Arles, Sermo 193, ed. CCL 104, 783; davon abhängig: Homilia de sacrilegiis, c. 24, ed. Caspari 14; cf. *gaudentes et exultantes, si taliter se in ferinas species transformaverint, ut homines non esse videantur,* Caesarius Sermo 192, ed. CCL 104, 780; cf. auch Maximus von Turin, Homilia 16, oben zu Anm. 134.

137 *cervulum, sive anniculam (annicula vel cervulo,* Caesarius, Sermo 13, ed. CCL 103, 67, vergleicht sich dem; man wird *hinniculam* lesen müssen, das zu *hinnuleus* „junger Hirsch" zu stellen ist; dazu Schneider, Kalendae Ianuariae, 92 f.), *aut alia quaelibet portenta ante domos vestras venire non permittatis,* Caesarius, Sermo 193, ed. CCL 103, 784; *In istis enim diebus miseri homines et* (man beachte die Gegenüberstellung *miseri homines — baptizati*) *quod peius est, etiam aliqui baptizati sumunt formas adulteras, species monstruosas, in quibus quidem quae primum ridenda aut potius dolenda sint, nescio,* Caesarius, Sermo 192, ed. CCL 104, 780; Isidor von Sevilla, De offic. eccl. I 41, ed. PL 83, 775, hat Caesarius herangezogen: *tunc enim miseri hommines et, uod peius est, etiam fideles sumentes species monstruosas in ferarum habitu transformantur, alii femineo gestu demutati virilem vultum effeminant.*

138 Caesarius, Sermo 193, ed. CCL 104, 783.

Praktiken angeblicher Superstition und Paganität davon auszugehen, daß es sich nicht in jedem Fall wirklich um ‚heidnische‘ Gebräuche handelt, daß selbst profane Belustigungen dem Paganieverdacht zum Opfer gefallen sind.

Der schon eingangs dieses Kapitels angeführte, mögliche Einwand, von CHRYSOLOGUS überaus heftig zurückgewiesen, man betrachte das Neujahrstreiben nicht als Götzendienst, sondern allein als eine „lustige Tollerei“, ist ja keineswegs nur rhetorisch gemeinter Aufbau einer Gegenposition. Man halte nur einmal dagegen, was AMBROSIUS über diesen Brauch sagt, bzw. nicht sagt; jedenfalls nichts von Verbrechen und nicht einmal etwas von Heidentum. Für den Mailänder Bischof ist das eben nur ein Spiel. Ihn hindert auch nichts, mit einem Hinweis auf die Hirschmaskerade zu Neujahr seine Auslegung über den Psalmvers: „Wie die Hirschkuh nach Wasserbächen verlangt, so lechzt meine Seele nach dir, o Gott“ (*Ps* 42, 2) zu beschließen, nachdem er Christus und die Christen dem Hirschen verglichen hat, der Schlangen zertritt: *sed iam satis nobis in exordio tractatus (sc. cervus), sicut in principio anni more vulgi cervus allusit. pergamus ad cetera.*[139] CHRYSOLOGUS und CAESARIUS, für beide wäre das eine Gotteslästerung gewesen: Denn beiden ist der Neujahrskarneval Götzendienst.

Man sieht, wie hier etwas hineinspielt, das den so oft bezeugten Zusammenhang von Superstition und Dämonenwesen zu belegen scheint. Daß selbst die Dämonen vor den Masken erschrecken — vielleicht deshalb, weil die Masken als Götterdarstellungen aufgefaßt, die Maskenumzüge zu Neujahr also als Götterumzüge interpretiert wurden. Die Feststellung *quia hoc daemonium est*[140] könnte das nahelegen, wüßten wir nicht, daß die Floskel nicht mehr aussagt, als daß es sich um eine Sünde, speziell eine Sünde der Idolatrie handelt. Aber schon bei der Behandlung des Neujahrsgottes, des Janus, und der Erklärung seines zweigesichtigen Bildes war Ähnliches zu bemerken. Es hieß, daß die Menschen, in der Meinung ein Götterbild anzufertigen, schließlich nur etwas Monströses zuwege gebracht hätten; wodurch sich zeige, daß Dämonen ihre Hand im Spiele gehabt hätten. Das legt nahe, im Hinweis auf das „Monströse“ des Maskenwesens — ein Urteil nach ästhetischen Kategorien dürfte das auch sicherlich nicht sein — den Gedanken an Dämonendarstellung zum Ausdruck gebracht zu sehen.[141] Hierzu würde denn auch viel eher die Polemik des PETRUS CHRYSOLOGUS passen: „Mensch du täuscht dich! Das sind keine Scherze, sondern Verbrechen!“[142]

---

[139] AMBROSIUS, De interpellatione Job et David II 1, ed. PL 14, 813.

[140] Poenitentiale Valicellanum I., c. 88, ed. SCHMITZ I 311; cf. Excarpsus CUMMEANI, VII 9; XXXV Capitulorum, c. 18; Merseburgense a., c. 32; Parisiense, c. 26; Floriacense, c. 31; *daemoniacum*, Ps.-THEODORI, c. 19; *quia opera diabolica est*, Vita Eligii II, ed. MG Script. rer. Merow. IV 705.

[141] Cf. auch: *Et ista monstruosa portenta, id est Mars et Mercurius et Iovis . . .*, unten S. 158 zu Anm. 273.

[142] Sermo 155 De kalendis Januarii, ed. PL 52, 611, übers. BKV ²43, 351.

Der Bischof von Ravenna läßt den Bezug des Monströsen auf Darstellung der Dämonen noch deutlicher werden. Denn CHRYSOLOGUS dürfte auch der Verfasser, der von CASPARI[143] noch einem Bischof SERVIAN VON GABALA zugeschriebenen *Homilia de pythonibus et maleficis* sein.[144] Die Homilie erklärt ausführlicher, worin das Verbrecherische solchen Treibens zu suchen sei:

> *Ecce veniunt dies, ecce Kalendae veniunt, et tota daemonum pompa procedit, idolorum tota producitur officina, et sacrilegio vetusto anni novitas consecratur. Figurant Saturnum, faciunt Jovem, formant Herculem, exponunt cum venantibus suis Dianam, circumducunt Vulcanum verbis hanelantem turpitudines suas et plura, quorum, quia portenta sunt, nomina sunt tacenda; quorum deformitates quia natura non habet, creatura nescit, fingere ars laborat. Praeterea vestiuntur homines in pecudes, et in feminas viros vertunt, honestatem rident, violant judicia, censuram publicam rident, inludunt, saeculo teste, et dicunt, se, facientes ista, jocari. Non sunt joca, sed sunt crimina. In idola transfiguratur homo. Et, si ire ad idola crimen est, esse idolum quid videtur? — Namque talium deorum facies ut pernigrari possint, carbo deficit; et ut eorum habitus pleno cumuletur horrore, paleae, pelles, panni, stercora tot saeculo perquiruntur, et quidquid est confusionis humanae, in eorum facie collocatur.*[145]

Daß im keltischen Kult Tiermasken, auch Hirschmasken eine Rolle gespielt haben, ist belegt[146], desgleichen Vermummungen als Rindvieh[147], so daß ein Bezug der kirchlichen Verbotsliteratur auf tatsächliche Tiermaskeraden angenommen werden darf. Nur sagt dies nach der Einsicht in die Quellenlage nur so viel aus, daß das mit Sicherheit nur CAESARIUS gegenwärtig gewesen ist.

Mit der Verkleidung in Frauenkleider liegt es ähnlich. Wie angeführt hatte schon das sog. *Trullanum* die Maskerade in geschlechtsfremden Kleidern (Männer als Frauen, Frauen als Männer) verboten, wie das ja auch schon Deuteronomium 22,5 zu lesen war. Doch gehen die mitteleuropäischen Belege der kirchlichen Literatur nicht auf die orientalische Synode, sondern größtenteils wieder auf CAESARIUS zurück.

So beweist die *Homilia de sacrilegiis* mit c. 24: *Et illud, quid turpe est! Uiri tunicis mulierum induentes se, feminas uideri uolunt*[148] ihre Abhängigkeit von CAESARIUS, *Sermo 192: Iam vero illut quale vel quam turpe est, quod viri nati tunicis muliebribus vestiuntur, et turpissima demutatione puellaribus figuris virile robur effeminant, non erubescentes tunicis muliebribus inserere militares lacertos.*[149]

---

143 Homilia de sacrilegiis 35.
144 MAI, Spicil. Rom. X 222 sq.; die Verfasserschaft des CHRYSOLOGUS nachgewiesen von F. LIVERANI: Spicileg. Liberianum. I. Florenz 1883, 192 f.
145 Text nach CASPARI, a.a.O.
146 SCHNEIDER, Kalendae Ianuariae, 93.
147 NILSSON, Vorgeschichte des Weihnachtsfestes, 76; SCHNEIDER, a.a.O., 95.
148 Ed. CASPARI 14.
149 Ed. CCL 104, 780.

Auf *Sermo 193: Quid enim est tam demens, quam virilem sexum in formam mulieris turpi habitu commutare?*[150] beruhen eine Reihe von Bußbüchern, ISIDOR VON SEVILLA, BURCHARD VON WORMS und doch wohl auch PIRMIN, wie zu zeigen ist. *Viri vestes femineas, femine vestis viriles in ipsis Kalandis vel in alia lusa quam plurima nolite vestire*[151] — PIRMIN kennt also nicht nur die Verkleidung von Männern als Frauen, sondern umgekehrt auch die Männermaskerade der Frauen, wie sie das *Trullanum* rügte.

Die Stelle wird deshalb nur mittelbar auf CAESARIUS zurückzuführen sein. ISIDOR VON SEVILLA enthält im Verhältnis zu CAESARIUS nichts Neues und ist eindeutig von CAESARIUS abhängig; er kommt als Vorlage für PIRMIN nicht in Frage: *tunc enim miseri homines et, quod peius est, etiam fideles sumentes species monstruosas in ferarum habitu transformantur, alii femineo gestu demutati virilem vultum effeminant.*[152] Desgleichen kommt der Kanon 84 des *Poenitentiale Vigilanum*, den JECKER in diesem Zusammenhang anführt, nicht in Betracht: *Qui in saltatione femineum habitum gestiunt et monstruose se fingunt et majas et orcum et pelam et his similia exercent, I ann. penit.*[153]

Anders das *Poenitentiale Hubertense*, dessen Kanon über das *Poenitentiale Merseburgense b.*, c. 32[154] in das *Dekret* des BURCHARD VON WORMS gekommen ist. Doch ist das *Hubertense* wiederum jünger als PIRMINS *Dicta*[155] und kann somit allein auf eine beiden vorhergehenden Tradition verweisen: *Si quis balationes ante ecclesias sanctorum fecerit, seu qui faciem suam transformaverit in habitu mulieris aut ferarum, seu mulier in habitu viri, emendatione pollicita, tribus annis paeniteat.*[156] BURCHARD VON WORMS[157] und IVO VON CHARTRES[158] zitieren die Verordnung als 80. Kanon des *zweiten Konzils von Braga*, das unter Vorsitz MARTINS von BRAGA 572 abgehalten worden ist. Nun ist unter den Akten des portugiesischen

---

[150] CAESARIUS VON ARLES, Sermo 193, ed. CCL 104, 783.

[151] PIRMIN, Dicta, c. 22, ed. JECKER.

[152] ISIDOR VON SEVILLA, De offic. eccl. I 41, ed. PL 83, 775.

[153] Poenitentiale Vigilanum, c. 84, ed. WASSERSCHLEBEN 533; man hat das in der Nachfolge von W. MANNHARDTS Wald- und Feldkulten für einen frühen Beleg für Maibrauchtum gehalten. H. MOSER, der sich eingehender mit dieser Stelle beschäftigt (Maibaum- und Maienbrauchtum 122 f.) und diese Interpretation mit guten Gründen ablehnen kann, hat darauf hingewiesen, daß schon die Herausgeber WASSERSCHLEBEN und SCHMITZ *maja* richtig mit dem span. *majo* und *maja* erklärt haben, womit unser span. Poenitential „die tonangebenden *maitre de plaisir* bezeichnet, welche sich bei den Festlichkeiten häufig durch rücksichtsloses Auftreten und affectirtes Wesen in Kleidung und Haltung auszeichneten", SCHMITZ I 711.

[154] WASSERSCHLEBEN 432.

[155] JECKER 147.

[156] Poenitentiale Hubertense, c. 42, ed. WASSERSCHLEBEN 382.

[157] Decr. X 39, ed. PL 140, 839.

[158] Decr., pars XI, c. 64, ed. PL 161, 759; das Stück überliefern auch BARTHOLOMÄUS v. EXETER, Poenitentiale, c. 90 u. ROBERT V. FLAMBOROUGH, Liber poen. V 6, 3, ed. FIRTH, nr. 334, 69—71.

Konzils das Stück jedoch nicht überliefert.[159] Aber vielleicht kann diese Zuweisung doch etwas Licht auf die Herkunft des Verbots werfen: Bedenkt man, daß MARTIN VON BRAGA lange Zeit in Palästina gelebt hat und nicht in der lateinischen, sondern der griechischen Theologie gebildet ist — eine Tatsache, die auch einige Merkwürdigkeiten der Superstitionstheologie des Bischofs von Braga erklären kann[160] —, daß MARTIN weiterhin eine Reihe von orientalischen Konzilsstatuten übersetzt hat[161], die von den späteren Kanonisten nicht selten als Bestimmungen dieses Konzils ausgegeben werden, bedenkt man zudem noch, daß es sich bei der Weibermaskerade um eine orientalische Sitte handelt, die auch ein Verbot des *Trullanums* bezeugt[162], in dem eben auch von Verkleidungen b e i d e r Geschlechter in Kleidung des anderen die Rede ist, so wird man im Umkreis MARTINS VON BRAGA eine Gelenkstelle zu suchen haben, wo orientalische Überlieferung mit caesarianischer Sermonentradition zusammentraf.[163]

War für die Motivierung des Vorgehens gegen Tiervermummungen die Auffassung nicht auszuschließen, es handele sich dabei um Götterdarstellung — war also ein starker Zug zur dämonologischen Interpretation zu bemerken, so tritt in den genannten Fällen der Maskerade in Frauenkleider etwas anderes stärker hervor.

Sie schämen sich nicht, in Weibermasken ihr ehrloses Spiel zu treiben! So CAESARIUS.[164] CHRYSOLOGUS hatte sich schon mit gewohnter Heftigkeit geäußert: *honestatem rident, violant, judicia, censuram publicam rident, inludent, saeculo teste, et dicunt, se, facientes ista, jocari.*[165] „Sie schämen sich nicht, dieses oder jenes zu tun", gehört zwar zu den Topoi der Superstitionenkritik; lesen wir aber bei CAESARIUS weiter, so wird schnell klar, daß das in diesem Fall speziellen Bezug auf die Vorgänge zu Neujahr hat: *Quid tam demens, quam inconpositis motibus et inpudicis carminibus vitiorum laudes inverecunda delectatione cantare.*[166] Zur Maskerade kommen noch ausgelassene, wilde Tänze mit Gesang schmutziger Lieder: Ihrer Sinne nicht mehr mächtig, von Wein berauscht, rast der Haufen, Männer und Frauen in bunter Reihe und macht einen Heidenlärm: *perstrepunt omnia saltantium, pedibus, tripudiantium plausibus, quodque est*

---

[159] Cf. MANSI IX 844.

[160] Cf. HARMENING, Aberglauben und Alter, 222.

[161] Capitula ex orientalium Patrum synodis a Martio episcopo ordinata atque collecta, ed. C. W. BARLOW, Martini episcopi Bracarensis opera omnia. New Haven 1950.

[162] C. 62: *ut nullus vir deinceps muliebri veste induatur, vel mulier veste viro conveniente*, ed. MANSI XI 971.

[163] Hier wäre die von JECKER vermißte Vorlage für das Hubertense und für PIRMINS Dicta zu suchen.

[164] Sermo 192, ed. CCL 104, 779 sqq.; Sermo 193, ibd. 742; Hom. de sacril., c. 24, ed. CASPARI 14.

[165] Homilia de pythonibus, wie Anm. 144.

[166] CAESARIUS VON ARLES, Sermo 193, ed. CCL 104, 783.

turpis nefas, nexis inter se utriusque sexus choris inops anima, furens vino turba miscetur.[167]

Auch die Umzüge *per vicos et plateas,* durch die Straßen von Dörfern und Städten, hat heftige Empörung hervorgerufen. Auch bei dieser Gelegenheit dürfte es an anstößigem Liedgut nicht gemangelt haben. *Si quis Kalendas Ianuarias ... per vicos et per plateas cantationes et choros ducere (praesumpserit)... anathema sit.*[168]

Der Kanon des römischen Konzils vom Jahre 743 ist, wir haben das schon festgestellt[169], eine Formulierung aus dem BONIFATIUSbrief an Zacharias.[170] Wir finden die Verordnung wieder bei BURCHARD VON WORMS[171], IVO VON CHARTRES[172] und im *Decretum* GRATIANI.[173] Von diesen Gebräuchen her erklärt sich nun auch was Ivo aus AMBROSIUS anführt: *Observant diem et mensem, qui Kalendis Januarii aut non jejunant, aut non procedunt ad ecclesiam, sed procedunt ad campum.*[174]

Das *qui Kalendis Januarii ... non jejunant* richtet sich natürlich gegen die Neujahrsgelage. Denn wie zu jedem Fest, so gehören auch zur Neujahrsfeier Festmahl und Umtrunk.[175] Ob nun der von Ivo zitierte Text wirklich dem AMBROSIUS angehört oder nicht (es läßt sich auch nicht entscheiden, ob Ivo Ps.-AMBROSIUS, *Sermo 7,* bei MIGNE, PL 17, 617 sq. meinte), sei dahingestellt.[176] Doch findet sich bei Ps.-AMBROSIUS ein heftiger Ausfall gegen die Neujahrsgelage. Wir erkennen, daß zur Charakterisierung des Heiden noch ein weiteres kommt: unmäßiges, ausschweifendes Essen und Trinken:

> *Et mihi adversus plerosque vestrum, fratres, querela non modica: de his loquor qui nobiscum natalem Domini celebrantes, gentilium se feriis dederunt, et post illud coeleste convivium superstitionibus sibi prandium praepararunt; ut qui ante laetificati fuerant sanctitate, inebriarentur postea vanitate, ignorantes quod qui vult regnare cum Christo, non possit gaudere cum saeculo: et qui vult invenire justitiam, debeat declinare luxuriam. Alia enim ratio est vitae aeternae, alia desperatio lasciviae temporalis: ad illam virtute ascenditur, ad istam perditione descenditur. Atque ideo qui vult esse divinorum particeps, non debet esse socius idolorum; idoli enim portio est inebriare vino mentem, ventrem cibo distendere, saltationibus membre torquere: et ita pravis actibus occupari, ut cogaris ignorare quod Deus est.*[177]

---

[167] ISIDOR VON SEVILLA, De off. eccl. I, c. 41, ed. PL 83, 775; abhängig von CAESARIUS, s. oben S. 142.

[168] Konzil von Rom v. J. 743, c. 9, ed. MG Leg. 3 II 15 sq.

[169] Oben S. 127.

[170] BONIFATIUS, Epistola 50, ed. MG Ep. ²III 301.

[171] Decr. X, c. 16, ed. PL 140, 835 und im Corrector, c. 62, ed. SCHMITZ II 423.

[172] Decr., pars XI, c. 43, ed. PL 161, 756.

[173] Pars II, causa 26, quaest. 7, c. 14, ed. FRIEDBERG 1045.

[174] IVO VON CHARTRES, Decr., pars XI, c. 97, ed. PL 161, 777.

[175] CAESARIUS VON ARLES, Sermo 193, ed. CCL 104, 784; Vita Eligii II, ed. MG Script. rer. Merow. IV 705; IVO VON CHARTRES, Decr., pars XI, c. 97, ed. PL 161, 777.

[176] Cf. PL 17, 617 die Vorbemerkung zu Sermo 8.

Gegen die heidnischen „Üppigkeiten", wie später diese *luxuria* übersetzt wird, haben die Väter die Neujahrsfasten verordnet:

Et ideo sancti antiqui patres nostri considerantes maximam partem generis humani diebus istis gulae vel luxuriae deservire, ebrietatibus et sacrilegis saltationibus insanire, statuerunt universo mundo, ut per omnes ecclesias publicum indiceretur ieiunium: ut agnoscerent miseri homines, in tantum se male facere, ut pro illorum peccatis necesse esset omnibus ecclesiis ieiunare. Ieiunemus, ergo, fratres carissimi, in istis diebus, et cum vera et perfecta caritate stultitiam miserorum hominum lugeamus.[178]

Weil die Zeit Anlaß gäbe, die Unsinnigkeiten des Heidentums zu betrauern, solle auch der Gesang des Alleluja unterbleiben: *Hoc enim ecclesiae universalis consensio in cunctis provinciarum partibus roboravit, quod et a nobis omnibus ut conservetur per Hispanias Galliasque provincias oportebit; in temporibus quoque reliquorum Kalendis Januariis, quae propter errorem gentilium aguntur, omnino Alleluja non decantabitur.*[179]

Drei charakteristische Vorwürfe kennzeichnen somit die Paganienpolemik: Luxuria (Schwelgerei), Obszönität, Monstrosität. Es sind damit gewissermaßen Signalfloskeln für Heidentum gefunden.

Doch ist das Häßliche nicht eine ästhetische und das Ausschweifende, Unzüchtige vorerst keine moralische, sondern beide sind religiöse Kategorien. Sie betreffen die Ordnung der Natur, negieren und pervertieren die Schöpfung Gottes und gehören deshalb auch den betrügerischen, gottfeindlichen Mächten an: *Hinc itaque est, quod istis diebus pagani homines perverso omnium rerum ordine obscenis deformationibus tegunter; utique ut tales se faciant qui colunt, qualis fuit ille qui colitur.*[180]

*

Natürlich werden auch andere Festtage der Heiden gerügt und ihre Feier verboten. Doch erfahren wir über das jeweilige Fest und bestimmte Gebräuche verhältnismäßig wenig. Zumeist werden sie bei Behandlung der Kalendensuperstitionen nur kurz mit angesprochen. Genannt seien die Brumalien, Spurcalien, die Kalenden des März, die Neptunalien, Volcanalien und die Paganalien. Allein die Spurcalien sollen ausführlicher behandelt werden.

Der römische Festkalender verzeichnete für den Dezember rein äußerlich zwei Feste des Saturn: am 17. die Saturnalien[181] und am 25. die Brumalien. In Wirk-

---

[177] Unter den Sermones S. Ambrosius hactenus ascripti, Sermo 7 De kalendis Januariis, ed. PL 17, 617.
[178] CAESARIUS VON ARLES, Sermo 192, ed. CCL 104, 781; cf. Sermo 193, ibd. 743.
[179] Spanische Nationalsynode Toledo 633 (Conc. Tolet. IV.), c. 11, ed. MANSI X 627.
[180] CAESARIUS, Sermo 192, ed. CCL 104, 780.
[181] TERTULLIAN, De idolol., c. 10; cf. NILSSON, Vorgeschichte des Weihnachtsfestes, 54 ff.

lichkeit verhält es sich aber so, daß die Festzeit der Saturnalien auf einen längeren Zeitraum ausgedehnt worden ist und die Brumalien somit als Fortsetzung der Saturnalien anzusehen sind.[182]

Von diesem engeren Festdatum zu unterscheiden ist die Feier der Bruma. Sie umfaßt die Zeit eines Monats vor dem kürzesten Tag des Jahres, dem 25. Dezember, den Brumalien also im engeren Sinn.[183] Erstmals von TERTULLIAN[184] erwähnt, findet sich die Bezeichnung *bromas* auch im 9. Kanon der römischen Synode v. J. 743.[185] Es dürfte sich bei dieser, einen Monat umfassenden Festzeit vor der Wintersonnenwende mehr um orientalische Sitte gehandelt haben.[186] Doch angesichts dessen, daß der römische Kanon nichts anderes enthält — abgesehen eben vom Hinweis auf die *bromas* — als was BONIFATIUS 742 über römische Superstitionen nach Rom an Papst Zacharias gemeldet hatte[187], muß für das 8. Jahrhundert die Feier der Bruma auch für Italien als bekannt angenommen werden, es sei denn man folge DU CANGE[188] in der Annahme, daß es sich hier nur um die Brumalien im engeren Sinn, also die Feier des 25. Dezember handelt. Auf italienische Verhältnisse bezieht sich auch das Verbot KARLS D. GR. in den *Capitula cum Italiae episcopis deliberata*, c. 3: *De pravos illos homines qui brumaticus colunt.*[189] Fügen wir noch die Verbote des *Trullanums*[190] und der *Homilia de sacrilegiis* an[191], so wird man einen unmittelbaren Bezug auf ein germanisches „Julfest", wie es manche Erklärer annehmen[192], ablehnen müssen. Die Zeugnisse weisen eindeutig auf orientalische und italienische Zustände hin.

Die Kalenden des März (1. 3.) sind das Datum des alten römischen Jahresanfanges, wie man noch aus den Namen September und Dezember, früher also dem 7. und 10., heute dem 9. und 12. Monat ersehen kann. Über 2000 Jahre haben sich die Namen erhalten: Denn schon 153 v. Chr. wurde der Jahresbeginn auf den 1. Januar verlegt. Aber auch der alte Jahresanfang behielt im Volksglauben noch lange seine Bedeutung. Das *Trullanum* bezeugt das für den östlichen Bereich des alten Reiches: *et qui in primo Martii mensis die fit conventum ex fidelium universitate omnino tolli volumus*[193] und für das 10. Jahrhundert liefert uns für Italien ATTO VON VERCELLI einen Hinweis: *Similiter etiam Kalendis Martiis hujusmodi*

---

182 NILSSON, Vorgeschichte des Weihnachtsfestes, 61, Anm. 1.
183 Ebenda.
184 De idolol., c. 14.
185 Ed. MG Leg. 3 II 15.
186 Lit. bei NILSSON, Vorgeschichte des Weihnachtsfestes, 61, Anm. 1.
187 Ep. 50, ed. MG Ep. III, Merow. et Karol. aevi 1 ²II 301; cf. oben S. 127.
188 S. v. *bruma.*
189 Ed. MG Leg. 2 I 202.
190 C. 62, *brumalia*, ed. MANSI XI 971.
191 C. 17, *brumas*, ed. CASPARI, erklärt S. 38.
192 Cf. MG Leg. 2 I 202.
193 C. 62, ed. MANSI XI 971.

homines multis solent debacchare praestigiis; prae cunctis autem anni diebus, in his diabolus adhuc suam exercet coloniam. Quod unde processisse credimus, vobis indicare curamus.[194] Es folgt sodann die schon oben, S. 123 f. mitgeteilte euhemeristische Erklärung der Götternamen Mars und Janus und welchen Zusammenhang sie mit den ihnen geweihten Monaten hätten. Das *homines multis solent debacchare praestigiis* dürfte soviel heißen wie: in allerlei Gaukelspielen sich austoben; allerdings seien das satanische Gaukeleien, denn *in his (diebus) diabolus adhuc suam exercet coloniam,* bestellte also der Satan an diesen Tagen noch immer seinen Acker!

Die Neptunalien (23. Juli) verbietet die *Homilia de sacrilegiis,* c. 3, in einer verhältnismäßig ausführlichen Schilderung: *Si quis neptunalia in mare (obseruat), aut ubi fons aut riuus de capite exurget, quicumque (ibi) orauerit, sciat, se fidem et baptismum perdedisse.*[195] Daß neben *mare* auch *fons aut riuus* als Orte genannt werden, an denen nicht gebetet werden solle, weist vielleicht auf die ältere Funktion des römischen Gottes als Patron der Süßwasser hin.[196] Der wiederholt bemerkte, zweifelhafte Zeugniswert der *Homilia* für germanisch-deutsche Verhältnisse verbietet es, die Stelle auf den oben besprochenen Quell- und Wasserkult zu beziehen. Weiter ist das Fest in den kirchlichen Zeugnissen nicht belegt, sieht man von gelegentlichen und ganz allgemeinen Erwähnungen Neptuns ab.[197]

Die Volcanalien, das Fest des römischen Feuergottes Volcanus, wurde am 23. August gefeiert. Aus römischen Quellen[198] wissen wir, daß an diesem Tag Tiere ins Feuer geworfen wurden. Unter den christlichen Zeugnissen erwähnen die Volcanalien und verbieten sie: MARTIN VON BRAGA, *De corr. rust.*, c. 16; PIRMIN, *Dicta,* c. 22 (= abhängig v. MARTIN); REGINO VON PRÜM, *De syn. caus.* II, c. 365; IVO VON CHARTRES, *Decr.,* pars IV, c. 1 (= abh. v. REGINO); *Rede an Getaufte,* 12. Jh., (= abh. von REGINO und MARTIN), ed. CASPARI, 204.

MARTIN VON BRAGA erwähnt noch die *dies tinearum et murium:*

> *Iam quid de illo stultissimo errore cum dolore dicendum est, quia dies tinearum et murium obseruant, et, si dici fas est, in homo Christianus pro deo mures et tineas ueneretur? Quibus si per tutelam cupellae aut arculae non subducantur, aut panis aut pannus, nullo modo, proferendo (?) sibi exhibitis, quod inuenerint, parcent.*[199]

---

[194] ATTO VON VERCELLI, Sermo 3 In festo octavae domini, ed. PL 134, 836.
[195] Hom. de sacril., c. 3, ed. CASPARI 6.
[196] Cf. Wörterbuch der Religionen, begr. von A. BERTHOLET, 2. Aufl. ergänzt von K. GOLDAMMER. Stuttgart 1962, 386.
[197] Cf. die Quellennachweise bei CASPARI, Homilia, 19.
[198] Cf. VARRO, De lingua latina V, ed. R. G. KENT. ²1951.
[199] De corr. rust., c. 11, ed. BARLOW.

Der letzte Passus ist nicht klar. Alle Herausgeber haben sich daran versucht.[200] Da MARTIN im vorhergehenden Satz aber davon spricht, daß er sich kaum getraue mitzuteilen, daß wahrhaftige Christenmenschen Mäuse und Motten wie Gott verehrten, ist das folgende sicherlich so zu verstehen, daß die verehrten Tiere sich nicht im geringsten wegen der ihnen erwiesenen Verehrung davor zurückhielten, über Brot und Stoffe herzufallen, wenn man dies erst einmal aus sicheren Kistchen und Fäßchen hervorhole und ihnen darbiete. Denn, das meint MARTIN, dagegen hilft auch nicht, wenn man sie wie Götter verehrt. Die *Vita Eligii*[201] nennt die Tage, ohne näher darauf einzugehen. Sie ist auch hier sicher von MARTIN abhängig. Ebenso der von der *Musterpredigt* in der *Vita Eligii* nur wenig abweichende, dem ELIGIUS zugeschriebene *Tractatus de rectitudine catholicae conversionis*.[202]

Die Motten- und Mäusetage sind sicherlich Reminiszenz der römischen *Paganalia* im Januar[203], „an denen Tellus und Ceres von den ‚rusticis' des ‚pagus' auch darum gebeten wurden, die Feldfrüchte vor schädlichen Tieren, wie Ameisen und Feldmäuse zu bewahren".[204] Germanisch ist daran ganz bestimmt nichts, auch wenn GRIMM sie anführt.[205]

Über die Spurcalien ist viel spekuliert worden. — Verständlich wenn man bedenkt, daß das Wort bisher überhaupt nur zweimal bezeugt ist: Nr. 3 des *Indiculus superstitionum: De spurcalibus in Februario*[206] sagt nicht mehr als Spurcalien im Februar. Etwas früher als der *Indiculus* belegt das Wort auf angelsächsischem Boden ALDHELM, *De laudibus virginitatis*, c. 25.[207] Den Stoff dieses Kapitels hat ALDHELM den wohl zu Anfang des 5. Jahrhunderts in Rom entstandenen Silvesterakten[208] entnommen. ALDHELM berichtet in diesem Kapitel[209] von dem Drachen zu Rom, der Schlange unter dem Tarpeischen Hügel, die Papst Silvester in ihrer Höhle eingeschlossen habe und die die Heiden durch Opfer zu besänftigen gesucht hätten. Zum besseren Verständnis der Sage[210] hier die wichtigsten Verse aus der *Kaiserchronik:*

---

200 Cf. bei CASPARI, Homilia, 15.

201 C. 16, ed. MG Script. rer. Merow. IV 706.

202 Ed. PL 40, 1172; BOUDRIOT, Altgerm. Religion, 14, hält ihn für die Vorlage der Musterpredigt in der Vita Eligii.

203 Cf. VARRO, De lingua latina VI, 24, ed. R. G. KENT ²1951; OVID, Fasti I, ed. F. BÖMER 1957; MACROBIUS, Saturnalia I, ed. F. EYSENHARDT ²1893.

204 CASPARI, De corr. rust., Anm. S. 14.

205 Myth. III 401 ff.

206 Ed. MG Capitularia regum Francorum, I 223.

207 L. BÖNHOFF, Aldhelm von Malmesbury. (Diss. Leipzig) Dresden 1894, 108—111.

208 Lit. bei E. F. OHLY, Sage und Legende in der Kaiserchronik. Untersuchung über Quellen und Aufbau der Dichtung (= Forschungen zur deutschen Sprache und Dichtung 10.). Münster i. Westf. 1940, Neudruck Darmstadt 1968, 166, Anm. 2.

209 J. J. I. v. DÖLLINGER, Die Papst-Fabeln des Mittelalters. Ein Beitrag zur Kirchengeschichte. München 1863, 54.

Die wîle daz sancte Silvester ze Rôme bâbes was —
daz buoch chundet uns daz —
die haidenscaft er bechêrte,
die cristen er wol lêrte,
unz sich ain trache dâ uopte,
der di cristen harte getruopte.
niemen getorste ze Rôme ûz de stete chomen,
er nehête an der stete den lîp verlorn.[211]
Sancte Silvester der hailige man,
er hiez daz heilictuom mit samt im tragen.
ze Rôme was wîp noch man,
die mêr mit im getorsten gân,
wan zwêne sîne chappelân.
dar kêrte der gotes werde
ingegen dem Mendelberge.
der trache vor im flôch,
sancte Silvester im nâch zôch
daz loch unz an daz ende.
der trache nemahte dô niht gewenden
weder hin noch her.
dô sprach der guote sancte Silvester:
‚dû vil unrainer hunt!
nû arnest dû hie zestunt
swaz dû mennischen dehainem
in der werlte ie getaet ze laide‘.
den sluzzel raid er umbe,
er sprah: ‚hie mit sîstû gebunden
unz an den jungisten tach!‘
der trache wart sâ dâ haft
âne ture and âne slôz.
diu gotes wunder diu sint grôz!
daz loch wart verrigelet,
der trache mit dem hailigen crûce besigelet,
daz er mennischen niemer mêr zu scaden newart.
sancte Silvester chêrte wider in die stat[212]

Bei ALDHELM heißt nun die für uns wichtige Stelle:

Sylvester ... ad lethiferum Romae draconem in clandestino cryptae spelaeo latitantem,
qui virulentis faucibus et pestifero spiritus anhelitu aethera corrumpens miserum po-

---

[210] Eine ausführliche, mit der Kaiserchronik verwandte Version hat B. MOMBRITIUS
(1424—1500) aufgezeichnet: Sanctuarium seu Vitae Sanctorum. Nov. Ed. II. Parisiis 1910,
529 f. Zur Lokalisation der Höhle und Überlieferung der Drachensage cf. H. JORDAN,
Topographie der Stadt Rom im Alterthum. Bd. 2. Berlin 1871, 494 ff., 499 ff.
[211] V. 10511—10518, ed. MG Script. qui vernacula lingua usi sunt I (1892—95) 274.
[212] V. 10575—10602, ebenda 275.

pulum atrociter vexabat, per centenos latebrarum gradus introrsum descendisse fertur, et eandem mirae magnitudinis bestiam, cui paganorum decepta gentilitas ad sedandam furoris vesaniam fanaticae lustrationis spurcalia thurificabat, inextricabili collario constrictam ... multavit.[213]

Bei MOMBRITIUS ist die Weise der Besänftigung des Drachen etwas ausführlicher beschrieben:

Solebant enim uirgines ... per omnem calendarum diem habere ad eum descensum: et cibos ei similaginis ministrare ... more solito esca daretur draconi: et illa sacra cerimonia exhiberetur ... muneribus complacari.[214]

Zu diesen Belegen bei ALDHELM und im *Indiculus* kommen noch die *dies spurcos* in der *Homilia de sacrilegiis: qui in ipso mense (februario) dies spurcos ostendit.*[215]

Mehr als in diesen Zeugnissen ausgesagt ist, wissen wir bisher nicht über die Spurcalien. Was KLUGE anführt, ist reine Vermutung: „Spurcalia, das im 7./9. Jh. in Priestermund als landschaftl. Schelte für ein germ. Frauen- und Fruchtbarkeitsfest um Lichtmeß begegnet".[216]

Der *Indiculus* und, wie es scheint, die *Homilia* sagen allein etwas über den Zeitpunkt aus: im Februar. ALDHELM läßt mehr erkennen: *gentilitas ... fanaticae lustrationis spurcalia thurificabat.*

Im Sinne von verzückter Raserei stand *fanaticus* auch bei ISIDOR VON SEVILLA, wo Bezug auf das ekstatische Tanzen zu Neujahr genommen wurde: *Nonnuli etiam de fanatica consuetudine quibusdam ipso die observationum auguriis profanantur; ... perstrepunt omnia saltantium pedibus, tripudantium plausibus ....*[217] Eine ganz ähnliche Bedeutung dürfte das Wort haben bei Nennung der *fanatici conjectores*[218]: verzückter Wahrsager. Was ALDHELM mitteilt, ist als Bericht über ‚schwärmerische' Reinigungszeremonien anzusehen, bei denen man *spurcalia thurificabat*. Man wird CASPARI in der Ansicht folgen dürfen, daß es sich bei diesen Sühne- bzw. Reinigungsopfern um Schweineopfer gehandelt hat.[219] Darauf deutet nicht nur die sprachliche Nähe des Wortes zu *spurcus,* „schweinisch, unflätig"

---

[213] ALDHELM, De laudibus virginitatis, c. 25, ed. PL 89, 122; ID., Poema de laudibus virginitatis, ibd. 248.

[214] MOMBRITIUS, Sanctuarium, Nov. Ed. 529.

[215] C. 17, ed. CASPARI 10.

[216] F. KLUGE, Etymologisches Wörterbuch der deutschen Sprache. 19. Aufl. von W. MITZKA. Berlin 1963, 730, s. v. „Sporkel"; zur Deutung vgl. T. FRINGS, Germania Romana (= Teuthonista, Beiheft 4) 113 ff.; HDA II 1275 ff.; R. STUMPFL, Kultspiele der Germanen als Ursprung des mittelalterlichen Dramas. Berlin 1936, 22; HOMANN, Indiculus, 34—39.

[217] ISIDOR VON SEVILLA, De off. eccl. I, c. 41, ed. PL 83, 775.

[218] Ps.-ALKUIN, De div. off., c. 13, ed. PL 101, 1196, cf. Anm. 188.

[219] CASPARI, Homilia, 36 f.

(*animal spurcum* = Schwein) hin, sondern auch, daß römische Reinigungsopfer zumeist Schweineopfer waren.[220]

Den Schluß auf germanische Spurcalien[221] kann ich aber nicht machen. Dazu gibt nichts Anlaß. Denn, das ist CASPARIS Argument, daß in den Silvesterakten das Wort nicht gestanden habe, und somit das Wort, erstmals auf angelsächsischem Boden bezeugt, auf germanische Verhältnisse hinweise, das läßt sich gar nicht ausmachen, da die *Acta Silvestri* nicht erhalten sind, und die Silvesterlegende nur in einer jüngeren Bearbeitung überliefert ist, in der von „Spurcalien" keine Rede (mehr?) ist.[222] CASPARI zieht aus diesem Befund kurzerhand den Schluß: also müsse es sich bei Nennung der Spurcalien um germanischen Kult handeln; er vermutet darüber hinaus, das Wort könne gar auf eine germanische Wurzel zurückgehen.

Auch nicht der *Indiculus* und schon längst nicht die *Homilia* können Beweis für germanische Verhältnisse sein. Da, wo sie ohne literarisch unabhängige Parallelbelege etwas anführen, weist ihre enge Verwandtschaft miteinander allein auf CAESARIUS hin, der, gewissermaßen als Einfallstor der Kenntnis römischer Paganien, für die kirchliche Superstitionenkritik im europäischen Frühmittelalter als Vermittler anzusehen ist.[222 a]

Daß es sich bei den gerügten *spurcalia* irgendwie um Dinge gehandelt haben mag, bei denen man einen Zusammenhang mit Schweinen gesehen oder die man einfach als etwas „Schweinisches" empfunden hat, das bleibt naheliegend und davon muß auch weiterhin jeder Versuch einer Erklärung ausgehen. Dagegen spricht auch nicht, daß heidnisches Wesen und Tun in allgemeinster Weise als *spurcitiae gentilium*[223], als „heidnische Unflätereien" bezeichnet wurden. Das gehört ganz in den Umkreis der schon angemerkten Metapher vom Heiden als im Schlamme

---

[220] PAULY/WISSOWA, Real-Encyclopädie, 2. Reihe, 3. Hbd. (1921) 813; R. WILDHABER, Kirke und die Schweine: Heimat und Humanität. Festschrift für Karl Meuli. Basel 1951, 248 f.

[221] CASPARI, Homilia, 36 f.

[222] CASPARI, Homilia, 37; OHLY, Kaiserchronik, 165 ff. über die Überlieferungslage und den Quellenbefund.

[222a] Aufgrund anderer Überlegungen kommt in jüngster Zeit auch M. Zender zur Annahme dieser Herkunftsrichtung. Er sucht die Spurcalien in den größeren Zusammenhang des nördlich der Alpen gelegenen, mediterran-antik bedingten, nachantiken Innovationszentrums einzuordnen: G. Wiegelmann, M. Zender, G. Heilfurth, Volkskunde. Berlin 1977, 204 f.

[223] KARLMANN, Capitulare, a. 742, c. 5, ed. MG Leg. 2 I, 25: *Decrevimus, ut ... unusquisque episcopus ... sollicitudinem adhibeat ..., ut populos Dei paganias non faciat, sed ut omnes spurcitias gentilitatis abiciat et respuat, sive sacrificia mortuorum, sive sortilegos vel divinos, sive filacteria et auguria, sive incantationes, sive hostias immolatitias, quas stulti homines juxta ecclesias ritu pagano faciunt, sub nomine sanctorum martyrum vel confessorum ..., sive illos sacrilegos ignes, quos nied fyr vocant, sive omnes, quaecumque sunt, paganorum observationes prohibeant*, und KARL D. GR., Capitulare, ca. a. 769—771, c. 6, ibd. 34.

wühlendem Schwein.[224] Du CANGE zieht deshalb zu Unrecht die Verordnung aus dem *Capitulare* KARLMANNS als Beleg für Spurcalien an: *Decrevimus, ut . . . populus Dei paganias non faciat, sed ut omnes spurcitias gentilitatis abiciat et respuat.*[225] Um den Unterschied noch zu betonen: Zwischen *spurcalia* und *dies spurci* einerseits und *spurcitiae (gentilitatis)* auf der anderen Seite muß sehr deutlich unterschieden werden. *Spurcitiae*, das meint den heidnischen Kult ganz allgemein, während die erstgenannten Bezeichnungen einen bestimmten Termin, Kult oder Brauch ansprechen.

Eine bisher übersehene Information über Spurcalien enthält die *Homilia de sacrilegiis*. Das *qui dies spurcos ostendit* kann nur soviel heißen wie: „wer auf Spurkeltage hinweist". „Spurkeltag" mag in Anlehnung an „Spurkelmonat", eine seit dem 13. Jahrhundert belegte Bezeichnung für Februar[226], erlaubt sein. Ich glaube aus der charakteristischen Formulierung der *Homilia* schließen zu dürfen, daß jene Tage nicht als offizielle Festtage angesehen wurden, sondern als anderweitig bedeutsame Tage, an denen etwas Superstitioses getan wurde. KLUGE und alle anderen Erklärer[227] haben, obgleich den Quellen nichts anderes zu entnehmen ist als der in dem dunklen Wort angedeutete Bezug auf „Unflätiges", „Schweinisches", „Schweinemäßiges" und daß das im Februar stattfand, nun gleich auf Fruchtbarkeitsriten und -feiern geschlossen. Für ein Fest im Februar liegt eine solche Annahme natürlich nahe: In diesem Monat wurden vergleichsweise auch anderenorts Frühlingsfeste gefeiert, in Rom etwa die Lupercalien (15. Februar).[228] Zudem belegt die *Homilia* unmittelbar vor Nennung der *dies spurci* den Brauch des Winteraustreibens: *qui in mense februario hibernum credit expellere*[229] und es scheint logisch, daß das, was sodann angeführt wird, d. h. nach Nennung der *dies spurci*, Bemerkung über ein Frühjahrsfest ist, an dem Fruchtbarkeitsriten ja immer eine große Rolle gespielt haben. Was aber im Text als nächstes folgt, bezieht sich wieder auf den 1. Januar; und das ist nun doch sehr merkwürdig: *(et qui in kalendis ianuariis) aliquid auguriatur, quod in ipso anno futurum sit.*[230] Merkwürdig deshalb, weil die Kalendensuperstitionen schon zu Anfang des Paragraphen behandelt worden sind.

Alle Erklärer der *dies spurci* übersahen bisher oder maßen dem keine Bedeutung für die Interpretation der Spurkeltage bei, daß das *et qui in kalendis ianuariis* von CASPARI konjiziert worden war. Der Herausgeber der *Homilia* vermutete hier nämlich eine Textlücke. Doch die Kalenden des Januar hier einzufügen, ist durch

---

[224] Vgl. oben S. 56 f.
[225] Cf. Anm. 223.
[226] KLUGE, Etym. Wb., 729.
[227] Cf. Anm. 216.
[228] Cf. SCHNEIDER, Kalendae Ianuariae, 388.
[229] Hom. de sacril., c. 17, ed. CASPARI 10.
[230] Ebenda.

nichts gerechtfertigt und steht geradezu im Widerspruch zum Textverlauf; die Neujahrsaugurien waren vier Zeilen weiter oben ja ausdrücklich genannt, sodann war
die Rede vom Winteraustreiben und von einem Fest im Februar, den *dies spurci*.
Läßt man, wie es korrekt wäre, CASPARIS Konjektur unbeachtet und allein das *et*
stehen, obgleich auch das nicht einmal notwendig wäre, um den Sinn zu verstehen,
so ergäbe sich: man soll an den Spurkeltagen keine Augurien anstellen. Damit ist
erstmals überhaupt eine sichere Nachricht über den Charakter der Spurkeltage gefunden: sie waren (auch) Orakeltermine. Zu Beginn des Vegetations- und Klimajahres haben sie die gleiche ominöse Bedeutung wie die Tage zu Anfang des Neuen
Kalenderjahres. Die Neujahrsaugurien (1. Januar) hatte die *Homilia* kurz vorher
zudem auch schon erwähnt: *Quicumque ... diem ipsum (sc. kalendas ianuarias)
colit et (in eo) auguria aspicet.* Nun hat CASPARI auch hier ein *in eo* konjiziert. Es
hätte ihn aber bei diesem zweimaligen Fehlen der relativisch anknüpfenden Zeit-
bestimmung auffallen müssen, daß es sich dabei um eine sprachliche Eigenart des
Textes handelt. Eindeutig bezieht sich das erste *et auguria aspicet* auf *diem ipsum*,
also auf die *kalendas ianuarias* und ebenso eindeutig auch das zweite *aliquid
auguriatur* auf die *dies spurcos*.

Es bleibt allerdings dunkel, auf welche Weise an diesen Tagen Augurien angestellt wurden. Hält man an einem Zusammenhang von *spurcalia* und Schweineopfer fest, wie es die Stelle bei ALDHELM nahelegt, so wird man auch hier etwa
von Schweinetagen oder Ähnlichem reden müssen. Was aber sollen Schweine an
Tagen, an denen Augurien angestellt wurden? Können sie überhaupt einen Zusammenhang mit den verbotenen Augurien haben? Eine solche Vermutung dürfte
die richtige Spur zeigen. Diese Spur wird deutlicher, wenn wir wissen, daß dem
Schwein als Orakeltier eine gewisse Bedeutung zukam. Und es wurde ja schon
bemerkt, daß der Beginn des Frühjahrs ganz analog dem Beginn des kalendarischen
Jahres ein wichtiger Termin der Wetterprognostik ist.[231] Als Wetterprophet nun
begegnet das Schwein auch in römischen Zeugnissen[232], und es ist auch anderenorts
als Orakeltier bekannt.[233]

Auf spätere von Sporkel abgeleitete Wortformen[234] soll hier nur insofern hingewiesen werden, als es auffällt, „daß alle von Sporkel abgeleiteten Personifika-
tionen weiblichen Geschlechts sind; (und daß) die Spürkelsgrete, alte Spürkelsich,
de Sperkelfra, Spörkelsin in erster Linie eine Wetterfrau ist, d. h. sie macht und
bestimmt das Wetter, insbesondere das Februarwetter".[235]

---

231 Cf. Wörterbuch der deutschen Volkskunde. 3. Aufl. neu bearb. von R. BEITL. Stuttgart 1974, 510 f. und die dort verzeichnete Lit., s. v. Lichtmeß.
232 VERGIL, Georgica I 399; CLAUDIUS AELIANUS, περὶ ζῴων ἰδιότητος VII, c. 8, ed.
A. F. SCHOLFIELD, On animals III 1958.
233 L. HOPF, Thierorakel, 85 f.; WILDHABER, Kirke und die Schweine, 249.
234 FRINGS, Germania Romana, 249.
235 HOMANN, Indiculus, 37; M. ZENDER, Die Frauen machen im Februar das Wetter:
Dona Ethnologica. FS L. Kretzenbacher. München 1973, 340—347.

Die Wortform *spurcalia* deutet als analoge Wortbildung zu *Vulcanalia, Lupercalia, Neptunalia, Saturnalia* usf. allerdings zugleich auf festliche oder rituell-brauchmäßige Begehung der Spurkeltage hin. Es ist auch in jüngster Zeit vermutet worden, daß *spurcalia* spätlateinische Benennung für *lupercalia* sei, gewissermaßen „den Tadel der kirchlichen Obrigkeit" ausdrücke.[236] Die Vermutung hat vieles für sich, nur daß manche Einzelzüge beider (?) Feste nicht recht zueinander passen wollen, Nachrichten über die Spurcalien nicht durch Festgebräuche der Lupercalien abgesichert sind.

Aus der Formulierung der *Homilia* war jedoch nicht auf ein reguläres Kultfest zu schließen. Erinnern wir uns wieder des ältesten Belegs für *spurcalia* bei ALDHELM: *fanaticae lustrationis spurcalia thurificabat.* Was sind *lustrationes*? Gewöhnlich versteht man darunter Reinigungs- und Sühneopfer. Das ist richtig. Es darf aber auch nicht übersehen werden, daß zu Lustrationen immer ganz wesentlich der Umgang mit dem Opfertier gehörte.[237] Von diesem Umstand her gesehen wird das *fanatica lustratio* auch überhaupt erst verständlich. Denn auch das ist nicht beachtet worden: Von verzückten, schwärmerischen, rasenden „Sühneopfern" wird man nur unter Anwendung von Gewalt sprechen können, nicht aber von schwärmerischen Umgehungen, Umzügen. Von der Mysteriensprache geprägt[238], haben wir *fanaticus*, wo das Wort zur Charakterisierung heidnischer und superstitioser Praktiken gebraucht wurde, immer in der Bedeutung von schwärmerischer, verzückter Begeisterung übersetzen müssen; sowohl bei „verzückten Traumdeutern, Wahrsagern", wie auch bei wilden, ekstatischen anmutenden Tänzen nahezu „rasender" Haufen. Jene Tänze zu Neujahr, das dürfen wir aus Formulierungen schließen, wie: *per vicos et per plateas cantationes et choros ducere*[239], waren nicht ‚stationäre' Belustigungen eines ‚Festzeltbetriebes', sondern Umzugstänze. Das gehörte nun einmal zum brauchmäßigen Fest nicht nur römischer Provenienz. Unter *fanaticae lustrationes* haben wir also „schwärmerische Umzüge" zu verstehen, bei denen zur Zeit der Spurcalien Schweine als Opfertiere mitgeführt wurden. Nur so dürfte die Mitteilung bei ALDHELM richtig erklärt sein.

Wieweit diese Erklärung auf die Bemerkungen der *Homilia* und des *Indiculus* zutreffen, läßt sich nicht ausmachen. Aber vielmehr als alles andere, was bisher über diese *dies spurci* bzw. Spurcalien nur *per analogiam* vermutet wurde, anzunehmen, haben wir erstmals Gründe zu sagen, daß an den Spurkeltagen Umzüge im Sinne von Lustrationsumgehungen (mit Schweinen?) stattfanden und Augurien (Schweineorakel?) angestellt bzw. beobachtet worden sind.

---

[236] J. KNOBLOCH, Hornung ‚Februar': eine lateinische Lehnübersetzung?: Zeitschrift für vergleichende Sprachforschung 88 (1974) 122—125.
[237] PAULY/WISSOWA, Real-Encyclopädie XIII 2029—2039.
[238] Cf. SCHNEIDER, Kalendae Ianuaria, 122, Anm. 1.
[239] Konzil von Rom, a. 743, c. 9. ed. MG Leg. 3 II 15; cf. oben S. 127.

*

Mit Übernahme der römischen Woche haben auf germanischem Gebiet auch die Wochentagsgötter Eingang gefunden. Daß die Übernahme noch zur Zeit des germanischen Heidentums stattgefunden hat, dafür sprechen die Tagesnamen Montag = ahd.: manatag (= *dies Lunae*)[240]; Ertag (Dienstag) = mhd. ertac = got. *areinsdays (= *dies Martis* = Ares)[241]; Donnerstag = ahd. Donares tag (= *dies Iovis*)[242]; Freitag = ahd. friatag (= *dies Veneris*).[243]

Gesetzt aber den Fall, die Namen der römischen Wochentagsgötter und die römische Woche überhaupt wären erst durch Vermittlung der christlichen Missionare zu uns gekommen (beim „Ertag" mögen die Verhältnisse anders liegen), wie es gelegentlich angenommen wird[244], so wird man sich nur schwer vorstellen können, daß zu dieser späten, schon ‚christlichen' Zeit, die römischen Götternamen durch die Namen der entsprechenden germanischen Götter ersetzt worden wären. Doch ganz so apodiktisch wie HOMANN sich äußert[245], wird man einen Anteil der christlichen Missionspolemik an der Verbreitung der römischen Wochentagsheiligung, bzw. der Tabuisierung bestimmter Wochentage nicht bestreiten dürfen. Die Frage beispielsweise, ob die erstmals in den Zeugnissen der Missionszeit genannte Übung der Donnerstagsheiligung durch Arbeitsruhe vorchristlicher, germanisch-römischer Gebrauch gewesen ist, läßt sich nicht so positiv entscheiden, wie HOMANN[246] und vor ihm in etwa auch NILSSON[247] tun. Der Zeugniswert unserer Quellen (es sind die einzigen, die über Donnerstagsheiligung in so früher Zeit Auskunft geben können) ist, wie sich wieder einmal zeigen wird, ja von höchst zweifelhaftem Wert.

Führen wir zuerst das verhältnismäßig späte Zeugnis im *Corrector* BURCHARDS VON WORMS an: *Fecisti phylacteria diabolica, vel caracteres diabolicos quos quidam diabolo suadente facere solent, vel herbas, vel succinos, vel quintam feriam in honorem Jovis honorasti? Si fecisti vel consensisti, quadraginta dies in pane et aqua poeniteas.*[248] Die Verwandtschaft des *Poenitentiale Mediolanense*[249], des

---

[240] KLUGE, Etym. Wb., 486.

[241] Die Vermittlung des griechischen Ares geht wohl zu Lasten der arianischen Missionare, die bei der Ἄρεως ἡμέρα, dem Tag des Ares, wohl an Arius, ihren Lehrer, gedacht haben können; cf. KLUGE, Etym. Wb., 132.

[242] Ebenda 138.

[243] Ebenda 217; zum Gesamtkomplex vgl. F. H. Colson, The Week. Cambridge 1926.

[244] Cf. bei NILSSON, Vorgeschichte des Weihnachtsfestes, 118; aber auch HOMANN, 112, über BOUDRIOT.

[245] HOMANN, Indiculus, 112.

[246] Indiculus 112.

[247] Vorgeschichte des Weihnachtsfestes 118.

[248] C. 92, ed. SCHMITZ II 429.

[249] WASSERSCHLEBEN 706.

Poenitentiale EGBERTI[250] und des Ps.-GREGORII[251] mit der Bestimmung des *Correctors* läßt sich aus den nur geringfügig variierten Wendungen *in honorem Iovis honoraverit (Mediolan.), in honore Jovis ... honorare* (EGBERT. und Ps.-GREGOR.) leicht erkennen. Die Verordnung im *Corrector* entspricht sodann BURCHARDS *Dekret*, Buch X, c. 33. Der entsprechende Passus heißt dort: *vel quintam feriam in honorem Jovis, vel Kalendas Januarias secundum paganicam consuetudinem honorare praesumpserint.*[252] Wie BURCHARD, so hat auch IVO VON CHARTRES, der die Bestimmung aus BURCHARDS *Dekret* übernommen hat, das Stück fälschlich dem *4. Konzil von Arles* a. 524, als Kanon 5 zugeschrieben. Es handelt sich zweifelsfrei aber um einen unechten Beschluß, was schon MANSI, VIII 631, festgestellt hat. Auch Kapitel 5 der unter den Werken LEOS D. GR. überlieferten *Epistola canonica* dürfte in diese Überlieferungsgruppe gehören: *diem Jovis aut Veneris propter paganorum consuetudinem observant.*[253] Obzwar als unechte Überlieferung des *Arelatense IV.* erkannt, läß sich die Tradition doch mit Sicherheit auf den Bischof von Arles, CAESARIUS, zurückführen, zu dessen Lebzeiten die Synode stattgefunden hat. Es muß also eine noch BURCHARD bekannte Überlieferung gegeben haben, die einen Zusammenhang der Predigtexerpte aus CAESARIUS, wie sie die Bestimmung des *Dekrets* enthalten, mit dem *Konzil von Arles* gesehen haben. Die Verwandtschaft mit einschlägigen Predigttexten des CAESARIUS erkennt man leicht, wenn man etwa folgende Formulierungen zum Vergleich heranzieht: *esse aliquae mulieres infelices, quae in honore Iovis quinta feria nec telam nec fusum facere vellent*[254]; *qui in honore Iovis quinta feria opera non faciunt.*[255] Etwas vorher bestimmt CAESARIUS noch einmal näher, worin diese Arbeitsruhe unter den Frauen bestanden hat: *quinta feria nec viri opera faciant, nec mulieres laneficium.* Die Stelle der *Vita Eligii* kann nur mittelbar auf CAESARIUS zurückgehen, wenn auch BOUDRIOT[256] sie für ein komplettes Zitat aus dessen Predigten ansieht:

> *Nullus nomina daemonum aut Neptunum aut Orcum aut Dianam aut Minervam aut Geniscum vel cetera huiuscemodi ineptia credere aut invocare praesumat. Nullus diem Iovis absque sanctis festivitatibus nec in Madio nec ullo tempore in otio observet neque dies tiniarum vel murorum aut vel unum omnino diem nisi tantum dominicum.*[257]

Denn die *dies tiniarum vel murorum* können allein aus MARTINS VON BRAGA *Correctio rusticorum*[258] stammen. Weiteres weist auf MARTIN hin: Kapitel 18 finden wir die Gegenüberstellung des *dies Iouis* und des christlichen *dies dominicus.*[259]

---

[250] C. VIII 4, ed. SCHMITZ II 668.
[251] C. 23, ed. WASSERSCHLEBEN 543.
[252] Ed. PL 140, 835.
[253] Ed. PL 56, 891.
[254] CAESARIUS VON ARLES, Sermo 52, ed. CCL 103, 230 sq.
[255] Id., Sermo 13, ed. CCL 103, 68.
[256] BOUDRIOT 59 f.
[257] Vita Eligii II, c. 16, ed. MG Script. rer. Merow. IV 706.
[258] C. 16, cf. oben S. 147 f.

Desweiteren und besonders auffällig aber ist, daß die *Musterpredigt* der *Vita Eligii* unmittelbar dem Verbot der Beachtung des Tages Jupiters eine Aufzählung von Götternamen, die man nicht anrufen solle, vorausschickt. Auch bei Caesarius wird zwar eine Reihe von Götternamen aufgeführt[260], doch handelt es sich dabei allein um die Namen der Planetengötter und deren unmittelbaren Bezug zu den Wochentagsbezeichnungen. Bei Martin dagegen lesen wir: *Mulieres in tela sua Mineruam nominare*[261], also die Frauen sollten beim Weben nicht Minerva anrufen. Dazu vergleiche man Nr. 75 unter den von Martin zusammengestellten *Capitula ex orientalium Patrum synodis: Non liceat mulieres Christianas aliquam vanitatem in suis lanificiis observare, sed Deum invocent adjutorem, qui eis sapientiam texendi donavit.*[262] Als orientalischer Kanon ist das Stück nicht nachzuweisen. Es wird von Martin selbst verfaßt worden sein. Von Martin[263] ist ebenfalls abhängig c. 12 der *Homilia de sacrilegiis: uel ipsum diem, quem ioues dicunt, propter iouem colet et opera in eo non facit.*[264] Aber auch an Caesarius[265] erinnert die Formulierung: *et opera in eo non facit.* Der 15. Kanon des *Provinzialkonzils von Narbonne*, a. 589, enthält ebenfalls die caesarianische Formulierung *diem quintam feriam quae dicitur Iovis multos excolere et operationem non facere.*[266] Man erkennt nun aber auch sogleich, daß die Version der *Homilia* näher zum *Konzil von Narbonne* als zu Caesarius steht, beide aber für sich schon ihre Verwandtschaft mit Caesarius und darüber hinaus Anklänge an Martin von Braga erkennen lassen.

Welchen Zeugniswert will man aber bei derart offensichtlichen und vielfach verzweigten, über das ganze christliche Abendland verbreiteten Abhängigkeiten unserer Quellen von Caesarius und Martin noch dem *Indiculus superstitionum*, Nr. 20, einräumen wollen: *De feriis quate faciunt Iovi vel Mercurio?*[267] Homann zweifelt immer noch nicht an seiner Quelle. Die Gegenargumente, die er Boudriot hätte liefern müssen, sind dabei ausgeblieben. Die, wie er meint, allein im *Indiculus* bezeugte Verbindung von Jupiter und Mercur, steht schon bei Caesarius, wenn auch sicher nicht mit dem Gewicht, wie es der Nennung dieser Namen im *Indiculus* zukommen mag.

Bei Caesarius, und darin hat Homann recht, stehen die Götternamen allein in einer Reihe der Namen der Wochentagsgötter. Ganz ähnlich auch in der *Homilia: Qui dies aspicet, quos pagani errantes soles, lunes, martes, mercures, ioues, ueneres, saturni nominauerunt, et credet sibi per hos dies uiam agendam uel negotium*

---

[259] Martin, De corr. rust., c. 18, ed. Barlow; Vita Eligii, wie Anm. 257.

[260] Caesarius von Arles, Sermo 193, ed. CCL 104, 785.

[261] Martin, De corr. rust., c. 16, ed. Barlow.

[262] Ed. Barlow 141.

[263] Corr. rust., c. 18, ed. Barlow.

[264] Ed. Caspari 8.

[265] Sermo 13, cf. S. 156 zu Anm. 255.

[266] Ed. Mansi IX 1017.

[267] Ed. MG Capitul. reg. Franc. 2 I 223.

faciendum, uel quacumque utelitate alia (per ipsos) aut iouamen, aut grauamen fieri posse, uel ipsum diem, quem ioues dicunt, propter iouem colet et opera in eo non facit, iste non christianus, sed paganus est.[268] CAESARIUS und die *Homilia* sehen übereinstimmend die römischen Tagesnamen im Zusammenhang mit Tagewählerei: *neque observemus qua die in itinere proficisci debeamus*[269] — *et credet sibi per hos dies uiam agendam uel negotium faciendum.*[270] Dabei erwähnen beide auch, die *Homilia* an derselben, CAESARIUS an anderer Stelle, die Donnerstagsheiligung.[271] Doch vordringlich geht es beiden erst einmal um die Bekämpfung der Wochentagsastrologie: die Bedeutung der Planetengötter — denn das sind die Wochentagsgötter — für die Entscheidung, ob *per hos dies uiam agendam uel negotium faciendum* sei. Deshalb sollen nicht die heidnischen Tagesnamen, sondern die gebraucht werden, die von Gott eingeführt waren[272], lange bevor jene verbrecherischen Menschen geboren worden seien, nach denen die Heiden ihre Wochentage benannt hätten.

> *Mercurius enim homo fuit miserabilis, avarus, crudelis, impius et superbus; Venus autem meretrix fuit inpudicissima. Et ista monstruosa portenta, id est Mars et Mercurius et Iovis et Venus et Saturnus eo tempore dicuntur nati, quo filii Israhel erant in Aegypto. Si tunc nati sunt, utique dies isti, qui illorum nominibus appellantur, illo tempore iam erant, et secundum quod deus instituerat, sic nomen habebant, id est, prima et secunda et tertia et quarta et quinta et sexta feria*[273];

Deshalb also, CAESARIUS betont das erneut, *nunquam dicamus diem Martis, diem Mercurii, diem Iovis; sed primam et secundam vel tertiam feriam, secundum quod scriptum est, nominemus.*[274] *Feria*, das sei noch angemerkt, bedeutet bei CAESARIUS einfach Tag; von Fest- oder Feiertag ist keine Rede.

HOMANN glaubt eben darin ein Indiz für Mittwochheiligung zu sehen, daß die Verbindung von Jupiter und Merkur in einem Zusammenhang steht, der die für den Tag Jupiters (Donnerstag) bezeugte Feiertagsruhe auch für den Mittwoch, den Tag Merkurs, anzunehmen nahelegt. Wenn nun auch nicht für Mittwoch, so ist doch für den Freitag ein ganz ähnliches Zeugnis überliefert und man müßte, wollte man der HOMANNschen Argumentation folgen, dann auch für Freitag Feiertagsruhe

---

[268] Hom. de sacril., c. 12, ed. CASPARI 8.

[269] CAESARIUS, Sermo 193, ed. CCL 104, 785.

[270] Homilia, wie Anm. 268.

[271] Cf. CAESARIUS, Sermo 13, ed. CCL 103, 68.

[272] Cf. den biblischen Schöpfungsbericht; die Schöpfungswoche: ... und es ward Abend und es ward Morgen: der erste Tag., Gen 1, 5 ff.

[273] CAESARIUS, Sermo 193, wie Anm. 269; *sed sunt dubii in tantum (homines ignorantes Deum), ut nomina ipsa daemoniorum in singulos dies nominent diem Martis et Mercurii et Iouis et Ueneris et Saturni, qui nullum diem fecerunt, sed fuerunt homines pessimi et scelerati in gente Graecorum*, MARTIN VON BRAGA, Corr. rust., c. 8.

[274] Ebenda.

[275] Cf. oben Anm. 253.

ansetzen: *diem Jovis aut Veneris propter paganorum consuetudinem observant.*[275] Diese Stelle aus der *Epistola canonica* läßt aber auch erkennen, daß es eigentlich sich nicht um verbotene Feiertage handelt, sondern um Tage, die man nicht „beachten", „beobachten" dürfe. Was damit gemeint ist, wissen wir nicht nur aus der *Homilia: credet sibi per hos dies uiam agendam uel negotium faciendum, uel in quacumque utelitate alia (per ipos) aut iouanem, aut grauamen fieri posse*[276]: *hos dies*, das sind die Tage, die die Heiden *soles, lunes, martes, mercures, ioues, ueneres, saturni* genannt haben.[277]

Jeder Wochentag hat einen eigenen, durch die Herrschaft des jeweiligen Planetengottes bestimmten Charakter: Der eine ist gut, eine Reise zu unternehmen, der andere, ein Geschäft zu tätigen, ein anderer ist günstig, eine Ehe einzugehen. Eine Ehe schließt man am besten am Freitag: denn das ist der Tag der Venus. Der Zusammenhang leuchtet unmittelbar ein: Venus, Göttin der Liebe: *Ueneris diem in nuptias obseruare . . . quid est aliud, nisi cultura diaboli?*[278] Welcher Tag aber ist vorzüglich geeignet, Geschäfte zu betreiben, *ad negotium faciendum,* wenn nicht der dem Gott des Handels geweihte Tag, der *dies Mercurii* (Mittwoch).

Der Vorwurf geht darauf, daß man bestimmte Wochentage je nach der Funktion des Wochentagsgottes als günstig oder ungünstig ansah, etwas zu tun oder zu lassen. Die Frage einmal beiseite gesetzt, ob auf deutschem Boden der Donnerstag ein Tag der Arbeitsruhe gewesen ist (unsere Quellen können das nicht beweisen), sollte der Mittwoch auch Feiertag gewesen sein und schließlich auch noch der Freitag, dann hätten schon in alter Zeit Zustände geherrscht, die unsere Fünf-Tage-Woche nur als schwachen Abglanz erscheinen lassen.

Die Bemerkung der *Homilia,* über einen Tag, der günstig sei, Geschäfte zu treiben, gibt uns nun überhaupt erstmals einen sicheren Halt bei der Interpretation der Nr. 20 des *Indiculus superstitionum: De feriis quae faciunt Jovi vel Mercurio.* Den Mittwoch als den Tag des Merkurs beachten all jene, die ihn als günstig für Geschäfte und Handel ansehen. Nur das kann mit Nr. 20 gemeint sein: Die an den Jupiter und Merkur geweihten Tagen festhalten.

Daß mit dem Patronat Merkurs keine germanische Anschauung wiedergegeben ist, leuchtet schon für sich ein. Denn nur Merkur, nicht der substituierte Wodan/ Odin ist ein Gott des Handels: Wer könnte sich schon Wodan mit einem Geldbeutel in der Hand dargestellt denken? Bei Merkur dagegen ist das ein geläufiges Attribut.[279] Die später von der *Interpretatio Romana* durch die beiden Göttern eigene Funktion des Seelenführers vermittelte Gleichsetzung Merkur = Wodan/

---

[276] Hom. de sacril., wie Anm. 268.

[277] Ebenda.

[278] MARTIN VON BRAGA, De corr. rust., 16, ed. BARLOW; *Veneris aut alium diem in nuptiis obseruare,* PIRMIN, Dicta, c. 22, ed. JECKER; *Ueneris diem in nuptiis obseruare,* Rede an Getaufte, saec. 10/11, ed. CASPARI 200.

[279] GOLDAMMER, Wb., 355.

Odin und die an dieser Interpretation orientierte Lehnübersetzung dies Mercurii in mnd. „Wodensdag"[280] konnte einen Bezug des „Wodenstag" auf Handel und Geschäfte sicherlich nicht nahelegen. Wir müssen für das Zeugnis des *Indiculus* auch hier literarische Tradition annehmen, gegen die sich HOMANN so heftig sträubt.[281] Über die von ihm zur Erklärung der Nr. 20 des *Indiculus* herangezogenen Quellen urteilt er: „Allen diesen Zeugnissen ist das Verbot der Arbeitsruhe am Donnerstag gemeinsam. Auffälligerweise nennen sie jedoch entweder alle Götter, die einem Wochentag den Namen gaben, oder heben Jupiter-Donar durch Vereinzelung besonders hervor. Nirgends jedoch findet sich ein Zeugnis, das auf eine besondere Heiligung des Mittwoch hinweist, und nur der Indiculus bringt die Zusammenstellung Jovi vel Mercurio. Diesem Befund entsprechen ungefähr die Beobachtungen der Volkskunde...".[282]

In engster literarischer Nachbarschaft zum *Indiculus* enthält die von W. SCHERER herausgegebene „lateinische Musterpredigt aus der Zeit Karls des Großen"[283] eine Ausführung über das, was zum Götzendienst gehöre:

> *sacrilegium quod dicitur cultura idolorum: omnia autem sacrificia et auguria paganorum sacrilegia sunt, et omnia illa observatio quae pagania vocantur, quemadmodum sacrificia mortuorum circa defuncta corpora apud sepulchra illorum sive auguria sive filacteria sive quae immolant super petras sive ad fontes sive ad arbores Iovi vel Mercurio vel aliis paganorum, quae omnia demonia sunt, quod eis feriatos dies servant, sive incantationes et multa alia quae enumerare longum est.*[284]

Hier steht das *Jovi vel Mercurio*, das HOMANN im *Indiculus* so einzigartig fand.
Die *karolingische Musterpredigt* ist unbestreitbar verwandt mit Ps.-BONIFATIUS, *Sermo 6*. Auch hier läßt sich nachlesen: *Jovi vel Mercurio*. HOMANN weist Ps.-BONIFATIUS sicher zu recht als Parallelbeleg für *Indiculus* Nr. 8 aus: *De sacris Mercurii vel Jovis*, nicht als Parallele zu Nr. 20. Der Textzusammenhang im Ps.-BONIFATIANISchen *Sermo 6* legt die Einschätzung nahe:

> *Haec enim sunt capitalia peccata. Sacrilegium quod dicitur cultura idolorum. Omnia autem sacrificia et auguria paganorum, sacrilegia sunt, quemadmodum sunt sacrificia mortuorum defuncta corpora, vel super sepulcra illorum, sive auguria, sive phylacteria, sive quae immolant super petras, sive ad fontes, sive ad arbores, Jovi, vel Mercurio, vel aliis diis paganorum, quae omnia daemonia sunt, et multa alia quae enumerare longum est.*[285]

---

280 Andere Formen vgl. KLUGE, Etym. Wb., 482.
281 BOUDRIOTS Ausführungen sind widersprüchlich. S. 18 nimmt er Bezug von Nr. 20 auf germanische Paganismen an, erweist dann jedoch, auch unter Anführung von Ind. Nr. 20, die Donnerstagsfeier als spätantike Sitte (S. 58 f.).
282 HOMANN, Indiculus, 112.
283 ZfdA 12 (1865) 426—446.
284 Ebenda 439.
285 Ps.-BONIFATIUS, Sermo 6, ed. PL 89, 855.

Die Verwandtschaft des *Sermo* mit der *Musterpredigt* liegt offen zutage. Doch ist die Frage nach dem Abhängigkeitsverhältnis schwer zu beantworten. Den eleganteren Text hat sicher Ps.-BONIFATIUS. Dagegen macht die *Musterpredigt* einen etwas verworrenen Eindruck gerade dort, wo von Jupiter und Merkur die Rede ist. Es ist schwer vorstellbar, daß bei Vorlage der Ps.-BONIFATIANISchen Version der Bearbeiter der *Musterpredigt,* wenn wir dieses Verhältnis als Arbeitshypothese annehmen wollen, die Dunkelheiten erst in seinen Text gebracht hätte. Nimmt man hingegen mit SCHERER[286] und gegen MILLEMANN[287] an, daß die *Musterpredigt* die ältere Fassung vertritt, dann lassen sich auch die Weglassungen und kleinen Einschübe erklären, die Ps.-BONIFATIUS vorgenommen hat. Sie betreffen nämlich allein die dunklen Stellen: von *omnia autem sacrificia et auguria paganorum sacrilegia sunt, et omnia illa observatio quae pagania vocantur* der *Musterpredigt* läßt er nur stehen: *omnia autem sacrificia et auguria paganorum sacrilegia sunt.* Mit der *observatio quae pagania vocantur* weiß er offensichtlich nichts anzufangen. Ebenso läßt er weg: *quod eis feriatos dies servant, sive incantationes.* Beides aber hat in der *Musterpredigt* noch einen deutlichen Bezug aufeinander, den Ps.-BONIFATIUS nicht mehr erkannt hat.

Die Aufzählung der *Musterpredigt* beginnt mit der Nennung dreier Arten von Sakrilegien: *sacrificia (paganorum)* — *auguria (paganorum)* — *observatio (quae pagania vocantur).* Damit werden drei Kategorien heidnischer Religionspraxis bezeichnet: Opfern — Augurien anstellen — Dinge und Zeiten beachten, ob sie nützlich/günstig oder gefährlich/ungünstig sind. Diesem Schema entsprechend zählt die *Musterpredigt* nun auf: *sacrificia mortuorum circa defuncta corpora apud sepulchra illorum* — *auguria* — *sive filacteria sive quae immolant super petras sive ad fontes sive ad arbores Iovi vel Mercuri vel aliis paganorum, quae omnia demonia sunt, quod eis feriatos dies servant, sive incantationes.* Die Subsumtion der Opfergebräuche an Felsen, Quellen und Bäumen unter Observationer, ist, wie oben belegt wurde[288], traditionelle Auffassung. Kultische Praktiken und Gebräuche an diesen Orten gehören zur Observation, weil sie auch als Heilsveranstaltungen angesehen werden: *Si alicubi in nostra parochia locus talis est, aut ad fontes, aut arbores, aut ad petras: si aliqui stulti ibi vota faciant, aut observent pro aliquam sanitatem.*[289] Unter die Observationen zählt somit die *Musterpredigt* ganz richtig: das Anwenden von Schutzmitteln *(filacteria);* was an Felsen, Quellen und Bäumen dem Jupiter oder Merkur oder anderen (Göttern, wie Ps.-BONIFATIUS einfügt) der Heiden geopfert wird (man vgl. *ibi vota faciant* in dem gerade angeführten *Capitular);* namentlich aber, wenn man die ihnen geweihten Tage beachtet.

---

[286] Wie Anm. 282.
[287] H. MILLEMANN, Caesarius von Arles und die frühmittelalterliche Missionspredigt: Zeitschrift für Missionswissenschaft 23 (1933) 24.
[288] Cf. Kap. II 1.
[289] Capitula sub Carolo magno, ed. HARTZHEIM I 424.

Was nun Jupiter und Merkur angeht, so enthält also die *Musterpredigt* noch zwei verschiedene Aussagen über ihre Verehrung: ihnen werden Opfer gebracht und die ihnen geweihten Tage werden beachtet. Der Ps.-Bonifatianische *Sermo* läßt den ihm dunklen Bezug auf die Beobachtung der Wochentage weg: vielleicht, daß er damit nichts anfangen konnte, weil ihm die Übung selbst unbekannt war? Da nun allein die *Musterpredigt* beide Auskünfte des *Indiculus* (Nr. 8 und 20) enthält, der Ps.-Bonifatianische *Sermo* aber nicht, muß man eine größere Affinität des *Indiculus* zur *Musterpredigt* als zum *Sermo* ansetzen, so daß auch unter dieser Rücksicht die Priorität der *karolingischen Musterpredigt* festzuhalten wäre.

Daß in den Ps.-Bonifatianischen *Sermones* „sich viel Caesarianisches findet", muß schließlich auch *Homann* konzedieren.[290] Und daß der „Befund": „Nur der Indiculus bringt die Zusammenstellung Jovi vel Mercurio"[291] nun gerade von einem so verdächtigen Zeugen widerlegt wird, das ist ein weiteres Zeichen für die nun wahrhaft nicht mehr zu bezweifelnde Allgegenwärtigkeit des Caesarius in der kirchlichen Superstitionen- und Paganienliteratur. Über die Wochentagsgötter zudem bietet der Bischof von Arles die vollständigste Information, die darüber im literarischen Umkreis der frühmittelalterlichen Heidenmissionare zu finden war. Die Klarheit seiner Aussage und der unverhältnismäßig große Nuancenreichtum seiner Schilderungen erweist ihn auch als den vielleicht einzigen Heidenprediger über diese Thematik, dessen Kenntnis nicht allein aus literarischen Traditionen kommt:

> *Nonnulli enim in haec mala labuntur, ut diligenter observent qua die in itinere exeant, honorem praestantes aut soli aut lunae aut Marti aut Mercurio aut Iovi aut Veneri aut Saturno: nescientes miseri, quia, si se per paenitentiam non emendaverint, cum illis partem habebunt in inferno, quibus vanum honorem inpendere videntur in mundo. Ante omnia, fratres, universa ista sacrilegia fugite, et tamquam diaboli mortifera venena vitate. Et solem enim et lunam deus pro nobis et nobis profutura constituit: non ut ista duo luminaria quasi deos colamus, sed illi, qui ea nobis dedit, quantas possumus gratias referamus. Mercurius enim homo fuit miserabilis, avarus, crudelis, impius et superbus; Venus autem meretrix fuit inpudicissima. Et ista monstruosa portenta, id est, et Mars et Mercurius et Iovis et Venus et Saturnus eo tempore dicuntur nati, quo filii Israhel erant in Aegypto. Si tunc nati sunt, utique dies isti, qui illorum nominibus appellantur, illo tempore iam erant, et secundum quod deus instituerat, sic nomen habebant, id est, prima et secunda et tertia et quarta et quinta et sexta feria; sed miseri homines et imperiti, qui istos sordidissimos et impiissimos homines, ut supra diximus, timendo potius quam amando colebant, pro illorum sacrilego cultu, quasi in honore ipsorum, totos septimanae dies singulis eorum nominibus consecrarunt; ut quorum sacrilegia venerabantur in corde, eorum nomina frequentius habere viderentur in ore. Nos vero, fratres, qui non in hominibus perditis atque sacrilegis, sed in deo vivo et vero spem habere cognoscimur, nullum diem daemonum*

---

290 Homann, Indiculus, 197.
291 Ebenda 112.

appellatione dignum esse iudicemus, neque observemus qua die in itinere proficisci debeamus: sed etiam ipsa sordidissima nomina dedignemur et ore proferre, et nunquam dicamus diem Martis, diem Mercurii, diem Iovis; sed primam et secundam vel tertiam feriam, secundum quod scriptum est, nominemus. De his etiam nominibus et vestras familias admonete.[292]

So farbig und prägnant sehen die Quellen aus, aus denen die Informationen geflossen sind, die Jahrhunderte hindurch von ungezählten Schreibern ausgeschrieben und einander weitergereicht bis zu völlig unverständlichen Resten heruntergekommen sind; was aber, wie es scheint, um so mehr einen Grund abgab, sie weiter zu tradieren. Es hat den Anschein, als hätten die Heidenmissionare und Paganienbekämpfer, wo immer sie sich befanden, die unmittelbar von CAESARIUS angefügte Aufforderung nicht überhört:

De his etiam nominibus et vestras familias admonete: tunc enim in vobis perfecta animae sanitas permanebit, si per vestram admonitionem ad eos qui multis peccatis vulnerati sunt medicamentum spiritale pervenerit. Unde non solum illos qui vestri sunt frequentur cum severitate corripite, sed etiam extraneos cum caritate iugiter admonete; ut vobis pius et misericors dominus, non solum pro vestra, sed etiam pro aliorum salute aeterna praemia retribuat: cui est honor et gloria in saecula saeculorum. Amen.[293]

Generationen von Ausschreibern, Abschreibern, Kompilatoren und Bearbeitern haben so CAESARIUS im Verein mit MARTIN VON BRAGA die Kenntnis der römischen Wochentagsastrologie vermittelt: Bis nach Skandinavien. Um 1000 verfaßt der angelsächsische Abt AELFRIC eine Stabreimpredigt gegen das dänische Heidentum; und diese Predigt *De falsis diis* ist wieder Grundlage einer späteren, altnorwegischen Erklärung, „Woher der Unglaube seinen Ursprung hat"[294], geworden. In AELFRICS alliterierender Homilie, wir werden auf sie noch im anderen Zusammenhang zu sprechen kommen, steht über die Wochentagsgötter folgende völlig von MARTIN VON BRAGA abhängige Erklärung[295]:

Sie setzen da auch
für die Sonne und den Mond
und die anderen Götter,
für einen Jeden seinen Tag;
zuerst für die Sonne
den Sonntag
und sodann für den Mond
den Montag,

---

[292] CAESARIUS v. ARLES, Sermo 193, ed. CCL 104, 785.
[293] Ibd. 785 sq.
[294] Etwa um 1400 verfaßt, ed. J. THORKELSSON, Nokkur blöð úr Hausbók, Reykjavik 1865, 13 ff.
[295] Über das Abhängigkeitsverhältnis der genannten Texte s. unten S. 280.

und den dritten Tag
untergaben sie Mars,
ihrem Kriegsgott,
sich zur Hilfe.
Den vierten Tag
schenkten sie zum Trost für sich
dem vorher besprochenen Mercurius,
dem herrlichen Gott.
Den fünften Tag
hielten sie herrlich heilig
zu Jovis Preise,
des höchsten Gottes.
Den sechsten Tag bestimmten sie für
die schamlose Göttin
Venus geheissen.[296]

*

Im Kampf gegen den Wochentagsaberglauben, die Beobachtung der heidnischen
Wochentagsgötternamen, konnte CAESARIUS VON ARLES sich auf die Namensgebung
der Schöpfungswoche berufen. Dort seien die Namen der Wochentage von Gott
selbst eingeführt: Der erste Tag, der zweite Tag usf.

Am 4. Tag aber erschuf Gott die Himmelskörper. Er sprach: „Es sollen Leuchten
werden am Firmament des Himmels, um zu scheiden zwischen der Nacht und dem
Tag, und sie sollen zu Zeichen dienen und zu Festzeiten für Tage und Jahre"[297].
Stützte CAESARIUS seine Kritik der heidnischen Wochentagsnamen auf den biblischen Bericht über die Schöpfungswoche, so schien aber der gleiche Text doch auch
die alttestamentliche Legitimation dafür zu enthalten, nach dem Stand der Sterne,
von Sonne und Mond, besondere Tage zu unterscheiden. So sehr sich auch die
Theologie bemühte, diese Erklärung als eine falsche Interpretation zu erweisen[298],
richtig besehen schien die Exegese über den Zweck der Sterne letztlich doch eine
Rechtfertigung für Anschauungen, die zu einem förmlichen System astrologischer
Tage- und Stundenwählerei ausgebaut worden sind.[299]

Zu Zeiten Augustins haben wir uns die Gewohnheit auch unter Christen noch
tief eingewurzelt und verbreitet vorzustellen. Jedenfalls sah man allgemein wohl
nichts Sündhaftes darin. Was CHRYSOLOGUS über die Kalendenbräuche zu berichten
wußte, daß man es nämlich für eine unschuldige, lustige Tollerei, nicht aber für
etwas Verbotenes ansah, dasselbe kann für die populäre Auffassung von der Tage-

---

[296] AELFRIC, Homilia de falsis diis, ed. B. THORPE, dt. CASPARI, De corr. rust. CXX.
[297] Gen 1, 14.
[298] AUGUSTINUS, De Gen. ad. litt. II 14, ed. CSEL 28, 53—56; ID., Epistola 55, 8, ed.
CSEL 34, 2, 184; J. ZELLINGER, Die Genesishomilien des Bischofs Severian von Gabala.
Münster/Westf. 1916, 85 f.
[299] M. P. NILSSON, Die Religion in den griechischen Zauberpapyri: Bulletin de la Société
Royale des Lèttres de Lund. Ärsberättelse 1947, 48, 87.

wählerei Augustinus bezeugen. Bei solchen Dingen an Sünde zu denken, lag seiner Gemeinde fern. Nur behutsam und freundlich wage er die Sache zur Sprache zu bringen: Damit man nämlich nicht aus Furcht, es sollten mit dem Verbot gänzlich neue Dinge eingeführt werden, eine Revolte anstifte: *Et vix lente ista prohibemus arridentes, ne irascantur, et timentes ne quasi novum aliquid mirentur.*[300] Denn was würden wohl erst derartige Neuerungen bewirken, so Augustinus, wenn es schon zum Gemeindeaufruhr komme, wenn jemand am jüdischen Sabbat festhielte: *Et tamen si deprehendatur quisquam vel catechumenus Judaico ritu sabbatum observans, tumultuatur ecclesia.*[301] Man wird auch hier sagen dürfen, daß einem weitgehend indifferenten Bewußtsein erst langsam die Gabe der Unterscheidung von Gut und Böse vermittelt worden ist.

Während denjenigen, die an Glücks- und Unglückstage glaubten, die Berechtigung bestritten wurde, *Genesis* 1, 14 in ihrem Sinne auszulegen, hat die theologische Kritik sich auf eine nicht minder anfechtbare Exegese zu stützen gesucht. Vielleicht, daß Augustinus die Beziehung der Paulusstelle auf die Gewohnheit der Galater, ihre religiösen Übungen nach Sabbaten, Neumonden, Jubeljahren und jüdischen Festzeiten zu richten, wirklich nicht erkannt hat. Es würde dann allerdings auch die schwankende Haltung erklärlich, die Augustinus in dieser Frage eingenommen hat. Denn ungleich schärfer als es die von ihm selbst bezeugte, diplomatische Zurückhaltung mit Kritik solcher Anschauungen erwarten läßt, betont er im *Enchiridion*, das wäre nicht unter die leichten Sünden zu zählen. Doch auch hier räumt er noch ein, daß man auf solche Gedanken wohl nicht kommen könne, wenn es nicht ausdrücklich in der Bibel stünde: „Oder wer dächte daran, was für eine Sünde darin liegt, Tage zu beobachten und Monate und Jahre und Zeiten, so wie es diejenigen machen, die nur zu ganz bestimmten Tagen, Monaten oder Jahren etwas anfangen oder nicht anfangen wollen, weil sie nach eitler Menschenmeinung gewisse Zeiten für glück- oder unglückbringend ansehen. Und doch können wir die Größe dieser Sünde aus der Furcht des Apostels abnehmen, der zu solchen Menschen spricht: ‚Da muß ich allerdings besorgen, mich vergeblich um auch abgemüht zu haben' ".[302]

Was sind diese Unglückstage gemäß der kirchlichen Literatur, speziell der Verordnungsliteratur? Neben der von Augustinus entlehnten Unterscheidung *fausta vel infausta tempora*[303] begegnet als geläufigste Bezeichnung: „ägyptische Tage". Eine große Zahl astrologischer Traktätchen und Merksprüche in mittelalterlichen Handschriften belehrt uns, was darunter zu verstehen ist, obgleich die vermerkten

---

[300] Augustinus, Epist. in Gal. expos. 35, ed. PL 35, 2130.
[301] Id., Enarr. in Ps. 40, 3, ed. PL 36, 456.
[302] Id., Enchiridion, c. 79, übers. BKV 49, 467; Gal. 4, 11.
[303] Id. l. c.; Ivo von Chartres, Decr., pars XI, c. 19, ed. PL 161, 751; id., Panormia VIII, c. 80, ibd. 1325; Gratian, Decr., pars 3, causa 26, quaest. 7, c. 17, ed. Friedberg 1046; cf. Tabula dierum faustorum et infaustorum, Inc.: *Quicumque in aliquo dierum subsequentium nascetur non ...*, Cambridge, Trinity 1422, zwei Nachweise bei Thorndike, Incipits, 1237.

Termine oft voneinander abweichen. Zudem lassen verschiedene Weisen der Terminermittlung eine genaue Feststellung bzw. Abgrenzung der „ägyptischen Tage" von anderen Unglückstagen nicht immer zu. Dem entspricht eine gewisse terminologische Unsicherheit der genannten laienastrologischen Texte: *de diebus fastis et nefastis*[304], *De diebus bonis et malis*[305], *Isti sunt dies infelices*[306], *Isti sunt dies infelicissimi quos periculosos vocaverunt*[307], *Isti sunt dies periculosi qui debent observari*[308], *Pernitiosa dies et inani plena labore...*[309], *Unusquisque mensium habet diem venenosum...*[310] oder *de creticis diebus.*[311] In den meisten Fällen allerdings heißen sie *dies aegyptiaci.*[312]

Verschiedene Merkverse, mittels derer man sich an die jeweiligen unheilvollen Termine zu erinnern suchte, sind bekannt; sie beginnen etwa: *Prima dies mensis sic septima truncat ut ensis...*[313], *Si tenebre egyptos greco sermone vocantur...*[314], *Vivite cum cura sine cura vivite queso...*[315] oder, so das BEDA zugeschriebene Stück *Bis deni binique dies scribuntur in anno...*[316] Die Angaben über Häufigkeit

---

[304] Wien, Nationalbibl., Hs. 2245, saec., 12, f⁰ 59, Inc.: *Tres dies pre aliis sunt observandi...;* cf. E. ZIMMER, Verzeichnis der astronomischen Handschriften des deutschen Kulturgebietes. München 1925, 8097.

[305] Venedig, Bibl. Marc. Mss., fondo antico, 344 (Val. XI. 104), saec. 14, f⁰ 61, Inc.: *Cum luna a malo separata et fortune iuncta...,* THORNDIKE, Incipits, 314.

[306] Erfurt, saec. 14.; Vatikan, saec. 15; Wien, Nachweise bei THORNDIKE, Incipits, 795, 691, 606.

[307] Wien, saec. 15, THORNDIKE 795.

[308] Oxford, THORNDIKE 795; *Notandum quod in quolibet anno sunt 32 dies periculosi,* Clm 22049, saec. 14, f⁰ 16.

[309] Florenz, saec., 14/15, THORNDIKE 1035.

[310] London, THORNDIKE 1606.

[311] Brüssel, Kgl. Bibl., 9907, saec. 14, f⁰ 23: *incipit l(iber) G(alieni) de creticis diebus,* H. SILVESTRE, Incipits des traités médiévaux de sciences expérimentales dans les mss. latins de Bruxelles: Scriptorium 5 (1951) 160; vgl. auch MOHLBERG, Zürich, 538, er emendiert *dies critici.*

[312] Cf. die Nachweise bei THORNDIKE, Incipits, 36, 177, 652, 867, 1089 f., 1122, 1466, 1479, 1706: saec. 9—15; desweiteren St. Gallen, Stiftsbibl., Codd. 450, saec. 9, 338, saec. 10, 767, saec. 14/15, 841, saec. 15; SCHERRER, St. Gallen, 3, 187, 321; F. LEITSCHUH und H. FISCHER, Katalog der Handschriften der königlichen Bibliothek zu Bamberg. I 1. Bamberg 1895—1906, 311 (saec. 10), 199 (saec. 11), 313 (saec. 12).

[313] Clm 12515, saec. 13, f⁰ 87ᵛ.

[314] Berlin, Staatsbibl., Phil. 1869, saec. 9, f⁰ 12; Clm 658, saec. 15, f⁰ 19ᵛ.

[315] Poitiers, Nr. 184, saec. 11/12, f⁰ 67ʳ.

[316] Bamberg, Ed. IV. 10, saec. 10, f⁰ 14ᵛ und Ed. V. 1., saec. 11, f⁰ 151; unter den Werken BEDAS abgedruckt bei MIGNE, PL 90, 955—956; cf. C. W. JONES, Bedae Pseudepigraphia. Ithaca 1939, 88 und THORNDIKE, History, I 685—688; weitere Hinweise und Handschriften bei THORNDIKE, Incipits, 197, 277, 314, 795, 613, 992, 1210, 1393, 1606; Catalogus Cod. lat. Monac., II 3, 253; LEITSCHUH, I. 1. Bamberg, 803; Mazal, Wien, 1, 88; MOHLBERG, Zürich, 621; FRITZ SAXL, Verzeichnis astrologischer und mythologischer Handschriften des lateinischen Mittelalters. II (Die Handschriften der Nationalbibliothek Wien). Heidelberg 1927, 112, 142; SCHERRER, St. Gallen, Cod. 1157; FÖRSTER, Kleinliteratur, 352 ff.

und Datum der ägyptischen Tage schwanken: Für Januar beispielsweise werden sowohl drei Tage (der 2., 6. und 16.)[317] oder nur zwei Tage mitgeteilt. Letzteres etwa von WILHELM DURANDUS in seinem liturgiegeschichtlich wichtigem Werk *Rationale divinorum officiorum*.[318] Dort findet sich auch folgendes Merksprüchlein:

> *Augurior decios, audito lumine clangor,*
> *Liquit oleus abies, coluit colus, excute Gallum.*

DURAND läßt eine Erklärung folgen:

> *In his versibus sunt 12 dictiones, duodecim mensibus servientes: prima primo, secunda secundo, et sic per ordinem, sumpto initio a Januario: ita quod quota die erit prima litera primae syllabae alicujus istarum dictionum in Alphabeto, totus erit dies aegyptiacus in illo mense, cui servit illa dictio, computando a mensis principio versus finem. Item quota erit prima litera secundae syllabae in alphabeto, totus erit dies aegyptiacus in illo mense, cui servit illa dictio. V. G. Augurior est prima dictio et prima litera ipsius syllabae, et prima in Alphabeto: ergo dies prima Januarii est aegyptiaca. Item G est septima in alphabeto, ergo septima dies Januarii, numerando a fine versus principium est aegyptiacus, et sic in aliis, hoc observato, quod h in hoc loco pro litera non ponatur, Quilibet autem praemissorum dierum propter unicam horam sui denominatur aegyptiacus.*[319]

Anhand dieses Merkverses ließen sich also die ägyptischen Tage auf die Weise errechnen, daß zuerst unter den zwölf Worten, die jeweils für einen Monat, mit Januar beginnend, stehen, die entsprechende ‚Monatslosung' gesucht werden muß. Sodann zählt man nach, an wievielter Stelle im Alphabet der erste Buchstabe der ersten Silbe und der erste Buchstabe der zweiten Silbe seinen Platz hat. Diese Zahlen setzt man dann als Datum für die ägyptischen Tage des entsprechenden Monats ein. DURANDUS weiß auch zu erklären, wie diese Unglückstage zu ihrem Namen gekommen sind:

> *in Aegypto enim erant quidem astrologi, qui quandam constellationes nocivas humanis artibus in illis diebus invenerunt, ideoque illas notas hominibus esse voluerunt: tamen illarum constellationum puncta scire propter errorem nostri computi non valemus: vel forte invenerunt dies bene constellatos, et ideo eos in Kalendario notaverunt, ut in illis diebus potius, quam in aliis, actibus insistatur: quorum errorem ne Ecclesia sequi videatur, a talibus cavetur.*[320]

In Ägypten also sollten die Tage entdeckt worden sein.[321] In der der kirchlichen Kritik präsenten Form dürften die „verworfenen Tage" allerdings auf den Glau-

---

[317] FEHR, Aberglauben, 151, Anm.
[318] Ed. CH. BARTHÉLÉMY. I—V. Paris 1854.
[319] DURANDUS, Rationale VIII, c. 4.
[320] Ibd.
[321] Cf. W. WRESZINSKI, Tagewählerei im alten Ägypten: Archiv f. Religionswiss. 16 (1913), 86—100.

ben der Römer zurückgehen, die Tage nach den Kalenden, Nonen und Iden seien Unglückstage.

AUGUSTINUS weiß sich noch darüber zu beklagen, daß der Großteil seiner Gläubigen ihm bei entsprechender Gelegenheit ohne Bedenken sage: *Die post calendas non proficiscor.*[322] Darauf bezieht sich auch, wenn AUGUSTINUS, *Epistola 55*, behauptet, PAULUS habe sich im *Galaterbrief* gegen solche ausgesprochen, die sagten: *Non proficiscar, quia posterus est.*[323] Nachdem schon Ivo VON CHARTRES die Stelle ausführlich zitiert hatte[324], ist sie schließlich über das *Decretum* GRATIANI in das kanonische Recht gekommen:

> *Quis existimaret, quam magnum peccatum sit dies obseruare, et menses, et annos, et tempora, (sicut obseruant qui certis diebus, siue mensibus, siue annis uolunt uel nolunt aliquid inchoare, eo quod secundum uanas doctrinas hominum fausta uel infausta existiment tempora), nisi huius mali magnitudinem ex timore Apostoli pensaremus, qui talibus ait: „Timeo uos, ne forte sine causa laborauerim in uobis?" Idem super epistolam ad Galathas (ad c. 4). § I. Intelligat lector ad tantum periculum animae pertinere supersticiosas temporum obseruationes, ut dicat Apostolus: „Timeo uos, ne forte sine causa laborauerim in uobis." Quod quamuis tanta celebritate atque auctoritate per orbem terrarum in ecclesiis legatur, plena sunt tamen conuenticula nostra hominibus, qui tempora rerum agendarum a mathematicis accipiunt. Iam uero, ne aliquid inchoetur aut edificiorum, aut huiusmodi quorumlibet operum, diebus, quos Egiptiacos uocant, sepe etiam nos monere non dubitant.*[325]

GRATIAN hat hier, wie man sieht, die beiden wichtigsten Äußerungen AUGUSTINS über die *observatio temporum* zusammengefaßt: Aus dem *Enchiridion*, Kapitel 79, und aus dem *Galaterkommentar* die Erläuterung zum 4. Kapitel.

An den ägyptischen Tagen keine Unternehmungen, zum Beispiel den Bau eines Hauses, zu beginnen oder überhaupt irgendwelche Verrichtungen vorzunehmen, das macht nach AUGUSTINUS den Charakter dieser *infausta tempora* aus. Wir wissen nun was gemeint ist, wenn es bei CAESARIUS heißt: *Nullus ex vobis observet, qua die de domo exeat, qua die iterum revertatur*[326]: man glaubte sorgfältig darauf achten zu sollen, den günstigsten Zeitpunkt für den Antritt einer Reise zu wählen. Die ägyptischen Tage, der Donnerstag oder der Nachtag der Kalenden usf. jedenfalls kamen dafür nicht in Frage. Die *Musterpredigt* in der *Vita Eligii*[327], die *Homilia de sacrilegiis*[328] und HRABANUS MAURUS, *Homilia 43 Contra paganicos*

---

[322] AUGUSTINUS, Ep. ad. Gal. expos. 35, ed. PL 35, 2130.
[323] Epistola 55, ed. CSEL 34 II 184.
[324] Decr., pars XI, c. 18 und Panormia VIII, c. 81.
[325] GRATIAN, Decr., pars II., causa 26, quaest. 7, can. 17, ed. FRIEDBERG 1046; auch bei BARTHOLOMÄUS V. EXETER, Poen., c. 104.
[326] Sermo 54, ed. CCL 103, 236.
[327] Ed. MG Script. rer. Merow. IV 705.
[328] C. 27, ed. CASPARI 16.

errores, quos aliqui, de rudibus christianis sequuntur[329] sind mit identischen Formulierungen eindeutig von CAESARIUS abhängig. Die Wendungen: *observent, qua die in itinere exeant*[330] oder *quo die in uia exeatur, adtendere*[331] sind als variierende Ausdrücke zu betrachten. Auf MARTINS VON BRAGA *quo die in uia,* ebenfalls von CAESARIUS abhängig, gehen zurück die *Dicta* des PIRMIN VON REICHENAU mit Kap. 22[332], die *Rede an Getaufte* aus einer Handschrift des 10./11. Jahrhunderts[333] und die *Homilia de sacrilegiis.*[334]

*

Zur Beachtung der Wochentage, insofern sie günstige oder ungünstige Termine für diese oder jene Unternehmungen seien, zur Einhaltung der Daten „verworfener Tage" und über die Wertschätzung der ominösen und glücklichen Bedeutung bestimmter Jahreslauffeste kommt ein weiterer Komplex näherhin astrologischer Tage- und Stundenwählerei. In seinen *Capitula,* sie wurden auf der von MARTIN geleiteten 2. *Synode von Braga* verlesen und werden deshalb gelegentlich als Stücke dieses Konzils zitiert, so noch BOLL/GUNDELL[335], bestimmte MARTIN VON BRAGA: *Non liceat Christianis tenere traditiones gentilium et observare vel colere elementa aut lunae aut stellarum cursum aut inanem signorem fallaciam pro domo facienda vel ad segetes vel arbores plantandas vel coniugia socianda.*[336] Das *Poenitentiale* HALITGARS[337], RUDOLF VON BOURGES[338], REGINO VON PRÜM[339], BURCHARD VON WORMS[340], IVO VON CHARTRES[341] und GRATIAN[342] überliefern den, da eine orientalische Vorlage nicht bekannt ist, wie es scheint, von MARTIN selbst verfaßten Kanon.

Für den astrologischen Kalender der Landwirtschaft enthält die *Homilia de sacrilegiis* eine interessante Bemerkung: *Et qui signa caeli et stellas ad auratum*

---

[329] Ed. PL 110, 81.

[330] CAESARIUS, Sermo 193, ed. CCL 104, 785.

[331] MARTIN VON BRAGA, De corr. rust., c. 16, ed. BARLOW.

[332] *quo die in via, attendire,* ed. JECKER.

[333] *qua die in uia exeatur, ... adtendere,* ed. CASPARI, Anecdota, 200.

[334] C. 12, *per hos dies uiam agendam,* ed. CASPARI 8; vgl. HINKMAR VON REIMS, De divortio Lotharii regis et Tetbergae reginae: *Sunt et qui observant dies in motione itineris,* ed. PL 125, 719.

[335] Sternglaube 183.

[336] MARTIN VON BRAGA, Capitula, c. 72, ed. BARLOW 141.

[337] C. 26, ed. SCHMITZ I 727.

[338] Capitula, c. 38, ed. PL 119, 722.

[339] De syn. caus. II, c. 366, ed. PL 132, 353.

[340] Decr. X, c. 13, ed. PL 140, 835.

[341] Decr., pars XI, c. 40, ed. PL 161, 755 sq.

[342] Decr., pars 2, causa 26, quaest., 5, c. 3, ed. FRIEDBERG 1927; cf. auch ibd. quaest. 7, c. 16, ed. FRIEDBERG 1045.

[343] C. 10, ed. CASPARI 8.

inspicet, et qui boues, quando primum arare incipit, et cum arietes et hircos in grege dimittit, qui ista omnia obseruare se dicit, sciat, se fidem perdere, non esse christianum, sed paganum.[343]

Den engen Zusammenhang von Tagewählerei und Astrologie hatte schon AMBROSIUS im *Galaterkommentar* herausgestellt. REGINO VON PRÜM, sodann aber auch IVO VON CHARTRES[344] und BURCHARD VON WORMS[345] haben die Auslegung des *Galaterkommentars* des Mailänder Bischofs übernommen:

> *Apostolus dicit: Dies observatis et menses et tempora et annos. Time ne sine causa laboraverim in vobis. Dies observant, puta, qui dicunt: Crastino proficiscendum non est, post crastinum enim non debet aliquid inchoari; et sic solent magis decipi. Hi autem colunt menses qui cursum lunae perscrutantur dicentes: Septima luna strumenta confici non debent. Nona iterum luna emptum servum domum duci non oportet. Et per haec facilius solent adversa provenire. Tempora vero observant, cum dicunt: Hodie veris initium est, et ideo festivitas est. Post eras Vulcanalia sunt. Et rursum: Posterum est, domum egredi non licet. Annos sic colunt, cum dicunt: Kalendis Januarii novus est annus, quasi non quolidie anni impleantur. Haec superstitio longe debet esse a servis Dei.*[346]

All das, die Beachtung von Tagen, Monaten, von heidnischen Festtagen, Neujahr und Frühjahrsbeginn, steht der christlichen Kritik unter der Kategorie der *observatio temporum*.

Ein weiteres kommt hinzu. Schon die vorchristliche Antike beurteilte die einzelnen Stunden des Tages nach astrologischen Aspekten.[347] Die Ansicht, jeder Zeitabschnitt eines Tages habe seine bestimmte Qualität, wird auf den hellenistischen Glauben an göttliche Wesen, die über größere und kleinere Zeitabschnitte herrschen[348], zurückzuführen sein. Später erst, als die spätantike Gestirnsreligion und das astrologische Denken ältere Vorstellungen in sich aufgenommen oder entsprechend modifiziert hatte, traten an die Stelle der älteren Zeitgötter die Planetengötter, von denen nun die einzelnen Stunden des Tages ihren besonderen Charakter erhielten. Dabei wurde zumeist ganz schematisch verfahren und die Stunden in ihrer Abfolge der Reihenfolge der Planetengötter zugeordnet.[349] Wenn schon JUVENAL von Damen zu berichten weiß, die den Zeitpunkt für eine Spazierfahrt durch Nachschlagen in entsprechenden Tabellen ermittelten, so wird man es gar nicht als so absonderlich empfinden, wenn etwa der „Barbier von Sevilla" zu seiner Zeit zwar, aber unter gar nicht viel anderen Anschauungen, „seinem Kunden feierlich das Horoskop stellt:

---

[344] Decr., pars IV., c. 1, ed. PL 161, 263.
[345] Decr. X, c. 11, ed. PL 140, 835.
[346] REGINO VON PRÜM, De syn. caus. II, c. 365, ed. PL 132, 353.
[347] BOLL, Sternglaube, 178—180.
[348] Ebenda 178.
[349] Ebenda.

Du hast gewählt die beste Zeit auf Erden,
Die man nur wählen kann, rasiert zu werden".[350]

Ältere Auguralpraktiken der Zukunftserforschung und der Ermittlung günstiger Zeiten sind vor dem beherrschenden Einfluß spätantiker Astrologie zurückgetreten, ein Vorgang, der selbst noch in der kirchlichen, resp. theologischen Literatur zu bemerken ist, wo nun alte römische Termini der Augurallehre im Sinne der jüngeren Astrologie aufgefaßt und erklärt werden.

Die Beachtung günstiger und ungünstiger Tagesstunden wird von der Kirche nicht weniger heftig bekämpft als andere Formen der *observatio temporum*. Von der terminologischen Seite her gesehen, ergibt sich nun der interessante Aspekt, daß solche, die auf bestimmte Stunden achten, gelegentlich *haruspices* oder *horuspices* genannt werden. Entspricht denn, so ist zu fragen, die Beobachtung der Stunden des Tages, je nachdem unter welchem Planetengott bzw. wessen Regiment sie stehen, der Tätigkeit der römischen *haruspices*? Für die antik-klassische Mantik bedeutet *haruspicina* nicht das Geschäft der Stundenwahl, sondern bezeichnet die Auguralpraktik vor allem der Beobachtung der Eingeweide des Opfertieres, um daraus Schlüsse für die Zukunftsdeutung und -erforschung zu ziehen. Doch in christlicher Zeit wird der Wortgebrauch schwankend.

Führen wir zuerst ein verhältnismäßig spätes Zeugnis aus einer Predigt BERTHOLDS VON REGENSBURG an, das SCHÖNBACH in seinen Studien zur altdeutschen Predigt mitgeteilt hat:

> *divinacionis autem multe sunt species, alia aruspicia, per quam dies et hore in agendis negociis operibusque custodiuntur, ut est in novilunio denarios numerare, secunda feria nichil peti, diebus egyptiacis non minuere*[351], *kalendis Januariis munera dare.*[352]

Wir sehen, daß für BERTHOLD die *aruspicia* den gesamten Komplex der *observatio temporum* umgreift. Im Vergleich zum klassisch-heidnischen Terminus für Eingeweideschau erkennt man den völlig andersartigen Wortgebrauch. Wie ist es dazu gekommen? Fragen wir, in welcher Bedeutung das Wort von unseren Quellen gebraucht wird. Zunächst steht es innerhalb von Aufzählungen, die die verschie-

---

[350] Ebenda 35.

[351] Zu den Verrichtungen, die man an den ägyptischen Tagen nicht vornehmen durfte, gehörte u. a. das Aderlassen. Darauf bezieht sich die Bemerkung BERTHOLDS; man vgl. dazu, was Ps.-BEDA, De minutione sanguinis sive de phlebotomia, ed. PL 90, 960, bemerkt: *Plures sunt dies Aegyptiaci in quibus nullo modo nec per ullam necessitatem licet homini vel pecori sanguinem minuere, nec potionem impendere; sed ex his tribus maxime observandi: octavo Idus Apriles illo die Iunis, intrante Augusto illo die Iunis, exeunte Decembri illo die Iunis, cum multa diligentia observandum est, quia omnes venae tunc plenae sunt.*

[352] A. E. SCHÖNBACH, Studien zur Geschichte der altdeutschen Predigt. Zweites Stück: Zeugnisse Bertholds von Regensburg zur Volkskunde: Sitzungsber. d. phil.-hist. Cl. d. kaiserl. Akad. d. Wiss. 142, VII. Wien 1900, 25.

denen verbotenen Wahrsagekünste einfach aneinanderreihen: *Si quis hariolos, aruspices vel incantatores observaverit, aut filacteriis usus fuerit, anathema sit* verordnet GREGOR D. GR.[353] Wörtlich getreu überliefern dasselbe Stück: das *Poenitentiale* HALITGARI[354], REGINO VON PRÜM[355], BURCHARD VON WORMS[356], IVO VON CHARTRES[357] und das *Decretum* GRATIANI.[358] Die spanische *Nationalsynode von 633 in Toledo* nimmt die Laien noch von ihrer Verordnung aus — vielleicht, daß die Konzilsväter selbst nicht des Glaubens waren, eine solche Forderung gegenüber Nichtklerikern durchsetzen zu können. Doch muß man das nicht zu wörtlich nehmen, da der Personenkreis, auf den sich die kirchlichen Verordnungen beziehen, nicht immer in gleicher Weise bestimmt und abgegrenzt wurde. GREGOR jedenfalls hatte das Anathema allen angedroht — ohne Unterschied des Standes. Andererseits ist der Kanon von Toledo mit dieser Einschränkung bis ins *Dekret* des GRATIAN gelangt und stand dort dann auch im Gegensatz zu der aus GREGOR übernommenen Verordnung.[359] Für eine nähere Bestimmung des Begriffs *haruspices* gibt das Konzil allerdings ebensowenig wie GREGOR her:

> *Si episcopus, aut presbyter, sive diaconus, aut quilibet ex ordine clericorum, magos aut aruspices, aut certe augures, vel sortilegos, vel eos qui profitentur artem aliquam, aut aliquos eorum similia exercentes consulere fuerit deprehensus, ab honore dignitatis suae depositus monasterii poenam accipiat, ibique perpetue poenitentiae deditus scelus admissum sacrilegii luat.*[360]

Den Kanon führen auch an: REGINO VON PRÜM[361], BURCHARD VON WORMS[362], ATTO VON VERCELLI[363], IVO VON CHARTRES[364] und das *Dekret* GRATIANS.[365]

Inwieweit diese Bestimmungen auf CAESARIUS VON ARLES zurückgehen mögen, ist nicht so deutlich zu sehen, wie BOESE wohl meint. Für das *Konzil von Toledo* nimmt er jedenfalls Abhängigkeit von CAESARIUS an.[366] Die Terminologie ist die gleiche: *Nam qui praedictis malis, id est, caragiis et divinis, aruspicibus vel filacteriis et aliis quibuslibet auguriis crediderit*[367] oder *Cum ergo duplicia bona possi-*

---

[353] Ed. PL 77, 1340.
[354] C. 12, ed. SCHMITZ I 726.
[355] De syn. caus. II, c. 349, ed. PL 132, 350.
[356] Decr. X, c. 23, ed. PL 140, 836.
[357] Decr., pars XI, c. 1, ed. PL 161, 745 sq. und Panormia VIII, c. 61, ed. PL 161, 1317.
[358] Pars II, causa 26, quaest. 5, can. 1, ed. FRIEDBERG 1027.
[359] Cf. Anm. 358.
[360] Conc. Toletanum IV., c. 29, ed. MANSI X 627.
[361] Wie Anm. 355, c. 352, p. 350.
[362] Wie Anm. 356, c. 48, p. 851.
[363] Capitula, c. 38, ed. PL 134, 37 sq.
[364] Decr., c. 5, et 73, ed. PL 161, 747 et 772, Panormia VIII, c. 64, ed. PL 161, 1317.
[365] Wie Anm. 358, can. 5.
[366] BOESE 53 sq.
[367] CAESARIUS, Sermo 54, ed. CCL 103, 239.

mus in ecclesia invenire, quare per praecantatores, per fontes et arbores et diabolica fylacteria per caraios aut aruspices et divinos vel sortilogos multiplicia sibi mala miseri homines conantur inferre?[368] Stünde in unseren Quellen auch die Bezeichnung *caragi* dann wäre die Abhängigkeit allerdings zweifelsfrei. Denn dieses Wort, von griech. χορη(α)γός, „Reigenführer", abzuleiten, kann geradezu als ein roter Faden angesehen werden, „an dem wir jene durchgängige Abhängigkeit von Caesarius verfolgen können"; es heißt svw. *in(prae)cantator* (s. u.) und ist sicher auf den griechischen Einfluß in Südgallien zurückzuführen, dem Wirkungskreis des CAESARIUS.[369] Bei PIRMIN ist CAESARIUS auch deutlich als Autorität zu erkennen: *Precantatores et sortilogos (!), karagios (!), aruspices, divinus, ariolus, magus, maleficus, sternutus et anguria per aviculas vel alia ingenia mala et diabolica nolite facire nec credire.*[370] Von *malefici* hatte schon AUGUSTINUS in diesem Zusammenhang geredet, doch besagt das über ein literarisches Abhängigkeitsverhältnis nichts, wenn es auch den topischen Charakter solcher Wendungen und Floskeln beleuchten kann: *consulis mathematicos, aruspices, aut augures, aut maleficos.*[371]

In eine andere Richtung weist das *Poenitentiale* Ps.-THEODORI, c. XV 4:

Si mulier incantationes vel divinationes fecerit diabolicas, unum annum vel XXX XL-mas vel XL dies juxta qualitatem culpae poeniteat. De hoc in canone dicitur: Qui auguria vel aruspicia, vel somnia, vel divinationes quaslibet secundum mores gentilium observant aut in domus suas hujusmodi homines introducunt in exquirendis aliquam artem maleficiorum, poenitentes isti, si de clero sunt, abjiciantur, si vero saeculares, quinquennio poeniteant.

Das Stück gibt sich deutlich als von MARTIN VON BRAGA abhängig zu erkennen[372] und somit indirekt auch vom *Ancyranum.*[373]

Aus ähnlich summarischen Ausführungen wird man kaum einen Schluß auf eine spezifische Tätigkeit der *haruspices* ziehen können. Es scheint geradezu, als sei den Schreibern zumeist selbst nicht ganz deutlich geworden, um welche Superstitionen es sich in jedem Fall gehandelt hat. Gelegentlich war jedoch eine gewisse Nähe zu Augurien zu bemerken. Die folgenden Texte lassen den Bezug darauf deutlicher erkennen. Ein *haruspex*, so geben sie zu erkennen, ist jemand, der Augurien anstellt: *Quicunque pro curiositate futurorum vel invocatorem daemonum, vel divinos, quos hariolos appelant, vel aruspicem, qui auguria colligit, consuluerit, capite puniatur.*[374] IVO VON CHARTRES[375] und vor ihm BURCHARD VON WORMS[376]

---

368 ID., Sermo 13, ed. CCL 103, 66 sq.; cf. Sermo 52, ibd. 230 sqq.
369 BOUDRIOT 62.
370 PIRMIN VON REICHENAU, Dicta, c. 22, ed. JECKER.
371 AUGUSTINUS, Sermo 9 De decem Chordis, c. 3, ed. PL 38, 76.
372 Capitula, c. 71, ed. BARLOW 140.
373 Konzil von Ankyra, a. 314, c. 24, ed. MANSI II 522.
374 REGINO VON PRÜM, De syn. caus. II, c. 354, ed. PL 132, 350.
375 Decr., pars. XI, c. 55, ed. PL 161, 757 sq.

überliefern dasselbe Stück, letzterer als Bußbestimmung aus dem *Poenitentiale* BEDAE, allerdings nicht mit Androhung der Todesstrafe, wie bei REGINO. Eine derart drakonische Strenge ist zumindest zu dieser Zeit auch eine Ausnahme, die nur der karolingischen Gesetzgebung gegen die heidnischen Sachsen vergleichbar ist. Einen Zusammenhang mit dem Bußbuch Ps.-BEDAS vermag ich auch nicht zu erkennen. Die entsprechende Verordnung heißt hier: *Fecisti sacrilegium, id est, quos aruspices vocant et augurias faciunt, et sortilegos vel vota, quae ad arbores seu ad fontes seu ad cancellos aut per ullum ingenium fovisti, aut sortitus fuisti, aut avorsum fecisti? V annos vel III poeniteas.*[377] Die gleiche Verordnung[378] enthält, geringfügig modifiziert, der *Ordo poenitentiae.*[379] Eine davon abweichende, doch ebenso mit Ps.-BEDA verwandte Überlieferungsgruppe repräsentieren der *Excarpsus* CUMMEANI[380], das *Hubertense*[381], *Bobiense*[382], *Ps.-Romanum*[383], *Valicellanum I.*[384] und das *Poenitentiale XXXV Capitulorum.*[385] BOESE erkennt in ihnen Verwandtschaft mit CAESARIUS.[386]

Augurien anstellen oder danach Ausschau halten, das galt für die Beobachtung von Zeichen und Zeiten generell. Auch die gelegentliche Zusammenstellung von *sortilegi et aruspices*[387] hilft uns nicht weiter. Auch *sortilegus* bedeutet im allgemeinen Gebrauch nicht viel mehr als „Wahrsager". Ebenso wenig bringt die Nähe zu *ariolus,* in die der Terminus *haruspices* nicht selten geriet, eine Klärung. Denn auch dieser Name bleibt in unseren Quellen eine recht verschwommene Bezeichnung, ja man könnte fast meinen, daß alle Bezeichnungen synonym und nur variierend gebraucht werden.

Bei Ps.-ALKUIN aber findet sich nun über die *arioli* und *aruspices* folgende interessante Erklärung, die man zum Vergleich neben die Erläuterung BERTHOLDS VON REGENSBURG stellen mag: *Arioli sive aruspices proprie sunt, qui circa aras idolorum nefarias preces emittunt.*[388] Demnach wären *arioli* und *aruspices* etymologisch

---

[376] Decr. X, c. 30, ed. PL 140, 837; das Stück auch bei ROBERT V. FLAMBOROUGH, Liber poen. I 6, 3.

[377] Poenitentiale Ps.-BEDAE, Prol. 18, ed. WASSERSCHLEBEN 254.

[378] Heranzuziehen ist auch noch das Poenitentiale Casinense, c. 70, ed. SCHMITZ I 414.

[379] Ed. SCHMITZ I 748.

[380] VII 3, ed. WASSERSCHLEBEN 481.

[381] C. 24, ibd. 380.

[382] C. 23, ibd. 409.

[383] C. 34, ed. SCHMITZ I 479.

[384] C. 86, ibd. 310.

[385] C. 1, ed. WASSERSCHLEBEN 516.

[386] BOESE 47 sq.

[387] Vita Caesarii I, c. 5, ed. PL 67, 22; und die von GREGOR D. GR., Epistola 65 Ad Januarium Caralitanum episcopum, ed. PL 77, 1002, abhängigen Nachweise bei BURCHARD, Decr. X, c. 3, ed. PL 140, 833, Ivo, Decr., pars XI, c. 32 et 95, ed. PL 161, 754 et 776, GRATIAN, Decr., pars II, causa 26, quaest. 6, can. 10, ed. FRIEDBERG 1029.

[388] Ps.-ALKUIN, De divinis officiis, c. 13, ed. PL 101, 1196.

von *ara* abzuleiten — denn daß die Erklärung auf einer Etymologie beruht, liegt auf der Hand — und würden beide Namen, streng genommen, nicht mehr heißen als „Götzendiener". Wie es scheint, eine spezifisch christliche Etymologie und Erklärung, die allerdings einen Bezug auf heidnischen Opferkult, der mit der Eingeweideschau wesentlich verbunden war, noch enthält, sofern man dieser Erklärung überhaupt einen heuristischen Wert zubilligen will.

Nun, wir wissen, daß der *Liber de divinis officiis* im wesentlichen ein kaum verschleiertes Exzerpt aus den *Etymologien* des Isidor von Sevilla ist. Dort finden wir auch die Vorlage Ps.-Alkuins:

> *Arioli vocati, propter quod circa aras idolorum nefarias preces emittunt, et funesta sacrificia offerunt, iisque celebritatibus daemonum responsa accipiunt. Haruspices nuncupati, quasi horarum inspectores: dies enim et horas in agendis negotiis operibusque custodiunt, et quid per singula observare debeat homo, intendunt. Hi etiam exta pecudum inspiciunt, et ex eis futura praedicunt.*[389]

Bei Isidor sind die verschiedenen Erklärungen völlig problemlos nebeneinandergestellt: Die *arioli* haben ihren Namen vom Altar der Dämonen, weil sie dort ihre Gebete und Opfer verrichten und als Gegenleistung von den Dämonen die erwünschten Auskünfte erhalten. Die *haruspices* heißen so, weil sie Stunden *(horae)* beachten und überhaupt untersuchen, was ein Mensch zu welchen Zeiten zu beachten hat. Isidor weiß aber noch, daß die *haruspices* die Eingeweide der Opfertiere beschauen, um daraus Zukünftiges zu verkünden. Nur paßt das nicht so recht zum andern und wird der Vollständigkeit halber nur mitangeführt.

Nicht nur Ps.-Alkuin ist hier wie auch in anderem dem spanischen Kirchenlehrer des 7. Jahrhunderts verpflichtet. Was uns seit jener Zeit an Zeugnissen begegnet, in denen über Superstitionen theoretisiert wird — kaum einmal, daß man nicht Wort für Wort die Definitionen Isidors zu lesen bekäme. Hrabanus Maurus wiederholt das wörtlich gleich zweimal: *De magicis artibus*[390] und *De universo*[391], wie ja auch *De universo* ohnehin weitgehend eine Kompilation aus Isidors *Etymologien* ist.[392] In seinem Gutachten zur Ehescheidung Lothars II. von Thietberge bringt Hinkmar von Reims innerhalb einer systematischen Übersicht zu den verschiedenen Arten von Zauberei ebenfalls eine Abschrift Isidors, wenn er auch zu den *aruspices* einmal etwas fortläßt und dann wieder etwas anfügt: *Arioli, qui circa aras idolorum nefarias preces emittunt, et funesta sacrificia offerunt, hisque celebritatibus daemonum responsa accipiunt. Aruspices, qui horas in agendis nego-*

---

[389] Isidor von Sevilla, Etymologiae VIII, c. 9, 16—17, ed. Lindsay.
[390] Ed. PL 110, 1098.
[391] XV, c. 4, De magis, ed. PL 111, 423.
[392] E. Heyse, Hrabanus Maurus' Enzyklopädie „De rerum naturis" (= Münchener Beiträge zur Mediävistik und Renaissance-Forschung 4). München 1969, 51, pass.

tiis et operibus custodiunt, qui exta pecudum et fibres atque spatulas, vel caetera quaeque inspiciunt, et ex eis futura praedicunt.[393]

Mit der Bemerkung über *spatulas* hängt er einen Hinweis zur *spatulimantia*, der Weissagung aus dem Schulterblatt des Opfertieres, an, eine Divinationskategorie, die bei Isidor nicht genannt ist, die dann aber auch im Superstitionensystem des Thomas von Aquin wieder zu finden ist.[394]

Von Isidor abhängig ist auch Hugo von St-Victor, *Didascalion.*[395] Deutlicher nun als vor ihm üblich differenziert Hugo zwischen den *aruspices* einerseits: *dicti quasi horuspices* und andererseits den *aruspices quasi aras inspicientes, qui in extis et fibres sacrificiorum futura considerant.*[396] Für Hugo hat die Ähnlichkeit zu *hora* demnach zur Bedeutung Stundenbeobachter geführt. Darin geht er noch ganz mit Isidor. Doch was ihm seit Isidor über die Erklärung der Bedeutung Eingeweideschau überliefert ist, das scheint ihm nicht klar genug gewesen zu sein. Deshalb sucht er den lockeren Bezug des Wortes auf *ara* bei Isidor zu vertiefen: Die *aruspices* sehen in der Betrachtung der Eingeweide des Opfertieres das Zukünftige und insofern, so wird der Gedankengang zu ergänzen sein, es sich bei dieser Tätigkeit um die Untersuchung von Opfern handelt, sehen sie auf den Altar hin, auf dem das Opfer liegt. Demnach heißen sie, so müßten wir im Sinne dieser Etymologie übersetzen, Altarbeschauer.

Auch die Kanonisten, das sei noch angemerkt, haben die Erklärung des spanischen Enzyklopädisten übernommen: Burchard von Worms[397], Ivo von Chartres[398] und Gratian.[399]

Die von Isidor kurz zuvor gegebene Erklärung über die Herkunft dieser Künste aber — derzufolge sie auf das Wissen der gefallenen Engel um Zukünftiges und um Dinge der Unterwelt zurückzuführen seien — stammt von Lactantius[400]: *per quandam scientiam futurorum et infernorum et vocationes eorum inventa sunt aruspicia, augurationes, et ipsa quae dicuntur oracula et necromantia.*[401] Und auch das findet sich wieder bei Hrabanus[402], bei Ivo[403] und bei Gratian.[404]

---

[393] Hinkmar von Reims, De divortio Lotharii et Tetbergae, interrogatio 15, ed. PL 125, 718.

[394] S. Th. II. II. 95, 3; cf. S. 190 f.

[395] Lib. VI., c. 15 De magica et partibus eius, ed. Ch. H. Buttimer, M. A., Hugonis de Sancto Victore Didascalion de studio legendi. Washington, D. C. 1939, 133.

[396] Ebenda.

[397] Decr. XI, c. 68.

[398] Decr., pars XI, c. 68, ed. PL 161, 761; Panormia VIII, c. 66, ed. PL 161, 1318.

[399] Decr., pars II, causa 26, quaest. 3 et 4, can. 1, ed. Friedberg 1924.

[400] Cf. Lactantius, Inst. epitome, c. 23.

[401] Isidor, Etym. VIII 9, 3, ed. Lindsay I.

[402] De mag. art., ed. PL 110, 1097.

[403] Decr., pars XI, c. 66, ed. PL 161.

[404] Decr., pars II, causa 26, quaest. 2, can. 7, ed. Friedberg 1023.

Zur Klärung des Namens *haruspices* hat die an Isidor anknüpfende Literatur nur wenig beigetragen. Die Doppeldeutigkeit des Wortes ist mehr oder weniger unreflektiert weitergetragen worden. Und im Sinne von „Stundenbeobachter" dürfte es ohnehin kaum praktische Bedeutung gehabt haben, soweit wir aus der Predigt- und Verordnungsliteratur ersehen konnten. Wir werden also wieder dahin zurückkehren, von wo wir ausgegangen sind, und sagen müssen, daß das Wort eigentlich nie mehr, jedenfalls in den christlichen Zeugnissen nie mehr bedeutet als Wahrsager.

Es mußte der Begriff auch gleich in den Bedeutungsumkreis der *horoscopi* geraten, denn auch diese „betrachteten Stunden": *Horoscopi dicti, quod horas nativitatis hominum speculantur dissimili et diverso fato.*[405] Die bezeichnende Fehlleistung: *divinos, id est aruspices, id est astrorum inspectores* bei Petrus Comestor[406], lag da nicht mehr fern. Bis zu welchem Grad der Unverständlichkeit die Terminologie im Umkreis der Benennung von Superstition und magischer Kunst herabsinken konnte, dafür mag man die ganze Stelle bei Petrus Comester oder Manducator, nämlich dem „Bücherfresser", wie er seiner großen Belesenheit wegen genannt wurde, nachlesen:

> *De malificiis abjicendis Interdixit quoque secum habere ariolos, id est inspectores fibrarum circa aras pro cognoscendis futuris, et conjectores somniorum, et augures, id est gestus avium, aut garritus attendentes, maleficos, id est immolantes pueros daemonibus, vel saltem lustrantes, incantatores, id est praestigios, qui intuentes fallunt. Pythones, id est ventriloquos, qui per spiritum malignum loquumtur, a Pythone, id est Appoline, sic dictos; divinos, id est aruspices, id est astrorum inspectores, nec romanticos, qui sacrificiis vel carminibus evocant mortuos, quia prophetam suscitaret eis Deus de gente eorum, illum audirent.*[407]

Erst bei Thomas von Aquin ist die Doppeldeutigkeit des Namens *haruspices* wieder aufgegeben worden, wie sie seit Isidor in den Systemversuchen über Superstition das Mittelalter hindurch beibehalten worden war. Für Thomas ist *aruspicium* völlig der klassischen Tradition entsprechend allein die Eingeweideschau. Mit Thomas ist nun aber auch die Grenze des Einflusses Isidorischer Definitionen, auf die er selbst fleißig zurückgreift, auf dem Gebiete der kirchlichen Superstitionenkritik erreicht.

---

[405] Isidor von Sevilla, Etym. VIII 9, 27, ed. Lindsay I.
[406] Historia scholastica, Liber deuteronomii, c. 8: *De maleficis abjiciendis*, ed. PL 198, 1253.
[407] Ebenda.

3. Superstitio divinationis

Wie schon zu Anfang des letzten Kapitels angedeutet, war bei der Untersuchung der *superstitio observationis* nicht selten zu bemerken, daß die dort behandelten Anschauungen und Praktiken in größere Nähe zur Divination, den Wahrsagekünsten in engerer Bedeutung, gerieten. Erinnert sei an die Traumdeutung, an Wetter- und Jahreszeitprognostiken, Bauernregeln, an die Tage- und Stundenwählerei oder an die ominöse Bedeutung des Angangs. Auch eine Verwandtschaft zu näherhin magischen Manipulationen zum Zwecke der Zukunftsbestimmung war zu bemerken, bei bestimmten Gebräuchen an den Jahreslauffesten: Angangszauber zu Neujahr u. a.

Wenn weiter unten versucht werden soll, wenigstens einen Überblick über die in den kirchlichen Zeugnissen am häufigsten gerügten Formen der Divination und der magischen Künste zu geben, so wird der Unterschied zur *superstitio observationis* aber doch sichtbar. Hier kann schon soviel gesagt werden: Einerseits wird als Divination im engeren Sinn allein das kunstmäßige, ,wissenschaftlich-technische' Vorgehen bei der Ermittlung des Geheimen und Zukünftigen bezeichnet; andererseits gehört zur *ars magica* allein das überlegte, sich seiner Mittel sorgfältig bedienende, kunstmäßige Zaubern. ,Kunstmäßig' soll in beiden Fällen nur soviel sagen, daß es sich jeweils nicht um landläufige, jedem und jederzeit verfügbare Techniken des Wahrsagens oder der Magie handelt, sondern um Künste, die zu ,erlernen' sind und die deshalb nur ,Studierte' beherrschen. Thomas von Aquin, der den Großteil der hier zu behandelnden Anschauungen und Praktiken den magischen Künsten zuordnet — ohne daß er diesen Begriff verwendet (s. u.) — hat das Unterscheidende sehr deutlich empfunden: *hujusmodi observationes sunt sine ratione et arte.*[1] Daß mit einer solchen Abgrenzung aber nicht nur eine Unterscheidung dem Grade nach gemacht ist, wird man sogleich sehen, wenn man den Unterschied, der in der Berechnung eines Geburtstagshoroskops auf der einen Seite und der Donnerprognostik oder Tagewählerei, des Wochentagsaberglaubens und dergleichen mehr, der auf anderen liegt, beachtet: Zwar hängt beides am Glauben an den Einfluß der Gestirne auf irdische Vorgänge und Schicksale und gehört insofern zur Astrologie ihrer allgemeinen Bedeutung nach, doch ist das eine Wissenschaft, während das andere traditionellen Anschauungen und allgemein verfügbaren Traditionen verpflichtet ist, von denen der Grund nicht eingesehen wird. Und weiterhin: Bei der kunstmäßigen Ausübung ist sowohl der Anlaß als auch das Ergebnis höchst unterschiedlich und differenziert. Was für ein Unterschied in der Berechnung eines Horoskops und der simplen Ausdeutung eines Donnerschlages zu einer bestimmten Jahreszeit liegt, müßte nicht erst gesagt werden, wenn sich nicht hier eine deutlichere Unterscheidung beider Superstitionskategorien näher herausarbeiten ließe. Natürlich kannten auch die Donnerprognostik oder

---

[1] S. Th. II. II. 96, 3.

populäre Traumdeutung oder Orakel aus Angängen differenziertere Aussagen, so etwa, daß wenn ein Donner zu einer bestimmten Jahreszeit gehört würde, im folgenden Jahr ‚alte Frauen‘, *vetulae*, sterben würden. Aufs Ganz gesehen, hatten die Praktiken und Anschauungen der *observatio superstitiosa* allerdings allein den Zweck, ganz allgemeine und wenig spezifizierte Hinweise darauf zu geben, ob etwas einen guten Verlauf oder ein böses Ende nehmen würde.

In THOMASISCHER Terminologie gesprochen unterscheidet sich somit die *superstitio observationum* von der *superstitio divinationis* darin, daß erstere *ad praecognos- cenda aliqua fortunia vel infortunia* gerichtet ist[2], letztere aber eine differenzierte *praenuntiatio futurorum*[3] anstrebt, der einen es also nur darum geht zu wissen, ob etwas glücklich oder unglücklich angeht oder ausgeht, der anderen aber darum, Zukünftiges und zwar bestimmtes Zukünftiges vorherzuerkennen.

In ähnlicher Weise ist die *superstitio observationis* von der *ars magica* abzu- grenzen. Insofern unter ihren Begriff etwa die Anwendung von Amuletten *(filacteria)*, das Tragen von Segenszetteln u. dgl. fällt, ist das etwas, das vor Schaden ganz allgemein schützen und Heil ganz allgemein bewahren soll. Die magischen Künste hingegen haben einen spezifischen Zweck: diesem oder jenem Schaden anzutun oder dieses oder jenes bestimmte Gut (Regen, Geld, Liebe usw.) zu erwerben.

Erinnert man sich des eingangs des letzten Kapitels gemachten Hinweises auf die Bedeutung, die das Wort „Observanz" in unserer Sprache gewonnen hat, so wird man die unter der *superstitio observationis* begriffenen Elemente des Aber- glaubens schon von hier aus den traditionellen Formen der Kultur zurechnen.

Um es auf andere Weise zu sagen: Es enthält die *superstitio observationis* unter sich all jene traditionellen, als im Volk für unausrottbar existent und als Relikt alten Heidentums aufgefaßten simplen Techniken der Prognostik und Pro- phylaktik, und traditionelle Anschauungen über Glücks- und Unglückscharakter des Anfangs und Endes, des Ersten und Letzten. Dahingegen werden Divination und magische Kunst nicht dem Bereich der Volkskultur, sondern dem der Indivi- dual- und Hochkultur zugerechnet, sind die Vorstellungen und Gewohnheiten der *observatio superstitiosa* als traditionelle Elemente einer Kultur unmittelbar ver- fügbar, *divinatio* und *ars magica* hingegen als ‚geheime Künste‘ — die man in späterer Zeit etwa in Toledo studieren kann[4] — an die individuelle Kultur ge- bunden.

*

---

[2] Ibd.

[3] Ibd. 95. 1.

[4] Cf. BOLL 104; zum Studium der Nekromantie in Toledo vgl. die Quellennachweise bei SCHÖNBACH, Erzählliteratur I, 79 ff.

Das römische Strafrecht schon enthielt Bestimmungen gegen Divination und Magie.[5] Beides war dahingehend unterschieden, daß Divination die Erforschung des Zukünftigen und die Einflußnahme auf die Wendung kommender Dinge in guter Absicht hieß, während zur Magie der böse Zauber, die schadenstiftende Magie, gehörte. Sofern zur Divination nun die Beeinflussung des Zukünftigen zum Guten, zugleich aber auch die Praktiken der Schadenabwehr gerechnet wurden, ließ sich eine strenge Unterscheidung von Magie und Divination nicht durchführen. Auch in der christlichen Literatur ist die der Sache nach eindeutige Unterschiedenheit beider Bereiche nicht immer deutlich gemacht worden. Man darf darin einen ersten Hinweis auf die Abhängigkeit der Beurteilungskriterien und Rubrifizierungsschemata von römischen Vorbildern erblicken.

Für THOMAS VON AQUIN ist dann die Frage allerdings entschieden: Unter den Begriff der *superstitio divinativa*[6] zählt er bei Ausschluß aller magischen Handlungen und Mittel, die der Schadenstiftung oder der Abwehr von Schaden dienen, allein solche Praktiken, die es mit der Erforschung des Zukünftigen zu tun haben: also allein die Kategorien der Vorausschau und Wahrsagerei. Denn *omnis divinatio utitur ad praecognitionem futuri eventus.*[7]

Im Verlauf dieser Untersuchung soll anders als bisher (vom älteren zum jüngeren Beleg) von den Divinationskategorien, wie sie THOMAS verzeichnet hat, ausgegangen werden, um feststellen zu können, ob und inwieweit die in der theologischen Summe systematisierten *plures divinationis species*[8] inhaltlich der bis dahin praktizierten theologisch-kirchlichen Kritik und ihrer Begrifflichkeit entsprechen oder ob sie nicht allein gelehrter Tradition verpflichtet sind.

Vorher ist noch zu bemerken, daß für THOMAS jede Form der Divination, gleich ob sie mit Erfolg geübt wird oder erfolglos bleibt, im engsten Zusammenhang mit dem Wirken der Dämonen steht.

Unter der Voraussetzung dämonischer Beteiligung an jeder Art Divination unterscheidet THOMAS: Divination, sofern ihr eine „ausdrückliche Dämonenanrufung" vorhergehe: *daemones expresse invocati,* und Divination, sofern sie ohne ausdrückliche Dämonenanrufung zustande komme: *absque expressa daemonum invocatione.* Jedoch blieben auch im letzten Fall die Dämonen daran beteiligt. Denn auch sofern die Dämonen nicht eigens „eingeladen" würden, so nähmen sie doch jede Gelegenheit der Zukunftserforschung mit untauglichen Mitteln wahr, um sich einzumischen.[9] Für THOMAS steht über jeden Zweifel fest, daß *omnis divinatio ex opera-*

---

[5] Cf. TH. MOMMSEN, Römisches Strafrecht, Leipzig 1899, 639 ff., 861 ff.; auf MOMMSEN gehen die Darstellungen bei HANSEN, Zauberwahn, 50—54 und BYLOFF, Zauberei, 106—114 zurück.

[6] THOMAS VON AQUIN, Summa theologiae II. II. 95.

[7] II. II. 95, 3.; cf. I. 57, 3.

[8] II. II. 95, 3, desgleichen, soweit nichts anderes vermerkt, alle folgenden Zitate.

[9] *se ingerunt vanis inquisitionibus futurorum,* II. II. 95, 2.

tione daemonum provenit, daß jede Divination geschehe *aliqua daemonum consilio et auxilio.*

Soweit es sich um Wahrsagerei handelt, die ohne ausdrückliche Anrufung von Dämonen etwas zuwege bringen könne, sind nach Thomas zwei Arten *(duo genera)* zu unterscheiden: Einmal wenn man auf die Anordnung irgendwelcher Dinge achtet, also aus dem Verhältnis der Zustände eines oder mehrerer Dinge, so wie sie vorgefunden werden, Schlüsse zieht[10], das andere mal wenn Schlüsse auf Verborgenes aus der Betrachtung dessen gezogen werden, was bei irgendwelchen, ernsthaft angestellten Manipulationen herauskommt[11]. Zur ersten Familie zählt Thomas die Astrologie, das Augurium, das Auspicium, das Omen, die Chiromantie und die Spatulimantie.

Die Astrologie[12] ist, das versteht sich bei der Bedeutung, die ihr innerhalb der spätantiken Gestirnsreligion zukam, von selbst, von den christlichen Vätern und Apologeten mit großem Nachdruck bekämpft worden. Sie wurde den Künsten zugerechnet, die von den Dämonen erfunden worden seien[13] oder doch als Dämonenwerk galten[14]. Allerdings macht diese Feststellung, die auf nahezu alle Observanzen heidnischer Provenienz zutrifft, nur annähernd deutlich, welche Rolle den christlichen Vätern zufolge der Astrologie innerhalb der heidnischen Religion zukam. Schließlich hatten nahezu alle Bereiche der spätantiken Religion ihre astrologischen Elemente. Die Verkündigung des *Sol invictus* zum Reichsgott im 3. Jahrhundert durch Kaiser Aurelian mag als Höhepunkt der Entwicklung angesehen werden.

Zu dieser Zeit nun aber begann auch innerhalb des Christentums selbst astrologisches Denken größeren Einfluß zu gewinnen. Bis zum 2. Jahrhundert war von Astrologie unter Christen allein als heidnische Pseudo-Wissenschaft die Rede.[15] Nun aber mußte sie innerhalb der eigenen Reihen bekämpft werden. Wir können auf die schon besprochene Planetenwoche[16] verweisen und sehen leicht, auf welche Weise astrologisches Denken und Zählen, eine astrologische Begrifflichkeit überhaupt, sich unter Christen ausgebreitet hat.

---

[10] *aliquid (considerare) in dispositionibus aliquarum rerum,* II. II. 95, 3.

[11] *Ad secundum autem divinationis genus quae est sine expressa daemonum invocatione, pertinet divinatio, quae fit ex consideratione eorum quae eveniunt ex quibusdam quae ab hominibus serio fiunt ad aliquid occultum inquirendum,* II. II. 95, 3.

[12] Dazu auch: Thomas, De veritate, quaestio 5, 9—10; Summa contra gentiles III, c. 84—87.

[13] Lactantius Inst. epitome, c. 23; Origines, Hom. 20, 4 in Jerem.; Augustinus, De ordine II, c. 15.

[14] Augustinus, Civ. dei V 7; cf. die Nachweise bei O. Wedel, Astrology, 16, 23, 64, 69 f., 122.

[15] Harnack, Mission, I 320, Anm.

[16] Cf. auch Bezzold, Antike Götter, 9.

Zudem waren auch die christlichen Offenbarungsschriften nicht frei von Elementen jüdischen und spätantiken Sternglaubens.[17] Der Stern von Bethlehem hatte die Magier geleitet. Und es ist wohl kein Zufall, daß sie von Osten kamen: Denn traditioneller Lehre zufolge ist die astrologische Kunst in Mesopotamien erfunden worden.[18]

Beim Tod Christi verfinsterte sich die Sonne. Jesus selbst verkündete Zeichen am Himmel für den jüngsten Tag. Wenn schließlich der Tag des Herrn den Festtag der Heiden, den *dies Solis*, ablösen sollte, so blieb der Name aus der Planetenwoche, der „Sonntag", doch weiter erhalten; und auch dieser Name konnte Bezug haben auf Christus, das „Licht der Welt".

Zu welchem Ansehen es astrologisches Denken im Mittelalter schließlich gebracht hat, hat F. BOLL dargestellt.[19] Im Zeitalter Friedrichs II. stand die Astrologie wieder in Hochblüte.[20]

Ein Grund für das Fortleben astrologischer Vorstellungen lag nicht zum wenigsten in der Scheidung einer *astrologia naturalis* (erlaubt) und einer *astrologia superstitiosa*, wie sie vor allem im Anschluß an ISIDOR VON SEVILLA immer wieder als legitim angesehen wurde; so etwa von THOMAS VON AQUIN.[21] ISIDOR:

> *Astrologia vero partim naturalis, partim superstitiosa est. Naturalis, dum exequitur solis et lunae cursus, vel stellarum certas temporum stationes. Superstitiosa vero est illa quam mathematici sequuntur, qui in stellis auguriantur, quique etiam duodecim caeli signa per singula animae vel corporis membra disponunt, siderumque cursu nativitates hominum et mores praedicare conantur.*[22]

Zudem war der Gedanke an einen realen Einfluß der Sterne auf irdisches Leben und Geschehen[23] zu mächtig, als daß man ihn hätte einfach beiseite schieben können. „Wie ein Siegel dem Wachs sein Bildnis aufdrückt, so prägen die Strahlen der Ge-

---

17 Cf. E. PFEIFFER, Antiker Sternglaube, 71—76.

18 *Astronomiam primi Aegyptii invenerunt. Astrologiam vero et nativitatis observantiam Chaldaei primi docuerunt. Abraham autem instituisse Aegyptios Astrologiam Iosephus auctor adseverat. Graeci autem dicunt hanc artem ab Atlante prius excogitatam, ideoque dictus est sustinuisse caelum,* ISIDOR VON SEVILLA, Etym. III 25, ed. LINDSAY; *In ea* (scl. *Mesopotamia*) *quoque est Chaldaea, in qua primum inventa est astronomia,* HONORIUS AUGUSTODUNENSIS, De imagine mundi, ed. PL 172, 125.

19 Sternglaube, pass., bes. 29 ff.

20 BEZZOLD, Antike Götter, 82 ff.

21 THORNDIKE, History, II 600 ff.

22 ISIDOR, l. c., 27; cf. etwa HUGO VON ST-VICTOR, Didascalion II, c. 11, ed. BUTTIMER 31: *astrologia autem quae astra considerat secundum nativitatis et mortis et quorumlibet aliorum eventuum obvervantiam, quae partim naturalis est, partim superstitiosa; naturalis in complexionibus corporum, quae secundum superiorum contemperantiam variantur, ut sanitas, aegritudo, tempestas, serenitas, fertilitas, et sterilitas; superstitiosa in contingentibus et his quae libero arbitrio subiacent, quam partem mathematici tractant.*

23 Cf. H. M. NOBIS, Naturvorstellung, 36.

stirnstellung in der Stunde der Empfängnis dem Menschen sein Schicksal auf", stellt GREGOR VON NYSSA fest.[24] Das später geflügelte Wort *astra regunt homines, sed regit astra deus*[25] bezeugt schon einen nur noch dürftig verschleierten astrologischen Fatalismus. Wenn allerdings das Mittelalter einen mechanischen und aus sich wirkenden Einfluß der Sterne auf den Geist des Menschen nicht annehmen konnte, so doch einen indirekten über die Wirkungen der Sterne auf die körperliche Welt. Eine vermittelnde Funktion bei dahingehenden Überlegungen hat der Begriff „Inklination": die Sterne zwingen nicht, sondern bewirken allein ein „inklinieren" der menschlichen Natur nach einer besonderen Richtung; es bleibt dem Menschen überlassen, inwieweit er die angegebene Richtung zu gehen bereit ist. Denn *contra inclinationem caelestium corporum homo potest per rationem operari*, beruft sich THOMAS VON AQUIN auf ARISTOTELES.[26] Wie die Einflußnahme der Sterne auf den Menschen zu denken ist, hat THOMAS vorher erläutert:

> *Secundo autem, substrahuntur causalitati caelestium corporum actus liberi arbitrii, quod est facultas voluntatis et rationis. Intellectus enim, sive ratio, non est corpus nec actus organi corporei; et per consequens nec voluntas, quae est in ratione: ut patet per Philosophum. Nullum autem corpus potest imprimere in rem incorpoream. Unde impossibile est quod corpora caelestia directe imprimant in intellectum et voluntatem: hoc enim esset ponere intellectum non differre a sensu; quod Aristoteles, imponit his qui dicebant quod talis voluntas est in hominibus qualem in die inducit Pater vivorum deorumque, scilicet sol vel caelum. Unde corpora caelestia non possunt esse per se causa operum liberi arbitrii. Possunt tamen ad hoc dispositive inclinare, in quantum imprimunt in corpus humanum, et per consequens in vires sensitivas, quae sunt actus corporalium organorum, quae inclinant ad humanos actus.*[27]

Wesentlich konkreter beschreibt etwa 150 Jahre später COLUCCIO SALUTATIS, was dem Einfluß des gestirnten Himmels alles zuzuschreiben ist: „Er sieht in der ‚influentia celestis' ein ‚agens naturale'. Die einen Gestirne sind den Menschen günstig, die andern ungünstig. So spielt die ‚qualitas celi influentis' eine besondere Rolle bei der Empfängnis des menschlichen Embryos und nicht minder bei der Geburt. Die Pestepidemien haben ihre Ursache möglicherweise in einer ‚certa positio siderum'; und unter dem Einfluß der Gestirne steht auch der Kampf der Guelfen und Ghibellinen, der eben deshalb nie aufhören wird".[28]

Das rationalistische Argument von den Zwillingen, die wohl unter dem gleichen Stern geboren, dennoch aber ein unterschiedliches Schicksal haben können, hilft nur wenig dagegen. Es unterstellt schließlich nur die Unmöglichkeit, Veränderungen der Konstellationen über verhältnismäßig knappe Zeitspannen hinweg wahrzu-

---

[24] Contra fatum, ed. PG 45, 153.
[25] BOLL/GUNDEL, Sternglaube, Nachträge 170.
[26] THOMAS VON AQUIN II. II. 95, 5.
[27] II. II. 95, 5; Cf. ID., Compendium theol., c. 127; die Übersetzung von TANNHOF bringt S. 206 weitere Nachweise für THOMAS.
[28] MARTIN, Coluccio Salutatis, 1913, 106 f.; Quellennachweise vgl. dort.

nehmen und in Rechnung bringen zu können. Schon AUGUSTINUS hatte sich das Argument zu eigen gemacht: „Es ist doch ein großer Irrtum und ein großer Wahnsinn, aus solchen Gestirnsbeobachtungen die Sitten, Handlungen und Schicksale des neugeborenen Menschen vorhersagen zu wollen. Auch jenen Leuten gegenüber, die solche Künste gelehrt haben — übrigens eine Kunst, die man (ohne Schaden) wieder verlernen darf —, kann dieses Wissen ganz unzweifelhaft als Aberglaube widerlegt werden. Die sogenannten Konstellationen sind die Beobachtung der Gestirne zur Zeit der Geburt desjenigen, über welchen jene Unglücklichen von noch Unglücklicheren befragt werden. Es ist aber nun recht gut möglich, daß z. B. Zwillinge in so rascher Folge aus dem Mutterschoß hervortreten, daß man überhaupt keinen Zeitunterschied wahrnehmen und ihre Konstellationen zifferngemäß feststellen kann. Demgemäß müßten einige Zwillingspaare ganz die gleichen Konstellationen haben, und doch ist der Ausgang der Dinge, die diese Zwillinge verrichten oder erleben, keineswegs gleich, sondern meist so ungleich, daß der eine ganz glücklich, der andere dagegen ganz unglücklich leben kann. So wissen wir z. B., daß Esau und Jakob allerdings als Zwillingsbrüder geboren wurden, und zwar so, daß der später geborene Jakob mit seiner Hand die Ferse des vor ihm geborenen Bruders hielt. Bei diesen konnte man doch sicherlich über Tag und Ort ihrer Geburt nichts bemerken, als daß beide ein und dieselben Konstellation besaßen. Und doch besagt uns das schon im Munde aller Völker lebende Zeugnis der Heiligen Schrift, welch gewaltiger Unterschied zwischen den Sitten, Taten, Arbeiten und Geschicken der beiden Brüder bestand. Das tut nämlich gar nichts zur Sache, daß die Astrologen sagen, schon die kleinste und unbedeutendste Spanne Zeit, welche die Geburt der Zwillinge trennt, sei bei der Natur der Sache und bei der reißenden Schnelligkeit (der Sterne) von großer Bedeutung. Daß diese kleine Zeitspanne sehr viel ausmacht, das gebe ich schon zu. Doch können die Astrologen diesen kleinen Zeitunterschied zwischen ihren Konstellationen eben nicht bemessen; und gerade diese (zeitlich voneinander scharf getrennten) Konstellationen müßten sie nach ihrer eigenen Aussage zuerst deutlich erkennen, bevor sie das Geschick (der Neugeborenen) weissagen könnten. Er sieht unbedingt nur ein und dieselbe Konstellation, mag er nun über Jakob oder über seinen Bruder befragt werden; denn er findet nun einmal keinen Unterschied in den Konstellationen. Was hilft es ihm also, wenn zwar am Himmel, gegen den er gefahrlos verwegene Verdächtigungen erhebt, ein (freilich von ihm nicht wahrnehmbarer) Unterschied (zwischen den Konstellationen) besteht, wenn er diesen Unterschied aber auf seiner Berechnungstafel nicht finden kann, die er vergebens sorgfältig betrachtet?"[29]

Doch ist der Kampf gegen die Astrologie, so subtil auch gelegentlich dagegen argumentiert wurde, nahezu erfolglos geführt worden. Die offiziellen Verbote[30] haben allenfalls retardierenden Charakter gehabt.

---

[29] AUGUSTINUS, De doctr. christ. II 22, übers. BKV 49, 80 f.

In der zweiten Hälfte des 4. Jahrhunderts, zu einer Zeit also, als astrologisches Denken innerhalb der christlichen Gemeinde Raum gewann, verordnet die *Synode von Laodikeia*[31]: „Daß die höhern und niedern Cleriker keine Zauberer, Beschwörer oder Mathematiker (μαθηματικοί, mathematici[32]) oder Astrologen sein, noch auch sogenannte Amulette fertigen sollen, welche Fesseln für ihre eigenen Seelen sind. Diejenigen aber, die sie (diese Amulette) tragen, sollen aus der Kirche ausgeschlossen werden".

Mit den *mathematici* ist eine besondere Zunft genannt: die Nativitätssteller. In den kirchlichen Zeugnissen taucht der Name verhältnismäßig häufig auf, doch scheint sein Gebrauch auf die mediterrane Zone, vor allem auf Italien, beschränkt gewesen zu sein. Noch im 12. Jahrhundert ist der Begriff unsicher: GERVASIUS VON TILBURY schreibt die Erschaffung einer Fliege, die alle anderen Fliegen vertrieben habe, der „mathematischen Kunst" des VERGIL zu.[33] Im *Simplicissimus* ist dann jedoch ganz richtig wieder von einem „Mathematicus und Nativitäten-Steller" die Rede.[34]

Als ältestes christliches Verbot der *mathematici* ist die Bemerkung der *Didache* anzusehen: *Noli esse mathematicus*[35]:

Τέκνον μου, μὴ γίνου οἰωνοσκόπος· ἐπειδὴ ὁδηγεῖ εἰς τὴν εἰδωλολατρίαν· μηδὲ ἐπαοιδὸς μηδὲ μαθηματικὸς μηδὲ περικαθαίρων, μηδὲ θέλε αὐτὰ βλέπειν· ἐκ γὰρ τούτων ἁπάντων εἰδωλολατρία γεννᾶται[36].

Die sog. *Lex dei* (um 400) verzeichnet als Nr. 15: *De mathematicis.*[37] Auf spätere Belege sei nur kurz hingewiesen: *Poenitentiale Valicellanum I.*, c. 80; Excarpsus CUMMEANI VII 7; *Ps.-Romanum*, c. 39; *Parisiense*, c. 15; *Casinense*, c. 71; ATTO VON VERCELLI, *Sermo* 2.

Für AUGUSTINUS ist *mathematicus* der populäre Name für Nativitätssteller. Richtiger und besser würde man sie aber *genethliaci* nennen:

---

[30] *Non liceat Christianis tenere traditiones gentilium et observare vel colere elementa aut lunae aut stellarum cursum aut inanem signorem fallaciam*..., MARTIN V. BRAGA, Capitula, c. 72, ed. BARLOW 141, auch zitiert als Conc. Bracar. II., c. 20; dieselbe Verordnung überliefern: RUDOLF VON BOURGES, Capitula, c. 38, ed. PL 119, 722; REGINO VON PRÜM, De syn. caus. II., c. 366, ed. PL 132, 353; BURCHARD VON WORMS, Decr. X, c. 13, ed. PL 140, 835; IVO VON CHARTRES, Decr., pars XI, c. 40, ed. PL 161, 755 sq.; GRATIAN, Decr., pars II., causa 26, quaestio 5, can. 3, ed. FRIEDBERG 1027 sq.; und das Poenitentiale HALITGAR., c. 26, ed. SCHMITZ I 727.

[31] Can. 36 übers. HEFELE I 770.

[32] MANSI II 569 sq.

[33] FEHR, Aberglaube, 129.

[34] H. J. CHRISTOPH VON GRIMMELSHAUSEN, Der abenteuerliche Simplicissimus, hg. v. A. KELLETAT. Berlin/Darmstadt/Wien (1961), 164.

[35] Didache, ed. J. SCHLECHT, Doctrina 12 Apostolorum, 14.

[36] Didache III 4, ed. BIHLMEYER, Apost. Väter, 2 sq.

Neque illi ab hoc genere perniciosae superstitionis segregandi sunt, qui genethliaci, propter natalium dierum considerationes, nunc autem vulgo mathematici vocantur. Nam et ipsi quamvis veram stellarum positionem cum quisque nascitur, consectentur, et aliquando etiam pervestigent; tamen quod inde conantur vel actiones nostras vel actionum eventa praedicere, nimis errant, et vendunt imperitis hominibus miserabilem servitutem.[38]

HIERONYMUS hatte das ähnlich gesehen: *Porro in Chaldaeis* γενεθλιαλόγους *significari puto quos vulgus mathematicos vocat.*[39] Die Definition bei AUGUSTINUS ist dann über ISIDOR[40] dem Mittelalter bekannt geworden. Wir finden sie wieder bei PSEUDO-ALKUIN[41], HRABANUS MAURUS[42], BURCHARD VON WORMS[43], IVO VON CHARTRES[44] und GRATIANI[45]. PETRUS LOMBARDUS[46] geht direkt auf AUGUSTINUS zurück. Angemerkt sei die, wie es scheint, eigenständige Erklärung von HUGO VON ST-VICTOR im *Didascalion: Mathematica autem doctrinalis scientia dicitur. mathesis enim quandot habet sine aspiratione, interpretatur vanitas, et significat superstitionem illorum, qui fata hominum in constellationibus ponunt.*[47] GRATIAN hatte die von AUGUSTINUS entlehnte unverändert tradierte Wendung *qui vulgo mathematici vocantur*, obgleich er sie selbst noch anführt[48], vorher schon modifiziert: *qui olim genethliaci . . . nunc autem mathematici vocantur.*[49] Es ist zu seiner Zeit der als älter empfundene Name *genethliaci* durch die populäre Bezeichnung schon verdrängt gewesen. Sehen wir noch, was HUGO VON ST-VICTOR zur gleichen Zeit über einen noch älteren Namen mitzuteilen weiß, dann haben wir zugleich eine kleine Begriffsgeschichte zu unserem Fall aus theologischer Sicht: *horoscopia, quae etiam constellatio dicitur, est quando in stellis fata hominum quaeruntur, sicut genethliaci faciunt, qui nativitates observant, qui olim specialiter magi nuncupabantur, de quibus in evangelio legimus.*[50]

---

[37] HUSCHKE, Lex dei, 1886; s. auch S. 65.

[38] AUG., De doctr., christiana II., c. 21, ed. PL 34, 51; cf. ID., Sermo 9, De decem Chordis, c. 3, ed. PL 38, 76.

[39] HIERON., Comment. in Danielem, c. 2, ed. PL 25, 498.

[40] Etym. VIII, 9, 23—24: *Genethliaci appellati propter natalium considerationes dierum. Geneses enim hominum per duodecim caeli signa describunt, siderumque cursu nascentium mores, actus, eventa praedicare conantur, id est, quis quale signo fuerit natus, aut quem effectum habeat vitae qui nascitur. Hi sunt qui vulgo Mathematici vocantur; cuius superstitionis genus Constellationes Latini vocant, id est notationes siderum, quomodo se habeant cum quisque nascitur.*

[41] De divin. off., c. 5, ed. PL 101, 1178.

[42] De universo XV, c. 4, ed. PL 111, 423 und De magicis artibus, ed. PL 110, 1098.

[43] Decr. X, c. 43, ed. PL 140, 841.

[44] Decr. pars. II, c. 68, ed. PL 161, 761 sq.; Panormia VIII, c. 66, ed. PL 161, 1319.

[45] Decr., Pars II, causa 26, quaest. 2, can. 6, ed. FRIEDBERG 1022 und quaest. 3 et 4, can. 1, p. 1025.

[46] In ep. 1 ad Cor., ed. PL 191, 1625 sq.

[47] Didascalion II, c. 3, ed. BUTTIMER 25.

[48] Decr., pars II., causa 26, quaest. 3 et 4 wie oben Anm. 45.

[49] Decr., p. II, caus. 26, qu. 2, c. 6.

Demzufolge sind die Heiligen Drei Könige *genethliaci,* Nativitätssteller, gewesen. Aus der Konstellation der Sterne haben sie auf die Geburt Christi geschlossen. Wenn sie aber als Heilige verehrt werden, ihr Ruf der Heiligkeit dazu letztlich in eben der Tätigkeit von Sterndeutern gründete, wie konnte man dann einem Christen überhaupt verwehren, gleiches zu tun? Jedenfalls haben sich die Vertreter astrologischer Lehren gerne auf dieses Zeugnis des *Neuen Testamentes* berufen. Das zeigt der scharfe Ton, mit dem Augustinus sich gegen die Berechtigung dieser Auslegung wendet.[51] Die Magier, so hat man etwas fadenscheinig argumentiert[52], durften so etwas tun, weil vor der Verkündigung des Evangeliums eben noch vielerlei zu glauben und zu tun erlaubt gewesen ist, was später verboten war: *at enim scientia ista usque ad Evangelium fuit concessa, ut Christo edito nemo exinde nativitatem alicuius de caelo interpretetur.*[53]

Der Widerspruch, in dem die Argumentation mit der dämonologischen Interpretation der Astrologie stand, ist sicherlich empfunden worden: nicht nur, daß es somit zu ihrer Zeit erlaubt gewesen wäre, sich von den „gottfeindlichen Dämonen" täuschen zu lassen — mußte nicht konsequenterweise selbst der Stern von Bethlehem und seine Deutung auf das Wirken der Dämonen zurückzuführen sein? Das hätte allerdings absurd erscheinen müssen. Also konnte der Stern der Hl. Drei Könige kein natürlicher, sondern mußte ein wunderbarer Stern gewesen sein, den Gott zum Zeichen gesandt habe:

> ,*Vidimus stellam ejus!*' *Apparuit stella non volens, sed jussa; non caeli nutu, sed Divinitatis impulsu; non lege siderum, sed novitate signorum; non coeli climate, sed virtute nascentis; non ab arte, sed a Deo; non astrologi scientia, sed praescientia Conditoris; non arithmetica ratione, sed sanctione divina; superna procuratione, non curiositate Chaldaea; non arte magica, sed Judaica prophetia.*[54]

Über den Glauben an die mechanisch-körperliche Wirkung der Sterne auf irdisches Geschehen hinaus war somit ein anderes Element antiker Astrologie in christliche Theologie und Weltanschauung übergegangen: der Glaube an den Zeichencharakter der Sternenwelt. Nur daß himmlische Zeichen nicht aus dem Verhältnis der Bewegungen der Gestirne zu lesen sind, wie es der Astrologe tut, sondern an ,übernatürlichen' Erscheinungen am Himmel zu erkennen sind. Wie solle es auch Gott, der die Himmelskörper erschaffen und ihren Lauf geregelt habe, nicht möglich sein, ihnen vorzuschreiben, sich gelegentlich anders zu verhalten als ihnen ihr Gesetz vorschreibe?:

---

[50] Hugo von St.-Victor, Didasc. VI, c. 15, ed. Buttimer 133.
[51] Contra Faustum II 5, ed. CSEL 25, 258 sqq.
[52] Helbling-Gloor 96, Anm. 361.
[53] Tertullian, De idololatria, c. 9, ed. PL 1, 748.
[54] Chrysologus, Sermo 15, ed. PL 52, 614.

Certe deus fecit mundum et solem et lunam et stellas creavit constituens eis cursus, quibus gubernator genus hominum numquid non habet potestatem imperare illis, ut aliquando aliud faciant, quam decretum habent?[55]

In späterer Zeit betont JOHANNES VON SALISBURY mit Nachdruck den Glauben, die Zeichen, die Gott zuzeiten am Himmel gäbe, seien immer übernatürlichen Charakters. Die älteren theologischen Schriftsteller haben in Konfrontation mit der heidnischen Astrologie zwangsläufig zu der Annahme kommen müssen, der Stern von Bethlehem sei kein natürlicher Stern gewesen. Für JOHANNES ist etwas anderes wichtig. Seine Feststellung, daß es das Werk himmlicher Barmherzigkeit sei, wenn Gott den Menschen gelegentlich durch Zeichen am Himmel in seiner Unwissenheit schütze[56], deutet auf eine Auseinandersetzung mit der etwa von WILHELM VON CHARTRES vertretenen platonischen Naturphilosophie seiner Zeit hin. Anknüpfend an PLATON, der im *Timaios* die Lehre vertrat, jeder menschlichen Seele sei ein Stern zugeordnet, der ihr Geschick bestimme, gelangt sein Zeitgenosse ADELHARD VON BATH zu der Erkenntnis einer durchgängigen Verknüpfung der irdischen Verhältnisse und Vorgänge mit dem Umlauf der Sterne.[57] Ein kosmologischer Determinismus solcher Art ließe dann allerdings der menschlichen Willensfreiheit keinen Raum; und dagegen wendet sich JOHANNES. Damit ist aber auch die philosophische Herausforderung bezeichnet, der sich jede Kosmologie zu stellen hatte, wenn sie nicht prinzipiell den Einfluß der Sterne bestreiten wollte. War die Möglichkeit einer *influentia caeli* nur erst konzediert, so mußte erklärt werden, inwieweit die menschliche Natur, vor allem aber die Willensfreiheit davon betroffen oder ausgenommen sei. Andernfalls astrologischer Fatalismus die Konsequenz gewesen wäre.

Doch betrifft das ausschließlich die gelehrte Diskussion — von praktischer, pastoraler Bedeutung war das kaum. Anders bei AUGUSTINUS. Das Beispiel von den ungleichen Zwillingen oder folgende lapidare Bemerkung stammen zudem aus der Praxis eines geübten Seelsorgers: Wenn man schon glaube, daß jedes Menschenleben durch die Konstellation des Himmels zur Zeit seiner Geburt ein für allemal bestimmt sei, dann sei es doch höchst widersinnig, noch auf Zeiten, Tage und Stunden zu achten, ob sie glücklich oder unglücklich seien. Geschickt spielt AUGUSTINUS so die verschiedenen Elemente des astrologischen Weltbildes gegeneinander aus und führt die Astrologie *ad absurdum.*

*

Die Systematisierung der verschiedenen Superstitionen bei THOMAS VON AQUIN behandelt nach der Astrologie unter dem gleichen Aspekt der Einteilung[58] das

---

[55] Ps.-AUGUSTIN (AMBROSIASTER), Quaestiones veteris et novi testamenti, qu. 115, ed. CSEL 50, 330.

[56] *Hoc quoque divinae miserationis est, quod signorum suorum indicio ignorantiam nostram quandoque praemunit,* Policr. II 13.

[57] ADELHARD VON BATH, De eodem et diverso, ed. WILLNER 32.

[58] *aliquid considerare in dispositionibus aliquarum rerum,* II. II. 95, 3.

Augurium, Auspicium und das Omen. Das Omen, so haben wir schon oben bemerkt, wurde sonst nicht als theologischer Terminus empfunden. Zusammen mit dem Augurium ist es von uns schon behandelt worden, da beide zu den *observationes* zu rechnen sind. Im THOMASischen System stehen sie auch eindeutig am falschen Platz: Denn was THOMAS zum *augurium*, bzw. *auspicium* zählt: Niesen, Gliederzucken, Vogelschrei und Vogelflug, das hat zu seiner Zeit nur mehr glück- bzw. unglückkündende Bedeutung. Nur ihrer klassischen mantischen Funktion, der Vogelschau des römischen Auspex, nach bilden sie eine Divinationskategorie. Wir merken, wie THOMAS in Nachfolge ISIDORS an der tatsächlichen Situation vorbei systematisiert. Divinatorischen Charakter hatten diese Dinge nicht mehr. Nicht, daß innerhalb des Superstitionensystems die gesuchte Kategorie überhaupt fehlte: Die *observationes quae ordinantur ad praecognoscenda aliqua fortunia vel infortunia*[59] bezeichnen genau den systematischen Ort der genannten Dinge. THOMAS scheint auch die enge Verwandtschaft der beiden Kategorien empfunden zu haben. Denn während er sonst mit Beispielen nicht so sparsam ist, hält er sich bei der genannten Observationskategorie ganz im Allgemeinen. Doch trifft eben das, was er sagt, auf Vogelflug, Vogelschrei, Niesen und Gliederzucken zu: *verba audita, vel occursus hominum sive animalium, aut distorti aut inordinati actus.*[60] THOMAS hat bei seiner Divinationskategorie somit offensichtlich die ‚klassischen' Definitionen zur Vorlage, wie sie ISIDOR vermittelt. Die Nähe der Einteilungsprinzipien zum spanischen Enzyklopädisten ist auch deutlich zu bemerken. Bei ISIDOR heißt es:

> *Augures sunt, qui volatus avium et voces intendunt, aliaque signa rerum vel observationes inprovisas hominibus occurentes. Idem et auspices. Nam auspicia sunt quae iter facientes observant. Dicta sunt autem auspicia, quasi avium aspicia, et auguria, quasi avium garria, hoc est avium voces et linguae. Item augurium, quasi avigerium, quod aves gerunt.*[61]

Diese Unterscheidungen werden von THOMAS nur wiederholt:

> *Si vero per motus vel voces avium, seu quorumcumque animalium, sive per sternutationes hominum, vel membrorum saltus, hoc pertinet generaliter ad augurium, quod dicitur a garritu avium, sicut auspicium ab inspectione avium, quorum primum pertinet ad aures, secundum ad oculos; in avibus enim hujusmodi praecipue considerari solent.*[62]

*

Im weiteren werden nun noch Chiromantia und Spatulimantia genannt — beides gelehrte Divinationskategorien, die nie zu populären Observanzen gezählt

---

[59] II.II. 96, 3.
[60] II. II. 93, 3.
[61] ISIDOR VON SEVILLA, Etym. VII 9, 18—19, ed. LINDSAY I.
[62] II.II. 95, 3.

werden konnten. Über Chiromantie, die Antike kennt den *cheiromantis*[63], ist mir auch nicht ein Zeugnis der Verordnungsliteratur bekannt und von den pastoralen Texten schein nur die *Homilia* etwas ähnliches zu vermerken: *qui manum hominis, greue aut leue, (uel) quando accipit calicem, in ipso aspicet.*[64] Schon die enge Verbindung mit der Becherweissagung, der κυλικομαντεία (s. o.) zeigt, daß es sich um gelehrte Tradition handelt. Größeres Interesse hat die Chiromantie erst in verhältnismäßig später Zeit, im Spätmittelalter, gefunden. Zu dieser Zeit gibt es denn auch umfangreiche und gelehrte Abhandlungen über das Thema.[65]

Nicht viel anders verhält es sich mit der Spatulimantie, der Wahrsagekunst *ex figuris in spatula alicuius animalis apparentibus*[66], aus dem Schulterblatt eines Tieres. Die griechisch-römische Antike kennt diese Divination nicht. Sie gehört der Mantik asiatischer Völker an und ist erst durch die Hunnen nach Europa gebracht und im Mittelalter bekannt geworden.[67] Vor THOMAS erwähnen sie HINKMAR VON REIMS und JOHANNES VON SALISBURY.[68] JOHANNES rechnet sie zum *haruspicium*, also der klassischen Eingeweideschau. Wie er diese Verbindung zuwege bringt, macht allerdings den Eindruck eines etwas gewaltsamen Vorgehens: Von den *haruspices* „ist gesagt worden, daß sie zum Teil aus den Eingeweiden der Tiere wahrsagen. Mit dem Namen von Eingeweiden nämlich bezeichnen sie das, was außen von der Haut bedeckt ist. Daher ist es auch klar, daß man zu ihnen auch diejenigen rechnen muß, welche aus den Schulterblättern der Widder oder den Knochen gewisser anderer Tiere weissagen".[69]

Anders als JOHANNES hat THOMAS *spatulimantia* und *haruspicium* (s. u.) klar getrennt. Denn obgleich letzteres innerhalb seines Systems ebensogut und noch

---

[63] PFISTER, Ausdrücke der Wahrsagekunst, 49; cf. noch KRÖGER, Handlesekunst, insbes. 32 f.

[64] C. 6, ed. CASPARI; als verbotene Kunst wird die Chiromantie bei VINCENTIUS VON BEAUVAIS, Speculum morale 3, 17 genannt.

[65] ANDREA CORVO DE MIRANDOLA, De chiromantia. Venedig 1513, HAIN 5776, dazu THORNDIKE, History, V 55—56; ANTIOCHUS TIBERTUS, De chiromantia. Bologna 1494 (HAIN 1551); JOHANNES VON HAGEN (INDAGINE), Introductiones apotelesmaticae in chyromantium etc. Straßburg 1522 (dt. 1523).

[66] II. II. 95, 3.

[67] Cf. CH. HASKINS, Studies in the History of Medieval Science, 1927, 79; DE KEYSER, Waarzeggerij, 1933, 39—64; HDA, s. v. Spatulimantie; zwei chinesische Orakelknochen mit Inschriften im Katalog der Ausstellung Archäologische Funde der Volksrepublik China. Österr. Museum für angewandte Kunst 23. Februar — 20. April 1974. Hg. Österr. Museum für angewandte Kunst Wien. 2. Aufl. Nr. 85 f.

[68] Der Beleg im Ackermann von Böhmen ist also nicht neu, wie PFISTER, Ausdrücke, 49, meint, sondern verhältnismäßig alt; der mir bekannt gewordene älteste Beleg stammt aus dem 9. Jh. und findet sich bei HINKMAR VON REIMS, De divortio etc., s. o. S. 175 f.; aus dem 11. Jh. stammt ein arabisches Werk des ABDALABEN ZELEMAN, das von HUGO VON SANTALLA (SANCTALLENSIS) ins Lateinische übersetzt worden ist: De spatula; dazu THORNDIKE, History, II 86.

[69] Policr. II, c. 27, übers. HELBING-GLOOR 56.

besser in der hier besprochenen Gruppe stehen könnte, stellt es THOMAS zu den mantischen Künsten, die sich der vier Elemente bedienen: der Geomantie, Hydromantie, Aeromantie und Pyromantie. Diese Einordnung zu wählen, wird ihn die schon genannte Überlieferung bewogen haben, die in der Tätigkeit der *haruspices* eine schon durch die traditionelle Etymologie *(aras inspicientes)* nahegelegte Verbindung mit Dämonenkult sah. Die Mantik aus den Elementen kann nach THOMAS aber ebensowenig ohne eine ausdrückliche Dämonenanrufung geschehen. Der THOMAS vorliegende Überlieferungsbefund dürfte somit für die keineswegs systemgerechte Stellung des Haruspiciums verantwortlich sein. Zwar ist die Spatulimantie nicht eine Art des Haruspiciums, doch gehören nach den systematischen Prinzipien der Einteilung der Summe beide doch in eine Gruppe. Denn objektiv ist kein Grund zu sehen, weshalb das Wahrsagen aus dem Schulterblatt eines Tieres ohne, die Wahrsagung aus den Eingeweiden eines Tieres aber nur mit ausdrücklicher Anrufung der Dämonen möglich sein soll.

Ein zweites Divinationsgenus, das *absque expressa daemonum invocatione*[70] zustande kommen kann, enthält nach THOMAS alle Übungen, in denen es darum geht, *quae fit ex consideratione eorum quae eveniunt quibusdam quae ab hominibus serio fiunt ad aliquid occultum inquirendum.*[71] Wenn man also etwas anstelle, arrangiert, daß etwas Verborgenes dabei herauskomme, so gehöre das in diese Divinationsklasse. Solche Manipulationen nenne man *Sortes* (Los, Losen): Das Betrachten von Figuren, die entstehen, wenn flüssiges Blei ins Wasser gegossen wird; wenn man beschriebene oder unbeschriebene Zettel versteckt halte und danach gehe, wer welchen Zettel bekomme; wenn man aus mehreren ungleich langen Stäbchen ziehen lasse und darauf achte, wer das kürzere ziehe; wenn man Würfel werfe und danach gehe, wer mehr Punkte gewürfelt habe oder auch wenn man das betrachte, was einem beim Aufschlagen eines Buches in die Augen falle:

> *sive per protractionem punctorum (quod pertinet ad artem geomantiae); sive per considerationem figurarum quae proveniunt ex plumbo liquefacto in aquam projecto; sive ex quibusdam cedulis, scriptis vel non scriptis, in occulto repositis, dum consideratur quis quam accipiat; vel etiam ex festucis inaequalibus propositis, quis majorem vel minorem accipiat; vel etiam ex taxillorum projectione, quis plura puncta projiciat vel etiam dum consideratur quid aperienti librum occurrat.*[71a]

Quae omnia sortium nomen habent.[72] Im 8. Artikel, *Quaestio 95, Secunda Secundae*, geht THOMAS unter der Frage *utrum divinatio sortium sit illicita* noch einmal und ausführlicher auf das Losen ein. Er unterscheidet nun nicht der Form und dem Inhalt, sondern der Intention nach die *sors divisoria* und *sors consultoria*

---

[70] II. II. 95, 3.
[71] Ibd.
[71a] Ibd.
[72] Ibd.

von der *sors divinatoria*. Nur letztere sei *divinatio illicita*, weil sie auf Entdeckung verborgener oder zukünftiger Sachen ziele, die allein Gott wisse. Beide anderen Arten seien nicht verboten. Dabei meint die *sors divisoria*, das „verteilende Los", die Übung, etwas durch Los zu verteilen, was anders nicht gerechterweise entschieden werden kann: Aufteilung eines Besitzes, Ehrenfragen u. dgl.

Die *sors consultoria*, das „beratende Los", konnte angeben, was in einem speziellem und wichtigen Fall, der anders nicht zu entscheiden war, zu tun oder zu lassen sei. Auch dieses Losen sei mit Einschränkungen erlaubt. Mit Einschränkungen, insoweit man sich nicht des Losens ohne Notwendigkeit bediene, oder sofern unter dieser Voraussetzung, wenn es ohne nötige Ehrfurcht vor Gottes Willen geschehe; drittens wenn göttliche Orakel für irdische Geschäfte in Anspruch genommen würden und viertens, wenn sie zur Wahl kirchlicher Würdenträger genutzt würden; denn das geschähe allein auf Eingebung des Hl. Geistes. Die THOMASische Begrifflichkeit[73] hat sich schließlich auch gegenüber mehr artifiziellen Unterscheidungen[74] durchgesetzt.

Auf die beiden von THOMAS zuerst genannten Formen der *sortes* ist hier nicht einzugehen. Daß das geomantische Orakel von THOMAS hier angeführt wird, obgleich er es den mantischen Künsten zurechnet, denen nur aufgrund einer ausdrücklichen Dämonenanrufung Erfolg beschieden sein kann, lag am Verfahren der mantischen Praktik, wie es das Mittelalter kannte[75]: der Wahrsager mußte rasch und ohne Überlegung mehrere Reihen Punkte in Erde, Sand, Wachs o. ä. drücken, die dann nach vorgegebener Methode in bestimmte Verhältnisse, denen jeweils eine besondere Bedeutung beigemessen wurde, geordnet werden.[76] Das Bleigießen wird in der kirchlichen Verordnungsliteratur an keiner Stelle erwähnt; es dürfte demnach erst später, aus griechischer Orakelpraxis übernommen[77], gebräuchlich geworden sein. Was des weiteren von THOMAS noch genannt wird, gehört zu den eigentlich klassischen Losorakeln: Das Werfen und

---

[73] In dem Schriftchen De sortibus ad dominum Jacobum de Tolongo, ed. PETRUS MANDONNET, THOMAS VON AQUIN, Opuscula III. Paris 1927, 144—162, behandelt THOMAS die *sortes* nach den Fragestellungen: *In quibus rebus fiat inquisitio per sortes — Ostenditur ad quem finem sortes ordinantur — In quo ostenditur quis sit modus inquirendi per sortes — Unde sit sortium virtus — In quo ostenditur utrum sortibus liceat uti;* THORNDIKE, Incipits, 221, 1078, 1105, verzeichnet mehrere mittelalterl. Hss.

[74] Cf. bei BOEHM: HDA V 1355.

[75] Über die antike Praxis ist nichts bekannt. Das Mittelalter setzte Geomantie ineins mit der aus dem Orient importierten Punktierkunst, wenn daneben auch eine andere Art von Geomantie bekannt war: die Wahrsagekunst aus dem Zittern, Dröhnen, Beben, Einsinken etc. der Erde; cf. BOEHM: HDA II 635—647. Daß THOMAS VON AQUIN hier ganz offensichtlich von Geomantie im Sinne von Punktierkunst redet, ist daraus zu ersehen, daß er sie wie eine Losart behandelt.

[76] Cf. G. EIS, Wahrsagetexte des Spätmittelalters (= Texte des späten Mittelalters 1). Berlin/Bielefeld/München 1956, 7—13, 29—48.

[77] Cf. GRIMM, Myth., II 937, 1073.

Ziehen von Losen und das Losen durch willkürliches Hinsehen oder Hindeuten auf bestimmte verdeckte Texte.

So bediente sich das Losorakel der griechisch-römischen Antike in der älteren Zeit besonders des Würfels (4 Seiten) als Losinstrument. Folgende Praxis ist bekannt: Nach einer Reihe von Würfen, zumeist 5 oder 7, wurde auf Lostafeln, die für die verschiedenen erwürfelbaren Zahlenreihen jeweils einen Vers enthielten, der der erzielten Zahlenkombination entsprechende Vers aufgesucht.[78] Eine andere Form des Losens bediente sich kleiner Lostäfelchen, auf denen bestimmte Zeichen notiert waren. Man zog oder ließ eine Tafel ziehen und suchte das Orakel wieder mit Hilfe eines Schlüssels zu verbalisieren. Spätere Formen verzichteten schließlich ganz auf das Schlüsselverfahren; die Lostäfelchen enthielten nun den Text selbst: Man zog ein Täfelchen aus einem Gefäß oder schüttelte es heraus und hatte den Orakelspruch gleich in der Hand. An die Stelle der auf den Lostafeln verzeichneten Verse traten später Verse aus bekannten Dichtern. Eine einfachere Art des Losens bediente sich nur noch der Dichtung selbst und nahm als Orakel, was jeweils beim ersten Hinsehen auf die Schriftrolle ins Auge fiel. Mit Verbreitung des Buches wurde der Vorgang erneut simplifiziert: das Los wurde durch blindes Aufschlagen oder Stechen gefunden (= *Sortes Homericae* oder *Sortes Vergilianae*).

Das heidnische Buchorakel ist vom Christentum übernommen worden, nur daß anstelle profaner Dichtung die Bibel trat. In der Bekehrungsgeschichte AUGUSTINS spielt es eine wichtige Rolle[79]: Nachdem ihm wiederholt aus einem Nachbargarten die Worte spielender Kinder: *tolle lege* (nimm und lies) ‚ins Ohr gefallen waren‘ (von AUGUSTINUS im Sinne antiker ‚Hör-Omina‘ aufgefaßt), nimmt er die *Paulusbriefe* zur Hand, in denen er vorher gelesen hatte, und schlägt *Röm.* 13, 13 f. auf: „Wir wollen ehrbar wandeln, wie am hellen Tage, nicht in Schwelgereien und Gelagen, nicht in Wollust und in Ausschweifung, nicht in Streit und Eifersucht! Zieht vielmehr den Herrn Jesus Christus an und pfleget nicht das Fleisch, so daß es lüstern wird!“ AUGUSTINUS ist über das Orakel aufs Höchste beglückt, so daß er sofort zu einem Freund eilt, um den Vorfall mitzuteilen! Bedenkt man dieses, so kann es verständlich werden, daß AUGUSTINUS auch in späterer Zeit über Orakel aus der Hl. Schrift recht milde urteilt. Zudem war auch dem *Alten Testament* und *Neuen Tesamtent* das Losen nicht unbekannt. Für AUGUSTINUS gilt:

Sors enim non aliquid mali est: sed res est in dubitatione humana divinam indicans voluntatem. Nam et sortes miserunt Apostoli, quando Judas tradito Domino periit, et, sicut de illo scriptum est, Abiit in locum suum: coepit quaeri quis in locum ejus ordinaretur, electi sunt duo judicio humano, et electus de duobus unus judicio divino: de duobus consultus est Deus, quemnam ipsorum esse vellet, et cecidit sors super Matthiam (Act. I, 26).[80]

---

[78] Für weitere Würfellosorakel sei auf die heute noch äußerst informativen Artikel von BOEHM im HDA hingewiesen, s. v. Los, Losbücher.

[79] Confessiones 8, 12.

So war in der Folge das Losen aus der Bibel innerhalb der Kirche sehr verbreitet, durch rituelle Handlungen in seiner Dignität gesteigert. Erwähnt sei das Verfahren, das GREGOR VON TOURS mitteilt[81]: „Die Geistlichen legten aber damals drei Bücher auf den Altar, die Propheten nämlich, den Apostel und die Evangelien, und beteten zu Gott, er möge ihnen enthüllen, welchen Ausgang es mit Chramn haben würde; ob ihm das Glück günstig sein und er gar das Reich gewinnen würde, möge die göttliche Allmacht ihnen offenbaren; zugleich machten sie aus, ein jeder solle, was er zuerst in dem Buche aufschlüge, auch bei der Messe lesen. Als nun das erste der prophetischen Bücher aufgeschlagen wurde, fanden sie die Worte: „Seine Wand soll weggenommen werden, daß er verwüstet werde. Warum hat er denn Herlinge gebracht, da ich wartete, daß er Trauben brächte." Und als sie das Buch des Apostels öffneten, fanden sie: „Denn ihr selbst wisset gewiß, daß der Tag des Herrn wird kommen, wie ein Dieb in der Nacht. Denn wenn sie werden sagen: Es ist Friede, es hat keine Gefahr, so wird sie das Verderben schnell überfallen, gleichwie der Schmerz eine schwangere Frau, und werden nicht entfliehen". Der Herr aber sprach durch das Evangelium: „Und wer diese meine Rede höret und tut sie nicht, der ist einem törichten Manne gleich, der sein Haus auf den Sand baute. Da nun ein Platzregen fiel und kam ein Gewässer und weheten die Winde und stießen an das Haus, da fiel es und tat einen großen Fall".[82]

Weniger gegen den innerkirchlichen Gebrauch, sondern gegen das Bibellosen zu profanen Zwecken richtet sich somit auch die Kritik der Kirche. AUGUSTINUS hatte an der Verwendung der Bibel als Losinstrument allein auszusetzen, daß es *ad negotia saecularia* verwendet würde. *His qui de paginis evangelicis sortes legunt, etsi optandum sit ut id potius faciant quam ad daemonia consulenda concurrant, tamen ista mihi displicet consuetudo, ad negotia saecularia et ad vitae hujus vanitatem divina oracula velle convertere.*[83] Entsprechend und unter Berufung auf AUGUSTINUS hat THOMAS VON AQUIN u. a. Losen als unerlaubt erklärt, *si divina oracula ad terrena negotia convertantur.*[84]

---

80 AUGUSTINUS, In Ps. 30, Sermo 2, c. 13, *In manibus tuis sortes*, ed. PL 36, 246; cf. GRATIAN, Decr., pars II., caus. 26, qu. 2, Can. 1, ed. FRIEDBERG 1020; zurückhaltender hat sich HIERONYMUS geäußert: *Nec statim debemus sub hoc exemplo sortibus credere, vel illud de Actibus Apostolorum huic testimonio copulare, ubi sorte in Apostolatum Matthias eligitur* (Act. 1), *cum privilegia singulorum non possint legem facere communem,* HIERONYMUS, Comment. in Jonam, c. 1, ed. PL 25, 1126; cf. Ivo, Decr., pars XI, c. 21, ed. PL 161, 751; Panormia VIII, c. 78, ibd., 1325 sq.; GRATIAN, Decr., pars II, causa 26, qu. 2, can. 2, ed. FRIEDBERG 1021; ibd. can. 4, p. 1021.
81 Weitere Beispiele: HDA V 1375 ff.
82 GREGOR v. TOURS, Historia IV, c. 16. übers. BUCHNER 1977, I 219.
83 AUGUSTINUS, Ep. 55, ed. PL 33, 222; cf., Ivo v. CHARTRES, Decr., p. XI, c. 29, ed. PL 161, 752; ID., Panormia VIII, c. 74, ed. PL 161, 1323; GRATIAN, Decr., p. II., caus. 26, qu. 2, c. 3, ed. FRIEDBERG 1021.
84 II. II. 95, 8.

Die *Homilia de sacrilegiis* schränkt dieser Tradition entsprechend das Verbot der Bibellose auf den privaten Gebrauch ein: *Et qui per scripturas sanctas Deum, quid ei facturus sit, expectatur, quid ipsas indicent scripturas, uel qui astrologia et tonitrualia legit, iste non christianus, sed paganus est.*[85] Verhältnismäßig mild auch hatte schon KARL D. GR. 789 die Sitte gerügt, während er doch zur gleichen Zeit gegen *sortilegi* mit aller Strenge vorging: *De tabulis vel codicibus requirendis, et ut nullus in psalterio vel in euangelio vel in aliis rebus sortire praesumant. nec divinationes aliquas observare.*[86]

Zumeist sind die kirchlichen Verordnungen ähnlich allgemein gehalten und lassen nur schwer erkennen, was *in praxi* gemeint gewesen ist. Auf den Gebrauch der Bibel zu Loszwecken, innerhalb der Kirche üblich und durch rituelle Ausformungen sanktioniert, kann sich auch sicher nicht die verhältnismäßig große Schärfe beziehen, die das *4. Konzil von Toledo* im schon mitgeteilten Statut[87] bei der Bestrafung nicht näher bezeichneter *sortilegi* empfahl.

Ungleich schärfer als dort hatte sich GREGOR D. GR. gegen *sortilegi* gewandt. Um das Jahr 599[95] schreibt er an den sardischen Bischof Januarius:

> *Contra idolorum quoque cultores vel aruspices atque sortilegos, fraternitatem vestram vehementius pastorali hortamur invigilare custodia, atque publice in populo contra hujus rei viros sermonem facere, eosque a tanti labe sacrilegii et divini intentatione judicii, et praesentis vitae periculo, adhortatione suasoria revocare. Quos tamen si emendate se a talibus atque corrigere nolle repereris, ferventi comprehendere zelo te volumus, et siquidem servi sunt, verberibus cruciatibusque quibus ad emendationem pervenire valeant, castigare. Si vero sunt liberi, inclusione digna districtaque sunt in poenitentiam dirigendi; ut qui salubria et a mortis periculo revocantia audire verba contemnunt, cruciatus saltem eos corporis ad desideratam mentis valeat reducere sanitatem.*[96]

Etwa um 601 kommt GREGOR in einem anderen Brief erneut auf die *sortilegi* zu sprechen und auch hier fordert er äußerste Strenge bei ihrer Bestrafung anzuwenden.[97]

---

[85] Homilia de sacrilegiis, c. 8, ed. CASPARI 7.

[86] Duplex legationis edictum, a. 789, c. 20, ed. MG Leg. 2 I 64; cf. BURCH. v. WORMS, Decr. X, c. 26, ed. PL 140, 836 sq.; Poenitentiale Arundel, c. 96, ed. SCHMITZ I, 463; IVO v. CHARTRES, Decr., p. XI, c. 52, ed. PL 161, 757; ROBERT VON FLAMBOROUGH, Liber. poen. 6, 3.

[87] S. 172.

[95] FRIEDBERG 1029, Anm. 118.

[96] Ep. 65, ed. PL 77, Epistolarum liber 9, indict. 2, 1002; das gleiche Stück bei: BURCH. v. WORMS, Decr. X, c. 3, ed. PL 140, 833; IVO v. CHARTRES, Decr., p. XI, c. 32, et 95, ed. PL 161, 754 et 776; Decretum GRATIANI, pars 2, causa 26, qu. 6, can. 10, ed FRIEDBERG 1029.

[97] Ep. 53, epist. liber 11, ed. PL 77, 1171; dasselbe bei REGINO VON PRÜM, De syn. caus., lib. 2, c. 351, ed. PL 132, 350; BURCH. v. WORMS, Decr. X, c. 4., ed. PL 140, 833;

Die *Capitulatio de partibus Saxoniae*, KARLS D. GR. erstes Sachsengesetz (775 bis 790), will, daß die *sortilegi* den Kirchen überliefert werden[98] und, um aus der Vielzahl ähnlicher Bestimmungen nur zwei anzuführen, 1261 erklärt die *Synode von Mainz*:

> *Excommunicamus, et Anathematizamus omnes Sortilegos, et firmiter prohibemus: ne ab alio, quam a suo Episcopo, nisi forsan in mortis articulo, absolvantur, et hanc Excommunicationis sententiam singulis diebus Dominicis et festivis per Sacerdotes in eorum Ecclesiis et Capellis praecipimus publicari.[99]*

Die Strenge der Bestrafung und das nahezu inquisitorische Vorgehen, wie es GREGOR D. GR. nachdrücklich empfiehlt, lassen erkennen, daß man mit *sortilegi* wohl nicht nur Losdeuter meinte. Das Wort hatte sicherlich längst eine allgemeinere Bedeutung gewonnen: Wahrsager und in der abstrakten Form: Wahrsagerei. Schließlich hat es auch zur Bezeichnung ausgesprochen zauberischer Handlungen und der mit ihnen befaßten Personen dienen können.[100]

Es war zu Eingang dieses Abschnittes darauf aufmerksam gemacht worden, daß die Antike nicht allzu große Unterscheidungen zwischen Divination und Magie vorgenommen hat. Das betrifft auch in christlicher Zeit nicht nur Möglichkeiten theoretischer Unterscheidungen. Ein gleiches Schwanken macht sich nämlich in der Benennung der objektiv unterschiedenen Tätigkeit von Zauberern und Wahrsagern bemerkbar. So hieß die von MARTIN angefertigte Übersetzung einer Verordnung des *Ancyranum* (a. 314)[101]: *Si quis paganoraum consuetudinem sequens divinos et sortilegos in domo sua introduxerit, quasi aut malum foras mittant aut maleficia inveniant, vel lustrationes paganorum faciant, quinque annis, poeniten-*

Ivo, Decr., pars XI, c. 33, ed. PL 161, 754; GRATIAN, Decr., pars II., causa 26, qu. 5, can. 8, ed. FRIEDBERG 1029.

[98] C. 23, ed. MG Leg. 2 I 69.

[99] Conc. provinciale Moguntinum, a. 1261, c. 30, ed. MANSI 23, 1091.

[100] *Colens idola et imagines faciens propter incantationes et sortilegia ac divinationes, III annis poeniteat,* Poen. Civitatense, c. 81, ed. WASSERSCHLEBEN 697; *Qui puerum super tectum aut in fornacem pro sanitate recuperanda posuerit, vel per foramen defossae terrae duxerit aut aliquid hujusmodi fecerit aut qui carminibus vel characteribus vel sortilego figmento, vel alicui arti demoniace et non divine virtuti aut certae liberali arti medicine se comiserit, XL diebus peniteat,* Poen. Arundel, c. 97, ed. SCHMITZ I, 464; wenn Frauen kranke Kinder haben, nehmen sie nicht Zuflucht zu den Gnaden und Ölungen der Kirche...: *Econtrario faciunt, et dum salutem requirunt corporum, mortem inveniunt animarum... Sed dicunt sibi: Illum ariolum vel divinum, illum sortilegum, illam erbariam consulamus; vestimentum infirmi sacrificemus, cingulum qui inspici vel mensurari debeat; offeramus aliquos caracteres, aliquas praecantationes adpendamus ad collum. Inter haec una diaboli persuasio est: aut per avorsum occidere crudeliter filios, aut per caracteres sanare crudelius,* CAESARIUS VON ARLES, Sermo 52, ed. CCL 103, 232.

[101] Konzil von Ankyra, c. 24, ed. MANSI 2, 522.

tiam agant.[102] Dasselbe Stück überliefern: *Poen. Casinense*[103], *Poen. Mediola-nense*[104], REGINO VON PRÜM[105], BURCHARD VON WORMS[106], IVO VON CHARTRES[107], GRATIAN[108] und ROBERT VON FLAMBOROUGH[109]. Die *divini* und *sortilegi* sind mit *malefici*, „Übeltäter", bezeichnet, also als böse Zauberer ausgewiesen. Eindeutig auch ist die Wortbedeutung im *Canon Episcopi*, wie ihn REGINO überliefert hat: Der *sortilegus* begehe verbrecherische Zauberhandlungen:

> *Ut episcopi episcoporumque ministri omnibus viribus elaborare studeant ut pernicio-sam et a diabolo inventam sortilegam et maleficam artem penitus ex paroechiis suis eradant, et si aliquem virum aut feminam hujuscemodi sceleris sectatoren invenerint, turpiter dehonestatum de paroechiis suis ejiciant. Ait enim Apostolus: Haereticum post unam et secundam admonitionen devita, sciens quia subversus est qui ejusmodi est (Tit. III). Subversi sunt, et a diabolo captitenentur, qui, derelicto creatore suo, a diabolo suffragia quaerunt. Et ideo a tali peste mundari debet sancta Ecclesia.*[110]

Die Mehrzahl unserer Zeugnisse äußert sich also wenig ausführlich über den Charakter der *sortilegi* und worin sich ihre Tätigkeit von der Ausübung anderer mantischer oder magischer Künste unterscheidet.

Führen wir noch solche Belege an, die das Tun der *sortilegi* in textlicher Nähe zu germanischen Kultpraktiken behandelt, so wird aber vielleicht möglich sein zu erkennen, was jene bislang noch nicht befriedigend erklärten *sortes sanctorum* gewesen sind.

Um das Jahr 737 schreibt GREGOR III. „An Große und Volk in Hessen", sie sollten dem von seiner 3. Romreise (737/38) rückkehrenden BONIFATIUS gehorsam sein und von allen heidnischen Gewohnheiten und Bräuchen Abstand nehmen: *abstinete et prohibete vosmet ipsos ab omni cultu paganorum, non tantum vosmet ipsos corrigentes, karissimi, sed et subditos vestros. Divinos vel sortilegos, sacrificia mortuorum, seu lucorum vel fontium auguria vel filacteria et incantatores et veneficos, id est maleficos, et observationes sacrilegas, quae in vestris finibus fieri solebant, omnino respuentes atque abicientes, tota mentis intentione ad Deum*

---

102 MARTIN VON BRAGA, Capitula, c. 71, ed. BARLOW 140.
103 Ed. SCHMITZ I 431.
104 Ed. WASSERSCHLEBEN 707.
105 De syn. caus. II, c. 348, ed. PL 132, 349.
106 Decr. X, c. 6, ed. PL 140, 834.
107 Decr., p. XI, c. 34, ed. PL 161, 754.
108 Decr., p. II, c. 26, qu. 5, c. 3, ed. FRIEDBERG 1028.
109 Liber poen. V 6, 3, ed. FIRTH, nr. 331, 29—31.
110 REGINO VON PRÜM, De syn. causus II, c. 364, ed. PL 132, 352; cf. BURCH. v. WORMS, Decr. X, c. 1, ed. PL 140, 831; Ivo, Decr., p. II, c. 30, ed. PL 161, 752; ID., Panormia II, c. 75, ibd. 1323; GRATIAN, Decr., p. II, c. 26, qu. 5, c. 12, ed. FRIEDBERG 1030.

convertimini.[111] In ähnlicher Weise verordnet das *1. deutsche Nationalkonzil*
v. J. 743:

> *Decrevimus, ut secundum canones unusquisque episcopus in sua parrochia sollicitu-*
> *dinem adhibeat, adiuvante graviore, qui defensor aecclesia est, ut populus Dei paga-*
> *nias, non faciat, sed ut omnes spurcitias gentilitatis abiciat, et respuat, sive sacrificia*
> *mortuorum sive sortilegos vel divinos sive filacteria et auguria sive incantationes sive*
> *hostias immolaticias, quas stulti homines iuxta aecclesias ritu pagano faciunt sub*
> *nomine sanctorum martyrum vel confessorum, Deum et suos sanctos ad iracundiam*
> *provocantes, sive illos sacrilegos ignos, quos nied fyr vocant, sive omnes, quecumque*
> *sint, paganorum observationes diligentes prohibeant.*[112]

KARLS D. GR. *Capitulare primum* von 769 wiederholt das Verbot.[113] Auch die
Bußbücher lassen einen angenommenen Zusammenhang von Sortilegien und heidnischen Kulten erkennen. Ich nenne das Bußbuch PSEUDO-BEDAS[114], den *Ordo*
poenitentiae[115], das *Poenitentiale Parisiense*[116], das Bußbuch EGBERTS VON YORK[117]
und die davon abhängigen Stellen bei REGINO VON PRÜM[118], BURCHARD VON
WORMS[119] und IVO VON CHARTRES[120].

Die *sortes sanctorum* werden nun durchweg als identisch mit den Buchlosen
angesehen; von BINTERIM[121], CASPARI[122], SCHMITZ[123], BOEHM[124], zuletzt noch
HELBLING-GLOOR[125], BIEDERMANN[126] und von HOLGER HOMANN: „Diese Buchlose
sind sicher identisch mit den häufig verbotenen sog. sortes sanctorum".[127] Wenn
HOMANN erläutert: „sortes sanctorum (sc. librorum, codicum, scriptorum oder
ähnlichem)", so hat er den ersten und wichtigen Ansatz seines Gewährsmannes aus

---

[111] GREGOR D. GR. an Große und Volk in Hessen: BONIFATIUS, Ep. 43, ed. MG Ep. 23, 291.
[112] C. 5, ed. MG Leg. 3 II 2 sq.
[113] C. 5, ibd. 2 I 46.
[114] C. 18: *Fecisti sacrilegium, id est quos aruspices vocant et augurias faciunt, et sorti-*
legos vel vota, quae ad arbores seu ad fontes seu ad cancellos, aut per ullum ingenium
fovisti, aut per sortibus fuisti, aut avorsum fecisti? V annos vel III peniteas, ed. WASSER-
SCHLEBEN 254.
[115] SCHMITZ I 748.
[116] C. 14, ed. SCHMITZ I 683.
[117] C. 1, ebenda I 581.
[118] De syn. causis II, c. 358, ed. PL 132, 350 sq.
[119] Decr. X, c. 9, ed. PL 140, 834.
[120] Decr., p. XI, c. 37, ed. PL 161, 755.
[121] II 2, 531 f.
[122] Homilia de sacrilegiis 21—23.
[123] I 327 f.
[124] HDA V 1377 f.
[125] Natur und Aberglaube 60 f.
[126] Hwb. d. mag. Künste 330.
[127] Indiculus 93.

dem HDA zu einem differenzierenden Urteil wieder fallengelassen: BOEHM schreibt dort nämlich: „Die Deutung des Namens selbst ist strittig; man nimmt z. T. Auslassung eines Wortes, wie scriptorum, bibliorum, librorum, codicum an. Doch würde solche Abkürzung, zumal in der mehrfach belegten Nebeneinanderstellung ‚Sortes Sanctorum seu Apostolorum seu Psalterii‘ u. ä. kaum verständlich sein. Am nächsten liegt doch die Beziehung auf persönliche Sancti, die an die Stelle der heidnischen Götter und Dichter getreten sind. Das Auftreten der Bezeichnung im 5. Jh. läßt sich gut mit der gleichzeitigen Ausbreitung der Heiligenverehrung vereinigen". Er fährt dann jedoch fort: „Eine strenge Unterscheidung zwischen den Sortes Sanctorum, Apostolorum usw. ist unmöglich, da diese Bezeichnungen vielfach durcheinander und über die speziellen Methoden nur wenig berichtet wird; allein über die Apostel-Lose sind wir genauer unterrichtet".[128]

Halten wir vorerst fest, daß unseren Zeugnissen nach zu schließen ein Zusammenhang von heidnischem Kult und Sortilegien bestanden haben mag, daß andererseits das Buchorakel keineswegs so heftig bekämpft wurde, wie zu erwarten stand, so wird auch erstes Licht auf die allein mit den *sortes sanctorum* verbundenen Bemerkungen fallen, in denen den Wahrsagern dieser Kategorie der Vorwurf gemacht wird, sie hätten den Namen *sortes sanctorum* lügenhaft erdichtet und gäben ihrem Geschäft den Anschein frommen Tuns. In dem ältesten Zeugnis über „Heiligenlose", dem 16. Kanon der bretonischen *Synode zu Vennes* (a. 465) steht: *Ac ne id fortasse uideatur omissum, quod maxime fidem catholicae religionis infestat, quod aliquanti clerici student auguriis et sub nomine confictae religionis, quas sanctorum sortes uocant, diuinationis scientiam profitentur, aut quarumcumque scripturarum inspectione futura promittunt, hoc quicumque clericus detectus fuerit uel consulere uel docere, ab ecclesia habeatur extraneus.*[129] Das *Konzil von Agde* (a. 506), enthält den gleichen Kanon[130]; auf das bretonische Konzil geht auch die Definition ISIDORS VON SEVILLA zurück: *Sortilegi sunt qui sub nomine fictae religionis per quasdam, quas sanctorum sortes vocant, divinationis scientiam profitentur, aut quarumcumque scripturarum inspectione futura promittunt.*[131] Von ISIDOR wiederum ist Ps.-ALKUIN, *De divinis officiis*[132], HRABANUS MAURUS, *De universo*[133] und *De consanguineorum nuptiis*[134], IVO VON CHARTRES[135], GRATIAN[136] und BATHOLOMÄUS VON EXETER[137] abhängig.

---

[128] HDA V 1378.

[129] Concilium Veneticum (= Vennes od. Vannes, Bretagne), c. 16, ed. CCL 148, 156; die abweichende Fassung bei MANSI 7, 955, ist der Kanon in der Form, wie ihn das Konzil von Agde a. 506 übernommen hat.

[130] Conc. Agathense a. 506, c. 42, ed. CCL 148, 210.

[131] ISIDOR VON SEVILLA, Etym. VIII 9, 28, ed. LINDSAY I.

[132] C. 13, ed. PL 101, 1196.

[133] Lib. XV, c. 4, ed. PL 111, 424.

[134] De consanguineorum nuptiis et de magorum praestigiis falsisque divinationibus, c. De magicis artibus, ed. PL 110, 1098.

Auf das Kapitel aus *De consanguineorum nuptiis et de magorum praestigiis falsisque divinationibus* geht der fälschlicherweise AUGUSTINUS, *De diuinatione daemonum*, zugeschriebene Kanon im *Decretum* GRATIANI[138] zurück. Doch kennt GRATIAN, wie Quaestio 1, can. 1[139] und Quaestio 5, can. 6[140] bezeugt, auch die ISIDORische und bretonische Tradition. Auf BURCHARD VON WORMS[141] und IVO VON CHARTRES[142] sei noch hingewiesen.

Si quis, ut vocant, sortes sanctorum, quas contra rationem vocant, vel alias sortes habuerit — Wenn sich jemand, der, wie sie gegen alle Vernunft sagen, Heiligenlose bedient . . . , so oder ähnlich formulieren der *Excarpsus* CUMMEANI[143], das *Valicellanum I*, c. 11[144] und *II*, c. 58[145], *Romanum*, c. 37[146], *Casinense*, c. 69[147] oder *Parisiense*, c. 20.[148] Weiterhin vergleiche man die Polemik des *Konzils von Orleans* (a. 511), c. 30: *sortes, quas mentiuntur esse sanctorum*[149], des *Poenitentiale* Ps.-GREGORII III., c. 26: *quas sanctorum sortes falso vocant*[150] oder die aus dem Bußbuch EGBERTS erst von HRABANUS[151], dann von REGINO[152], BURCHARD[153], IVO[154] und ROBERT VON FLAMBOROUGH[155] übernommene ähnliche Wendung: *sortes, qui dicuntur false sanctorum.*[156]

Von den Büchern des *Alten* und *Neuen Testaments* hätte sicherlich niemand so gesprochen. Schon unter dieser Rücksicht hätte die stets wiederholte Gleichsetzung der Bibellose mit den „Heiligenlosen" zu denken geben sollen. Da hilft auch die merkwürdige Erklärung CASPARIS nicht weiter. Der Herausgeber und gelehrte Kommentator der *Homilia de sacrilegiis* hatte sich an der Formulierung gestoßen:

---

[135] Decr. XI 4.
[136] Decr., p. II 26, 5, c. 6.
[137] C. 104.
[138] Pars II, c. 26, qu. 3 et 4, can. 1, ed. FRIEDBERG 1025.
[139] FRIEDBERG 1020.
[140] Ebenda 1028.
[141] Decr. X, c. 27, ed. PL 140, 837.
[142] Decr., pars XI, c. 4, 22, 68, ed. PL 161, 747, 751, 762; Panormia VIII, c. 66 et 69, ibd. 1319 et 1321.
[143] VII 4, ed. WASSERSCHLEBEN 481.
[144] SCHMITZ I 327.
[145] Ebenda 379.
[146] Ebenda 479.
[147] Ebenda 414.
[148] Ebenda 648.
[149] Ed. MG Leg. 3 I 9, übernommen von GRATIAN, Decr., p. II, causa 26, qu. 5, can. 9, ed. FRIEDBERG 1029; die gleiche Formulierung: Capitula RUDOLPHI, c. 38, ed. PL 119, 722.
[150] WASSERSCHLEBEN 544.
[151] Poenitentiale c. 30.
[152] De syn. caus. II, c. 358, ed. PL 132, 350 sq.
[153] BURCHARD VON WORMS, Decr. X, c. 9, ed. PL 140, 834.
[154] IVO VON CHARTRES, Decr., pars XI, c. 37, ed. PL 161, 755.
[155] Liber poen. V 6, 3, ed. FIRTH, nr. 331, 33—37.
[156] Poenitentiale EGBERTI, c. VIII 1, ed. SCHMITZ I 581.

qui scripturas uanas credit, quas sortes sanctorum dicere solent.[157] Von biblischen Schriften wird man kaum als von *scripturas uanas* gesprochen haben. Caspari: „Die ‚sortes sanctorum' werden an unserer Stelle insofern als ‚uanae' bezeichnet, als sie in Wirklichkeit nicht den Aufschluß geben, den sich der, welcher sich ihrer bedient, von ihnen verspricht".[158] Unsere Stelle nennt aber nicht die *sortes sanctorum uanae*, sondern gewisse Aufzeichnungen *(scripturae)* inhaltslos, hohl, taub, nichtig, unwahr oder wie man das *vana* übersetzen will; und diese „tauben Nüsse" pflegen sie (sogar noch) „Lose der Heiligen" zu nennen. Das ist der Sinn. Die Empörung, wie sie sich in den schon angeführten Formulierungen *(fictae religionis)* spiegelt, meint objektiv das gleiche: daß sich diese Leute nicht schämten, so etwas *contra rationem*, gegen alle Vernunft, Heiligenlose zu nennen; sie lügten, *mentiuntur,* und führten das unter dem Namen erdichteter Frömmigkeit ein. Das *deutsche Nationalkonzil von 743* wurde noch deutlicher. Wir haben den entsprechenden Kanon 5 gerade angeführt. Es werden dort neben heidnischen Gebräuchen, die bei christlichen Kirchen geübt werden, auch Sortilegien genannt, ohne allerdings auch die Praxis der *sortilegi* so zu lokalisieren. Aber die Formulierung: *quas stulti homines iuxta ecclesias ritu pagano faciunt sub nomine sanctorum martyrum vel confessorum,* also das *sub nomine sanctorum,* ist besonders interessant, da das als Vorwurf auch auf die Sortilegien zielte.

Die Tatsache heidnischer Übungen in und bei christlichen Kirchen ist oft bezeugt.[159] Die Formulierung *sub nomine sanctorum* legt nahe, auch die *sortes sanctorum* dazuzurechnen.

Dieses nun erst einmal angenommen, so wäre das Losen hier als pagane Gewohnheit, als Rest heidnischen Kultes angesehen.

Über die Lospraktiken der heidnischen Germanen sind wir vor allem durch Tacitus informiert:

> *sortium consuetudo simplex. virgam frugiferae arbori decisam in surculos amputant eosque notis quibusdam discretos super candidam vestem temere ac fortuito spargunt. mox, si publice consultatur, sacerdos civitatis, sin privatim, ipse pater familiae precatus deos caelumque suspiciens ter singulos tollit, sublatos secundum impressam ante notam interpretatur. si prohibuerunt, nulla de eadem re in eundem diem consultatio; sin permissum, auspiciorum adhuc fides exigitur.*[160]

---

[157] Caspari, Homilia, 21—23.

[158] Ibd. 23.

[159] Cf. Homann 44 ff.

[160] „Das herkömmlichste Verfahren beim Losen ist einfach. Sie schneiden den Zweig von einem wilden Fruchtbaum in kleine Stäbe, versehen diese mit bestimmten Zeichen und streuen sie auf ein weißes Tuch blindlings und zufällig aus. Danach hebt, wenn eine Befragung von Staats wegen vorgenommen werden soll, der Priester, wenn in Privatangelegenheiten, das Oberhaupt der Familie mit einem Gebet zu den Göttern und die Augen zum Himmel gerichtet drei Stäbe einzeln auf und deutet die aufgehobenen nach den vor-

Die Stelle ist nicht so eindeutig, wie es auf den ersten Blick scheint. Besonders das *ter singulos tollit, sublatos* . . . . . *interpretatur* hat man genauer erklären zu müssen geglaubt.[161] Das *vestem* dagegen ist stets mit „Tuch" übersetzt worden, obgleich die nächstliegende Bedeutung doch „Gewand" wäre.

Was uns über Losorakel der Germanen bekannt ist, hat den wichtigsten Belegen nach BOEHM mitgeteilt: In der *Edda (Hymniskvida)* heißt es von den bierdurstigen Göttern Thor und Hymir: „Einst hatten die Schlachtgötter Jagdbeute gemacht und waren zechlustig, bevor sie satt waren: sie schüttelten die Losstäbe und sahen aufs Opferblut: da fanden sie, daß bei Aegir reichlicher Vorrat sei".[162] Die Verbindung von Loswerfen und Opfer ist bekannt.[163] Interesse erregt nun die Bemerkung: „sie schüttelten die Losstäbe". Aber worin? In der Hand? Oder in einem Gefäß? Vielleicht können Belege weiterhelfen, in denen bemerkt wird, die Lose würden in den Schoß der Losenden geworfen.[164] Ich möchte auf eine ähnliche Praxis, die das *Alte Testament* kennt, wenigstens zum Vergleich hinweisen (*Sprüche* 16, 33): *Sortes mittuntur in sinum, sed a Domino temperantur.*[165] SAXO GRAMMATICUS weiß von den Rugianern (Rugen) ähnliches zu berichten: sie würfen Lose *in gremium.* Für die Slaven sind ähnliche Methoden nachgewiesen worden.[166] Halten wir fest, daß bei den Germanen „Lose geschüttelt" wurden und „Lose in den Schoß geworfen", „geschüttet" wurden und daß beide Ausdrucksweisen sicherlich das gleiche meinen: das Schütteln der Lose im Bausch, im Schoß des Gewandes.

Inwieweit diese Feststellungen eine neue Interpretation der TACITUSstelle notwendig machen, sei dahingestellt. Jedenfalls paßt die naheliegendere, doch bislang eigenartigerweise nicht berücksichtigte Übersetzung *vestis* — Gewand viel eher hierher[167] als die sonst nicht belegte Losmethode des Hinstreuens auf ein ausgebreitetes Tuch. Soviel sei aber zu TACITUS noch bemerkt, der ja „auch hier nicht auf Grund von Autopsie (berichtet) und sich daher zum Teil mit einer gewissen

---

her eingeritzten Zeichen. Wenn die Zeichen es verwehren, erfolgt in der betreffenden Angelegenheit an demselben Tage keine weitere Befragung; wenn sie es zulassen, wird außerdem noch die Befragung durch Vorzeichen eingeholt", TACITUS, Germania, c. 10, übers. Religionsgeschichtl. Lesebuch 12, hg. v. F. R. SCHRÖDER, Tübingen 1929, 64.

161 Cf. bei HOMANN, Indiculus, 92.

162 Edda: Hymniskvida V 1, Religionsgeschichtl. Lesebuch, wie Anm. 160, 14.

163 Nachweise bei BOEHM: HDA V 1364.

164 Snorris Königsbuch (Heimskringla), Thule 2 (Jena 1923) 16, 3, 69 ff.; weitere Belege und Hinweise HDA V 1364, Anm. 48.

165 LXX: „εἰς κόλπους ἐπέρχεται πάντα τοῖς ἀδίκοις, παρὰ δὲ κυρίου πάντα τὰ δίκαια" — „Im Bausch des Kleides schüttelt man das Los, doch kommt vom Herrn all sein Entscheid".
„Im Bausch des Kleides schüttelt man das Los, doch kommt vom Herrn all sein Entscheid".

166 BRÜCKNER, Die Slaven, 1926, 11.

167 Auch R. MUCH, Die Germania des Tacitus. Hg. v. W. LANGE. 3. Aufl. Heidelberg 1967, 191, übersetzt mit „weißes Linnen", verweist allerdings noch auf die Kleidung der kimbrischen Priesterinnen (STRABON 294) und auf den *sacerdos candida veste* der Gallier.

Unbestimmtheit im Ausdruck (hilft)"[168]: Das *ter singulos tollit, sublatos ... interpretatur* hat man stets übersetzt als „Aufheben" der Lose, obgleich es in Verbindung mit *sortes* nach klassischem Gebrauch nur „ziehen" heißen kann: *Sortes tollere* ist Terminus technicus der Orakelpraxis für „Lose ziehen". Und „Lose ziehen", das impliziert, daß die Lose verdeckt, hier verdeckt im Bausch des Gewandes sind. Zur Psychologie des Losziehens, das sei ebenfalls nur angedeutet, paßt zudem der Gestus des Ziehenden: Er schaut zum Himmel, nimmt also die auch heute noch zu beobachtende Kopfstellung ein, wie sie für einen, der Lose zieht, typisch ist. Ein Gebetsgestus ist es wohl nicht.

TACITUS weiß von den Germanen aber auch, daß sie „Vorzeichen und Losorakel schätzten, wie kein anderes Volk. Das herkömmlichste Verfahren beim Losen ist einfach"![169] Es folgt dann der angeführte „locus classicus für das Losen bei den Germanen".[170] Und eine so ausgeprägte Lust zu losen, deren Verbindung zudem mit kultischen Handlungen nun feststeht, sollte der kirchlichen Polemik entgangen sein?

Ich meine, daß die *sortes sanctorum* das kultische Losen benennen. Nichts anderes auch als die beschriebene germanische Lospraxis dürfte der Glossator zum *Poenitentiale Valicellanum I.,* c. 111, in Augen gehabt haben, der die zu Anfang des 8. Jahrhunderts aufgezeichnete Verordnung über *sortes sanctorum quas contra rationem vocant* im 10. Jahrhundert[171] mit einer Glosse erklären zu müssen glaubt: *Sortes sanctorum sunt, quas in sinu vel gremio mittunt pro qualicunque causa sive pro bona sive pro mala, quo eveniunt.*[172] Wir wissen, daß das Losen mit heidnischem Opferwesen und Kult verbunden war; wir wissen auch, daß pagane Kultgewohnheiten in den Umkreis christlicher Kirchen gewandert sind, dort *sub nomine sanctorum* geübt wurden. Zum Vergleich sei an die Sitte des Minnetrinkens erinnert: An die Stelle der Götter traten, sobald das Gedächtnistrinken in den Umkreis der Heiligenkirchen gewandert war, Namen von Heiligen: Johannesminne, Gertrudenminne, u. a.[173] Einen analogen Vorgang: den Austausch der Götternamen gegen Namen von Heiligen dürfte die Benennung *sortes sanctorum* sichtbar machen.

Als Ergebnis der Überlegung wäre also festzuhalten: Die *sortes sanctorum* haben mit der heidnisch-christlichen Tradition des Buch- bzw. Bibelorakels nichts

[168] BOEHM, a.a.O., 1360.
[169] TAC., Germania, c. 10.
[170] HOMANN 90.
[171] SCHMITZ I 238.
[172] SCHMITZ I 327.
[173] Cf., U. JAHN, Die deutschen Opfergebräuche, 1884; L. MACKENSEN, Minnetrinken: HDA VI 375—380; ähnliche Gewohnheiten sind auch andernorts bekannt gewesen und von den christlichen Lehrern gerügt worden; cf. AUGUSTINUS, Sermo de temp. 232; ID., Contra Faustum 10, 21; cf. E. LUCIUS u. G. ANRICH, Die Anfänge des Heiligenkults der christl. Kirche, 1904, 320; FRANZ, Benediktionen, 286 ff.

zu tun. Unter dem christlichen Namen leben vielmehr kultische Praktiken mantischen Losens aus heidnischer Zeit weiter. Ihren Namen bekamen diese Lostechniken, weil sie, wie auch andere ältere Kultübungen, bei oder in christlichen Heiligenkirchen verrichtet worden sind. Dem Vorgang entspricht die Umbenennung heidnischer Götter- in christliche Heiligenminne. Für die Losmethode war das Schütteln der Lose im „Bausch des Gewandes" charakteristisch, eine Praxis, die als germanische Losmethode bekannt ist.

*

Bisher wurden Divinationskategorien erörtert, die THOMAS ohne ausdrückliche Dämonanrufung, *absque expressa daemonum invocatione*[174], für möglich hält. Die zweite Klasse mantischer Künste enthält Praktiken, denen nach THOMAS Erfolg nur nach einer ausdrücklichen Anrufung der Dämonen beschieden sein kann *(daemones expresse invocati*[175]*)*. Zu ihr gehören die *divinatio somniorum*, die Traumdivination, wie sie schon behandelt worden ist, und das *praestigium*.

Das *praestigium* bezeichnet streng genommen keine besondere *species divinationis*, es ist kein objektiver, sondern ein subjektiver oder Reflexionsbegriff, der nicht eine Sache bezeichnet, sondern ein Urteil über sie enthält. Dazu stimmt die Erklärung, die THOMAS gibt:

> *Daemones autem expresse invocati solent futura praenuntiare multipliciter. Quandoque quidem praestigiosis quibusdam apparationibus se aspectui et auditui hominum ingerentes ad praenuntiandum futura. Et haec species vocatur praestigium, ex eo quod oculi hominum praestringuntur.*[176]

THOMAS bleibt uns allerdings die Bestimmung dessen schuldig, was er zu den *praestigiosis quibusdam apparationibus* zählt, die *se aspectui et auditu hominum ingerentes [sunt] ad praenuntiandum futura.*[177] Hierher wäre wohl das *augurium* zu zählen, weil es *pertinet ad aures,* wie auch das *auspicium,* das *pertinet ad oculos*[178]; doch rechnet THOMAS diese Praktiken ja unter die Wahrsagekünste, die ohne ausdrückliche Anrufung der Dämonen möglich sind. Vom *praestigium* und der *divinatio somniorum* also abgesehen, wären zu besprechen: Die *nigromantia,* die *divinatio per phytones,* und mantische Künste, die Zukünftiges vorhersagen *per aliquas figuras vel signa quae in rebus inanimatis apparent: geomantia, hydromantia, aeromantia, phyromantia, aruspicium.*[179]

---

174 II. II. 95, 3.
175 Ibd.
176 Ibd.
177 Ibd.
178 Ibd.
179 Ibd.

Die *nigromantia,* Nekromantie[180], geschieht *per mortuorum aliquorum apparationem vel locutionem.*[181] THOMAS stützt seine Erklärung auf die Definition ISIDORS, den er selbst zu Wort kommen läßt: *Et haec species vocatur nigromantia: quia, ut Isidorus, dicit, ,nigrum' graece mortuus ,mantia' divinatio nuncupatur: quia quibusdam praecantationibus, adhibito sanguine, videntur resuscitati mortui divinare et ad interrogata respondere.*[182] Doch ist die ISIDORische Etymologie ungenau. Denn zum wenigsten dem Worte nach ist Nekromantie etwas anderes als Nigromantie. Nekromantie ist von griech. νεϰϱός tot, Toter, abzuleiten und meint die Wahrsagung durch Totenbefragung, bzw. -beschwörung; Nigromantie dagegen bezieht sich auf lat. *niger,* schwarz, dunkel, und hieße wörtlich „schwarze Mantik", also die Mantik durch Beschwörung von Dämonen.

Was wissen die kirchlichen Zeugnisse von Nekromantie? Die Frage ist nicht unwichtig. Kann man doch im „Handlexikon der magischen Künste" von H. BIEDERMANN[183] lesen, „im Indiculum (sic) superstitionum" würde die Nekromantie erwähnt, was ja keineswegs der Fall ist. Möglicherweise bezieht sich BIEDERMANN auf Nr. 2 des *Indiculus: De sacrilegio super defunctos, i. e. dadsisas,* der allerdings nicht von Nekromantie, sondern heidnischem Totenkult redet. Mir ist überhaupt nur ein einziges Zeugnis der kirchlichen Verbotsliteratur, zudem aus relativ später Zeit, bekannt geworden: der 34. Kanon eines englischen Konzils vom Jahre 1080: *Qui mortuos consulunt, vel maleficia tractant, similiter (i. e. Episcopi erit).*[184] Anders verhält es sich mit der theologischen Literatur, in der häufiger, zumeist nur knappe, Erklärungen zur Nekromantie zu finden sind. Bei näherem Hinsehen erweisen sich die Zeugnisse jedoch nahezu ausschließlich gelehrter Tradition verpflichtet.

GRATIAN[185]: *per inuentiones eorum (sc. malorum angelorum) inuenta sunt aruspicia, augurationes, et ipsa, que dicuntur, oracula, et nigromantia* geht nicht auf AUGUSTINUS, *De civitate dei,* zurück, wie die *Inscriptio* angibt, sondern auf ISIDOR: *Per quondam scientiam futurorum eorum (sc. angelorum malorum) inventa sunt aruspicia, augurationes, et ipsa quae dicuntur oracula et necromantia.*[186] Das gleiche gilt für HRABANUS MAURUS[187] und Ivo, der wie GRATIAN die unzutreffende Angabe macht: *August. in lib. De civit. Dei.*[188] ISIDOR seinerseits beruht auf LACTANTIUS: *Eorum (daemonum) inventa sunt astrologia, et aruspicina, et auguratio,*

---

[180] Zur antiken Terminologie und Praxis vgl. PFISTER, Ausdrücke, 46, u. NILSSON, Griech. Religion, II, 548 f.
[181] L. c.
[182] L. c.
[183] Graz ²1973, 362.
[184] Conc. Juliobonense a. 1080, c. 34, ed. MANSI 20, 563.
[185] Decr., pars II, causa 26, qu. 2, can. 7, ed. FRIEDBERG 1022 sq.
[186] ISIDOR v. SEV., Etym. VIII 9, 3, ed. LINDSAY I.
[187] De mag. art., ed. PL 110, 1097 und De universo, c. 4, ed. PL 111, 422.
[188] IVO VON CHARTRES, Decr., pars XI, c. 66, ed. PL 161, 760.

et ipsa quae dicuntur oracula, et necromantia et ars magica.[189] Nicht viel anders
steht es um die traditionelle Erklärung:

> *Necromantici sunt, quorum praecantationibus videntur resuscitati mortui divinare, et
> ad interrogata respondere.* Νεκρός *enim Graece mortuus, Latine,* μαντεία *divinatio
> nuncupatur, ad quos suscitandos cadaveri sanguis adjicitur. Nam amare sanguinem
> daemones dicuntur. Ideoque quotiescunque necromantia fit, cruor aquae miscetur, ut
> colore sanguinis facilius provocentur.*

So Ivo, *Panormia*, VIII, c. 65[190] und *Decretum*, pars XI, c. 67.[191] Zusammen mit
HRABAN[192] und HINKMAR VON REIMS[193] gehen sie auf ISIDOR zurück:

> *Necromantii sunt, quorum praecantationibus videntur resuscitati divinare, et ad inter-
> rogata respondere.* Νεκρός *enim Graece mortuus,* μαντεία *diviniatio nuncupatur:
> ad quos sciscitandos cadaveri sanguis adicitur. Nam amare daemones sanguinem dici-
> tur. Ideoque quotiens necromantia fit, cruor aqua miscitur, ut cruore sanguinis facilius
> provocentur.*[194]

Wirklich selbständige Erklärungen sucht man vergebens. Auch HUGO VON ST-
VICTOR[195] und JOHANNES VON SALISBURY[196] halten sich mit ihren Definitionen ganz
im Rahmen der ISIDORischen Tradition. Zweierlei fällt allerdings auf: HUGO spricht
von Menschenblutopfern im Zusammenhang mit Nekromantie: *necromantia, divinatio, quae fit per sacrificium sanguinis humani, quem daemones sitiunt et in eo
delectantur effuso.* ISIDOR sprach allein von Blut; wessen Blut, wird nicht mitgeteilt.
In dieser Unbestimmtheit, aber auch in der unerwarteten Verbindung von Blut
und Wasser, *Ideoque quotiens necromantia fit, cruor aqua miscitur,* erweist sich
ISIDOR abhängig von AUGUSTINUS, der über die Hydromantie des NUMA POMPILIUS
urteilt: „Diese Weissagung durch das Wasser ist, wie ebenfalls Varro berichtet, von
den Persern übernommen worden, und er erwähnt, daß sich Numa und später der
Philosoph Pythagoras ihrer bedient haben. Hierbei sollen unter Verwendung von
Blut auch die Abgeschiedenen ausgeforscht werden; auf griechisch heiße es Nekro-
manteia. Ob nun Hydromantie oder Nekromantie, anscheinend handelt es sich
darum, daß Tote weissagen. Mit welchen Künsten das geschieht, ist ihre Sache".[197]
Den Opfercharakter solch nekromantischer Manipulationen stellt die etwas kon-
fuse *Deuteronomiumexegese* des PETRUS COMESTOR noch stärker heraus: *nec roman-*

---

[189] Div. inst. II 17; cf. ID., Inst. epitome, c. 23.
[190] Ed. PL 161, 1318.
[191] Ibd. 760.
[192] De mag. art., ed. PL 110, 1097 und De universo, c. 4, ed. PL 111, 423.
[193] De divortio Lotharii et Tetbergae, interr. 15, ed. PL 718.
[194] ISIDOR VON SEVILLA, Etym. VIII 9, 11, ed. LINDSAY I.
[195] Didascalion, c. 15, ed. BUTTIMER 132.
[196] Policr. I 12 (I 51).
[197] Civ. dei VII, c. 35, übers. PERL I 412; über die antike Opferpraxis zur Nekromantie
cf. FAHZ, Doctrina magica, 110—121.

ticos, qui sacrificiis vel carminibus evocant mortuos.[198] Etwa ein Jahrhundert
später vertreten zwei Münchner Traktätchen die Vorstellung von nekromantischen
Opfern noch prononcierter: *Quinta* (scl. *species magice artis) est nigromancia a
nigros qd' est mors quia mortuo homine sacrificato sacrificium agitur mortuor(um)
nigromāticum.*[199]

JOHANNES VON SALISBURY gebrauchte das Wort in der jüngeren Form *nigromantia,*
in der, bei Unkenntnis des Griechischen, für νεϰϱός lat. *nigro-* getreten ist. Zumeist wird anfangs noch auf die Wortgeschichte, wie sie das Verzeichnis des ISIDOR
gebracht hat, hingewiesen; in den beiden Traktaten aus München etwa, oder bei
BERTHOLD VON REGENSBURG: *alia nigromancia a ,nigros' grece, quod est ,mortuus'
latine, et mancia, quod est divinacio*[200]; und selbst 1475 noch steht in einem Ulmer
Vocabularius: nigramansia dicitur divinatio facta per nigros i. e. mortuos.[201] Daneben läuft die durch das lat. *niger* nahegelegte Etymologie: „schwarze Mantik"
— „schwarze Kunst".[202] Diesem Begriff bleibt, wenn er sich auch von der eigentlichen Nekromantie (die Wortform und mantische Kategorie ist weiterhin bekannt)
löst, der Bezug auf „Beschwörung" erhalten, insofern allerdings, als er auf die
Beschwörung der Dämonen ganz allgemein geht.[203] Damit war ein neuer Begriff
gewonnen, der allerdings nur der formalen Seite nach neu ist; denn letztlich stellt
seine Entwicklungsgeschichte nur die Abspaltung der von den christlichen Erklä-
rern an die Nekromantie herangetragenen dämonologischen Interpretation und
ihre Verselbständigung zu einer allgemeinsten Kategorie dar: der Mantik durch
Dämonenbeschwörung.

*

Nahe verwandt mit der Nekromantie ist das, was THOMAS die *divinatio per
phytones* nennt. Und das ist nun ein Thema, das bei THOMAS zwar ebenso knapp
behandelt wird, wie die anderen Divinationskategorien — von der Astrologie abgesehen —, das aber sonst und in der theologischen Literatur vor dem Scholastiker
ausführlicher besprochen worden ist als man es mit Rücksicht auf die etwas exo-
tisch anmutende Wahrsagekategorie erwarten würde.

Fragen wir zuerst, was *Pythonissae* sind. Das Wort legt schon einen Zusammenhang mit *Pythia,* der delphischen Wahrsagepriesterin nahe, wie denn auch die ge-

---

[198] Historia scholastica, liber deuternomii, c. 8, De maleficis abjiciendis, ed. PL 198, 1253.
[199] Clm 9501, saec. 13, Inc.: Magice artis quin(que) sūt spēs, fo 587ᵃ; cf. Clm 22239,
a. 1279, fo 3ᵛᵃ: „Q'nta e nygᵒ mantia. a nigros q ē mors. qi mortuo hoīe sac'ficato sacri-
ficiū agit mortuor(um) nygromanticū".
[200] Graec. 730, 347, bei SCHÖNBACH, Studien, 25.
[201] GRIMM, Myth. ⁴II 866, Anm. 2.
[202] Cf. ebenda und 930, Anm. 2.
[203] *invocatores illi daemonum, quos usitato vocabulo negromanticos vulgus nuncupat,*
J. TRITHEMIUS, Liber octo quaestionum etc. Coloniae 1534, qu. 5.

läufige[204] IsIDORische Etymologie darauf basiert: *Pythonissae a Pythio Apolline dictae, quod is auctor fuerit divinandi.*[205] Nur wenigen unter den Wahrsagekünsten ist von der mittelalterlichen Theologie ähnliches Interesse entgegengebracht worden wie der *pythonica divinatio*[206] oder der *divinatio per pythones.*[207] Bedenkt man, daß die ‚klassischen' Divinationskategorien, die Nekromantie, Chiromantie, Spatulimantie, Geomantie, Hydromantie, Pyromantie, Aeromantie, das Omen etc., kaum einmal in der Verordnungsliteratur genannt werden, so muß die verhältnismäßig häufige Nennung der *divinatio per phytones* um so auffälliger wirken.

Man sieht bald, woher die Verordnungsliteratur ihre Kenntnis der *Pythones* oder *Pythonissae* hat:

> *Omnibus. Item habemus in lege Domini mandatum: ‚non auguriamini' et in deuteronomio (18, 10, 11): ‚nemo sit qui ariolos sciscitetur vel somnia observet vel ad auguria intendat', item: ‚ne sit maleficus nec incantator nec pithones consolator'. Ideo praecipimus, ut cauculatores nec incantatores nec tempestarii vel obligatores non fiant; et ubicumque sunt, emendentur vel damnentur. Item de arboribus vel petris vel fontibus, ubi aliqui stulti luminaria vel alias observationes faciunt, omnino mandamus, ut iste pessimus usus et Deo execrabilis, ubicumque inveniatur, tollatur et distruatur.*[208]

Noch die *Synode von Aenham* (1132) läßt den Bezug auf alttestamentliche Terminologie deutlich erkennen. Anders die *Homilia de sacrilegiis,* die auch angibt, worin die Wahrsagekunst der *Pitonissae* besteht: *Et qui diuinos uel diuinas, id est pitonissas, per quos demones responsa dant (consulit), qui ad eos ad interrogandum uadet et eis, que dixerint, credet.*[209]

Selbst BERTHOLD VON REGENSBURG glaubt noch gegen *Pythones* eifern zu müssen: *alia (divinatio) que fit per phytones, in quibus malignus spiritus loquitur, dicuntur autem Phytones a Phytio, filio Apollinis, sunt dicti.*[210] Was aber vor allem auffällt, ist, daß BERTHOLD die *Pythones* zu den *semiheretici* rechnet: *immo videte, quam duri sint heretici veri, cum etiam semiheretici vix vere convertantur, ut*

---

[204] Bei HRABANUS MAURUS, De mag. art., ed. PL 110, 1098; ID., De universo XV, c. 4, ed. PL 111, 423; IVO VON CHARTRES, Decr., pars XI, c. 68, ed. PL 161, 761; ID., Panormia VIII, c. 66, ed. PL 161, 1318; Decretum GRATIANI, pars II, causa 26, qu. 3 et 4, can. 1, ed. FRIEDBERG 1024; THOMAS VON AQUIN, S. Th. II. II. 95, 3; aber auch PETRUS COMESTOR, Historia scholastica, lib. deuteron., c. 8: *Pythones... a Phythone, id est Appoline, sic dictos.*
[205] ISIDOR, Etym. VIII 9, 21, ed. LINDSAY I.
[206] HRABANUS MAURUS, De magic., art., ed. PL 110, 1100.
[207] THOMAS II. II. 95, 3.
[208] Admonitio generalis, c. 65, ed. MG Leg. 2 I 58 sq. und nach ihr das Capitul. miss. (621) und die Capitularum collectio des ANSEGIS (649).
[209] C. 5, ed. CASPARI 6.
[210] SCHÖNBACH, Studien, 25.

phytones, incantatores.[211] Natürlich wird man diese Bemerkung nur im Zusammenhang mit der mittelalterlichen Hexeninquisition recht verstehen können; denn erst die Subsumption der Wahrsager und Zauberer unter den Begriff des Häretikers hat den Übergang von der Ketzer- zur Hexeninquisition möglich gemacht. Merkwürdig ist allerdings, daß BERTHOLD als einziges neben dem Allerweltsbegriff *incantator* ausgerechnet die *Pythones* als *semiheretici* zitiert — ein Name, mit dem sicherlich kaum einer seiner Zuhörer eine deutliche Vorstellung verbinden konnte. Sehen wir davon ab, daß auch BERTHOLD sein Wissen über jene *Pythones* im wesentlichen aus dem *Alten Testament* hat, wie er an anderer Stelle selbst bezeugt[212], so erweist er sich darüber hinaus in doppelter Hinsicht gelehrter Tradition verpflichtet: mit seiner Worterklärung einerseits und andererseits mit der auffälligen Benennung gerade der *Pythones* als *semiheretici*. Die Etymologie ist ohne weiteres als ISIDORisch zu erkennen: *Pythonissa a Pythio Apolline dicta.*[213] Bei der Autorität ISIDORS in allen enzyklopädischen und etymologischen Fragen ist das ganz den Erwartungen gemäß. HRABANUS MAURUS, IVO, GRATIAN, PETRUS COMESTOR, THOMAS VON AQUIN — wo immer wir einer Worterklärung begegnen, treffen wir auch auf ISIDOR. Wie BERTHOLD allerdings zu der merkwürdigen Annahme eines Apollosohnes namens *Pythius* kommt, entzieht sich meiner Kenntnis. Die sachliche Erklärung, *Pythones in quibus malignus spiritus loquitur* entspricht inhaltlich der nahezu ein halbes Jahrtausend älteren: *pitonissas, per quos demones responsa dant.*[214]

Die Einsetzung der *Pythones* unter die Häretiker konnte BERTHOLD einer noch älteren Tradition entnehmen, dem *Diversarum hereseon liber* des vor 397 gestorbenen FILASTRIUS VON BRESCIA. Der lombardische Bischof hatte in seinem auf älteren Schriftstellern aufbauenden Buch[215], das seinerseits wieder von AUGUSTINUS, *De haeresibus*, herangezogen worden ist, nicht weniger als 156 verschiedene Häresien beschrieben, u. a. auch die *heresis de Pythonissa:*

> *Alia est heresis de Pythonissa, quod cooperientes uestimentis mulierem ab ea quaedam responsa sperabant posse consequi. Unde et aiunt Pythonissam illam beati Samuhelis animam ab inferis excitasse atque inde maxime credi (id) posse homines usque hodie plurimi suspicantur, quia quae dixerat regi Sauli superstes propheta beatissimus, ea etiam in excitatione quasi dei iterum responsa dixisse cognoscitur uera.*[216]

---

[211] SCHÖNBACH, Bertholds Wirken gegen die Ketzer, 79.

[212] *maxime stulte femine. unum est, quod non debes aliquid adquirere a phitonissis vel eis credere, quia peccatum gravissimum est, ut patet in Saul* (1. Reg. 28, 7 ff.) *noli de Saul prosequi,* Sermo 21, SCHÖNBACH, Studien, 14 f.

[213] ISIDOR, Etym. VIII 9, 21.

[217] De diversis quaestionibus ad Simplicianum II, c. 3, ed. PL 40, 142; ID. Enarr. in Ps.

[215] J. KRAUS: ²LThK 4, 124 f.

[216] C. 26, ed. CSEL 38, 12.

Ohne den wiederholt bemerkten Einfluß alttestamentlicher Gesetzgebung auf die Richtung der superstitionskritischen Polemik des Mittelalters unterschätzen zu wollen, reicht der Bericht aus dem *1. Buch der Könige* doch nicht hin zu erklären, weshalb gerade die *divinatio per phytonem* von FILASTRIUS sowohl als auch des öfteren von AUGUSTINUS[217], ISIDOR VON SEVILLA[218], HRABANUS MAURUS[219], IVO VON CHARTRES[220], GOTTFRIED VON ADMONT[221] oder JOHANNES VON SALISBURY[222] ausführlicher besprochen worden ist, als andere Formen der Divination.

Fragt man, welche besondere Art der Wahrsagerei die *Pythonissae* betrieben, so werden bald gewisse Unstimmigkeiten des Wortgebrauches deutlich.

BERTHOLD VON REGENSBURG hatte traditioneller Lehre entsprechend *Pythonissae* von *Pythio Apolline* abgeleitet und etymologisch zu erklären gesucht. Andere Schriftsteller kennen die Wortform *Pythones, Phycii* oder *Phitonici*[223] und es scheint, als wären das nur synonyme Bezeichnungen zu *Pythonissae* oder doch nur Namen für Männer, die sich mit dergleichen Künsten befassen. Eine solche Annahme würde nur zum Teil zutreffen.

Was berichtet das Alte Testament an der für die christliche Auffassung von den *Pythonissae* so wichtigen Stelle? Die Philister hatten ihre Heere zum Kampf gegen Israel zusammengezogen und standen zur Schlacht bereit. Samuel war tot, und Saul, der ungerechte König über Israel fürchtete sich: „Saul ließ seine Augen über das Philisterlager schweifen, geriet in Furcht, und sein Herz verzagte sehr. Er befragte den Herrn. Doch der Herr antwortete ihm nicht, weder durch Träume, noch durch Losorakel, noch durch Propheten. Daher befahl Saul seinen Knechten: ‚Suchet mir ein Weib, eine Totenbeschwörerin. Zu ihr will ich gehen und sie befragen.‘ Seine Knechte sagten ihm: ‚In Endor wohnt eine Frau, die Tote beschwören kann.‘ Saul verkleidete sich und ging mit zwei Begleitern hin. Sie kamen nachts zu dem Weibe, und er sprach: ‚Wahrsage mir doch durch einen Totengeist und führe mir den herauf, den ich dir bezeichnen werde.‘" Die Frau beschwört nun den Geist Samuels und Saul fragt sie, was sie sähe. „Das Weib sprach zu Saul: ‚Wie schaut es aus?‘ Sie sagte: ‚Ein alter Mann steigt empor, der in einen Mantel gehüllt ist.‘ Nun erkannte Saul, daß es Samuel sei. Er warf sich mit dem Antlitz zur Erde und huldigte."[224]

---

[217] De diversis quaestionibus ad Simplicianum II, c. 3, ed. PL 40, 142; ID. Enarr. in Ps. 91, 7, ed. PL 37, 1175.

[218] Etym. VIII 9, 7—8.

[219] De universo XV, c. 4, ed. PL 111, 422, 423; ID., De magic. art., ed. PL 110, 1099—1101.

[220] Decr., p. XI, c. 69, ed. PL 161, 762—765; ID., Panormia VIII, c. 67, ed. PL 161, 1319—1322.

[221] Hom. 65 In dominicam II post pentecosten secunda, ed. PL 174, 450 sq.

[222] Policr. I 12, II 27.

[223] JOHANNES V. SALISBURY, ebenda.

[224] 1 Sam (1 Kg) 28, 5—8, 13—14.

In der *Vulgata,* der Bibelbearbeitung des HIERONYMUS, heißt der wichtige Passus 28, 7: *,Dixitque Saul servis suis; Quaerite mihi mulierem habentem pythonem, et Vadam ad eam, et sciscitabor per illam, Et dixerunt servi ejus ad eum, Est mulier pythonem habens in Endor;* 8: ... *veneruntque ad mulierem nocte, et ait illi; Divina mihi in pythone, et suscita mihi quem dixero tibi.* In der *Septuaginta* (LXX), der griechischen Übersetzung des *Alten Testamentes* (etwa seit der Mitte des 3. Jh. v. Chr.), ist von einer *Pythonissa* oder ähnlichem keine Rede: Καὶ εἶπεν Σαοὺλ τοῖς παισὶν αὐτοῦ Ζητήσατέ μοι γυναῖκα ἐγγαστρίμυθον[225]. Ἰδοὺ γυνὴ ἐγγαστρίμυθον[226]. Hier wird von einer bauchrednerischen Frau gesprochen.

Wie kommt aber die *Vulgata* zu der Übersetzung *mulier pythonem habens?*

Pythonissa hat schon rein sprachlich einen Bezug auf *Pythia,* die Orakelpriesterin in Delphi. Wie ist der Zusammenhang zu erklären?

Pythia, der Name der weissagenden Jungfrauen im delphischen Apollotempel, ist als Ethnikon zum älteren Ortsnamen *Pytho* (für späteres *Delphoi*) anzusehen[227]; *Pytho* als Ortsbezeichnung heißt soviel wie „Faulschlucht" und hat mit diesem Namen Bezug auf den chtonischen Drachen *Python,* der als Hüter eines älteren Orakels in Delphi, speziell als Hüter des weissagekräftigen Dreifuß von Apollo getötet wird. Gelegentlich erscheint der Drache selbst als Prophet und hätte dann als Erscheinung der chtonischen Gottheit zu gelten. Die Drachentötung durch Apollo wäre somit Götterkampf und Mythos der Überwindung eines älteren Gottes durch Apollo, der nunmehr in Delphi seine Herrschaft beginnt. In gleicher Weise wie *Pythia* zum Ortsnamen *Pytho* steht, ist auch das berühmteste Epitheton Apollos, *Pythios,* von dessen Sitz *Pytho* abzuleiten; beide haben nur mittelbaren bezug auf *Python,* den älteren Hüter und Inhaber des Orakels.

Nun kennt neben der *Vulgata* auch das *Neue Testament* eine Weisagerin, auf welche eine von Pytho abgeleitete Wortform Anwendung gefunden hat:

> *Factum est autem euntibus nobis ad orationem, puellam quandam habentem spiritum pythonem* (ἔχουσαν πνεῦμα πύθωνα) *obviare nobis, quae quaestum magnum praestabat dominis suis divinando. Haec subsecuta Paulum, et nos, clamabat dicens: Isti homines servi Dei excelsi sunt, qui annunciant vobis viam salutis. Hoc autem faciebat multis diebus. Dolens autem Paulus, et conversus, spiritui* (τῷ πνεύματι) *dixit: Praecipio tibi in nomine Iesu Christi exire ab ea. Et exit eadem hora.*[228]

Versteht man die *Apostelgeschichte* recht, wenn man πνεῦμα πύθωνα, *spiritum pythonem,* als Hinweis auf ein Weiterleben des von Apoll getöteten *Python* als

[225] Ebenda 28, 7 .
[226] Ebenda.
[227] Im folgenden nach PAULY/WISSOWA, Realenc., 47, 515—547 *(Pythia),* 571—576 *(Pytho),* 606—610 *(Python).*
[228] Apg 16, 16—18.

„Orakelgeist" interpretiert, wie es K. Goldammer[229] vorschlägt? Ich glaube nicht. Plutarch, seit 95 selbst Priester am Apollotempel in Delphi[230], bezeugt in ähnlicher Weise wie die Apostelgeschichte πύθων als adjektivische Form im Sinne von „wahrsagen", wie denn auch den Griechen Wahrsager wie „Bauchwahrsager" Lexikonograph des 5. Jahrhunderts, die auch von Hieronymus in der Vulgataübersetzung belegte Bedeutung „bauchrednerisch".[232] Beide Wortbedeutungen sind bezeichnend: Das ältere „bauchreden" der LXX heißt ganz allgemein soviel wie „wahrsagen", wie denn auch den Griechen Wahrsager wie „Bauchwahrsager" oder „Engastrimanten" bekannt waren.[233] Da die Stimme des mit geschlossenem Munde redenden Bauchredners nicht von ihm selbst, sondern anderswo herzukommen scheint, war die Vorstellung eines Wahrsagers, der einen anderen, näherhin einen Geist, reden läßt, mit Kenntnis dieser sehr alten Kunst zugleich gegeben. Unter dieser Voraussetzung ist auch die Samuelerzählung, gelegentlich als biblisches Zeugnis für die Erlaubtheit spiritistischer Praktiken angesehen, von der christlichen Theologie rationalistisch erklärt worden als betrügerische Gaukelei einer Bauchrednerin[234] — wobei man allerdings übersehen hat, daß es sich bei der Benennung jener bauchredenden alttestamentlichen Sybille nicht um den Versuch einer rationalistischen Erklärung, sondern um Benennung einer bestimmten Wahrsagekategorie handelt, der Engastrimantik: Denn auf die Form des Orakelspruchs kommt es gar nicht an, sondern auf den Inhalt! Insofern war die Sybille von Endor eine Bauchwahrsagerin, als sie den Geist des verstorbenen Samuel, den Saul selbst bezeichnender Weise nicht sehen kann, reden läßt. Wie verhält sich aber diese Bedeutung zu dem πνεῦμα πύθωνα der *Apostelgeschichte* und der *Vulgata: mulierem habentem pythonem?*

Der spätere Wortgebrauch *Pytho, Pythonissa,* knüpft mit der Erklärung „Bauchrednerin" ohne Zweifel an die Übersetzung der *Vulgata:* γυνὴ ἐγγαστρίμυθον = *mulier habens pythonem* an: *Pythones, id est ventriloquos, qui per spiritum malignum loquuntur, a Pythone, id est Apolline, sic dictos*[235], *Sunt et pythonissae, quae et ventriloquae*[236], *Pythones in ventre habentes nominabantur qui in spiritu immundo futura praevidebant atque praedicebant*[237], *pythones, in quibus malignus spiritus loguitur.*[238] Ob aber schon das παιδίσκην τινὰ ἔχουσαν πνεῦμα πύθωνα

---

[229] Wörterbuch der Religionen 450.

[230] G. v. Wilpert, Lex. d. Weltlit., 1060.

[231] Plutarch, Def. or., 441 E; cf. Pauly/W. 609.

[232] Cf. Rose, Griech. Myth., 132, Anm.

[233] Zum Bauchreden allgemein: E. Schulz, Die Kunst des Bauchredens, ⁵Erfurt, 1927.

[234] Zuletzt noch von V. Hamp und M. Stenzel im Kommentar zu ihrer Übersetzung des Alten Testamentes, Aschaffenburg 1955, zu 1 Sam 18, 11.

[235] Petrus Comestor, Hist. schol., lib. deuteron., c. 8, ed. PL 198, 1253.

[236] Hinkmar von Reims, De divortio Lotharii et Tetbergae, interrog. 15, ed. PL 125, 718.

[237] Gottfried von Admont, Hom. 65, ed. PL 174, 450.

[238] Berth. v. Regensburg, Graec. 730, 347, Schönbach, Studien, 25.

mit „bauchrednerisches Mädchen" übersetzt werden kann[239], wage ich zu bezweifeln.

An sich bedürfte der ganze Komplex einer eingehenderen Untersuchung. Doch soviel wird deutlich: Die *Apostelgeschichte* spricht von einem „Wahrsagegeist", den der Apostel jener Prophetin austreibt. Das *Neue Testament* faßt den Wahrsagegeist also ganz im Sinne der dämonologischen Interpretation als Dämon auf — doch in der allgemeinen Form eines Weissagedämons und kaum als Fortleben des delphischen *Python*. Die von hier nahegelegte Kenntnis eines speziellen für Wahrsagen zuständigen Dämons überträgt sodann HIERONYMUS auf die Sybille von Endor: sie hat einen *Python*, einen Wahrsagegeist. Ein allgemeiner Bezug auf die delphische *Pythia* tritt in dieser christlichen Interpretation der alttestamentlichen Orakelfrau von Endor zugleich stärker hervor. Denn auch die Sybille von Delphi redete in Trance, erfüllt vom Geiste Apollos, ja gelegentlich ist die Rede davon, der Gott habe in ihrem Körper Wohnung genommen, sie sei selbst nahezu nur noch Sprachrohr des Apollo Pythios.[240]

Wie die delphische, so sind aber die Sybille von Endor und jenes junge Mädchen (παιδίσκη), dem die Apostelgeschichte bezeugt, es habe πνεῦμα πύθωνα, mehr als Wahrsagerinnen, sie sind Prophetinnen. *Altes* und *Neues Testament* lassen sie Wahrheit verkünden, die *Apostelgeschichte* selbst eine Wahrheit von der Qualität, die der christliche Dichter einer anderen Sybille zuzubilligen sich nicht scheut, wo er sie das Zeugnis Davids über das Ende dieser Welt bestätigen läßt: *solvet saeclum in favilla: teste David cum Sibylla.*[241] Auch PAULUS scheint der Prophezeiung der Sybille von Philippi keineswegs von Anfang an ablehnend gegenüber gestanden zu haben. Immerhin war sie schon „viele Tage lang" dem Missionar gefolgt mit ihrer Verkündigung: „Diese Männer sind Diener des höchsten Gottes; sie verkünden Euch den Weg zum Heil!" Erst als es dem Apostel zu viel des Guten schien, PAULUS „unwillig wurde", wandte er sich um und trieb jenem Mädchen den Geist aus.

Nicht im Phänomen der Besessenheit des Wahrsagers allein schon kann, wie HELBLING-GLOOR (69 ff.) meint, der Grund für die auffällige Breite liegen, mit der sich die christliche Theologie über die *Pythonissae* äußert, sondern in der Tatsache, daß jene Frauen Wahres verkündet haben. Denn das gab Anlaß über die Verschlagenheit, Hinterlist und Schläue, mit der die Dämonen bei ihren Wahrsagekünsten zu Werke gingen, sich Gedanken zu machen.

Bei AUGUSTINUS gerät folgerichtig die Analyse der Tätigkeit jener Sybille von Endor und die Bestimmung des Anteils der Dämonen daran zu einer Theorie über die Mitwirkung der Dämonen beim Zustandekommen von Wahrsagungen.

---

[239] AUG., De doctr. christ. II, c. 35.
[240] Cf. die Nachweise bei PAULY/WISSOWA a.a.O.
[241] Missale Romanum, Sequenz „Dies irae".

Auf die vom *Neuen Testament* bezeugte Dämonisierung der Weissagekraft sind demnach auch jene späteren Wortformen zurückzuführen, die teils noch den Dämon selbst meinen: *Dicitur enim Pythonissa, quae a spiritu pythonico possidetur*[242], zumeist aber schon als Gattungsbezeichnung auf den Wahrsager übergegangen sind. Ganz analog haben wir uns die Bildung des Wortes *Pythonissa* vorzustellen, das von der Bezeichnung einer solchen, die einen Weissagegeist hat, ἔχουσαν πνεῦμα πύθωνα, zum Namen einer besonderen Kategorie von Wahrsagerinnen übergegangen ist, näherin solcher, die durch Beschwörung eines Geistes wahrsagen. Dadurch erklärt sich endlich auch die Nähe der *divinatio per python*es zur Nekromantie.

*

Zu den mantischen Künsten, die auf ausdrücklicher Dämonenanrufung beruhten, rechnet Thomas neben der Chiromantie und Nekromantie noch Geomantie, Hydromantie, Aeromantie und Pyromantie. Ihr gemeinsames Merkmal sieht er darin, daß sie wahrsagen *per aliquas figuras vel signa quae in rebus inanimatis apparent.*[243] Folgerichtig und systemgerecht schließen sich diese Wahrsagekünste aus den Elementen an die Divination durch lebende und verstorbene Menschen an, nämlich als mantische Künste, die sich der unbelebten Natur bedienen.

In der Verordnungsliteratur, in Synodalstatuten, Kapitularien oder in Bußbüchern und der pastoralen Unterweisungsliteratur sucht man vergeblich nach ihnen. Sie sind allein für die gelehrte Tradition von Belang gewesen — jedenfalls bis zum Hochmittelalter; das späte Mittelalter bezeugt ein regeres Interesse an ihnen. Ein Interesse, das nicht zum wenigsten durch die Breitenwirkung des *Decretum* Gratiani, das nach Ivo von Chartres erstmals innerhalb dieser Literatur die klassischen Formen spätantiker Mantik auch nennt, hervorgerufen sein wird; die gleiche Wirkung muß für die Thomasische *Summe* angenommen werden.

Gratians *Dekret,* von dem Josef Klapper noch meinte, daß es darüber, z. B. über die Pyromantie, gar nichts enthalte[243], zählt unter dem Titel *De multiplici genere diuinationis*[244] alle einschlägigen Künste auf, deren systematische Ordnung nach dem Selbstzeugnis seiner Quelle auf den Antiquar der antiken Religion, Varro, zurückgeht: *Varro autem dixit quatuor esse genera diuinationum, terram, aquam, aerem, et ignem: hinc geomanticam, ydromanticam, aeromanticam, piromanticam, dictam autumant.* Mittelbar und zwar in gleicher Weise wie Ivo von Chartres[245] über Hrabanas Maurus *De magicis artibus*[246], so zeigt der auf-

---

[242] Petrus Comestor, Hist. schol., lib. deuteron., c. 8, ed. PL 198, 1253.
[243] II. II. 95, 3.
[243] Aberglaubensverzeichnis 80.
[244] Pars II, causa 26, qu. 3 et 4, can. 1, ed. Friedberg 1024 sq.
[245] Darauf weist der unsinnige, zugleich das Unverständnis beider bezeugende Anfang bei Gratian und Ivo hin: *Igitur genus divinationis a Persis fertur allatum,* Gratian, l. c.;

fällige Schluß *dictam autumant*[247], schöpft Gratian, das gleiche gilt für Thomas und Hugo von St-Victor[248], wiederum aus Isidor: *Varro dicit divinationis quattuor esse genera, terram, aquam, aerem et ignem. Hinc geomantiam, hydromantiam, aeromantiam, pyromantiam, dictam.*[249]

Soweit werden die vier mantischen ‚Elementarkünste‘, wie sie bei Isidor erläutert wurden, stets zusammen angeführt. Eine Erklärung, wie sie praktiziert wurden, bleibt die theologische Literatur uns schuldig. Einzig noch über die Hydromantie gibt es detailliertere Äußerungen. Bei Hinkmar von Reims ist sie überdies die einzige Kategorie, die einer Zitierung würdig schien: *Hydromantii sunt, qui in aquae inspectione umbras daemonum evocant, et imagines vel ludificationes eorum ibi videre, et ab eis aliqua audire se perhibent.*[251] Doch das ist wieder nichts anderes, als was auch Hrabanus[252] und Ivo[253] von Isidor her kennen, Isidor seinerseits aus Augustinus[254] gezogen hat.

Bei Augustinus ist die Begrifflichkeit schon ziemlich verworren. Für ihn — der wichtigste Abschnitt wurde bei der Besprechung der Nekromantie zitiert — sind terminologische Fragen über solche Dinge auch ziemlich belanglos: fest steht, daß es sich hier wie dort „anscheinend (darum) handelt, daß Tote weissagen“.[255] Wie das geschieht, läßt er Sache der Leute sein, die sich damit abgeben. Den Widerspruch zu der kurz vorher gegebenen Erklärung, der Hydromant suche im Wasser die Bilder der Götter, der Dämonen, zu erblicken, löst Augustinus durch die geläufige euhemeristische Interpretation, die Götter seien verstorbene Menschen gewesen, „wie man sie ja bei fast allen Heidenvölkern im Verlauf einer sehr langen Zeit allmählich in unsterbliche Götter verwandelt hat“.[256]

Ivo, Decr., pars XI, c. 68, ed. PL 161, 760; id., Panormia VIII, c. 66, ibd. 1318; bei Isidor bezieht sich der Satz mit *quod* auf die vorher genannte Kategorie der Hydromantie.

[246] *Hydromantia, ab aqua dicta. Est enim hydromantia in aquae insepctione umbras daemonum evocare, et imagines ludificantes eorum videre, ibique ab eis aliqua audire: ubi adhibito sanguine, etiam inferos perhibentur suscitari. Quod genus divinationis a Persis fertur allatum. Varro dicit divinationis quatuor esse genera, terram, aquam, aerem, et ignem. Hinc geomantiam, hydromantiam, aeromantiam, pyromantiam dictam autumat,* ed. PL 110, 1098.

[247] Hrabanus, De universo XV, c. 4, ed. PL 111, 423 kennt den Schluß, der auch nicht Isidorisch ist, nicht.

[248] Didascalion VI, c. 15, ed. Buttimer 132.

[249] Isidor, Etym. VIII 9, 13.

[250] Zur Antike s. Nilsson, Griech. Religion, II 531.

[251] De divortio etc., interreg. 15, ed. PL 125, 718.

[252] De universio XV, c. 4, ed. PL 111, 423; De magic. artib. l. c.

[253] Decr., pars XI, c. 67, ed. PL 161, 760; Panormia VIII, c. 65, ibd. 1318.

[254] De civitate dei VII, c. 35.

[255] Perl I 412.

[256] De civ. dei VII 35, übers. Perl I 413.

Isidor wußte mit der von Augustinus nur nebenbei gemachten Behauptung von der engen Verwandtschaft der Nekromantie und Hydromantie nichts Rechtes anzufangen; aber es gelang ihm doch, einigermaßen elegant einen Zusammenhang zu konstruieren: *Ideoque quotiens necromantia fit, cruor aqua miscitur, ut cruore sanguinis facilius provecentur (daemones). Hydromantii ab aqua dicti* . . .[257]

---

[257] Etym. VIII 9, 11—12.

4. Superstitio artis magicae

THOMAS VON AQUIN kennt keine eigene *species superstitionis* unter dem Namen *ars magica*. Die der Sache nach hierher zu rechnenden Dinge behandelt er unter dem Titel *superstitio observationum* — ein Begriff, der dem bis dahin üblichen Sprachgebrauch nicht entspricht und mit unserer Einteilung nichts zu tun hat. Zur *superstitio observationum* zählt THOMAS 1) die *ars notoria:* Sie verschaffe Kenntnisse *(scientia);* 2) die Künste, die eine Veränderung des Körpers, beispielsweise vom kranken in gesunden Zustand bewirkten; 3) die *observationes, quae ordinantur ad praecognoscenda aliqua fortunia vel infortunia.*[1] Wir haben letztere im Kapitel über die *superstitio observationis* behandelt. THOMAS scheint über die Richtigkeit seiner Einteilung im Zweifel gewesen zu sein: *Et videntur esse quaedam reliquiae idololatriae, secundum quam observabantur auguria, et quidam dies fausti vel infausti (quod quodam modo pertinet ad divinationem quae fit per astra, secundum quae diversificantur dies); nisi quod hujusmodi observationes sunt sine ratio et arte*[2]! — ein Satz, der einen Großteil dessen unter sich begreifen konnte, was wir unter *superstitio observationis* behandelt haben und dessen Feststellung *observationes sine ratione et arte* auf jene ohne professionelle Kunstregeln praktizierten Formen geht, die zu einer anderen Zeit „Volksaberglaube" genannt wurden! Eine letzte, vierte Einteilung gilt den Amuletten, speziell solchen, die mit *sacra verba* beschrieben seien oder aus Reliquien bestünden. Sachlich gehört die Gruppe zur zweiten, den prophylaktischen Manipulationen.

*

Was ist ein Magier? Ein altes Synonym gibt ein Ahnung davon, was zumindest das Volk von ihnen gehalten hat: *magi* sind *malefici*, also Übeltäter. Das ist nach ISIDOR der landläufige Sprachgebrauch: *Magi sunt, qui vulgo malefici ob facinorum magnitudinem nuncupantur.*[3] Doch die Gleichsetzung ist älter. Der *Vulgata* des HIERONYMUS, der seinersetz feststellen kann: *Consuetudo autem et sermo communis magos pro maleficis accipit*[4], ist das Wort in dieser Bedeutung geläufig[5] und geht von hier und unter Berufung auf das *Alte Testament* über in die einschlägige Verordnungsliteratur.[6]

---

[1] II. II. 96, 3.
[2] Ibd.
[3] ISIDOR VON SEVILLA, Etym. VIII 9, 9, ed. LINDSAY I; cf. HRABANUS MAURUS, De mag. art., ed. PL 110, 1097; HINKMAR VON REIMS, De divortio Lotharii et Tetbergae, interrog. 15, ed. PL 125, 718; IVO VON CHARTRES, Decr., p. XI, c. 67, ed. PL 161, 759; ID., Panormia VIII, c. 65, ed. PL 161, 1317 sq.; GRATIAN, Decr., p. II., causa 26, qu. 5, can. 14, ed. FRIEDBERG 1032.
[4] Commentariorum in Danielem liber, c. 2, ed. PL 25, 498.
[5] Cf. Ex 7, 11, 22; 8, 7, 18. 19; Dt 18, 10; Dan 2,2.
[6] Cf. Admon. general., a. 789, c. 65, ed. MG Leg. 2 I 58 sq.; 4. Konz. v. Paris, a. 829, c. 69, ed. MG Leg. 3 II 669.

Begriffsgeschichtlich steht die Entwicklung des Synonyms für Magie im engen Zusammenhang mit dem römischen Zaubereiprozeß: Das *crimen magiae*[7] war ein *maleficium (magicum)*.[8] Allein nicht nur von der römischen Rechtspraxis, die schon in ihren ältesten Zeugnissen den Vorwurf des Zaubereiverbrechens kennt, so das *XII—Tafelrecht*[9], dürfte die begriffliche Einschränkung von Magie auf das *maleficium*, die schadenstiftende Magie also, zurückzuführen sein.

Für das Volk war die Möglichkeit der Anwendung von Schadenzauber allein von Interesse. Die Versprechungen der Magie, höhere Einsichten vermitteln zu können, konnten naturgemäß bei den realen Interessen des täglichen Lebens nicht von Belang sein: Der *magus* wurde so ausschließlich zum *maleficus*, zum bösen Zauberer. Daß es sich bei dieser Bezeichnung nicht um einen ausschließlich juristischen Terminus, sondern um eine populäre Benennung handelt, das bezeugt auch LACTANTIUS: *Si quos vere malificos vulgas appellat, cum artes suas execrabiles exercant*[10] und die Verordnung Kaiser KONSTANTINS, die später in den *Codex*, als die Kaiserrechtssammlung des *Corpus iuris civilis*[11] aufgenommen wurde:

> *Nemo aruspicem consulat, aut mathematicum, nemo ariolum. Augurum et vatum prava confessio conticescat. Chaldaei, ac magi, et caeteri, quos maleficos, ob facinorum magnitudinem vulgus appellat, nec ad hanc partem aliquid moliantur. Sileat omnibus perpetuo divinandi curiositas. Etenim supplicio capitis ferietur gladio ultore prostratus, quicunque iussis (nostris) obsequium denegaverit.*[12]

Ohne Zweifel auf dieses Gesetz also geht die von ISIDOR dem Mittelalter vermittelte Kenntnis zurück, das Volk nenne die Magier ihrer großen Übeltaten und Verbrechen wegen *malefici*. Daß der Begriff, den somit ISIDOR und seine Ausschreiber, aber auch LACTANTIUS, HIERONYMUS und AUGUSTINUS[13] allein für den antiken populären Sprachgebrauch bezeugen, gleichwohl im Mittelalter bis hin zum *malleus maleficarum* nicht ausschließlich rein literarischer Tradition zuzurechnen ist, sondern der populäre Name für Magier war, das beweist vor allem die Verordnungsliteratur, die die Bezeichnung *maleficus* der des *magus* vorzieht. Der mehr gelehrten Literatur hingegen ist *magus* und *ars magica* geläufiger.[14]

---

7 BYLOFF, Zauberei, 1902.
8 Cf. ABT, Apuleius, 90.
9 5. Jh. v. Chr.; *qui malum carmen incantassit; qui fruges excantassit*, u. a.; M. KASER, Röm. Rechtsgesch., ²1967, 71; cf. AUGUSTINUS, De civ. dei, VIII, c. 19, X, c. 9.
10 LACTANTIUS, Div. inst. II 15, 4.
11 Sammlung des römischen Rechts durch Kaiser Justinian I., 527—565.
12 Cod. Just. IX, Tit. 18. 5; cf. SOLDAN, Hexenprozesse, I 100; BYLOFF, Zauberei, 109 f.
13 De civ. dei X, c. 9.
14 *Maleficium* bezeugen beispielsweise: Conc. Ancyran., c. 24; Conc. Bracar., c. 71; GREGOR III.: Bonifatii ep. 43; Admon. gener., c. 65; Capitula cum Italiae episcopis deliberata, c. 3; Syn. v. Reisbach-Freising, c. 10; Capitul. de villis, c. 51; Capitul. miss. item speciale, c. 40; Capitul. post. a. 805, c. 1; Capitul. e canon. excerpta, c. 17; Syn. v. Pavia, c. 23; Poen. Arundel, c. 78, 79, 89, 93; Poen. Casinense, ed. SCHMITZ I 413, 429, 431; Poen.

Die Unterscheidung von Goëtie und Theurgie, einer verwerflichen und einer gutartigen Dämonenbeschwörung (ihr entspricht etwa die spätere Unterscheidung von schwarzer und weißer Magie) ist der kirchlich-theologischen Aberglaubens-literatur nicht sehr geläufig. AUGUSTINUS allerdings kennt sie und bespricht sie im Zusammenhang seiner Auseinandersetzung mit der neuplatonischen Dämo-nologie.[15]

Erwähnt werden muß aber noch, daß dem Mittelalter doch auch die ältere positive Bedeutung des Wortes Magie bekannt war. Schon die Tatsache, daß im Neuen Testament, die „Weisen" aus dem Morgenland *magoi* heißen, hat jene ältere Bedeutung des Wortes im Sinne von Naturphilosophie bewußt gelassen. Die Re-naissance-Magie hat sich auf diese Tradition ja immer wieder berufen und bei-spielsweise ALBERTUS MAGNUS als Zeugen einer mittelalterlichen naturphilosophi-schen Magie angeführt. Daß ein derartiger Wortgebrauch allerdings im Mittelalter durchwegs abgelehnt wurde, bezeugt etwa HUGO VON ST-VICTOR, der die Behaup-tung zurückweist, Magie wäre ein Teil der Philosophie.

Der Name Magie konnte aber bei fortschreitend engerer Verknüpfung der Vor-stellung des Schadenzaubers, ja des Zaubers überhaupt[16], mit dem Begriff des Ma-lefiziums wenigstens zum Teil wieder eine umfassendere Bedeutung gewinnen.

Hugo von ST-VICTOR bezeugt den interessanten Vorgang: Magie *(magica)* ist ihm Oberbegriff aller divinatorischen und magischen Künste, Wissenschaften, Techniken und Praktiken! Sie enthält nicht nur die beiden THOMASischen Klassen der *super-stitio divinativa* und *superstitio observationum*, sondern der allgemeinsten Aussage nach auch die „Idolatrie". Sie gewinnt also einen Begriffsumfang, der dem von *superstitio* bei THOMAS sehr nahekommt:

> *magica in philosophiam non recipitur, sed extrinsecus falsa professione, omnis iniqui-tatis et malitiae magistra, de vero mentiens, et veraciter laedens animos, seducit a religione divina, culturam daemonum suadet, morum corruptionem ingerit, et ad omne scelus ac nefas mentes sequacium impellit, haec generaliter accepta quinque*

EGBERTI VII 7, VIII 3; Poen. HALITGAR., c. 25; Poen. Paris., c. 17; Poen. Ps.-Roman., c. 31, 32; Poen. Ps.-THEOD. XV, 4; Poen. Valicell. II, c. 83; ANSEGISI Cap. coll., c. 21, 62; REGINO, De syn. caus. II 45, 82, 83, 84, 347, 348, 353, 364; BURCH. VON WORMS, Decr. X, c. 29; IVO, Decr., p. XI, c. 2, 12, 26, 34, 54; id., Panormia VI, c. 117, VIII, c. 62, 70, 75, 76; GRATIAN, Decr., p. II., c. 26, qu. 5, c. 3, 7, 13; HIERONYMUS, Comm. in Naum, c. 3; JOHANNES CASSIANUS, Coll. patr. VIII, c. 21; AUGUSTINUS, Sermo 96 de tempore, c. 3; CAESARIUS, Sermo 13; MARTIN V. BRAGA, Capitula, c. 71; GREGOR D. GR., Ep. 32 ad Cyprian.; JOHANNES VON DAMASKUS, De strygibus; Hom. de sacril., c. 22; Ps.-ALKUIN, De div. off., c. 13; HERARD V. TOURS, Capitula, c. 3; ATTO V. VERCELLI, Sermo 3; PETRUS COMESTOR, Hist. schol., lib. deuteron., c. 8; ALBERTUS MAGNUS, Sermo 3.

[15] De civ. dei X 9 sq.

[16] So heißt *maleficiatus* im 16. Jh. bei THOMAS EBENDORFER von Haselbach „verzaubert", Tractaxus de X praeceptis, Schönbach, Zeugnisse zur deutschen Volkskunde des Mittel-alters: Zs. d. Ver. f. Volkskunde 12 (1902) 10.

complectitur genera maleficiorum manticen, quod sonat divinationem et mathematicam vanam, sortilegia, maleficia, praestigia. mantice autem quinque continet species . . .[17]

Magie ist der allgemeinere, Malefizium der eingeschränkte, konkrete Begriff.

Für Hugo von St-Victor ist Magie also allgemeinster Name fünf unter ihr begriffener *genera* des Malefiziums.

Von Interesse ist, wie Hugo das Malefizium definiert: *malefici sunt qui per incantationes daemonicas, sive ligaturas, vel alia quaecumque exsecrabilia remediorum genera, cooperatione daemonum atque instinctu nefanda perficiunt.*[18] Halten wir die Definition des Magiers daneben, wie sie Isidor gibt, so können wir eine erste, allgemeinste Vorstellung gewinnen, was das Mittelalter als charakteristische Machenschaften der Magier, der Malefikanten, angesehen hat. Isidor: *Magi sunt, qui vulgo malefici ob facinorum magnitudinem nuncupantur. Hi et elementa concutiunt, turbant mentes hominum, ac sine ullo veneni haustu violentia tantum carminis interimunt.*[19]

Zauberei also, speziell Verzauberung und Behexung von Menschen, Erschütterung der Elemente, Todeszauber, Besprechung, Verfertigen von Schutzmitteln und Amuletten u. dgl. mehr. Ein Blick auf die Verordnungsliteratur und verwandte Schriften pastoraler Tendenz kann den so bezeichneten Tätigkeitsumkreis abrunden, ergänzen und konkretisieren.

Hilfreich für die genauere Bestimmung des Begriffsumfangs von Magie sind zuerst die auffälligen Zusammenstellungen charakteristischer Tätigkeitsfelder des Magiers: *magi — incantatores,* resp. *magicas artes incantationesque* u. ä.[20]; *magi — incantatores — facere phylacteria* (resp. *amuletta*)[21]; *magi — incantatores — venefici — filacteria*[22]; *magi — incantatores — venefici — pythones — cultores idolorum.*[23] Letzteres gibt einen Hinweis auf den für Magie angenommenen Bezug auf Dämonenkult.

---

17 Hugo von St-Victor VI, c. 15, ed. Buttimer 132.

18 Didascal. VI 15, ibd. 133.

19 Isidor, Etym. VIII 9, 9.

20 Martin von Braga, De corr. rust., c. 16, ed. Barlow; 3. Konzil v. Tours, a. 813, c. 42, ed. MG leg. 3 II 292; Agobard von Lyon, Liber contra insulsam vulgi opinionem de gradine et tonitruis, c. 4, ed. PL 104, 149; Hrabanus Maurus, De mag. art., ed. PL 110, 1095; Regino von Prüm, De syn. caus. II, c. 353, ed. PL 132, 350; Burchard v. Worms, Decr. X 40; Ivo v. Chartres, Decr., pars XI, c. 3, 65, ed. PL 161, 747; Gratian, Decr., pars II., causa 26, qu. 7, can. 15, ed. Friedberg 1945; Hugo v. St-Victor, Didasc., c. 15, ed. Buttimer.

21 Konz. v. Laodikeia, c. 36, ed. Mansi II 569; Cresconius Afric., Breviarum canonicum, c. 90, ed. PL 88, 876; Konz. v. Agde, a. 506, c. 68, ed. Mansi VIII 332; Ferrandus v. Karthago, Breviatio canonum, c. 110, ed. PL 88, 824; Ivo v. Chartres, Panormia VIII, c. 63, ed. PL 161, 1317; Gratian, Decr., pars II, causa 26, qu. 5, can. 4, ed. Friedberg 1038.

22 Gregor III.: Bonifatii ep. 43, ed. MG Ep. ²III 2910.

Drei Dinge wären diesen Zeugnissen zufolge von Wichtigkeit: *incantatio, veneficium, phylacteria.* Daß die *Phitones (Pythonici)* im Zusammenhang mit den verschiedenen Magierkategorien gerne genannt werden, erklärt sich daraus, daß ihre Wahrsagungen auf Totenbeschwörung gründen und deshalb, vergleichbar der Nekromantie, mit rein zauberischen Handlungen eng verwandt erscheinen.

*

Incantatio meint ursprünglich und wörtlich: „Be-singen". Wir kennen eine vergleichbare Kategorie zauberischer Praxis, die mit einem analog gebildeten Namen „Besprechen" genannt wird. Zauberlieder und Zaubersprüche repräsentieren eine Grundform des Zaubers, der auf dem Glauben an die magisch-zauberische Qualität des Wortes beruht. Die *incantatio*, das Zauberlied, ist nur soweit als Lied anzusehen, sofern ‚Lied' den getragenen Ton der Rezitation bezeichnet, der auch für die sakrale und liturgische Sprache charakteristisch ist. Der Zauberspruch dagegen kennzeichnet den Zaubertext der formalen Seite nach als Vers oder episches Gebilde. Wenngleich die verschiedenen Praktiken der Zauberei somit nach eher äußerlichen Kriterien benannt sind, so ist das Zaubermächtige doch allein das Wort und zwar auf zweifache Weise: Das Wort schafft Wirklichkeit oder vergegenwärtigt sie.

Auf der Grundlage dieser primär magischen Funktion des Wortes beruht seine analoge Bedeutung in religiösen Mysterien und Glaubensvorstellungen: Das Schöpfungswort und das sakramentöse Wort schaffen Wirklichkeit und kultische Lesung heiliger Texte vergegenwärtigt den Mythos selbst, repräsentiert ihn. Darin kommen Kult, Mythos und Magie überein. Aber auch das Formale, der Vortrag des Wortes, hat in religiösen Feiern und magischen Handlungen seine Entsprechung, vergleicht sich der *tonus rectus* dem getragenen Ton der Magier (Singsang) und das geflüsterte Wort der kultischen Handlungen dem *murmur magicum*. Besonders das geflüsterte, das unverständliche Wort, legt den Gedanken magischen Gebrauchs nahe. Man wird hier an das nicht hinreichend erklärte Wort „Hokuspokus" denken müssen, dessen etymologischen Zusammenhang (wobei, was bisher übersehen worden ist, auch an sekundäre Assonanz zu denken ist) mit der Konsekrationsformel *hoc est corpus meum* Kluge allein mit dem untauglichen Argument zurückweist, „Zauberkünstler (hätten) eine solche Lästerung öffentlich nicht wagen dürfen".[24] Denn zum einen dürften Magier ohnehin nicht öffentlich wirksam gewesen sein — Kluge redet deshalb geschickt von „Zauberkünstlern"[25] — und zum anderen kennt auch der Zauberer das magische Flüstern. Zum letzten aber wird auch ein Zauberer ohnehin nicht die Konsekrationsformel, ob laut oder *submissa voce*, in einer

---

[23] Admon. gener., c. 65, ed. MG Leg. 2 I 59: ANSEGIS, Capitul. coll. I, c. 62, ed. MG Leg. 2 I 402; Konz. v. Aenham, c. 4, ed. MANSI 19, 306.

[24] Etym. Wb., 314.

[25] Denn das assoziiert sich nicht mit schadenstiftender Magie, sondern mit der Vorstellung eines Volksfestes.

verständlichen Form gesprochen haben, sondern in verstümmelnder Verunklarung. Denn auch das gehört zur Phänomenologie des magischen Wortes; — ganz entsprechend den bezeichnenderweise auf denselben Bereich kultischer Praxis zielenden Bereich kultischer Praxis zielenden Sakramentsfluchen: „potzsiebenschlapperment"![26]

Weiterhin wäre auf Analoges, auf die Nennung sakrilegischer Worte während des Gottesdienstes hinzuweisen, wie überhaupt auf den umfangreichen Komplex magischer und zauberischer Handlungen unter Verwendung kirchlich-kultischer Worte, Texte, Mittel und Handlungen:

> *Solent quidam sacerdotes, sicut ad nos delatum est, quasdam coniurationes diabolicas facere, ut mentes muliercularum ad amorem suum perverterent, vel pretio conducti a mulieribus animos hominum ad amorem earum inflammarent. Isti non sunt sacerdotes Domini, sed Baalis, sed diaboli, sed Iovis. Vertunt enim laetanias sanctorum in invocationes daemonum; cum debent Christum vocare, vocant diabolum vel Iovem vel Apollinem. Quid ergo restat quin sint Ioviani vel Apollinarii, non christiani, hariologi, magi, non presbyteri. Praeterea etiam dicitur quod sacramenta ecclesiae venerabilia, quae non debent tractare indignae manus, in indigna opera illius sacrilegae artis, vertunt; baptizare enim feruntur imagines cereas vel obolos argenteos ad homines torquendos, vexandos, vel quando puer baptizatur, ponuntur in aqua sacramenti. Quid est hoc nisi haeresis? Corpus etiam Dominicum, proh nefandum! tradere dicuntur meretricibus, ut cum illo amicos suos deosculentur. O rem execrabilem! ipsum Christum ad negotium immundum portant ... Audivimus etiam dicere quod nescio quae verba sacrilega inter mysteria missae proferunt.[27]*

Chrisma wurde zu zauberischen Manipulationen gebraucht.[28] MARBOD VON RENNES erwähnt Wachsbilder, die zur Aufladung ihres magisch-zauberischen Potentials getauft wurden.[29] Das Totbeten durch Abhalten eines Requiems für noch Lebende mußte mit Nachdruck verboten werden. Den ältesten Beleg enthält die *17. Synode von Toledo*, a. 694:

> *Nam missam pro requie defunctorum promulgatam fallaci voto pro vivis student celebrare hominibus, non ob aliud, nisi ut is, pro quo idipsum offertur sacrificium,*

---

[26] 1650; „Gottes sieben Sakramente", woraus durch Übersteigerung „potztausend" geworden ist, KLUGE, Etym. Wb., 561.

[27] MARBOD VON RENNES, Synodalrede; FRANZ, Messe, 97, Anm. 3.

[28] *Ut presbiteri sub sigillo custodiant crisma et nulli sub praetextu medicinae vel maleficii donare praesumat: si fecerint, honore priventur,* Capitula e canonibus excerpta, a. 813, ed. MG Leg. 2 I 174; cf. Capitulare Aquisgranense a. 809, c. 10, ed. MG Leg. 2 I 149; Capitulare missorum Aquisgranense primum a. 809, c. 21, ed. MG Leg. 2 I 150; Capitula post a. 805 addita, ca. a. 806—813, c. 1, ed. MG Leg. 2 I 142.

[29] Vergleichbares meint das in der jetzigen Redaktion aus dem 14. Jh. stammende Poenitentiale Civitantense, c. 81: *imagines faciens propter incantationes,* ed. WASSERSCHLEBEN 697; umfangreiche Quellennachweise zu römischen Zauberbildern (Wachs, Ton) bringt ABT, Apuleius, 153 ff.; zum Bildzauber allgemein vgl. W. BRÜCKNER, Bildzauber: Handwörterbuch zur deutschen Rechtsgeschichte. I. Berlin 1971, 428—430.

ipsius sacrosancti libaminis interventu, mortis ac perditionis incurrat periculum: et quod cunctis datum est in salutis remedium, illi hoc perverso instinctu quibusdam esse expetunt in interitum. Obinde nostrae elegit unanimitatis conventus, ut si quis sacerdotum deinceps talia perpetrasse fuerit detectus, a proprio deponatur gradu: et tam ipse sacerdos, quam etiam ille qui ad talia peragenda incitasse, perpenditur, exilii perpetuo ergastulo relegati, excepto in supremo vitae curriculo, cunctis vitae suae diebus sacrae communionis ei denegetur perceptio, quam Deo se crediderunt fraudulento delibasse studio.[30]

600 Jahre später hat die *Synode von Trier,* a. 1227, ein ähnliches Verbot erlassen: Taufwasser, Chrisma und Öl sollten gut unter Verschluß gehalten werden, um magischem Mißbrauch vorzubeugen. Auch dürfe in der Kirche keine Totenbahre aufgestellt und die Totenmesse für Lebende nicht gelesen werden, *ut citius moriantur.*[31] Das *Decretum* GRATIANI hat die Verordnung des spanischen Konzils übernommen.[32] Zuweilen wurde während der Messe, um die Wirkung zu stärken, ein Wachsbildchen auf den Altar gestellt.[33] Und aus dem 12. Jahrhundert ist von einem Mönch aus Corvey, der täglich Messen las, um seinem Abt zu schaden, noch die Kuriosität überliefert, daß er vom Schlafsaal aus einen Händler des Nachbarstädtchens exkommunizierte, weil dieser ihn bei irgendwelchen Handelsgeschäften störte![34] Malefikanten suchten Dämonen auszutreiben[35], oder konnten, so traute man es ihnen christlicherseits und in Übernahme spätantiker Vorstellungen zu, Kranke heilen.[36]

All das rückt den Magier, d. h. den professionellen Zauberer, in die Nähe des Priesters, wie er denn wohl auch immer als eine verwandte Erscheinung angesehen worden ist. Bestätigt wird dieses durch die unter den Magieverboten überhaupt ihrer Zahl nach überwiegenden Verordnungen, in denen Zielgruppe des Verbots der Klerus ist: *Quod non oportet eos qui sunt sacrati, vel clerici, esse magos, vel incantatores . . .* .[37] Der Priester hat Züge des Magiers angenommen. Die Kirche

---

[30] C. 5, ed. MANSI 12, 99.

[31] Konz. v. Trier, a. 1227, c. 6, ed. MANSI 23, 30.

[32] Pars II, causa 26, qu. 5, can. 13, ed. FRIEDBERG 1031 sq.

[33] FRANZ, Messe, 100, dort weitere Nachweise.

[34] Ebenda.; vgl. noch P. BROWE, Die Eucharistie als Zaubermittel im Mittelalter: Arch. f. Kulturgesch. 20 (1930) 134—154.

[35] Homilia de sacrilegiis, c. 22, ed. CASPARI 12.

[36] Eine alte Vorstellung, cf. ABT, Apuleis, 276—279, die auch christliche Autoren teilen; EUSEBIUS rechnet die ἄϰεσις τῶν παϑῶν zur Magie, Demonstratio evang. III, c. 6, ed. PG 22, 226; hierher gehört auch „Besprechen", Segenssprüche, Amulette, Kräutertränke etc. (s. u.).

[37] Konz. v. Laodikeia, c. 36, ed. MANSI 2, 569: Syn. v. Agde, c. 38, ed. MANSI 8, 332; Conc. Toletan. IV., c. 29, ed. MANSI 10, 627; FERRANDUS, Breviatio canonum, c. 110, ed. PL 88, 824; REGINO VON PRÜM, De syn. caus. II, c. 352, ed. PL 132, 350; ATTO V. VERCELLI, Capit., c. 48, ed. PL 134, 37 sq.; BURCHARD V. WORMS, Decr. X, c. 48, ed. PL 140, 851; IVO VON CHARTRES, Decr., p. XI, c. 5, 73, ed. PL 161, 747, 772; ID., Panormia VIII, c. 63, ed. PL 161, 1317; GRATIAN, Decr., p. II, c. 26, qu. 5, c. 4, 5, ed. FRIEDBERG 1028.

selbst hat diese Entwicklung indirekt gefördert. Man denke an den umfangreichen Komplex kirchlich-liturgischer Beschwörungen. Die formale, nicht selten auch inhaltliche Identität der Exorzismen mit spätantik-heidnischen Beschwörungsformeln läßt sich nicht übersehen. Mag die Rezeption spätantiker Beschwörungspraktiken auch von einer neuen Auffassung, einer speziellen Theologie des Beschwörens begleitet gewesen sein, so daß der Sinn, bzw. die Sinngebung christlich wurde und die Sache somit legitim: Für simplere Gemüter als in der christlichen Kosmologie und Schöpfungstheologie bewanderte Theologen konnte allein die Identität der Praxis ins Auge fallen. Wie sollte man unterscheiden können zwischen abergläubischen Segen und kirchlichen Benediktionen, zwischen liturgisch-kultischer Satansbannung, Dämonenvertreibung und abergläubischen Exorzismen, das Wort einmal in der engeren, lustrativen Bedeutung genommen. Die *Homilia de sacrilegiis* beispielsweise verbietet *Carmina vel incantationes:*

> *Carmina uel incantationes, quas diximus, haec sunt: ad fascinum, ad spalmum, ad furunculum, ad dracunculum, ad aluus, ad apium, ad uermes, id est lumbricos, que (in) intrania hominis fiunt, ad febres, ad friguras, ad capitis dolorem, ad oculum pullinum, ad inpediginem, ad ignem sacrum, ad morsum scvrpionis, ad pullicinos. Ad restringendas nares, qui sanguine fluunt, de ipso sanguine in fronte ponunt. Nam quicumque ad friguras non solum incantat, sed etiam scribit, qui angelorum uel salomonis aut caracteres suspendit, aut lingua serpentis ad collum hominis suspendit, aut aliquid paruum cum incantatione bibit, non christianus, sed paganus est.*[38]

Nicht immer kennen wir mehr die Texte der verbotenen *carmina*. Sie dürften sich aber grundsätzlich nur wenig unterschieden haben (die angerufenen Autoritäten vielleicht ausgenommen) von liturgischen Beschwörungsformeln, wie sie das *Rituale Romanum* enthält: „Ich beschwöre euch, ihr schädlichen Mäuse (oder Heuschrecken oder Springheuschrecken oder Würmer oder anderen Tiere), durch Gott den allmächtigen Vater, durch Jesus Christus seinen einzigen Sohn, durch den Heiligen Geist, der von beiden ausgeht, daß ihr sofort weichet von unseren Feldern und Äckern, nicht weiterhin in ihnen hauset, sondern zu den Orten hinüberwechselt, in welchen ihr niemanden schaden könnt: anstelle des allmächtigen Gottes und des ganzen himmlischen Hofstaates und der heiligen Kirche Gottes verfluche ich euch, daß, wohin ihr auch lauft, ihr verflucht seid und abnehmt von Tag zu Tag und weniger werdet, bis keine Reste von euch mehr irgendwo gefunden werden, außer ihr seid zum Heile und Nutzen der Menschen nötig. Das gewähre gnädig, der kommen wird zu richten die Lebenden und Toten und die Welt durch Feuer."[39] Für einfachere Gemüter zudem irreführend mußte sein, wenn die kirchliche Kritik dem Verbot der Inkantation die Empfehlung folgen ließ, anstelle der verbotenen Zaubersprüche sich des Glaubensbekenntnisses oder des Vaterunsers

---

[38] C. 15, ed. CASPARI 9 f.

[39] E. BARTSCH, Die Sachbeschwörungen der römischen Liturgie (= Liturgiewiss. Quellen u. Forsch. 46). Münster 1967, 322 (lat. 417).

zu bedienen, und das mit einer Begrifflichkeit ausgegeben wurde, die jene Gebete als einzig wirksame „Zauberformeln", als *incantationes sanctae* bezeichnete:

> *Quare mihi aut cuilibet recto Christiano non nocet augurium? Quia, ubi signum crucis praecesserit, nihil est signum diaboli. Quare nobis nocet? Quia signum crucis contemnitis et illud timetis, quod uobis ipsi in signum configitis. Similiter dimisistis incantationem sanctam, id est symbolum, quod in baptismo accepistis, quod est 'Credo in deum patrem omnipotentem', et orationem dominicam id est: 'Pater noster, qui est in caelis', et tenetis diabolicas incantationes et carmina. Quicumque ergo, contempto signo crucis Christi, alia signi aspicit, signum, quod in baptismo accepit, perdidit. Similiter et qui alias incantationes tenet a magis et maleficis adinuentas, incantationem sanctam symboli et orationis dominicae, quae in fide Christi accepit, amisit et fidem Christi inculcauit, quia non potest et simul deus et diabolus coli.*[40]

Noch das *Decretum* GRATIANI erlaubt *incantationes sanctae* — ohne sie allerdings noch so zu nennen — wenngleich es den Gebrauch auf das Sammeln solcher Kräuter einschränkt, que *medicinales sunt*.[41]

Zur Kenntnis der magischen bzw. zauberischen Handlungen und Mittel kann unsere Untersuchung nichts Neues beitragen. Darüber die kirchliche Literatur noch weiteren Aufschluß geben lassen zu wollen, hieße bei ihrer wiederholten Durchmusterung durch Aberglaubensforschung und der um die Erforschung der Geschichte des Hexenwesens bemühten Literatur[42], allseits Bekanntes zu wiederholen.

---

[40] MARTIN VON BRAGA, c. 16, ed. BARLOW; cf. Homilia de sacril., c. 14, ed. CASPARI: *Quicumque super sanctam simbulum et orationem dominicam carmina aut incantationes paganorum dicit;* cf. AMBROBIUS: *unde te non tuis numeniis, sed typo ecclesiae beatam dicerim; in illis enim servis, in hoc diligeris, quam ridiculum autem quod te plerumque credunt homines magicis carminibus posse deduci, aniles istae fabulae at vulgi opiniones. quis enim opus dei tanto ministerio deputatum arbitretur Chaldaeicis superstitionibus posse temptari? lapsus sit ille qui se transfigurat in angelum lucis et deductus voluntate propria, non carminum potestate. sane et in hoc (quasi), ecclesia, putaris posse quasi de loco tuo et statione deduci. multi temptant ecclesiam, sed sagae artis ei carmina nocere non possunt. nihil incantatores valent ubi Christi canticum cotidie decantatur. habet incantatorem suum dominum Jesum, per quem magorum incantantium carmina et serpentum venena vacuavit,* Exameron, IV, 32 sq., ed. CSEL 32, 1, 138 sq.; cf. MAXIMUS VON TURIN, Homilia 101, ed. PL 57, 488; BURCH. v. WORMS, Decr. X 20, ed. PL 140, 836; ID., Corrector, c. 56, ed. WASS. 644: *Collegisti herbas medicinales cum aliis incantationibus quam simbolo et dominica oratione, id est cum credo in Deum et patrem nostrum cantando? Si aliter fecisti, X dies penit.;* Poen. EGBERTI, c. 23, ibd. 227; Poen. Merseburgense, c. 11, ibd. 430; REGINO VON PRÜM, De syn. caus., II, c. 52, ed. PL 132, 285; GRATIAN, Decr., p. 2, c. 26, qu. 5, c. 3, ed. FRIEDBERG 1028; BARTHOLOMÄUS v. EXETER, Poenitentiale, c. 104 und ROBERT v. FLAMBOROUGH, Liber poen. V 6, 3, ed. FIRTH, mr. 334, 73—75: *Si quis praecantaverit ad fascinum vel qualescumque praecantationes excepto symbolo et oratione dominica, qui cantat et cui cantatur tres quadragesimas in pane et aqua poeniteat.*

[41] Cf. Anm. 40.

[42] SOLDAN, Hexenprozesse, 1880; HANSEN, Hexenverfolgung, Neudr. 1963; BYLOFF, Zauberei, 1902.

Da sich die offizielle kirchliche Literatur zudem meist auch damit begnügt, die Dinge allein beim Namen zu nennen, konzentriert sich die Untersuchung vor allem auf terminologische Fragen.

*

Es ist schon anhand der Analyse häufig wiederkehrender, nahezu topischer Reihungen verschiedener Bezeichnungen für Zauberer und Zauberei festgestellt worden, daß drei Dinge besonders betont scheinen: die *incantatio,* das *veneficium* und das *phylakterion.* Daß es sich nicht um eine willkürliche Hervorhebung dieser drei Begriffe handelt, wird bald deutlich. Suchen wir nämlich allgemeinste Einteilungen zauberischer Praxis, so wäre zu unterscheiden zwischen Zauberkategorien und Zauberrequisiten. Auf der einen Seite wären also Magie und Zauberei gemäß der Unterschiedlichkeit der Tätigkeiten zu benennen, auf der anderen gemäß des Gebrauchs verschiedener Mittel. Diesem Schema entsprechend ist *incantatio* dem Wortgebrauch nach eine allgemeinste Bezeichnung der verschiedenen Zauberkategorien, *phylakterion* (und verwandte Bezeichnungen) eine allgemeinere Bezeichnung für verschiedene Mittel.

Gänzlich voneinander lösen und allein für sich betrachten lassen sich die Sachen, je nachdem, wo sie eingeteilt werden, nicht. Sie haben stets Bezug aufeinander. Als vermittelnder Begriff kann *veneficium* gelten. Auch dieses Wort hat eine weitere Bedeutung als „Giftmischerei" angenommen und läßt anhand seines allgemeineren Gebrauchs den Zusammenhang erkennen. Die Maximus von Turin zugeschriebene, mit Ambrosius, *Exameron,* IV, 32 sqq.[43], eng verwandte *Homilia De defectione lunae (II)* hält den Versuchern der Kirche entgegen: *sed sacris vocibus veneficiorum carmen nocere non potuit.*[44] *Veneficium* rückt so in begriffliche Nähe von *incantatio.* Maximus fährt fort: *Nihil enim incantationes valent, ubi Christi canticum decantatur.*

Die Begriffsentwicklung vom Giftmischer zum Zauberer schlechthin und die begriffliche Austauschbarkeit von *veneficium* und *incantatio* zeigt den engen Zusammenhang von Zauberspruch und Zaubermittel. Das Mittel als solches ist seiner natürlichen Beschaffenheit zufolge oft belanglos und harmlos, zauberische Qualitäten erlangt es erst aufgrund einer „Besprechung", durch den Zauberspruch. So kann denn auch der „Ausdruck ,*carmina et venena*' als stehende Bezeichnung des Zaubers im Lateinischen betrachtet werden".[45]

Es erhalten die verschiedenen natürlichen Mittel zauberische Kraft durch den Zauberspruch. Vor allem sind es Kräuter und Wurzeln, die wohl wichtigsten Ingredienzen aller Zaubermittel, die „besprochen" werden. Dabei ist das Murmeln von Zaubersprüchen schon beim Suchen und Einsammeln der Kräuter von der

---

[43] Cf. CSEL 32, 1, 138 sq.
[44] Ed. PL 57, 488.
[45] Abt 314.

eigentlichen Besprechung während der Bereitung der Zaubermittel zu trennen, so daß die kirchliche Literatur zwischen *incantationes in collectione herbarum* und der „Besprechung" im Zusamenhang mit der Bereitung der Mittel unterscheidet. Man vergleiche MARTIN VON BRAGA: *Incantare herbas ad maleficia*[46] mit der zumeist auf MARTINS *Capitula*, c. 74, zurückgehenden traditionellen, durch GRATIAN ins kanonische Recht eingegangenen Formel: *Non liceat in collectione herbarum quae medicinales sunt aliquas observationes aut incantationes attendere, nisi tantum cum symbolo divino aut oratione dominica, ut tantum Deus Creator omnium et dominus honoretur.*[47] Nahezu ausnahmslos machen die Verordnungen ähnliche Zugeständnisse: *Homini Christiano certe non est permissum collectionem herbarum (facere) cum incantatione aliqua, nisi cum Pater noster et cum Credo vel cum prece aliqua.*[48]

BURCHARD und Ivo haben zudem die Verordnung: *Daemonium sustinenti licet petras vel herbas habere sine incantatione.*[49] Sie lassen also, die Mächtigkeit von Kräutern und Steinen gegen dämonische Einflüsse voraussetzend, den Gebrauch bestimmter „Umhängsel" aus Pflanzen und Steinen bei Besessenheit, bzw. Epilepsie[50], zu.

Solche Kräuter dürften zumeist in Form eines Amulettes angewandt worden sein. Das legen das *Poenitentiale Valicellum I.*, c. 89, wie auch das *Merseburgense a.*, c. 36, nahe, die den Gebrauch der „besprochenen" Kräuter unter die *ligaturae* zählen: *Si quis ligaturas fecerit per herbas vel quolibet ingenio malo incantaverit, et super Xtianum ligaverit.*[51]

Die *ligaturae* sind schon dem Namen nach als „Umhängsel" oder „Anbindsel" zu erkennen. Die Gesamtheit der *remedia*[52] ließe sich somit einteilen, je nachdem, ob die Remedien eingenommen oder äußerlich angewandt, umgebunden, werden.

---

[46] De corr. rust., c. 16, ed. CASPARI 33; cf. Homilia de sacril., c. 22: *incantationes et radices et pociones herbarum*, ed. CASPARI 12.

[47] Cf. BURCHARD v. WORMS, Decr. XX, c. 20; Ivo VON CHARTRES, Decr., p. II, c. 46, p. XI, c. 47; cf. Anm. 40.

[48] Poen. EGBERTI, c. 23; cf. Anm. 40.

[49] BURCHARD VON WORMS, Decr. X, c. 50, ed. PL 140, 851; Ivo VON CHARTRES, Decr., p. XI, c. 75, ed. PL 161, 773.

[50] Poen. Ps.-THEODORI, c. X 5: *Demonium sustinenti licet petras et holera habere sine incantatione*, SCHMITZ I 544; Poen. XXXV Capitul. XVI 5, ed. WASSERSCHLEBEN 517; cf. weitere Hinweise bei FRIEDBERG, Bußbücher, 74, Anm. 5; dort aber auch ein nahezu klassischer Fall mythologischer Interpretation zweiter Generation: „Vielleicht Kräuter, die dem Thor geheiligt waren ... Eine Beziehung des Thor zur Epilepsie glaube ich in folgendem Aberglauben zu finden. Wer ein Rothkehlchen tödtet, bekommt die Epilepsie ... Das Rotkehlchen war dem Thor heilig ... Epilepsie wird vertrieben durch ein scharlachrotes Tuch vom Altar ... Roth ist die Farbe des Thor"!

[51] Valicellanum I., c. 89, ed. SCHMITZ I 312; ebenso Poen. Merseburgense, 36, ed. WASSERSCHLEBEN 395.

[52] AUG., De doctr. christ. II, c. 20.

Zaubertränke, nur in wenigen Fällen werden Zauberspeisen genannt, sind zumeist Kräutertränke; sie heißen deshalb schlicht *herbae: Si quae mulier herbas …
biberit*[53], *Bibisti … herbas*[54] oder *potiones herbarum*[55], *pocula*[56], *potiones*[57].

Die Kräuter- oder Wurzeltränke[58] haben zwar medikamentösen Charakter, doch tritt diese Seite in der Verordnungsliteratur naturgemäß vor drei umfänglichen anderen Anwendungskomplexen völlig zurück: dem zauberischen Gifttrank, den Liebesträuken, den antikonzeptionellen und Abtreibungsträuken. Mit bezug auf derartige Darreichungen konnte der abstrakte, wenn auch stets auf Schadenzauber bezogene Begriff *maleficium* auch zur Bezeichnung des Gifttrankes verwendet werden: *Bibisti ullum maleficium, herbas vel alias causas, ut non possis infantem habere aut alii dedisti aut hominen cum potione occidere voluisti.*[59] Daß aber mit *maleficium* hier nicht ausschließlich Zauber- und Gifttränke, sondern auch *pocula amatoria*, wie es antikem Sprachgebrauch nach heißt[60], gemeint sein konnten, erkennt man daran, daß anscheinend auch derjenige, der Liebeszauber veranstaltet, *maleficus* genannt wurde. Das lag sicherlich vor allem an der besonderen Gefährlichkeit der Tränke:

> *Si quis pro amore maleficus sit, et neminem perdiderit, si laicus est, dimidium annum
> poeniteat, si clericus, annum unum poeniteat in pane et aqua, si diaconus, tres annos,
> unum in pane et aqua, si sacerdos, quinque annos, II in pane et aqua. Si autem per
> hoc mulieris partus quis deceperit, sex quaragesimas unusquisque insuper augeat, ne
> homicidii reus sit.*[61]

Diese und verwandte Stellen im *Poen. Parisiense*[62], *Valicellanum* I.[63] und Cummeani[64] interpretiert Schmitz[65] so: hier wäre vom unschädlichen Liebeszauber der Mord durch Zauber abgehoben[66]. Doch schon die ebenfalls zugestandene

---

[53] Poen. Valicellan. II., c. 57, ed. Schmitz I 379.

[54] Ordo poen., ed. Schmitz I 749; so auch schon Pactus legis Salicae, ca. a. 507—511, c. 19, 1: *Si quis alteri herbas dederit bibere*, ed. Eckhardt, Germanenrechte I, 28 und Lex Salica, c. 21, 1, ibd. 32.

[55] Hom. de sacril., c. 22, ed. Caspari 12; Poen. Arundel, c. 17, ed. Schmitz, c. 17.

[56] Regino von Prüm, De syn. caus. II, c. 82, ed. PL 132, 301.

[57] Burchard von Worms, Corrector, c. 165, ed. Schmitz II 445; Haimo, Historia Francorum IV, c. 52, ed. PL 139, 728.

[58] *radices et pociones herbarum*, Hom. de sacril., c. 22, ed. Caspari 12, cf. auch p. 41.

[59] Ordo poen., ed. Schmitz I 749.

[60] Ein antiker Begriff vergleichbar dem *venenum amatorium*, cf. Abt 85.

[61] Poen. Ps.-Romanum, c. 32, ed. Schmitz I 479; *Si quis per amorem maleficus fuerit
et neminem perdiderit, si clericus I anno, diaconus III, sacerdos V, III ex his in pane et
aquae; Laicus dimidio poeniteat anno*, Poen. Paris., c. 17, ed. Schmitz I 683.

[62] L. c.

[63] C. 83, ed. Schmitz I 306.

[64] C. VII 3, ibd. 632.

[65] I 306 ff.

[66] I 306 ff.

Wirkung auf Unterbrechung einer möglicherweise vorhandenen Schwangerschaft, scheint mir darauf hindeuten zu können, daß sich die Verordnungen gar nicht gegen Liebeszauber im engeren Sinn, also gegen zauberische Mittel zur Erlangung von Gunst, richten, sondern gegen Abtreibungstränke. Denn auch deren Verabreichung geschieht *per amorem*. Es soll nicht unterstellt werden, der Klerus *(clericus, diaconus, sacerdos)* hätte häufiger Anlaß gehabt, solches zu verabreichen; die auffällige Betonung des Klerus als Zielgruppe dieser Verordnung ist jedoch nicht zu übersehen.

Man wird diese Merkwürdigkeit mit einem Hinweis auf die dem Klerus zugemutete Kennerschaft gelehrter, auch medizinischer, quasimedizinischer oder magischzaubrischer Literatur erklären müssen. Jedenfalls dürfte man in ihm wohl einen Fachmann auf gemeintem Gebiet vermutet und ‚angelaufen‘ haben. Nur so wären wohl unsere Quellen zu erklären. Nehmen wir noch andere, überaus häufig bezeugte Verordnungen derselben Kategorie und gegen antikonzeptionelle Mittel hinzu, dann sehen wir, daß die Problematik der Geburtenplanung keineswegs neu ist.[66a]

Die *Didache*, eine etwa in der Zeit zwischen 90—150 verfaßte Zusammenstellung christlicher Sittengebote und kirchlicher Ordnungen[67] enthält, soweit ich sehe, das älteste christliche Verbot der Abtreibung. Schon hier steht es in unmittelbarer Nachbarschaft von magisch-zauberischen Mitteln: *non magica facies, non medicamenta mala miscebis, non occides foetum abortione, nec natum occides.*[68] Einflußreicher als dieser frühe Text ist die einschlägige Bestimmung des *Konzils von Elvira*, ca. a. 305—306, c. 63, gewesen:

> *De mulieribus, quae fornicantur et partus suos necant, vel quae agunt secum, ut ex utero conceptos excutiant, antiqua quidem definitio, usque ad exitum vitae eas ab Ecclesia removet; humanius autem nunc definimus, ut eis decem annorum tempus, secundum praefixos gradus poenitentiae, largiamur.*

So das *Konzil von Ankyra*, a. 314, c. 21. Die von Hrabanus Maurus geleitete *Synode zu Mainz*, a. 847, beruft sich ausdrücklich auf die *Konzilien von Elvira* und *Ankyra* und verordnet ebenfalls die „menschlichere" 10jährige Bußzeit.[69] Das *Poenitentiale Arundel* wiederum greift das Mainzer Statut auf.[70]

Die Abtreibung, ebenso die Verhütung einer Empfängnis komme einem Mord gleich und solle auch als Mord gebüßt werden:

[66a] Cf. auch L. Morsak, Zum Tatbestand der Abtreibung in der Lex Baiuvariorum: FS Ferdinand Elsener. Sigmaringen 1977.

[67] Cf. Bihlmeyer, Apost. Väter, XII—XX.

[68] οὐ μαγεύσεις, οὐ φαρμακεύσεις, οὐ φονεύσεις τέκνου ἐν φθορᾷ οὐδὲ γεννηθὲν ἀποκτενεῖς, Klauser, Doctr. XII Apost., p. 16.

[69] C. 21, ed. MG Leg. 2 II 181.

[70] C. 17, ed. Schmitz I 443.

Nulla mulier praesumat infantes suos occidere: quia qui infantem suum occidit, grandium peccatum conmittit: unum, quare occidit illum, et alterum, quia baptizatus non fuit. Nulla mulier praesumat auorsorium[71] facere, nec potionem bibere, ut infantes non concipiat: quia quantos infantes in ista uita habere debuisset, pro tantorum homicidiorum ante tribunal Christi rationes reddituri sunt.[72]

Doch läßt die differenzierende Bußzumessung des *Poenitentiale Arundel*, c. 18, Ansätze einer medizinischen Indikation erkennen:

Mulier si aliquo maleficio ad occultandam libidinem suam obtinet, se numquam concipere posse, eodem modo X annos poeniteat. Quae vero ad vitandam mortem vel partus augustiam hoc faciunt, triennio poeniteant.[73]

Des weiteren vergleiche man: CAESARIUS VON ARLES, *Sermo[74]*, Ps.-BURKHARD VON WÜRZBURG, *Homilia 20* und *25[75]*, *Poen.* VINIAI[76], *Excarpsus* CUMMEANI[77], *XXXV Capitulorum[78]*, Ps.-THEODORI[79], *Arundel[80]*, den *Ordo poenitentiae[81]*, weiterhin die *Homilia de sacrilegiis[82]* und PIRMINS *Dicta[83]*.

Wenn nun einige Hinweise auf eigentlichen Liebeszauber angefügt werden, so ist damit nur ein verhältnismäßig bescheidener Teil der Fälle zur Sprache gebracht, von denen die Bußbücher recht detaillierte Kenntnis besitzen. Das meiste betrifft sympathetisch wirkende Speiseingredienzen, also Körpersubstanzen der am Liebeszauber beteiligten Personen:

Sie (sic!) quae mulier semen viri sui in cibum miscens aut inlicitas causas fecerit, ut inde plus ejus amorem suscipiat, III annos peniteat[84];

Qui semen aut sanguinem bibit[85];

---

71 Bei Behandlung des Baumkultes haben wir eine Reihe von Bußbuchbestimmungen angeführt, in denen die Rede war von solchen, die *abortum (aborsum, abortivum) faciunt*, cf. S. 62 Anm. 105.

72 Homilia saec. 8, ed. MORIN: Revue bénédict. 22 (1905) 518; cf. *Si quae mulier herbas ne concipiat biberit, quantoscunque concipere vel parere debuerat, tantorum homicidiorum rea erit, et ita judicetur,* Poen. Valicellanum II., c. 57, ed. SCHMITZ I 379.

73 Ed. SCHMITZ I 443.

74 Ed. CCL 103, 230—233.

75 Ed. ECKHARDT 842, 844.

76 C. 20, ed. WASSERSCHLEBEN 112.

77 C. VII 1, ebenda 480.

78 C. XVI 1, ebenda 576.

79 C. 10, ebenda 517.

80 C. 85, ed. SCHMITZ I 460.

81 Ed. SCHMITZ I 749.

82 C. 18, ed. CASPARI 11.

83 C. 21, ed. JECKER.

84 Poen. Valicellanum I., c. 90, ed. SCHMITZ I 314.

85 Poen. Ps.-THEODORI, c. VII 3, ed. SCHMITZ I 530, auch Ivo v. CHARTRES, Decr. XV, 103 und ROBERT v. FLAMBOROUGH, Liber poen. V 6, 3, ed. FIRTH, nr. 335, 82: *Qui sanguinem aut semen biberint pro aliqua re tres annos poeniteat.*

*De his etiam super quibus interrogasti, hoc est, de illa femina quae menstruum san-
guinem suum immiscuit cibo vel potui, et dedit viro suo ut comederet; et de illa quae
semen viri sui in potu bibit, et de ea quae testam hominis combussit igni et viro suo
dedit pro infirmitate vitanda, quali poenitentia sint plectendae; ut nobis videtur, tali
sententia feriendi sunt sicut magi et harioli, quia magicam artem exercuisse nos-
cuntur.*[86]

Eine vom *Corrector* BURCHARDI mitgeteilte, nahezu artistisch anmutende Praktik
sei wenigstens angeführt:

*Fecisti quod quaedam mulieres facere solent? Prosternunt se in faciem, et discoopertis
natibus, jubent ut supra nudas nates conficiatur panis, et eo decocto tradunt maritis
suis ad comedendum. Hoc ideo faciunt, ut plus exardescant in amorem illarum. Si
fecisti, duos annos per legitimas ferias poeniteas.*[87]

Das Verbot von Liebestränken steht zumeist im engen Zusammenhang mit ver-
schiedenen Speiseverboten, wie sie vor allem wieder die Bußbücher einschärfen.
Generell sind solche Verbote bestimmter Speisen nicht einheitlich motiviert. Der
Großteil geht, den Verbotsgründen nach zu urteilen, auf das Zugeständnis der
Apostel den Judenchristen gegenüber, auch der Heidenchrist habe sich des Genusses
von Blut und Ersticktem zu enthalten.[88] In den ersten christlichen Jahrhunderten
ist die Bestimmung des Aposteldekrets streng beachtet worden. Das bezeugen
TERTULLIAN[89], KLEMENS VON ALEXANDRIEN[90] und ORIGINES[91]. Doch schon AUGUSTI-
NUS hält die Befolgung der apostolischen Verordnung für eine wenig zeitgemäße
Angelegenheit: Das Gebot habe nur für jene Phase des frühesten Christentums Bedeutung gehabt, in der es galt, Heiden und Juden als Christen in einer Kirche zu
vereinigen. Seitdem aber die Unterscheidung von Heiden- und Judenchristen hin-
fällig geworden sei, wäre auch das Verbot gegenstandslos geworden. Das *Konzil
von Orleans*, a. 533, greift die „temporäre apostolische Vorschrift"[92] jedoch wieder
auf. Seit dem 8. Jahrhundert ist ihre Befolgung wieder streng geboten.[93]

Objektiv können Speisesatzungen auch als ein Beitrag zur öffentlichen Gesund-
heitspflege angesehen werden. Positive Speisevorschriften empfehlen sich gelegentlich unter dieser Rücksicht: Den Verzehr von Hasenfleisch beispielsweise preist das

---

[86] REGINO VON PRÜM, De syn. caus. II, c. 362, ed. PL 132, 351; cf. noch folgende,
keineswegs vollständige Hinweise: Poen. Arundel, c. 54, ed. SCHMITZ I 453; Casinense,
c. 61, 64, ibd. 413; CUMMEANI, c. 35, ibd. 618; Parisiense, c. 18, 78, 91, ibd. 683, 690, 691;
[87] Corrector, c. 173, ed. SCHMITZ II 447.
[88] Apg 15, 28 f.
[89] Apolog., c. 9.
[90] Paedagog. III, c. 3.
[91] Contra Celsum VIII.
REGINO VON PRÜM, De syn. caus. II, c. 363, ed. PL 132, 352.
[92] SCHMITZ I 321.
[93] Cf. K. BÖCKENHOFF: Theol. Quartalschr. 88 (1906) 192 f.; DERS., Speisesatzungen.
Münster 1907; JECKER 115 ff.; SCHMITZ I 318 ff.

Casinense an: *bonum est pro dysenteria.*[94] Nun wissen wir, daß dem Hasen über die Zeit des Heidentums hinaus eine gewisse religiöse Verehrung entgegengebracht wurde[95] und erkennen leicht in der Bestimmung weniger die Empfehlung eines Mittels gegen Durchfall, sondern den Versuch, die Hasenverehrung, die sich auch in der Verschmähung eines Hasenbratens äußerte, abzubauen. An den der Intention nach ähnlichem Fall der Tabuisierung des Pferdefleisches sei erinnert. Die folgenden Verbote aus dem *Pseudo-Romanum* haben zudem sicherlich auch krankheitsvorbeugende, prophylaktische Funktion:

> *Si quis canis aut vulpis, sive accipiter aliquid mortificaverint, sive de fuste, sive de lapide, sive sagitta, quae non habet ferrum, mortuum fuerit, haec omnia suffocata sunt, non manducentur, et qui manducaverit, jejunet hebdomadas sex. Si quis sagitta percusserit cervum, sive aliud animal, et post tertium diem inventum fuerit, et forsitan ex eo lupus, ursus, canis, aut vulpes gustaverit, nemo manducet, et qui manducaverit, jejunet hebdomadas IV. Si gallina in puteo mortua fuerit, puteus evacuetur; si sciens ex eo biberit, jejunet hebdomada una. Si quis mus aut gallina, aut aliquid ceciderit in vino aut in aqua de hoc mullus bibat. Si in oleum aut mel cecederit, oleum expendatur in lucernam, mel vero in medicinam vel in aliam necessitatem. Si piscis mortuus fuerit in piscina, non manducetur; qui manducaverit, jejunet hebdomadas IV. Si porcus vel gallina manducaverit de corpore hominum, non manducetur, neque servetur ad semen, sed occidatur, et canibus tradatur. Si quis lupus plagaverit animal, et mortuum fuerit, nemo manducet, et si vixerit, et postea cum homo occiderit, manducetur.*[96]

Die Wiederbelebung längst in Abgang geratener, älterer Speisegebote durch das Konzil von Orleans ist, wie mir scheint, missionspolitisch motiviert: Sie richtete sich gegen heidnisches Opferwesen, den Verzehr von Opferfleisch u. ä.:

> *Catholici qui ad idolorum cultum non custoditam ad integrum accepti baptismi gratiam revertuntur vel, qui cibis idolorum cultibus immolatis gustu inlicitae praesumptionis utuntur, ab ecclesiae coetibus arceantur; similiter et hi, qui bestiarum morsibus extincta vel quolibet morbo aut casu suffocata vescuntur.*[97]

Sieht man von den mosaischen Speisesatzungen bzw. der apostolischen Verordnung[98] ab, so kommen noch Verbote heidnischer Kultmahlzeiten und des Verzehrs von Opferfleisch in Betracht, sowie auch einige, wie es den Anschein hat,

---

[94] Poen. Casinense, c. 85, ed. Schmitz I 415.
[95] Osterhase; cf. Friedberg, Bußbücher, 52 f.
[96] De suffocatis, De laceratis, ed. Schmitz I 488.
[97] Conc. Aurealianense, a. 533, c. 20, ed. MG Leg. 3 I 64.
[98] z. B.: *Animal vero, sive avis, quod canis, aut vulpis, sive acceptor, aut falco, mortificaverit, aut de fuste, vel de lapide, sive sagitta, quae non habet ferrum, mortuum fuerit, haec omnia suffocata sunt, non manducentur, quia III capitulum Actuum Apostolorum praecipit abstinere a fornicatione et suffocato, et sanguine, et idolatria,* Poen. Ps.-Theodori c. XVI, ed. Wasserschleben 602.

superstitionskritisch motivierte Verordnungen gegen Essen und Trinken von bestimmten, durch Tiere verunreinigten Speisen.

Das Verbot der Teilnahme an heidnischen Kultmählern versteht sich von selbst. Es ist darüber im Zusammenhang der Untersuchungen über heidnischen Naturkult gesprochen worden.[99]

Natürlich wurde auch die strikte Befolgung des Opferfleischverbots eingeschärft. Doch überrascht die spürbar milde Beurteilung der Übertretungsfälle; allerdings nur unwissentlicher Übertretungen. Denn gesetzt auch den Fall, ein dem Hungertode naher Christ stoße in der Wüste auf einen Götzentempel und fände dort Nahrung, so dürfte er, sofern er um den idolatrischen Charakter der Speisen wüßte, nichts davon essen und sollte lieber Hungers sterben.[100] Das bemerkt AUGUSTINUS auf Nachfrage eines Christen namens Publicola.[101] Für AUGUSTINUS ist Kriterium der Sündhaftigkeit wissentliches Tun. Hätte jener Verirrte nicht gewußt, daß es sich bei den vorgefundenen Speisen um Opfergaben handelte, so hätte er auch ruhig davon essen dürfen. Er hätte sich auch, wenn er später seinen Irrtum bemerken sollte, nicht allzusehr beunruhigen müssen. Für im Fleischerladen unwissentlich gekauftes Opferfleisch gelte gleiches.[102] *Si quis de aliqua carne dubitat*, führt Ivo VON CHARTRES den Brief im *Decretum* an,

> utrum sit immolatitia, et non est immolatitia, sed eam cogitationem tenuerit quod immolatitia non sit, et ea vescatur, non utique peccat: quia non est, nec putatur jam immolatitia, etsi antea putabatur. Neque enim non licet corrigere cogitationem a falsitate in veritatem.[103]

Ähnlich hatte sich auch AMBROSIUS über die Frage geäußert: *Licet aliquid pollutum sit per accidentiam, id est oblationem idoli, cum hoc tamen nescit, qui emit, nullum patitur scrupulum, et apud Deum immunis est.*[104]

Über solche Zugeständnisse geht das *Poenitentiale Ps.-Romanum* noch hinaus: es belegt nur den mit einer Bußstrafe, der ohne Not vom Opferfleisch esse: *Si quis manducaverit sanguinem aut morticinum, aut idolis immolatum, et non fuit ei necessitas, jejunet hebdomadas duodecim.*[105] Doch ist dieses eine vereinzelte Bestimmung. Zumeist bestimmen die Bußbücher etwa:

---

[99] Hier soll allein noch verwiesen werden auf die vermutlich dem Valicellanum I., c. VII 82, ed. SCHMITZ I 306, sicher aber Ivo, Decr., p. XI, c. 62 und BURCHARD, Decr. 10, c. 37, zugrunde liegende Entscheidung Papst Leos, derzufolge Kinder, sofern sie nicht ausdrücklich am idolatrischen Kult teilgenommen hätten, durch Handauflegung gereinigt werden könnten; cf. SCHMITZ a.a.O.

[100] Cf. AUGUSTINUS, De bono coniug. 16, 18, ed. CSEL 41, 211.

[101] AUGUSTINUS, Ep. 46, ed. CSEL 34, 2, 126 ff.

[102] Cf. ZELLINGER, Volksfrömmigkeit, 13—16.

[103] Ivo, Decr., p. XI, c. 98, ed. PL 161, 777.

[104] AMBROSIUS, In I. ep. ad Corinth., c. 10; Ivo, ibd., c. 96; cf. GRATIAN, Decr., p. II, causa 26, qu. 2, can. 11, ed. FRIEDBERG 1024.

[105] Poen. Ps.-Romanum, c. 44, ed. SCHMITZ I 480.

Qui cibum immolatum comederit, deinde confessus fuerit, sacerdos considerare debet personam, in qua aetate vel quomodo edoctus aut qualiter contigerit, et ita auctoritas sacerdotalis circa infirmum moderetur et hoc in omni poenitentia semper et confessione omnino, in quantum Deus adjuvare dignetur, cum omni diligentia servetur.[106]

In wenigen Fällen mögen Speiseverbote superstitionskritisch motiviert sein. BINTERIM[107], HEFELE[108] und SCHMITZ[109] haben das für den verhältnismäßig oft genannten ‚Maus- oder Wieseltrank' angenommen, ohne jedoch, von Hinweisen auf religionsgeschichtliche Parallelen über die Bedeutung der Maus im Zauber abgesehen, positive Beweise anführen zu können. Folgender von SCHMITZ mitgeteilten Vermutung wird man kaum einen Wert zubilligen wollen: „Sollte die Abbildung der heil. Gertrudis mit einer den Aebtissinstab hinauflaufenden Maus nicht darauf hindeuten, daß die Verehrung dieser Heiligen und die Benutzung des unter ihrer Anrufung gesegneten Gertrudis-Wassers an Stelle des abergläubischen Maustrankes gesetzt wurde, um sich gegen Behexung etc. zu schützen?"[110] Was unsere Quellen mitteilen, ist völlig zureichend von den mosaischen Speisegesetzen her zu interpretieren, die jedes Getränk für unrein erklären und wegzuschütten verordnen, in dem ein totes Tier gefunden wird.[111] Dem würde die Bestimmung REGINOS VON PRÜM ganz entsprechen:

Mus si ceciderit in liquorem, tollatur inde, et aspergatur aqua benedicta, et sumatur. Si vero mortua fuerit inventa, abjiciatur totus ille liquor. Quod si multum est de liquore, purgetur ille liquor, et aspergatur aqua sancta, et sumatur, si necesse est. Si in farina aut in lacte coagulato aut in melle mus mortua invenitur, quod in circuita eius est foras projiciatur, reliquum sumatur.[112]

Im Umkreis reiner Speisegesetzgebung muß eine Formulierung aber auffallen, wie sie in einer von REGINO etwas zuvor mitgeteilten Verordnung steht: *Si quis dederit alicui liquorem aliquem in quo mus vel mustela mortui sunt, si laicus est, septem dies poeniteat. Si autem in coenobio sunt, ducentos psalmos cantent. Qui postea noverit quod tale potum bibit, unum psalterium cantet.*[113] Denn während es sonst durchweg heißt *Si quis comederit — Si quis manducaverit — Si quis biberit* u. ä., ist in diesem Fall — *Si quis dederit alicui liquorem* — von der Verabreichung eines Getränkes die Rede.[114]

---

[106] Poen. Ps.-THEODORI, c. XV 5, ed. SCHMITZ I 538; cf. Excarpsus CUMMEANI, VII 17; Poen. XXXV Capitul. XVI 3, ibd. 634, 666; Valicellanum II., c. 60, ibd. 379; Parisiense, c. 24, ibd. 684.

[107] Denkwürdigkeiten II 2, 582 f.

[108] Konziliengeschichte III 477.

[109] Bußbücher I 317 f.

[110] SCHMITZ I 318, Anm. 3; cf. die von FRIEDBERG, Bußbücher, 53 ff. genannte Lit.

[111] FRIEDBERG a.a.O.

[112] REGINO, De syn. caus. II, c. 434, ed. PL 132, 368.

[113] REGINO VON PRÜM, l. c., c. 372, p. 354.

[114] Weitere Literatur und Nachweise bei FRIEDBERG a.a.O. und FEHR, Aberglaube, 81.

Ob die seltene Bestimmung gegen den Genuß einer durch Katzenurin verunreinigten Speise das Verbot eines Zaubermittel enthält, wie SCHMITZ es annimmt, ist noch weniger klar[115]; und ähnliches muß für andere Speisen gelten, solange keine weitergehenden Informationen als die der Bußbücher vorliegen: *Si quis in farino aut in alio siccato cibo aut in pulmento coagulato aut in lacte invenitur istud bestiale, quod circa corpora est, projiciatur. Reliquum vero sana sumatur fide.*[116]

*

Von der charakteristischen Wendung *carmen veneficorum* waren wir weiter oben ausgegangen. Sie bezeugte die enge Verbindung von Zaubermittel und Zauberspruch. So hatte schon das Lateinische mit *carmina et venena*[117] eine stehende Bezeichnung für Zauberei gewonnen. Beide Begriffe konnten wie nahezu identische gebraucht werden oder bezeichneten doch unter Voraussetzung ihres engen Bezugs zueinander die Tätigkeit des Zauberers durch Hervorhebung eines besonderen Merkmals. In analoger Weise konnte der Zauberer selbst in ähnlich beliebiger Weise heißen: *incantator* oder *veneficus, incantatrix* oder *venenata* oder nach der spezifischen Art der Bereitung zauberischer Kräutergetränke auch: *herbarius* oder *herbaria*[118].

Hat ursprünglich und konkret das *venenum* des Zauberers Bezug auf das von ihm in Anwendung gebrachte Zaubergift, den Zaubertrank, so weiß das Christentum mit einer charakteristischen Interpretation aufzuwarten, dem *venenum diaboli.* Der Ausdruck meint primär das Bild der Paradiesschlange, die biblische Erscheinungsweise des Teufels. Deshalb ist mit *venenum diaboli* nicht ausschließlich das zauberische *venenum,* sondern im Sinne der satanologischen Interpretation des Zauberwesens, der Anteil bezeichnet, den der Teufel an diesen Dingen nimmt.

Merkwürdig betont jedoch erscheint die Verbindung dieses Ausdruckes mit den *ligaturae* und *ligamina*, den „Umhängseln" und „Anbindseln". In der Musterpredigt der *Vita Eligii* heißt es: *Nullus ad colla hominis vel cujuslibet animalis ligamina dependere presumat, etiamsi a clericis fiant, et si dicatur, quod res sancta sit et in lectiones divinas contineat, quia non est in eis remedium Christi, sed venenum diaboli.*[119] Das *venenum diaboli* setzt die Predigt gleich mit *adinventiones diaboli: Ille itaque bonus christianus est, qui nulla filacteria vel adinventiones diaboli credit, sed omnem spem in solo Christo ponit.*[120]

---

115 SCHMITZ I 314 f.; Poen. Valicellanum I., c. 91, ibd.
116 Poen. Valicellanum I., c. 93, ibd. 317.
117 ABT, Apuleius, 314 f.
118 Cf. die Nachweise von CASPARI, Homilia, 39.
119 Vita Eligii, ed. MG script. rer. Merow. IV 706.
120 Wie Anm. 119.

Der Gedanke, die Ligaturen seien eine ausgesprochen raffinierte „Erfindung des Satans", lag nahe: Das Umbinden zauberischer Mittel konnte leicht als Ausdruck eines Übereignungsaktes empfunden werden. Es wäre hier an eine der AUGUSTINIschen Lehre vom Zeichen- und Paktcharakter superstitioser Mittel nahestehende Auffassung zu denken. Das Umbinden ist zugleich ein Akt der Begebung in dämonische Gefangenschaft. Aus der knappen Mitteilung der *Eligiuspredigt* allein läßt sich das zwar nicht folgern. Doch meine ich, daß das nur vor dem Hintergrund einer sehr alten christlichen Anschauung recht zu verstehen ist, die gerade Ligaturen als Mittel bezeichnet, welche dazu dienten, die Seele in Fesseln zu schlagen.

Das *Konzil von Laodikeia,* saec. 4[II.], das seinerseits wieder ältere Bestimmungen aufgenommen hat[121] formuliert: *Quod non oportet eos qui sunt sacrati, vel clerici, esse magos, vel incantatores, vel mathematicos, vel astrologos, vel facere ea quae dicuntur amuleta* (Ὅτι οὐ δεῖ ... ποιεῖν τὰ λεγόμενα φυλακτήρια), *quae quidem sunt ipsarum animarum vincula: eos autem qui ferunt, ejici ex ecclesia jussimus.*[122] In etwas anderer Form, aber eindeutig in Übernahme der griechischen Konzilsverordnung spricht die *Synode von Agde,* a. 506, von: *phylacteria quae sunt magna obligamenta animarum.*[123] Vom *3. Konzil zu Tours,* a. 813, wird der Gedanke weiter ausgeführt und verdeutlicht:

> *Admoneant sacerdotes fideles populos, ut noverint magicas artes incantationesque quibuslibet infirmitatibus hominum nihil posse remedii conferre, non animalibus languentibus claudicantibusve vel etiam moribundis quicquam medere, non ligaturas ossum vel herbarum cuiquam mortalium adhibitas prodesse, sed haec esse laqueos et insidias antiqui hostis, quibus ille perfidus genus humanum decipere nititur.*[124]

Etwa zu der gleichen Zeit, als das *Konzil in Laodikeia* abgehalten wurde, hat AUGUSTINUS seine Theorie vom Zeichen- und Paktcharakter entworfen. Doch konnte er, wie wir sehen, auf eine traditionelle Lehre zurückgreifen, die wohl nicht nur den Gebrauch von Ligaturen, wenn auch hier besonders, als Auslieferung an den Satan bezeichnete. Daß AUGUSTINUS zur Erläuterung der von ihm formulierten Theorie der Kommunikationsverträge (s. u.)[125] deshalb gerade „Umhängsel" und „Anbindsel" heranzieht, wird somit auf eine solche traditionelle Vorstellung zurückzuführen sein: „Ferner gehören hierher alle auch von den Ärzten verurteilten Verbände und Heilmittelchen, ob es sich nun dabei um Beschwörungen oder um

---

[121] B. KÖTTING: LThK ²6, 793—795.

[122] Konz. v. Laodikeia, c. 36, ed. MANSI II 569.

[123] C. 68, ed. MANSI VIII 335; cf. Ivo, Panormia VIII, c. 63, ed. PL 161, 1317; GRATIAN, Decr., p. 2, c. 26, qu. 5, c. 4, ed. FRIEDBERG 1028.

[124] C. 42, ed. MG Leg. 3 II 292; BURCH. v. WORMS, Decr. X 40; IVO v. CHARTRES, Panormia XI 65; GRATIAN, Decr., pars 2, causa 26, qu. 7, can. 15; BARTHOLOMÄUS v. EXETER, Poen., c. 104 u. ROBERT V. FLAMBOROUGH, Liber poen. V 2, 3, ed. FIRTH, nr. 330, 19—20.

[125] AUGUSTINUS, De doctr. christ. II, c. 20.

geheime Zeichen, sogenannte Charaktere, oder um Dinge zum Aufhängen ode⸲ Anbinden handelt. Derlei Dinge hängt man sich ja nicht an, um seinem Körper ein schöneres Maß zu geben, sondern um offen oder geheim etwas Bestimmtes anzudeuten. Man bezeichnet dieses abergläubische Tun auch mit dem harmlosen Namen „physisch", um es scheinbar nicht mit Aberglauben in Verbindung zu bringen, sondern damit es aussieht, als ob es durch natürliche Kräfte von Nutzen sei. Dazu gehören Ohrringe oben an den beiden Ohren oder Henkelchen aus Straußenknochen an den Fingern oder der Brauch, einem, der den Schlucken hat, zu sagen, er solle mit der rechten Hand den linken Daumen halten."[126]

Die *Vita Eligii*[127] und vor ihr der auch von MARTIN übersetzte Kanon der *Synode von Laodikeia*[128] sahen sich veranlaßt, den Klerikern einzuschärfen, solches nicht zu tun; allein doch mit dem Unterschied, daß die frühchristliche Synode verordnete, wer solches tue, solle nicht zum Priesteramt zugelassen werden, wogegen die *Musterpredigt* der *Vita* darauf drängt, derartige Dinge überhaupt zu unterlassen, selbst wenn man Glaubens sei, es handele sich dabei um Bibeltexte. Es wird also auf ‚christliche' Amulette mit Bibeltexten angespielt. Mag es sich auch um christliche Rezeption der jüdischen Phylakterien (s. u.) handeln, ganz offensichtlich jedoch wird wieder ein Versuch christlicher Ablösung von Superstitionen faßbar.

THOMAS VON AQUIN sucht beides auseinander zu halten: *characteres, aliqua nomia, imagines astronomicae* behandelt er in einem eigenen Artikel[129], *divina verba, sacra verba, ignota nomina, signum crucis, reliquiae sanctorum*, in einem anderen.[130] Die ‚christlichen' Amulette läßt THOMAS mit den Einschränkungen zu, daß sie keine „unbekannten Namen" enthielten, weil man dann nicht wissen könne, ob sich dahinter etwas Falsches verberge; daß nicht auf eine besondere Form der Beschriftung oder eine spezielle Prozedur des Anbindens vertraut werde; und daß keine *characteres* verwendet würden, es sei denn das Kreuzzeichen. Die Subsumption des *signum crucis* unter die Charaktere — sie vergleicht sich der Bezeichnung kirchlich-liturgischer Gebetstexte als *incantationes sanctae* — ist jedoch nicht, wie man meinen könnte, bei THOMAS nur stilistische Floskel. Denn der Gebrauch des Kreuzzeichens zu apotropäischen, dämonenvertreibenden Zwecken dürfte als älteste Ablösung heidnischer Charaktere durch christliche Symbolik überhaupt anzusehen sein.

Es besteht kaum Zweifel daran, daß schon das christliche Altertum und alle folgende Jahrhunderte das Kreuzzeichen auch im Sinne magischer Schutzfunktion

---

[126] Ibd., übers. BKV 49, 77; cf. Ivo, Decr., p. XI, c. 13, ed. PL 161, 748.
[127] S. 235.
[128] MARTIN VON BRAGA, Capitula, c. 59: *ligaturas facere, quod est colligatio animarum*, ed. BARLOW 138.
[129] II. II. 96, 2.
[130] II. II. 96, 4.

verwandt haben.[131] Wenn die Theologie dem Gebrauch des Kreuzes als Charakter auch nur formale Identität mit heidnischen Charakteren zubilligen will[132], so besagt das angesichts der Praxis nur verhältnismäßig wenig: „X M Γ (= „Maria gebärt Christus") (Zauberworte), Jaô, Sabaôth, Adônai, Elôe, Salaman (Zauberworte). Ich binde dich, Skorpion, Artemisischer, 315mal, bewahr dieses Haus samt seinen Bewohnern vor allem Übel, vor aller Neidsucht der Luftgeister und bösem Blick der Menschen und gefährlicher Krankheit und Skorpion- und Schlangenbiß, kraft des Namens des höchsten Gottes (Zauberworte mit „Bainchôôôch"). Schütze mich, Herr, leiblicher Sohn Davids, geboren von der hl. Jungfrau Maria, heiliger, höchster Gott, aus dem hl. Geist. Preis dir, himmlischer König. Amen.   A + Ω A + Ω. Iχϑυς"[133].

Bei Thomas von Aquin dürfte die Bezeichnung des *signum crucis* als Charakter allerdings mehr eine analoge Bildung zu den noch von Gratian bezeugten *incantationes sanctae* sein. Auf das *Decretum* Gratiani beruft sich Thomas nur wenig später; und er zieht eben jene Stelle heran, von der gesprochen wurde: *Non liceat Christianis etc. Nec in collectionibus herbarum quae medicinales sunt aliquas observationes aut incantationes liceat attendere, nisi tantum cum symbolo divino aut oratione Dominica.*[134] Die Thomasische Unterscheidung zwischen abergläubischen Amuletten und abergläubischem Gebrauch kirchlicherseits erlaubter Umhängsel ist als bloß theoretisch anzusehen. Der Verordnungs- und Unterweisungsliteratur ist so etwas nicht bekannt. Die *Vita Eligii* hatte für die Frage, ob gewisse *ligamina* erlaubt seien, Feststellungen als unmaßgeblich bezeichnet, es handele sich dabei um „heilige Dinge" oder „göttliche Schrifttexte".

Was hat man sich nun unter Ligaturen, Phylakterien, Ligamenten, Servatorien, Brevien, Remedien und Charakteren der Sache und dem Gebrauch nach vorzustellen? Wie sonst gewöhnlich, steht auch hier die Begrifflichkeit in einer engeren und einer weiteren Bedeutung, kann zumeist das eine für das andere gesetzt werden, entweder als Name des Amuletts oder des Amulettragens. Den Wortbedeutungen nach jedoch ist dreierlei mit diesen Namen gemeint: 1. der „Charakter" des Amuletts (was auf ihm verzeichnet ist); 2. die Art, wie man es trägt *(ligaturae, ligamenta, ligamina);* 3. wozu es nützen soll (Phylakterien, Servatorien, Remedien). Spezifisch christliche Charaktere sind schon angeführt: + ⚹ A Ω X M Γ Iχϑυς. Es sind also bestimmte, als magisch wirksam aufgefaßte Zeichen, Zauberzeichen und der griechische Name χαρακτήρ — das Eingeprägte, das Ab-

---

[131] F. J. Dölger, Sphragies, 1911, 51 f., 56 f., 39 f.; ders., Geschichte des Kreuzzeichens 4 (1961) 14—17; Bartsch, Sachbeschwörungen, 228 ff.; O. Böcher, Christus Exorcista (= Beitr. z. Wiss. v. Neuen u. Alten Testament. 5. Folge, H. 16). Stuttgart u. a. 1972, 175 ff.
[132] Bartsch, a.a.O. 230; zum theologischen Sprachgebrauch vgl. jedoch N. M. Häring, Charakter, Signum, Signaculum: Scholastik 30 (1955) 481—512, 31 (1956) 182—212.
[133] Ca. saec. 4/5, ed. Preisendanz II 190 f.; cf. Bartsch, a.a.O., 231.
[134] II. II. 96, 4; cf. Gratian, Decr., p. II, c. 26, qu. 5, c. 3, ed. Friedberg 1027.

bild — ist somit in der wörtlichen Bedeutung zu nehmen. Dem entspricht die AUGUSTINISCHE Erklärung: *nota, quas charakteres vocant.*[135]

Die stets gut informierte *Homilia de sacrilegiis* weiß als einzige unter unseren Quellen über die Charaktere konkrete Angaben zu machen: *Nam quicumque ad figuras non solum incantat, sed etiam scribit, qui angelorum uel salomonis aut caracteres suspendit, aut lingua serpentis ad collum hominis suspendit, aut aliquid paruum cum incantatione bibit, non christianus, sed paganus est.*[136] Eine weitere hier zu beachtende Bemerkung enthält Paragraph 19 der PSEUDOAUGUSTINISCHEN Sakrilegienpredigt: *Quicumque salomoniacas scripturas facit, et qui caracteria in carta siue in bergamena, siue in laminas aereas, ferreas, plumbeas uel in quacumque christum uel scribi hominibus uel animalibus mutis ad collum alligat, iste non christianus, sed paganus est.*[137]

Man ist geneigt, beide Angaben zusammenzunehmen und sie allein auf die Zaubercharaktere zu beziehen. Doch scheint im Kapitel 19 mit den *salomoniacas scripturas* noch etwas anderes gemeint zu sein: Salomon als Verfasser zugeschriebene Zauberschriften. Als gern zitierte Autorität in solchen Dingen war er schon als Verfasser eines Traumbuches begegnet. CASPARI weist im Kommentar zu der Stelle auf ORIGINES hin: *Hoc et si aliquando a nostris tale aliquid fiat, simile fit ei, quod a Salomone scriptis adjurationibus solent daemones adjurari. Sed ipsi, qui utuntur adjurationibus illis, aliquoties nec idoneis constitutis libris utuntur.*[138]

Sind mit *scripturae* Zaubertexte gemeint, so bezieht sich alles weitere der zwei genannten Paragraphen auf die Form der Charaktere. Sie sind, wohl nicht ausschließlich, sondern unter anderem, der Name Salomos und der verschiedener Engel. Nach unseren Zeugnissen zu schließen, dürften die Engel ein großes Ansehen als Nothelfer besessen haben, wollen wir die Bestimmung der *Admonitio generalis* nicht allein literarischer Tradition des Konzilsbeschluß von Laodikeia zurechnen. „Daß die Christen die Kirche Gottes nicht verlassen", so die frühchristliche Synode, c. 35, „und sich abwenden und die Engel verehren und einen Cult (der Engel) einführen sollen. Dieß ist verboten. Wer nun dieser verborgenen Abgötterei sich zugethan zeigt, der sei Anathema, weil er unsern Herrn Jesus Christus, den Sohn Gottes, verließ und zur Abgötterei übertrat".[139] Der Beschluß beleuchtet die Tatsache, daß die Engelverehrung keineswegs frühchristlichen Kult- und Glaubensnormen entspricht. Der *Kolosserbrief* schon wandte sich gegen Engelverehrung, nicht etwa nur gegen eine „glaubenswidrige Engelverehrung", wie HEFELE meint. PAULUS jedenfalls weiß nichts von einem „glaubenswidrigen" oder „abergläubi-

---

[135] AUGUSTINUS, De doctr. christ. II, c. 20; cf. ISIDOR, Etym. VIII, c. 9, 39.
[136] Homilia de sacrilegiis, c. 15, ed. CASPARI 9 f.
[137] C. 19, ibd. 11.
[138] CASPARI, l. c. 39 sq.
[139] HEFELE, I, 768.

schen Engelkult".[140] Er lehnt die Verehrung der Engel, *religio angelorum*, θρησκεία τῶν ἀγγέλων[141], also den Engelkult, uneingeschränkt ab.

Will man nicht annehmen, daß die Karolingische Kirche das ὀνομάζειν ἀγγέλους, wie die griechische Synode das Verehren der Engel nannte, falsch verstanden hat, so müßte sich das Verbot, *ut ignota angelorum nomina nec fingantur nec nominentur, nisi illos quos habemus in auctoritate, id sunt Michahel, Gabrihel, Rafahel*[142], auf die Kenntnis nicht zugelassener Engelnamen beziehen. Derartige unbekannte Engelnamen scheinen in der Tat im Umlauf gewesen zu sein. Ihre Kenntnis wird auf die Tätigkeit eines Adalbert zurückzuführen sein, über dessen häretische Lehren — er wollte durch einen Engel in den Besitz von Reliquien gekommen sein und machte Propoganda mit einem Brief Christi, der im Jerusalem vom Himmel gefallen sei — knapp 50 Jahre zuvor Bonifatius nach Rom Meldung gemacht hatte.[143] Die *römische Synode von 745* verbietet den Gebrauch acht von Adalbert eingeführter Engelnamen und läßt nur die genannten drei zu.[144] Nicht auszuschließen ist, daß das von der *Homilia* bezeugte Verbot, man solle sich keine Amulette mit Engelnamen umhängen, auf diese von Adalbert verbreiteten Engelnamen bezug nimmt. Denn sieht man von der Bestimmung des *Poenitentiale* Ps.-Theodori ab, in der auch nur allgemein und unter Anlehnung an das *Konzil von Laodikeia* davon die Rede ist, es sei nicht erlaubt, *angelos nominare*[145], so ist über Engelcharakteren nur der ebenfalls dem 8. Jahrhundert angehörenden Sakrilegienpredigt etwas bekannt. Als Charaktere wären nicht autorisierte Namen himmlischer Geister allerdings besonders gut geeignet: Das Geheime und Unverständliche, man denke an die *ignota nomina* bei Thomas, dürfte ihnen schnell Eingang in die um Dunkelheit bemühte Amulettradition verschafft haben. Eine Handschrift des 10. Jahrhunderts empfiehlt sich bezeichnenderweise mit den Worten: *Charakteres literarum secretarum.*[146]

Als besonders geeignete Materialien für die Beschriftung mit Charakteren nennt die *Homilia de sacrilegiis:* Papier, Pergament oder Plättchen aus Kupfer, Eisen oder Blei. So etwas hängt man sich um den Hals, *ad collum aligat*[147], oder wie Caesarius von Arles und die identische Homilia 24 des Ps.-Burkhard von Würz-

---

[140] Ebenda 769.

[141] Kol 2, 18.

[142] Admonitio generalis, c. 16, ed. MG Leg. 2, I 55; cf. Ansegis, Cap. coll., c. 16, ibd., 399.

[143] Bonifatius ad Zachar., ep. a. 744; zu Adalbert cf. Stübe, Himmelsbrief, 16 f.

[144] Hefele I 769.

[145] C. XII 7, ed. Wasserschleben 596.

[146] Clm 18628, Cat. Monac., II, 3, 192; auf einige Handschriften weist Thorndike hin: Incipits, 508, 605, 655, 783, 1663; cf. Clm 13057, saec. 13, f. 105: *Characteres magici et formulae benedictionum*, Cat. Monac. II 2, 98; Wien Cod. 2352, saec. 14ex., *Omnipotens deus misericordia et bonitate sua sanctificet et benedicat*, Saxl, Astrol. Hss., II 89.

[147] Homilia, c. 19.

BURG formulieren: *ad pendamus ad collum*.[148] Während die *Homilia* so detaillierte Angaben machen kann[149], wissen andere Zeugnisse nur etwas über die Weise der Applikation mitzuteilen: *in characteribus, vel in quibusque rebus suspendendis atque ligandis*, so HRABANUS MAURUS[150], HINKMAR VON REIMS[151], IVO VON CHARTRES[152] und GRATIAN [153] nach ISIDOR[154], bzw. AUGUSTINUS[155].

Das *suspendere* und *ligare* bezeichnet zwei verschiedene Weisen der Applikation: Umhängen oder Umwickeln. Charaktere, d. h. mit Zaubercharakteren beschriebene Amulette, aber auch Amulette aus Kräutern, Wurzeln[156] oder Knochen[157] werden umgehängt oder aufgehängt, während anderes umgebunden wird, etwa um den Arm. Im Begriff *ligaturae* ist der Unterschied allerdings nicht mehr berücksichtigt. Denn wenn *ligatura* wörtlich auch nur „Binde" heißt, diente das Wort doch ganz allgemein zur Benennung der „Anbindsel" und „An- oder Umhängsel".

Ligaturen scheinen ausschließlich der Heilung von Krankheit gedient zu haben. Das legt die oft ausgeschriebene Passage *De doctrina christiana*, II, c. 20, nahe, in der AUGUSTINUS kurz auf abergläubische Praktiken zu sprechen kommt, die, so AUGUSTINUS, im Gegensatz zur magischen Kunst ihre innere Hohlheit freier zutage treten lassen: *Ad hoc genus etiam pertinent omnes ligaturae atque remedia, quae medicorum quoque disciplina condemnat*.[158] Man solle sich nicht mit Ligaturen abgeben, warnt der *nachbonifatianische Sermo 8;* man gehe vielmehr in die Kirche und suche dort Gesundheit zu erlangen.[159] AUGUSTINUS gibt einen wei-

---

[148] Caesarius, Sermo 52, ed. CCL 103, 232; Ps.-BURKHARD VON WÜRZBURG, Hom. 24, ed. ECKHART 844.

[149] Cf. auch c. 20: *Quicumque propter fugitiuos petatio aliqua scribit uel per molina uel per basilicas ipsa petatia ponere presumit, non christianus, sed paganus est*, CASPARI 11; diese *Petatia*, Zettel (DU CANGE, s. v.), werden wir uns als mit Zaubercharakteren beschrieben denken müssen.

[150] De universo XV, c. 4, ed. PL 111, 424.

[151] De divortio etc., interrog. 15, ed. PL 125, 719.

[152] Decr., p. XI, c. 13, ed. PL 161, 748; Panormia VIII, c. 67, ibd. 1319.

[153] Decr., p. II, c. 26, qu. 5, c. 14, ed. FRIEDBERG 1033.

[154] Etym. VIII 9, 30.

[155] De doctr. christ. II, c. 20.

[156] S. o.; cf. AUGUSTINUS, De doctr. christ. II, c. 29: *Aliud est enim dicere: Tritam istam herbam si biberis, venter non dolebit; et aluid est dicere: Istam herbam collo si suspenderis, venter non dolebit.*

[157] *ligaturas ossum vel herbarum*, 3. Konz. v. Tours, a. 813, ed. MG Leg. 3 II 292; *Nec ossa mortuorum animalium, quasi pro vitanda animalium peste, alicubi suspendantur,* Konz. v. London, a. 1057, ed. MANSI 20, 454.

[158] Doctr. christ. II, 20; cf. ISIDOR, Etym. VIII 9, 30; HRABANUS MAURUS, De universo XV, c. 4, ed. PL 111, 424; De mag. art., ibd. 110, 1099; HINKMAR VON REIMS, De divortio etc., interrog. XV, ed. PL 125, 719; HUGO VON ST-VICTOR, Didasc. VI, c. 15, ed. BUTTIMER; PETRUS LOMBARDUS, In ep. I ad Cor., ed. PL 191, 1625; GRATIAN, Decr., p. II, c. 26, qu. 2, c. 6 et qu. 5, c. 14, ed. FRIEDBERG 1022 et 1033.

[159] Ed. PL 89, 859.

teren Hinweis auf christlichen Ersatz: *Cum caput tibi dolet, laudamus si Evangelium ad caput tibi posueris, et non ad ligaturam concurreris.*[160]

Eine medikamentöse Funktion der Ligaturen scheint der nahezu synonyme Wortgebrauch von *phylacteria* und *ligaturae* anzudeuten, obgleich auch hier zuweilen beide Worte nicht in ihrer allgemeinsten Bedeutung „Amulett", sondern in der engeren „Schutzmittel" oder „Umbindsel" verwendet werden. Man muß sich deshalb vor allzu scharfen Begriffsdefinitionen hüten[161]; aber auch vor pauschalen Urteilen wie über Identisches. HOMANN etwa fügt der Auskunft von DU CANGE[162] und FORCELLINI[163], beide Bezeichnungen seien nahezu synonym, noch die Mitteilung hinzu: „In der Regel werden phylacteria und ligaturae nur in Aufzählungen genannt, nie ist ihnen ein eigener Paragraph gewidmet."[164] Das ist nur eingeschränkt richtig; man vergleiche etwa REGINO VON PRÜM, *De syn. caus.*, II, und eine Reihe von Bußbüchern.[165] Daß es sich bei den Ligaturen zumeist um Heilmittel, Remedien, handelt, weniger um prophylaktische Mittel, gibt eine Angabe des *Correctors* zu erkennen: man solle keine *capitis ligaturas,* Kopfbinden, an Kreuzweg-Kreuzen aufhängen: *aut (portasti) capitis ligaturas ad cruces quae in biviis ponuntur?*[166]

Medikamentöse Bedeutung hat auch, was die *Synode von Rouen,* a. 650, über die Verwendung von *ligamenta* in der Viehbehandlung kennt:

> *Perscrutandum si aliquis subulcus vel bubulcus sive venator, vel ceteri hujusmodi, dicat diabolica carmina super panem, aut super herbas, aut super quaedam neferia ligamenta, et haec aut in arbore abscondat, aut in bivio, aut in trivio projiciat, ut sua animalia liberet a peste et clade, et alterius perdat: quae omnia idolatriam esse nulli fideli dubium est; et ideo summopere sunt exterminanda.*[167]

Die Verordnung findet sich wieder im *Corrector* und *Dekret* des BURCHARD[168], bei REGINO[169] und IVO[170]. Unter den Bußbüchern enthält das *Poenitentiale Arundel*[171] den gleichen Kanon. Sachlich berichtet die Verordnung von Sau- und Kuh-

---

160 AUGUSTINUS, Tractatus 7 in Joannem.

161 Cf. SCHMITZ I 312: „Für diese Art der Amuletten ward die synonyme Bezeichnung Phylacteria, Servatoria, Amuleta und Brevia üblich. Eine andere Art von Amuletten wurde aus Stauden, Kräutern und Pflanzen, aus Zeug und Bändern verfertigt und mit dem allgemeinen Namen ‚Ligaturae' bezeichnet."

162 Gloss. VI 307.

163 Lex. IV 663.

164 HOMANN, Indic., 72.

165 Ed. PL 132, 368; Poen. Ps.-Romanum, c. 40, ed. SCHMITZ I 480; Valicellanum I., c. 89, ibd. 312; Merseburgense a., c. 36, ed. WASSERSCHLEBEN 395.

166 BURCH. v. WORMS, Corrector, c. 94, ed. SCHMITZ I 430.

167 Conc. Rothomagense, a. 650, c. 4; ed. MANSI 10, 1200.

168 Corrector, c. 63, ed. SCHMITZ II 423; Decr. X, c. 18, ed. PL 140, 836.

169 REGINO VON PRÜM, De syn. caus. II, c. 44, ed. PL 132, 284.

170 IVO VON CHARTRES, Decr., p. XI, c. 45, ed. PL 161, 756.

171 C. 94, ed. SCHMITZ I 463.

hirten *(subulcus, bubulcus)*, Jägern und „anderen dieser Art Leuten", die teuflische Zaubersprüche über Brot und Kräuter oder gotteslästerliche *ligamenta* sprächen, und solches dann in Bäumen verbärgen oder an Wegkreuzungen deponierten, um ihre Tiere vor Seuchen und Schaden zu bewahren oder die eines anderen zu Grunde zu richten.

Interessant ist, daß es die außerhalb der engeren Siedlungen lebenden sozialen Gruppen sind, denen es zugetraut wird, derartige Dinge nicht (wie üblich) nur zum Schutz ihrer Herde, sondern auch zum Schaden der anderer anwenden zu können. Zwar gehört schon ein besonderes Wissen dazu, Ligaturen herzustellen und in der rechten Weise zu applizieren[172], so daß sich die Verordnungsliteratur weniger gegen das Tragen als gegen das Verfertigen von Ligaturen wendet[173], doch dürfte der Gebrauch schadenstiftender Ligaturen wenig bekannt gewesen sein. Es ist allerdings auch aufschlußreich, daß es gerade die „draußen" im Wald und auf der Weide ihrer Arbeit nachgehenden Berufsgruppen sind, denen man Böses zutraute. Ein soziales Vorurteil also dem Außenstehenden gegenüber, das Magieverdacht und Zaubereivorwurf impliziert.

Insofern Ligaturen zur Heilung eines vorhandenen Übels dienen sollen, wären sie als Amulette anzusehen. Sofern sie aber als Schutzmittel verwendet werden, rein apotropäische Funktion haben, kann man sie auch mit einem synonymen Wort Phylakterien nennen. Als solche hat man sie einer Mitteilung Bonifatius' zufolge noch im 8. Jahrhundert in Rom öffentlich getragen und zum Kauf geboten. Boni-fatius schreibt darüber nach Rom: Er verbiete zwar den Gebrauch dieser Dinge. Gewisse Laien aber hielten es, da sie solches in Rom gesehen hätten, für erlaubt:

> *Et qui carnales homines, idiotae, Alamanni vel Baioarrii vel Franci, si iuxta Romanam urbem aliquid facere viderint ex his peccatis, quae nos prohibemus, licitum et concessum a sacerdotibis esse putant et nobis inproperium deputant, sibi scandalum vitae accipiunt. Sicut adfirmant: ... se vidisse ibi mulieres pagano ritu filacteria et ligaturas et in brachiis et cruris ligatas habere et publice ad vendendum venales ad conparandum aliis offerre. Quae omnia, eo quod ibi a carnalibus et insipientibus videntur, nobis hic inproperium et impedimentum praedicationis et doctrinae perficiunt.*[174]

Es kommt also zu der Vermittlung spätantik-mediterraner Superstitionen durch Caesarius und das Heer seiner Abschreiber ein weiteres: Die Kenntnisnahme derselben spätantiken, griechisch-römischen Supersitionen durch christliche Romfahrer gewissermaßen an ihrem Orte selbst.

---

[172] Darauf scheinen das Poenitentiale Valicellanum I. und das Merseburgense bezug zu nehmen: *Si quis ligaturas fecerit per herbas vel quolibet ingenio malo incantaverit et super xtianum (Christianum) ligaverit,* Valicell. I, c. 89, ed. Schmitz I 312.

[173] Vgl. oben gegen Priester, die Schutzmittel herstellen, die Predigt des Eligius u. a.; weiterhin Regino von Prüm, De syn. caus. II, ed. PL 132, 368; Poen. Ps.-Romanum, c. 40, ed. Schmitz I 480; Arundel 94, ibd. 463.

[174] Bonifatius, Ep. 50 Ad Zachariam pap., ed. MG Ep. III Merow. et Karol. aevi I, II 301.

Vergleicht man die nun noch kurz anzuführenden Belege über Phylakterien[175] mit den über Ligaturen, so tritt deutlicher hervor, was schon vermutet worden ist: Daß die stets wiederholte Auffassung, es handele sich bei beiden Namen um Synonyme, nur z. T. richtig ist. Zwar wird das Wort *phylakterion* (φυλακτήριον Schutzmittel) in der Regel in allgemeinster Weise zur Bezeichnung unterschiedlicher Amulette gebraucht, sofern sie apotropäischen Charakter besitzen, doch im Gegensatz zu Ligaturen, die das Anbinden von Kräutern, Knochen u. ä. merklich betonten, lassen die Zeugnisse über Phylakterien eine Vorliebe für beschriftete Amulette, Charaktere[176], erkennen: *filacteria circa collum portant, nescimus quibus verbis scriptis*[177]; oder: *Si quis ... phylacteria, id est, scripturas observaverit*[178]. Das ist etwas merkwürdig; denn *phylakterion* ist dem Worte nach ähnlich wie Amulett[179] eine ganz allgemeine Bezeichnung, die zuerst nur das Motiv der Anwendung, nicht den Charakter des Amuletts bezeichnet. Hier dürfte der Sprachgebrauch des *Neuen Testaments* Einfluß genommen haben. Das *Matthäusevangelium* nennt die Gebetsriemen der Pharisäer *phylacteria* (φυλακτήρια), und unterstellt damit einen Gebrauch magisch-zauberischer Schutzmittel, obgleich der Kontext auf eine solche Intention nicht anspielt, sondern allein rügt, daß die Schriftgelehrten ihre Gebetsriemen, die nach *Deuteronomium* 6, 5—9[180] an Hand und Stirn zu tragen waren, besonders groß und auffällig machten. Hieronymus setzt sich im Kommentar zu *Matthäus* 23, 6 mit der jüdischen Sitte auseinander:

---

175 Ohne weitere Auskünfte werden sie genannt und verboten: Caesarius, Sermo 54, ed. CCL 103, 235 sqq.; Gregor III: Bonif., Ep. 43, ed. MG Ep. ²III 291; Conc. Germanicum, a. 743, c. 5, ed. MG Leg. 3 II 3 sq.; Pirmin, Dicta, c. 22, ed. Jecker; Karl d. Gr., Capitulare primum, a. 769, c. 6, 7, ed. ibd. 2 I 44; Zacharias: Bonifat., Ep. 51, ed. MG Ep. ²III 304; Bonifatius, Ep. 78, ibd. 351; Karlmann, Capitulare a. 742, c. 5, ed. MG Leg. 2 I 25; Indiculus superstitionum, nr. 10; karolingische Musterpredigt, ed. Scherer 156; nachbonifat. Sermo 6, ed. PL 89, 855; Ivo, Decr., p. XI, c. 7, 17, ed. PL 161, 747, 750.

176 *fylacteria vel caracteres diabolicos*, Caesarius, Sermo 204, ed. CCL 104, 821 (= Ps.-Aug. Sermo 168, PL 39, 293); davon abhäng.: Hrabanus Maurus, Homilia 16 In sabb. s. Paschae, ed. PL 110, 34; *filacteria diabolica vel caracteres diabolicos*, Burchard von Worms, Corrector, c. 56, ed. Wasserschleben 644.

177 Capitulare incerti anni, ca. a. 744, c. 10, ed. Hartzheim I 424.

178 Ps.-Bonifatian. Statuta, c. 33, ed. Hartzheim I 75.

179 „Speise, Brei aus Kraftmehl"; auf die volksetymologische Ableitung von *amoliri*, „abwenden", bezogen, heißt es „Abwehrmittel" und entspricht ganz dem griechischen φυλακτήριον, cf. Kluge, Etym., Wb., 20; im Verhältnis zu den genannten Bezeichnungen: Charaktere, Ligaturen, Phylakterien, wird das Wort „Amulett" nicht gerade häufig genannt.

180 „Du sollst den Herrn, deinen Gott, aus ganzem Herzen, aus ganzer Seele und mit all deiner Kraft lieben. Diese Worte, die ich dir heute befehle, seien in deinem Herzen. Auch sollst du sie deinen Kindern einschärfen und von ihnen reden, wenn du in deinem Haus sitzest und auf dem Wege dahergehst, wenn du dich niederlegst und wenn du aufstehst. Du sollst sie als Denkzeichen an deine Hand binden und als Mahnmal zwischen deinen Augen tragen. Und du sollst sie auf die Pfosten deines Hauses und auf deine Tore schreiben."

Hoc Pharisaei male interpretantes, scribebant in membranulis Decalogum Moysi, id est decem verba Legis, complicantes ea, et ligantes in fronte, et quasi coronam capitis facientes, ut semper ante oculos moverentur: quod usque hodie Indi, Persae, et Babylonii faciunt: et qui hoc habuerit, quasi religiosus in populis judicatur ... Pictatiola illa Decalogi, phylacteria vocabant: quod quicumque habuisset ea, quasi ob custodiam et monimentum sui haberet: non intelligentibus Pharisaeis quod haec in corde portanda sint, non in corpore: alioquin et armaria, et areae habent libros, et notitiam Dei non habent. Hoc apud nos superstitiosae mulierculae, in parvulis Evangeliis, et in crucis ligno, et istuismodi rebus (quae habent quidem zelum Dei, sed non juxta scientiam) usque hodie factitant, culicem liquantes, et camelum glutientes.[181]

Nicht nur, daß Hieronymus die Sitte der Juden als abergläubisch verwirft, er kennt auch eine dem analoge Praxis unter Christenmenschen. Doch das sind „abergläubische Weiblein", die solches treiben; man könne ihnen zwar nicht einen gewissen Eifer für Gott absprechen, so beurteilt das Hieronymus unter Anspielung auf *Römerbrief* 10, 2, doch bezeuge dergleichen einen Mangel an rechter Einsicht. Papst Gregor d. Gr., der sich knapp zwei Jahrhunderte später, mit ähnlichen Dingen persönlich befaßt hat, wird das sicherlich als ein zu hartes Urteil empfunden haben. In einem *Brief an Theodelinde* versichert er die langobardische Königin:

Excellentissimo autem filio nostro Adulouvaldo regi transmittere phylacteria curavimus, id est crucem cum ligno sanctae crucis Domini, et lectionem sancti Evangelii theca Persica inclusam. Filia quoque meae sorori ejus tres annulos transmisi, duos cum hyacinthis, et unum cum albula, quae eis per vos peto dari, ut apud eos nostra charitas ex vestra excellentia condiatur.[182]

Bei Gregor ist selbst der alte Name *phylakterion* als höchstenorts legitimierte Sammelbezeichnung für christliche Amulette aus heiligen Texten und Reliquien eingeführt. Die Mauriner können sonach im *Kommentar* feststellen: *Apud Christianos sumuntur (phylacteria) pro sacris reliquis in auro, vel argento, vel crystallo, aut alia quavis materia caelatis.* Mit Rücksicht auf das Verbot des *Konzils von Laodikeia* bemerken sie noch, um den Unterschied deutlich zu machen:

Prohibentur phylacteria in concil. Laod., can. 36, et apud Chrysost., hom. 43, in Matth. c. XXIII. Scilicet intelligunt chartas in quibus continentur incantationes. Loquitur autem sanctus Gregorius de phylacteriis vim quamdam divinam habentibus adversus nociva quaeque.

Was Hieronymus über die Phylakterien gedacht hat, übergehen sie mit Stillschweigen.

Auch in diesem Fall haben die Verbote kaum viel bewirken können. Das Tragen von Schutzmitteln, seien sie ‚christlich' und erlaubt und empfohlen oder ‚dia-

---

[181] Hieronymus, Comment. in ev. Matth. IV, c. 23, ed. PL 26, 168.
[182] Gregor d. Gr., Ep. ad Theodelindam Lagobardorum reginam, ed. PL 77, 1316.

bolisch' und verworfen, entsprach dem Schutzverlangen von Heiden und Christen. Hatte sich das eine, das Reich der Dämonen, vom Heidentum ins Christentum gerettet, so mußten konsequenterweise auch die Mittel folgen, die man besaß, sich davor zu schützen. AUGUSTINUS hatte schon den als einen *martyr in lecto* bezeichnet, der dem Angebot eines Heilzaubers zu widerstehen vermöchte.[183] CAESARIUS VON ARLES widmet dem Thema gleich eine ausführliche Rede: *De martyribus vel phylacteriis*[184]:

> *Solet fieri, fratres, ut ad aliquem aegrotantem veniat persecutor ex parte diaboli, et dicat: Si illum praecantatorem adhibuisses, iam sanus esses; si characteres illos tibi voluisses adpendere, iam poteras sanitatem recipere. Huic persecutori si consenseris, diabolo sacrificasti; si contempseris, martyrii gloriam acquisisti.*[185]

Das *martyr in lecto*, den „Märtyrer im Bette", kann man natürlich als ironische Bemerkung auffassen. Es beleuchtet aber auch anderes: Einerseits eine frühe Resignation innerhalb der Kirche angesichts des Bestandes superstitioser Mittel. Andererseits die verhältnismäßig große Härte des Urteils, das alles sei Götzendienst und Satansopfer. Hart ist ein solches Urteil, weil es jeder Verhältnismäßigkeit ermangelt. Zwar ist ein Schwanken des Urteils über das, was die Dämonen tatsächlich vermögen, zu bemerken. Doch die häufiger bezeugte Ansicht geht dahin, ein reales Wirken der Dämonen anzunehmen. Wenn schließlich THOMAS VON AQUIN behauptet, daß alles, was in der Welt geschehe, durch die Dämonen bewirkt werden könne[186], so ist das nichts anderes als eine Auslieferung des „armen ungebildeten Menschen", wie AUGUSTINUS den Heiden in vergleichbarer Situation nennt[187], an totalen Schrecken. Wenn AUGUSTINUS, natürlich ganz im Gefolge der durchgehenden Dämonisierung spätantiker Religion, über Geschlechtsverkehr mit Dämonen spricht, über Verwandlungen von Menschen in Tiere, wenn die Kirche Wasser, Brot, Wein, Salz, Öl, Hafer, Rettich, Raute, Weihrauch, Gold, Myrrhen, Asche, Seife, Glocken, Geräte, Medaillen und Wetter beschwört und per Exorzismus Mäuse oder Heuschrecken oder Springheuschrecken oder Würmer oder andere Tiere des Landes verweist[188], wird doch der verdammt, der sich mit einem Amulett, auf dem *ignota nomina* verzeichnet sind, gegen die Unzahl der Dämonen zu schützen sucht. Konfliktträchtig war natürlich auch, wenn man jene verdammte, die vorgaben, vor bösem Wetter schützen zu können oder nicht glaubten, nur Gott mache Wetter[189], andererseits und zur gleichen Zeit etwa folgenden Wettersegen

---

[183] AUGUSTINUS, Sermo 286, ed. PL 38, 1300 sq.

[184] Sermo 184, ed. CCL 104, 750.

[185] Ibd. 709.

[186] *Omnia, quae visibiliter fiunt in hoc mundo, possunt fieri per daemones*, Quaestiones disputatae de malo, qu. 16, art. 9.

[187] Civ. dei IV, c. 32.

[188] Cf. das Inhaltsverzeichnis bei BARTSCH, Sachbeschwörungen.

[189] AGOBARD VON LYON, Liber contra insulsam vulgi opinionem de grandine et tonitruis, ed. PL 104, 147—158.

des 6. Jahrhunderts gebrauchte, über den F. OHRT bemerkt: „Auf höchst interessante Weise bildet diese Inschrift ein Bindeglied zwischen heidnischer Antike und christlichem Mittelalter. Jener steht sie ... wesentlich formell, diesem zugleich inhaltlich nahe"[190]: „Im Namen des Herrn Jesu Christi künde ich dir an, du unreinster höllischer Geist, den der Engel Gabriel von feurigen Fesseln löste, der du zehn Tausend barbarische Namen hast. Nach des Herrn Auferstehung kamst du in Galiläa; dort schrieb er dir vor, daß du die waldigen Gegenden, Engpässe, Berge in Besitz nähmest, damit du Menschen nicht beeinträchtigest oder ... Hagel angerufen würdest. Siehe also ein, unreinster höllischer Geist, daß wo du immer den Namen des Herrn hörst oder Schrift erkennst, du nicht nach Belieben schaden kannst".[191]

So hat sich spätantiker Dämonenglaube auf beiden Seiten, im populären Bewußtsein wie in der theologischen Literatur des Christentums erhalten. Und offensichtlich ist der Dämonenglaube auf der ersten Seite nicht zuerst Zeugnis von Kontinuität unterschichtlicher Glaubenspetrefakten spätantiken Dämonismus', sondern zumindest auch Produkt theologisch-gelehrter, an spätantik-neuplatonischer Kosmologie orientierter Dämonologie.

*

Das große Thema „Wetter" nimmt auch in der Literatur gegen Aberglauben einen breiten Raum ein. Dabei geht es primär um Wetterzauber und in diesem Zusammenhang um die Fragen, ob Dämonen Wetter beeinflussen oder machen und ob Menschen gleiches bewirken oder abwenden können. Nur über weniges ist soviel Kontroverses gelehrt worden wie hierüber.

Einerseits wird der Glaube an dämonisches Wetterwirken als Ketzerei verurteilt: „Wer glaubt, weil der Teufel einige Dinge in der Welt, hervorgebracht hat, so mache er auch aus eigener Macht Donner und Blitz und Gewitter und Trockenheit, wie Priscillian lehrte, der sei Anathema (= gebannt)".[192] Andererseits hält sich der Glaube an Wetterdämonen bis in das *Sacerdotale Romanum:* „ihr unreinen Geister, die ihr diese Nebel herbeibringt", ihr „Dämonen, die ihr diese Wolken bewegt".[193] Einmal werden solche für Dummköpfe gehalten, die glauben, es gäbe Wettermacher, ein andermal danach geforscht: *Si quis immissor tempestatum fuerit.*[194]

Auch die heidnischen Germanen werden Kenntnis zauberischer Wetterbeeinflussung gehabt haben. Etwas anderes ist es allerdings wieder, ob die kirchlichen Zeugnisse, in denen von Wetterzauber die Rede ist, Aussagen über spezifisch germanisch-deutsche Praktiken und Anschauungen machen können. HOMANN bejaht

---

[190] F. OHRT, Fluchtafeln und Wettersegen: FFC 302, 13—16.
[191] BARTSCH, Sachbeschwörung, 331, Anm. 1274.
[192] 2. Konzil von Braga, a. 563, c. 8, ed. MANSI 9, 774, übers. HEFELE 23, 17.
[193] BARTSCH, Sachbeschwörungen, 330.
[194] Wie zu Anm. 195—202.

dies; BOUDRIOT hatte größte Bedenken angemeldet. Der Großteil unserer Belege scheidet unter dieser Rücksicht von vornherein aus, sei es, daß sie ohnehin nur den Glauben belegen, sei es, daß sie sich schon bald als Requisiten und Versatzstücke der Verordnungsliteratur zu erkennen geben. Der *Excarpsus* CUMMEANI[195], das *Poenitentiale* EGBERTI[196], HALITGARI[197], *Mediolanense*[198], *Merseburgense*[199], *Romanum*[200], *Valicellanum*[201] überliefern gleichlautend: *Si quis immissor tempestatum fuerit.*[202] Das *Poenitentiale Bobiense*[203], *Burgundunense*[204], *Floriacense*[205], *Parisiense II*[206], *Sangallense tripartitum*[207] nennen die Wettermacher Malefikanten, also böse Zauberer: *Si quis maleficus fuerit, immissor tempestatis.* Formulierungen wie: *Malefici, vel incantatores, vel immissores tempestatum, vel qui per invocationem daemonum mentes hominum turbant, omni poenarum genere puniantur*[208] erweitern unsere Kenntnis nur insoweit, als wir deutlich ihre Abhängigkeit von ISIDOR erkennen: *Hi (malefici) elementa concutiunt, turbant mentes.*[209]

Das *Poenitentiale Arundel* wäre noch zu nennen: *Qui aliqua incantatione aeris serenitatem permutare temptaverit vel qui demonum invocatione mentes hominum pertubaverit, III annos peniteat.*[210]

Die *Admonitio generalis*[211] und das *Capitulare missorum item speciale*[212] sprechen von *Tempestarii vel obligatores*, eine bisher nicht gehörte Zusammenstellung. Können die *obligatores* (sie gehören in die Kategorie der mit Ligaturen beschäftigten Zauberer) einen Bezug zum Wetterzauber haben? Das etwa gleichzeitige *Duplex legationis edictum* kann erläutern, was die *Admonitio* meint: *ut cloccas non baptizent nec cartas per perticas appendant propter grandinem.*[213] Fügen wir noch

---

195 C. VII 8, ed. SCHMITZ I 633.

196 C. 14, ibd. 577.

197 C. 33, ibd. II 296.

198 Ibd. I 811.

199 C. 167, ibd. II 368.

200 C. 33, ibd. II 479.

201 C. 85, ibd. I 308.

202 REGINO VON PRÜM, De syn. caus. II, c. 356, ed. PL 132, 350, gehört ebenfalls hierher.

203 C. 18, ed. Schmitz II 324.

204 C. 20, ibd. 321.

205 C. 19, ibd. 342.

206 C. 12, ibd. 328.

207 C. 19, ibd. 181.

208 REGINO VON PRÜM, De syn. caus. II, c. 253, ed. PL 132, 350; ebenso: BURCH. v. WORMS, Decr. X, c. 28, ed. PL 140, 837; Ivo, Decr. p. XI, c. 53, ed. PL 161, 757; Corrector, c. 68, ed. SCHMITZ II 425; Poen. Capitulorum, c. 19, ed. WASSERSCHLEBEN 517, ROBERT v. FLAMBOROUGH, Liber poen. V 6, 3, ed. FIRTH, nr. 333, 58—60.

209 Etym. VIII 9, 9, ed. LINDSAY.

210 Poen. Arundel, c. 82, ed. SCHMITZ I 460.

211 C. 65, ed. MG Leg. 2 I 59.

212 C. 40, ed. ibd. 104; hingewiesen sei noch auf die Synode von Reisbach-Freising (um 799—800), c. 10 *qui tempestas vel alia maleficia faciunt*, ed. MG Leg. 3 II 209.

213 Duplex legat. edict., c. 34, ed. MG Leg. 2 I 64.

aus den *Capitula* HERARDS VON TOURS an: *de . . . tempestuariis, et brevibus pro frigoribus.*[214] Diesen Bemerkungen zufolge wären mit *obligatores* Wetterzauberer angesprochen, deren Kunst darin bestand, gewisse Zettel an Stöcken zu befestigen und gegen Hagel und Frost aufzustellen. Man wird HOMANN zustimmen müssen, daß diese Belege[215], auch wenn die *Homilia de sacrilegiis* etwa ähnliches mitteilt[216], sich nur schwer auf literarische Vorbilder, etwa auf CAESARIUS, wie BOUDRIOT will, zurückführen lassen. Dafür sind die Bemerkungen zu bestimmt. Bestimmter zumindest als in diesem Fall die *Homilia* und vergleichbare Verordnung sonst. Das Gebot der Glockentaufe sei nur erwähnt. Das Läuten getaufter Glocken zur Vertreibung von Unwetter ist eindeutig christlicher Herkunft, wenn es letztlich auch auf spätantiker Dämonenabwehr durch Lärm beruht.[217]

Die ausführliche Schilderung eines Regenzaubers im *Corrector* sei hier noch angeführt, weil HOMANN festgestellt hat, daß wir „über die Praktiken, die zur Erzeugung eines bestimmten Wetters angewandt wurden, nichts wissen"[218]:

> *Fecisti quod quaedam mulieres facere solent? Dum pluviam non habent, et ea indigent, tunc plures puellas congregant, et unam parvulam virginem quasi ducem sibi praeponunt, et eamdem denudant, et extra villam ubi herbam jusquiamum inveniunt, quae Teutonice belisa vocatur, sic nudatam deducunt, et eandem ipsam herbam et eandem virginem sic nudam minimo digito dextrae manus eruere faciunt, et radicitus erutam cum ligamine aliquo, ad minimum digitum dextri pedis ligare faciunt. Et singulae puellae singulas virgas in manibus habentes, supradictam virgenem herbam post se trahentem in flumen proximum (cum eis) introducunt et cum eisdem virgis virginem flumine aspergunt, et sic suis incantationibus pluviam se habere sperat. Et post eandem virginem sic nudam transpositis et mutatis in modum cancri vestigiis, a flumine ad villam, inter manus reducunt? Si fecisti aut consentiens fuisti, viginti dies in pane et aqua debes poenitere.*[219]

Die ‚offizielle‘ Lehre über die Möglichkeit eines Wetterzaubers und über den Anteil der bösen Geister bei der Heraufführung von Unwettern ist, wir fassen das kurz zusammen, geteilt. Zumeist stellt die Verordnungsliteratur nur fest, daß es *immissores tempestatum* gäbe und daß diese zu bestrafen seien. Eine andere Gruppe richtet sich nicht gegen die Wettermacher, sondern gegen solche, die glaubten, so etwas könne wirklich geschehen:

> *Credidisti unquam vel particeps fuisti illius perfidiae, ut incantatores et qui se dicunt tempestatum immissores esse, possent per incantationem daemonum aut tempestates*

---

214 C. 3, ed. PL 97, 764.

215 HERARDS Kapitel ist ihm entgangen.

216 *uel qui grandinem per laminas plumbeas scriptas et per cornus incantatos auertere potant*, c. 16, ed. CASPARI 10.

217 S. Anm. 246.

218 HOMANN, Indiculus, 118.

219 BURCHARD VON WORMS, Corrector, c. 194, ed. SCHMITZ II 452.

commovere aut mentes hominum mutare? Si credidisti aut particeps fuisti, annum unum poeniteas per legitimas ferias.[220]

Wie sehr schließlich alles wieder in der Schwebe blieb, zeigt das *Pariser Konzil* vom Jahre 829:

> *Dubium etenim non est, sicut multis est notum, quod a quibusdam praestigiis atque diabolicis inlusionibus ita mentes quorundam inficiantur poculis amatoriis, cibis vel filacteriis, ut in insaniam versia plerisque iudicentur, dum proprias non sentiunt contumelias. Ferunt enim suis maleficiis aera posse conturbare et grandines inmittere, futura praedicere, fructus et lac auferre aliisque dare et innumera a talibus fieri dicuntur. Qui ut fuerint huiusmodi conperti, viri seu femine, in tantum disciplina et vigore principis acrius corrigendi sunt, in quantum manifestius ausu nefando et temerario servire diabolo non metuunt.*[221]

So sehr man sich auch bemühte, den Glauben an Wettermacherei, an die Verwandlung von Menschen in Tiere (Werwölfe), Nachtfahren u. ä.[222], als falsch oder das Geschehen als betrügerische Vorspiegelung des Satans zu erklären, so lange die Behauptung sakrilegischen Dämonenkultes im gleichen Zusammenhang gemacht wurde, mußte auch wieder eingeräumt werden, daß es auf diese Weise möglich wäre, sich der zugegeben überragenden Fähigkeiten der Dämonen zu bedienen und ihrer Hilfe versichern zu können.

*

Eine Untersuchung superstitioser Meinungen im Zusammenhang mit Mondfinsternissen soll das Kapitel zur *superstito artis magicae* beschließen. Denn dieses Thema hat Anlaß gegeben zu charakteristischen Interpretationsversuchen, wie sie im folgenden herausgearbeitet werden sollen.

Die Erscheinung des im steten Wandel begriffenen Mondes hat zu vielerlei Glaubensvorstellungen geführt, die sich ähnlich in allen Religionen finden lassen. Dämonen oder dämonische Tiere drohen den Mond im Abnehmen oder in Finsternissen zu verschlingen. Deshalb muß man ihm zu Hilfe kommen und etwa durch Lärm den Verfolger vertreiben.

Der *Indiculus superstitionum* erwähnt Glaubensvorstellungen um den Mond in zwei Paragraphen. Nr. 21: *De lunae defectione quod dicunt vinceluna* und Nr. 30: *De eo, quod credunt, quia femine lunam comendet, quod possint corda hominum tollere juxta paganos.*

---

[220] Corrector, c. 68, ed. Schmitz II 425; *Qui auguriis vel divinationibus inserviunt, vel qui credit ut aliqui hominum sint immissores tempestatum, vel si qua mulier divinationes vel incantationes diabolicas fecerit, septem annos poeniteat,* Ivo von Chartres, Decr., p. XI, c. 36, ed. PL 161, 755; hierher gehören noch Bartholomäus v. Exeter, Poen. c. 104 u. Robert v. Flamborough, Liber poen. V 6, 3, ed. Firth, nr. 330, 25—27.

[221] C. 2 (69), ed. MG Leg. 3 II 669.

[222] Vgl. dazu Soldan, Hansen, Byloff, a.a.O.

Der letzte Satz ist nicht leicht zu verstehen und m. E. bisher nicht erklärt. Das *comendet* scheint einer Konjektur zu bedürfen *comendent*.[223] Dann würde der Satz etwa zu übersetzen sein: „der Glaube, daß gewisse Frauen, da sie Gewalt über den Mond haben, nach Art der Heiden Menschenherzen herauszunehmen vermögen".[224] So jedenfalls übersetzt HOMANN und alle Erklärer vor ihm. Welche Rolle bei derartigen Dingen nun aber der Mond spielen soll, darüber bleibt uns nicht erst HOMANN die Antwort schuldig. Ich schlage eine andere Interpretation vor. Die *Musterpredigt der Vita Eligii* nennt eine Glaubensvorstellung, die HOMANN nicht berücksichtigt hat, die aber geeignet ist, Nr. 30 des *Indiculus* verständlicher zu machen.

Nullus, si quando luna obscuratur, vociferare praesumat, quia, Deo iubente, certis temporibus obscuratur; nec luna nova quisquam timeat aliquid operis arripere, quia Deus ad hoc lunam fecit, ut tempora disignet et noctium tenebras temperet, non ut alicuis opus inpediat aut dementem faciat hominem, sicut stulti putant, qui a daemonibus invasos a luna pati arbitrantur. Nullus dominos solem aut lunam vocet neque per eos iuret, quia creatura Dei sunt et necessitatibus hominum iussi Dei inserviunt.[225]

Der erste Teil dieses Abschnittes bezieht sich auf Lärmzauber. Nr. 21 des *Indiculus* scheint ähnliches rügen zu wollen. Uns interessiert besonders der zweite Teil des Satzes: *dementem faciat (luna) hominem, sicut stulti putant, qui a daemonibus invasos a luna pati arbitrantur.* Die *Musterpredigt* spricht sonach von gewissen törichten Leuten, die glaubten, der Mond mache den Menschen verrückt, wobei sie der Meinung seien, von Dämonen Besessene, Epileptiker, hätten ihr Leiden vom Monde. Man erinnere sich, was ISIDOR als hervorstechende Tätigkeitsmerkmale der Zauberer, Magier, angab: *Hi elementa concutiunt, turbant mentes, ac sine ullo veneni haustu violentia tantum carminis interimunt*[226] und füge noch hinzu, was gleich näher ausgeführt wird, daß nämlich gewisse Frauen den Mond in ihre Gewalt nehmen können, dann dürfte die Interpretation des *Indiculus* Nr. 30 einleuchten: Man glaubte, es gäbe Frauen, die, da sie Gewalt über den Mond hätten, dem Menschen die Sinne rauben, verwirren könnten. Für unsere Überlegungen und diese Interpretation spricht mehreres:

1. Daß bislang nicht erklärt werden konnte, welche Rolle dem Mond zukommen soll, wenn man *corda tollere* übersetzt mit „Herzen herausnehmen (verzehren)".

2. Daß vom Verzehr des menschlichen Herzens durch Hexen sonst nirgendwo die Rede ist, sondern, soweit die Verordnungsliteratur von ähnlichem berichtet, nur vom Aufzehren des ganzen menschlichen Körpers oder seiner Eingeweide gesprochen wird.

---

[223] So schon SAUPE.
[224] HOMANN, Indiculus, 137.
[225] MG Script. rer. Merow. IV 707.
[226] ISIDOR, Etym. VIII 9, 9, ed. LINDSAY I.

3. Daß *corda tollere* für den Verzehr des Herzens eines lebendigen Menschen nicht einmal als euphemistische Bezeichnung hinreicht und kaum vorstellbar wäre, daß so etwas mit so nichtssagenden Worten beschrieben worden wäre.[227]

4. Daß Epilepsie nach Auskunft der Musterpredigt als „Mondkrankheit" angesehen wurde.

5. Daß Frauen Gewalt über den Mond hätten und diesem somit befehlen können, seinen verhängnisvollen Einfluß wirksam werden zu lassen.

In dem Glauben, Frauen sei es in die Macht gegeben, dem Mond zu befehlen, treffen wir nun auf ältere Vorstellungen, die unter Römern, Romanen und Germanen gleichermaßen verbreitet waren:

> *Quae sidera excantata voce Thessala*
> *Lunamque coelo diripit.*[228]
>
> *Hanc (sagam) ego de coelo ducentem sidera vidi.*[229]

Sicherlich ist der Glaube, Zauberinnen könnten den Mond vom Himmel herabziehen, nicht genuin römisch. Es scheint sich in ihm vielmehr die ältere Anschauung der sympathischen Verbindung von Mond und Frau (Menstruation) mit hellenistisch-orientalischen Dämonen- bzw. Sternzwängen vermischt zu haben. Das *voce Thessala* bei HORAZ scheint in diese Richtung zu deuten, wenngleich Thessalien auch sonst als zauberkundige Landschaft bekannt war und *voce Thessala* auch nur heißen mag: Zauberspruch.

AMBROSIUS nennt es einen chaldäischen Aberglauben, den Mond mit Zaubersprüchen herabziehen zu wollen. Im *Exameron* setzt er sich mit magischen Praktiken und Beschwörungen auseinander, denen es darum geht, den Mond in die Dienste eines Zauberers zu nehmen. AMBROSIUS geht nun zur Überwindung dieses Glaubens einen Weg, auf dem wir ihn schon einmal, bei Behandlung der Kalendensuperstitionen getroffen haben: Nicht daß er heidnische oder außerchristliche Anschauungen und Praktiken einfach verunglimpft und negiert; er interpretiert sie vielmehr neu als Sinnbilder göttlichen Wirkens und christlicher Gegenwart. Die Hirschmetapher (Christus und der Hirsch) hatte er nur nebenbei auf die Hirschmaskeraden zu Neujahr bezogen. Das Thema Mond und Magie dagegen wird ihm

---

[227] Man vergleiche etwa: *ut mulier hominem vivum intrinsecus possit commedere*, Edictum ROTHARI, a. 643, ed. MG Leg. 1 IV 48; *si striga hominem commederit*, Lex Salica 67, 3, ed. MG Leg. 1 IV 231; *si quis a diabolo deceptus crediderit secundum morem paganorum, virum aliquem aut feminam strigam esse et homines commedere*, Capitulatio de part. Saxon., a. 775—790, c. 6, ed. MG Leg. 2 I 68; auch die von HOMANN angeführte Stelle, Corrector, c. 170, ed. SCHMITZ II 446, berichtet allein vom Verzehr eines Menschen, den die Hexen wieder zum Leben erwecken könnten, indem sie ihm anstelle des Herzens einen Lumpen oder ein Stück Holz einsetzen würden.

[228] HORAZ, Epistula V 45 sq.

[229] TIBULL, Eleg. II v. 43; weitere Nachweise vgl. bei CASPARI, Homilia, 30—32.

unversehens zu einer gelungenen Umfunktionierung des heidnischen Weltbildes nach christlichen Prinzipien. Allein sieht man etwa darauf, wie AMBROSIUS in diesem Zusammenhang die heidnischen Inkantationen als untauglich ausweist und bedenkt man die von uns schon behandelte unreflektierte Einführung der *incantationes sanctae*, so wird man nicht mehr von einer nur äußerlichen Umfunktionierung reden wollen, sondern von einer gelungenen „Umorientierung eines ganzen Weltbildes samt seinem abergläubischen Praktiken"[230]: „Daher möchte ich dich nicht wegen deiner Neumonde, sondern als Typus der Kirche selig preisen. In jenen nämlich dienst du, in diesem wirst du geliebt. Wie lächerlich aber, daß die Menschen vielfach wähnen, dich mit Zauberformeln herabziehen zu können! Alte Weibermärchen und Volksaberglaube. Wer wollte denn glauben, daß ein zu so erhabenem Dienst berufenes Geschöpf Gottes durch chaldäischen Aberglauben *(Chaldaeicis superstitionibus)* versucht werden könne. Jener mochte fallen, der sich in einen Engel des Lichtes verwandelt und durch die Macht von Zaubersprüchen herabgestürzt wurde. Freilich auch damit glaubt man dich, Kirche, gleichsam von deiner Stellung und deinem Platz herabziehen zu können. Viele versuchen die Kirche, aber der Zauberkunst Sprüche können ihr nicht schaden. Nichts vermögen die Beschwörungssänger, wo täglich Christi Sang gesungen wird. Sie hat als einen Beschwörer den Herrn Jesus Christus, durch den sie der beschwörenden Magier Sprüche und der Schlange Gift unwirksam machte."[231]

Was AMBROSIUS hier gelingt, ist zweierlei, doch unmittelbar miteinander verbunden: Es sei ein „Altweibermärchen" zu glauben, durch Zaubersprüche den Mond herabstürzen zu können. Wie wäre das möglich bei einem zu so erhabenem Dienst bestimmten Geschöpf Gottes. Das wäre ebenso unmöglich, wie daß die Kirche Gottes durch dunkle Mächte gestürzt werden könnte. Beides — Mondaberglaube und Kirche — bezieht AMBROSIUS sinnbildlich aufeinander und durchaus wohl nicht ohne Analogie zur Metapher: *Sol — Luna* = Christus — *Ecclesia*. Das Bild unaufhörlichen Wandels und steter Bedrohung durch dämonische Mächte, wird zum Zeichen der Unüberwindlichkeit der Kirche. Wie die Zauberer mit ihren Zauberliedern es nicht zuwege brächten, den Mond herabzustürzen, so könne auch dort nichts zu Fall gebracht werden, wo täglich Christi Sang ertöne. Der Angst des Heiden vor der Gewalt der Dämonen stellt AMBROSIUS die Sicherheit gegenüber, die die Kirche Christi gäbe. Darin wollte also AMBROSIUS einen wesentlichen Zug von Heidentum erkennen: Angst vor dämonischen Mächten, hier Angst bei Mondfinsternissen: Zauberer könnten den Mond herabstürzen oder Dämonen ihn verschlingen.

Das scheint eine nicht auf die Zeit und den Umkreis des Mailänder Bischofs beschränkte Anschauung gewesen zu sein. Sehr ähnlich sind auch die zur Abwen-

---

[230] BARTSCH, Sachbeschwörung, 72.
[231] Exameron IV, 32—33, ed. CSEL 32, 1, 138 sq. übers. BARTSCH 72.

dung der drohenden kosmischen Katastrophe angewendeten Mittel: die Erzeugung von Lärm. CASPARI hat in seinem Kommentar zur *Homilia de sacrilegiis* eine Menge an Parallelbelegen vor allem römischer Provenienz zusammengestellt. HOMANN ergänzt diese Mitteilungen durch Hinweise auf germanisch-deutsche Zeugnisse.

Wir dürfen uns deshalb eine erneute Ausbreitung des Materials schenken und allein den wichtigsten Zeugen unserer Literatur[232] anführen, HRABANUS MAURUS:

> *Gaudium est mihi magnum, fratres charissimi, quod vos video nomen Christianum diligere, ecclesias frequentare, baptismum Christi filiis et filiabus vestris appetere, et veri Dei cultui studere: sed valde doleo quod aliquibus ineptiis plurimos ex vobis obligatos errare conspicio, et inter vera religionis Christianae quaedam falsa intermiscere, quod nullo modo fieri debuit; scriptum est enim: Modicum fermentum totam massam corrumpit (1 Cor. V.). Nam cum ante dies aliquot quietus domi manerem, et de utilitate vestra, quomodo profectum vestrum in Domino amplificarem, mecum tractarem, subito ipsa die circa vesperam atque initium noctis tanta vociferatio populi exstitit, ut irreligiositas ejus penetraret usque ad caelum. Quod cum requirerem quid sibi clamor hic vellet, dixerunt mihi quod laboranti lunae vestra vociferatio subvenisset, et defectum ejus suis studiis adjuvaret. Risi quidem, et miratus sum vanitatem, quod quasi devoti Christiani Deo ferebatis auxillium, tanquam ipse infirmus et imbecillis, nisi nostris adjuvaretur vocibus, non possit luminaria defendere quae creavit.[233]*

Wir werden auf HRABANUS, wie schon angemerkt, weiter unten noch einmal zurückkommen. Zu dem Text selbst sei nur soviel gesagt, daß gerade jener Teil der *Homilia*, der HRABANUS als einen Augen- resp. Ohrenzeugen auszuweisen scheint, einer Predigt des MAXIMUS VON TURIN entnommen ist, nämlich: *Circa vesperam atque initium noctis tanta vociferatio populi exstitit ... quae creavit* und nicht nur bis *... adjuvaret.*[234] Auch der Anfang *Nam cum ante dies* stammt von MAXIMUS[235], so daß von diesem Teil des Berichtes nichts Selbständiges bleibt als die

---

[232] *Et si, quando luna obscuratur, adhuc aliquos clamare cognoscitis, et ipsos admonete...*, CAESARIUS VON ARLES, Sermo 13, ed. CCL 103, 67 sq. cf. Sermo 52, ibd. 231; Poen. EGBERTI, c. VIII 3, ed. SCHMITZ I 581; 4. Konz. v. Arles, c. 5, ed. MANSI 8, 630 (von BURCHARD v. WORMS, Decr. X, c. 34 unterschoben); Ivo, Decr., p. XI, c. 58, ed. PL 161, 758; *novam lunam aut defectum lune, vel tuis clamoribus aut auxilio splendorem eius restaurare*, Corrector BURCHARDI, c. 53, ed. WASSERSCHLEBEN; *Quicumque in defeccionem lunae, quando scuriscere solet per clamorem populi uasa lignea et erea amentea battent, ahb strias depositam ipsa luna reuocare in caelum credentes*, Hom. de sacril., c. 16, ed. CASPARI 10; cf.: *De lunae defectione quod dicunt vinceluna*, Indic. superst. Nr. 21; Poen. Vindobonense, c. 99, ed. WASSERSCHLEBEN 442; *Nullus, si quando luna obscuratur, vociferare praesumat*, Musterpredigt der Vita Eligii, ed. MG Script. rer. Merow. IV 707; REGINO VON PRÜM, De syn. caus. II, c. 51, ed. PL 132, 285; BURCH. v. WORMS, Decr. X, c. 33, ed. PL 140, 837.

[233] Homilia 42 Contra eos qui in lunae defectu clamoribus se fatigabant, ed. PL 110, 78.

[234] HOMANN 115.

[235] Auch das merkt HOMANN nicht an. Text S. 260 unter Anm. 4.

Mitteilung, er, HRABANUS, habe sich zuhause aufgehalten und über seine Gemeinde nachgedacht. Es grenzt nun allerdings ans Groteske oder verrät doch eine gewisse manische Voreingenommenheit für den positiven Zeugniswert des von ihm untersuchten *Indiculus superstitionum*, wie HOMANN diesen Tatbestand aus der Welt zu schaffen sucht. Man würde seiner Argumentation: BOUDRIOT habe die Abhängigkeit MAXIMUS' von CAESARIUS dadurch erweisen wollen, daß er auf Anklänge in zwei anderen Predigten an CAESARIUS hingewiesen habe, gerne folgen und mit ihm sagen wollen, daß „löst man aber die komplizierten Deduktionen (Boudriots) auf, so bleibt auch hier nur ein Pseudobeweis"[236]; wenn eines nicht dagegen stünde: Daß BOUDRIOT nämlich überhaupt nicht von einer Abhängigkeit MAXIMUS' von CAESARIUS redet; — das wäre auch kaum möglich, da der Bischof von Turin um 100 Jahre älter ist als sein Amtsbruder von Arles.

Um den Zeugenwert HRABANUS' weiter zu stützen, läßt HOMANN wieder höchst verdächtige Eideshelfer auftreten: Denn sie lassen ihre Abkunft von dem provenzalischen Prediger so deutlich zutage treten, wie selten sonst. Zählen wir zuerst die Zeugnisse auf, die HOMANN anführt: Die *Poenitentialien* Ps.-THEODORI, c. XII 15, EGBERTI, c. VIII 3, *Vindobonense*, c. 99, *Corrector* BURCHARDI, c. 53 und die *Homilia de sacrilegiis*, c. 16. Von ihm unberücksichtigt geblieben sind: Die *Musterpredigt der Vita Eligii*, der von BURCHARD überlieferte, falsche Kanon des *Arelatense IV* und Ivo, *Decr.*, p. XI, c. 58. Der von HOMANN noch im Zitat herangezogene Ps.-AUGUSTINISCHE *Sermo* 265[237] ist längst als CAESARIanisch erkannt: Im Corpus Christianorum findet man ihn als CAESARIUS, *Sermo 13*.[238] Wie verhält es sich mit den anderen Belegen? Den Hinweis auf das *Poenitentiale* Ps.-THEODORI, XII 15, habe ich nicht verifizieren können. Weder bei SCHMITZ noch bei WASSERSCHLEBEN ist eine zutreffende Nr. XII 15 zu finden. HOMANN verzichtete in diesem Fall auf sonst übliche Hinweise auf eine der beiden Bußbüchersammlungen. Er hat die ebenso unvollständige Angabe von CASPARI einfach übernommen. CASPARI wiederum hat den Querverweis von SCHMITZ zu *Poen.* EGBERTI, c. VIII 2, versehentlich auf den unmittelbar folgenden § 3 bezogen, ebenfalls ohne Nachprüfung. Ps.-AUGUSTIN, *Sermo 265* und *Poen.* Ps.-THEODORI erledigen sich also von selbst. Das *Bußbuch* EGBERTS VON YORK hat: *Nolite exercere quando obscuratur, ut clamoribus suis ac maleficiis sacrilego usu se defensare posse confidunt.*[239] Es bedarf keines besonderen Scharfsinnes, um die Verwandtschaft mit *Ps.-Arelatense IV.*, c. 5, zu erkennen: *Quicumque exercuerint haec quando luna obscuratur ut cum clamoribus suis ac maleficiis et sacrilegorum usu se posse deferensare credant.*[240]

---

[236] HOMANN, Indiculus, 116.
[237] Ed. PL 39, 2237—2240.
[238] CCL 103, 64—68.
[239] C. VIII 3, ed. SCHMITZ I 581.
[240] BURCHARD VON WORMS, Decr. X, c. 33, ed. PL 140, 837, cf. MANSI 8, 630; IVO VON CHARTRES, Decr., p. XI, c. 58, ed. PL 161, 758.

Diese Stellen lassen sich aber ohne jede Mühe und eindeutig als CAESARIUSfragmente erkennen. CAESARIUS, *Sermo 13: Et si, quando luna obscuratur, adhuc aliquos clamare cognoscitis, et ipsos admonete, denuntiantes eis quod grave sibi peccatum faciunt, quando lunam, quae deo jubente certis temporibus obscuratur, clamoribus suis ac maleficiis sacrilego ausu se defensare posse confidunt.*[241] Die *Vita Eligii* stellt mit: *Nullus, si quando luna obscuratur, vociferare praesumat, quia, Deo iubente, certis temporibus obscuratur*[242] ihre Abhängigkeit von CAESARIUS erneut unter Beweis. Nicht weniger ist der von HOMANN als Zeuge angeführte *Corrector*, c. 53, nur eine Erweiterung des Kapitels 72 der *Capitula* MARTINS VON BRAGA durch das CAESARIANische Verbot paganer Observanzen bei Mondfinsternissen: *Si observasti traditiones paganorum, quas quasi hereditario jure diabolo subministrante usque in hos dies semper patres filiis reliquerunt, id est ut elementa coleres, vel lunam aut solem aut stellarum cursum, novam lunam aut defectum lune, vel tuis clamoribus aut auxilio splendorem eius restaurare, aut tu illis posses, aut novam lunam observasti pro domo facienda aut coniugiis sociandis.*[243]

Was nun weiterhin die *Homilia* betrifft, so steht ihre Mitteilung, soweit sie von Lärminstrumenten berichtet, in unseren und den von HOMANN angeführten Zeugnissen ganz isoliert da: *uasa lignea et erea amentea battent.*[244] Auch HRABAN weiß nichts von solchen Lärmgeräten. Er weiß aber auch nichts von Hexen, die den Mond herabgezogen hätten, und daß der Mond durch Lärm wieder zurückgerufen werden solle, wie es in der *Homilia* heißt. HRABANUS referiert vielmehr die Vorstellung, der Mond drohe von irgendwelchen Ungeheuern verschlungen zu werden.[245] Die Erwähnung bestimmter Lärminstrumente und der Glaubensvorstellung, Hexen hätten den Mond herabgezogen, läßt die *Homilia* dagegen wieder mehr auf römische Verhältnisse hindeuten. Sie steht deshalb einem Berichterstatter über griechisch-römischen Glauben wie CAESARIUS um vieles näher als einem Zeugen germanischer Superstitionen. Den Romanen war die Vorstellung geläufig, der Mond könne durch Malefizien entführt werden, und daß man dem mit Lärmen begegnen zu habe.[246]

---

[241] CAESARIUS, Sermo 13, ed. CCL 103, 67 sq.

[242] Musterpredigt der Vita Eligii, ed. MG Script. rer. Merow. IV 707.

[243] Corrector, c. 53, ed. WASSERSCHLEBEN 643; cf.: *Non liceat Christianis tenere traditiones gentilium et observare vel colere elementa aut lunae aut stellarum cursum aut inanem signorem fallaciam pro domo facienda vel ad segetes vel arbores plantandas vel conjugia socianda*, MARTIN VON BRAGA, Capitula, c. 72, ed. BARLOW 141.

[244] Hom. de sacril., c. 16, Text im Zusammenhang s. Anm. 232.

[245] *affirmaveruntque quod lunam nescio quae portenta laniarent, et nisi ipsi ei auxilium praeberent, penitus illam ipsa monstra devorarent*, HRABANUS, Homilia 42, ed. PL 110, 79.

[246] Cf. die von CASPARI, Homilia, 31 und HOMANN, Indiculus, 114 genannten Stellen; da die Dämonen antiker Dämonologie zufolge ein äußerst empfindliches Gehör haben, kann man sie schon allein durch Lärm vertreiben; ganz zuwider aber ist ihnen der Klang von Bronze, cf. HOPFNER, Offenbarungszauber, I 48 f.

Das kann somit alles nicht für germanisch-deutsche Anschauungen herangezogen werden. Wenden wir uns wieder HRABANUS zu, so sehen wir aber auch, daß, sieht man von dem aus MAXIMUS VON TURIN übernommenen Stück ab, auch gar nicht die Rede ist von irgendwelchem diffusem Lärm. Auch das wollte HOMANN, wie es den Anschein hat, nicht bemerken, daß HRABANUS etwas anderes als Lärminstrumente und bloße Lärmerei anspricht. Analysiert man die geschilderte Szene genauer, so gewinnt man vielmehr den Eindruck der Schilderung einer Schlacht: Da werden Trompeten genannt, die zum Kampf rufen, werden Speere dem Mond entgegengeschleudert, Pfeile auf ihn abgeschossen und brennende Scheiter in die Luft geworfen. Bei einem solchen, kriegerischen Schauspiel könnte wohl auch der Schlachtruf gehört werden „Siege, Mond!", *Vinceluna!*[247] Das alles macht einen sehr lebendigen Eindruck und hebt sich von dem, was wir bisher über Versuche zur Rettung des Mondes gehört haben, so kräftig ab, daß wir sagen können: Dies ist nun wirklich einmal etwas Zeitgenössisches und ein originär germanisch-deutscher Brauch. HRABANUS hatte ihn in literarische Topoi römisch-gallischer Provenienz eingebaut und es bedurfte erst eines kritischen Vergleichs mit anderen Zeugnissen, um den Bericht von allem literarischen Beiwerk zu befreien.

Der *Indiculus superstitionum* deutet mit seinem *vinceluna* auf Ähnliches hin. HOMANN und vor allem CASPARI haben in diesem Zusammenhang auf das *Poenitentiale Vindobonense*, c. 99, hingewiesen:

> *Si quis vince luna clamaverit aut pro tonitrua tabula aut coclea batederit aut qualibet sonum fecerit, preter psalmodia aut Miserere mei Deus dicerit et non emendaverit, a communione privetur, sicut paganus tabola ad populum convocandum est facta, non ad furorem Domini mitigandum.*

Bei SCHMITZ[248] sucht man den Kanon allerdings vergeblich. Das Bußbuch der Wiener Universitätsbibliothek ist eine Kompilation verschiedener Bußbücher und stammt aus der zweiten Hälfte des 9. Jahrhunderts. Es ist somit um ein Jahrhundert jünger als der *Indiculus*. Wie es sich nun auch mit dem von WASSERSCHLEBEN (422) mitgeteilten, von SCHMITZ nicht genannten Kapitel *Si quis vince luna clamaverit* verhält, nur das *Vindobonense* verbindet den Kampfruf mit dem Gebrauch von Lärminstrumenten *(tonitrua tabula, coclea)*. Die für dieses *Poenitentiale* charakteristische Tendenz der Kompilation von Bußsatzungen römischer und fränkischer Gestaltung[249] ist jedoch geeignet, die Verbindung der ihrer Herkunft nach zu unterscheidenden Abwehrmaßnahmen zu erklären.

Fassen wir das Ergebnis unserer Untersuchung kurz zusammen: Nichts weist auf einen germanischen Lärmzauber zur Abwehr der Gefahren hin, die dem Mond während seiner Finsternis drohen. Der Lärmzauber ist römisch-keltischer Prove-

---

[247] Ind. sup. Nr. 21.
[248] II 351—356.
[249] SCHMITZ II 348 f.

nienz. Für Deutschland dagegen deutet alles auf kriegerische Schauspiele zur Rettung des Mondes vor Ungeheuern hin. Vom Sturz des Mondes durch magische Veranstaltung ist hier nichts bekannt. Die Widersprüche, in die der Bericht HRABANS durch die Analyse der Überlieferungsverhältnisse verwickelt wird, lassen sich lösen: HRABANUS MAURUS befand sich, nach eigenem Zeugnis, in seiner Wohnung, um über Mittel der Seelsorge nachzudenken. Da erhob sich der ‚Schlachtenlärm‘ zur Unterstützung des bedrängten Mondes. HRABANUS sucht sich zu informieren, was das bedeute. *Facto quippe mane sequentis diei, sciscitabar ab eis qui ad nos visitandi gratia convenerant, si aliqua horum eis innotuerint.* Er erhält nun eine Schilderung dieser Vorgänge:

> *At illi professi sunt se similia et adhuc pejora in his locis in quibus ipsi manserant, sensisse: nam alius referebat mugitum cornuum se audisse, quasi in bella concitantium; alius, porcorum grunitum exegisse: quidam vero narrabant quod alios viderint tela et sagittas contra lunam jactasse; alios autem focos in coelum sparsisse; affirmaveruntque quod lunam nescio quae portenta laniarent, et nisi ipsi ei auxilium praeberent, penitus illam ipsa monstra devorarent: alii vero ut satisfacerent daemonum illusioni, quod sepes suas armis sciderint, et vascula quae apud se domi habebant, fregerint, quasi illud lunae plurimum proficeret in auxilium.*[250]

Bei MAXIMUS VON TURIN findet er sodann die Bemerkung über den ‚Heidenlärm‘, den er selbst, ohne zu wissen, um was es sich handelt, gehört hat. Was lag näher als die Angaben des Turiner Bischofs sich zu eigen zu machen und mit den von ihm eingeholten Erklärungen zusammenzuarbeiten?

---

[250] Wie Anm. 233, 78 sq.

III. Die Kritik der Superstitionen

Die moderne Kritik des Aberglaubens argumentiert mit Erkenntnissen der Naturwissenschaften oder rationalistisch. Auch das frühe Mittelalter ist so verfahren. Während aber heute nahezu ausschließlich so argumentiert wird, kannte das Mittelalter noch andere Interpretationen und Argumente. Die aufklärerisch-rationalistische und naturkundliche Argumentation trat dagegen zurück oder lief doch nur am Rande mit. Nicht daß das in dem geringeren Wissen um natürliche Vorgänge allein begründet gewesen wäre. Aberglauben wurde, eben anders als seit dem 18. Jahrhundert, nicht als Perversion der Vernunft, sondern als religiöse Verirrung gesehen und mußte somit auf dem Boden der Religionskritik bekämpft werden.

AGOBARD VON LYON etwa zeigt mit nebenher gemachten Bemerkungen deutlich, daß es ihm ein Leichtes gewesen wäre, den Glauben an Wettermachen mit Erklärungen über die Natürlichkeit des Geschehens *ad absurdum* zu führen. Er verzichtete jedoch auf naturkundliche Beweisführung, versucht vielmehr, Aberglauben als mit der offenbarten Religion unvereinbar zu erweisen: Kein anderer als der, der es im Winter schneien lasse, schicke auch im Sommer Hagel, nämlich Gott. Beide Naturerscheinungen kämen zustande, wenn die Wolken in größere Höhen emporgehoben würden: *Vere non alius mittit grandinem tempore aestatis, nisi qui et nives tempore hiemis. Nam et utriusque una est ratio ut fiat, quando nubes utroque tempore solito altius elevantur.*[1]

Über Mondfinsternisse, belehrte HRABANUS MAURUS seine Gläubigen, solle man sich nicht fürchten wie über etwas Ungeheuerliches. Es handele sich um natürliche Ereignisse, die immer dann einträten, wenn der Mond, der sein Licht von der Sonne erhalte, durch den Schatten der Erde gehe; wie auch die Sonne verdunkelt werde, wenn sich der Mond, der auf einer tieferen Bahn laufe, zwischen sie und die Erste stelle und somit verhindere, daß das Sonnenlicht auf die Erde falle:

Sed ne forte dubios ac sollicitos de lunae obscuritate, quae nuper accidit, vos relinquam, non est hoc, fratres, aliquod portentum; sed naturalis vis cogit solem ac lunam taliter eclipsin, hoc est defectum, pati. Nam manifesta ratio probat solem interventu lunae, quae inferior cursu, lumen ad nostros oculos non posse perfundere, quod fit in tempore accensionis ejus; lunam vero similiter, quae a sole illustratur, per umbram

---

[1] AGOBARD VON LYON, Liber contra isulsam vulgi opinionem de grandine et tonitruis, ed. PL 104, 153.

terrae obscurari in plenilunio, hoc est in quinta decima die aetatis ejus, quando sol in alia parte coeli, ex alia luna relucet.[2]

Es sei deshalb nicht nötig, daß, wenn solches geschehe, ein großes Geschrei erhoben werde. Der Weltschöpfer wüßte wohl auch seine Schöpfung zu regieren: *Et ideo non est necesse, fratres, quando taliter evenerit, vos clamoribus laborare; permittite Creatori facturam suam, ipse enim opus suum scit regere, qui potuit et creare.*[3]

Die letzte Bemerkung Hrabans scheint etwas unvermittelt. Was gemeint ist zeigt die Homilia *De defectione lunae* des Maximus von Turin, die Hraban ja ausgeschrieben hat. Hier ist, was Hrabanus nur andeutet, der Breite nach ausgeführt:

„Nachdem ich vor mehreren Tagen wegen der Leidenschaft eurer Habgier ernst geredet, ist an demselben Tage gegen Abend ein solches Geschrei des Volkes entstanden, daß seine Gottvergessenheit bis zum Himmel drang. Auf meine Erkundigung, was dieser Lärm bedeute, sagte man mir, daß euer Geschrei dem verfinsterten Monde beispringe und durch diese Lärmrufe seinem Lichtverluste zu Hilfe komme. Ich lachte meinerseits und staunte über die Torheit, daß ihr gleichsam als fromme Christen Gott eine Hilfe leistet: ihr lärmet nämlich, damit er nicht in Folge eures Stillschweigens einen Grundstoff einbüßte. Als schwach und kraftlos nämlich würde er ohne die Hilfe eurer Stimmen die Lichtkörper, welche er geschaffen hat, nicht beschützen können! Ihr handelt deshalb recht, die ihr der Gottheit den Trost gewähret, daß sie mit eurer Hilfe im Stande ist, den Himmel in Ordnung zu halten. Indes wenn ihr dieses noch vollständiger tun wollt, müßt ihr in jeder Nacht und während ihrer ganzen Dauer auf der Hut sein: denn wie oft, meint ihr, hat nicht, während ihr schliefet, der Mond Gewalt gelitten und ist dennoch vom Himmel nicht herabgestürzt?"[4]

So sehr Hrabanus Maurus die Natürlichkeit des Vorgangs bei einer Mondfinsternis betont, auch bei ihm bleibt die natürliche Erklärung doch nur willkommenes Mittel, die Albernheit der gerügten Superstitionen zu erweisen, wie es Maximus von Turin in exemplarischer Weise tut. Der Vorwurf des Nichtwissens

---

2 Hrabanus Maurus, Homilia 42, ed. PL 110, 79.
3 Ibd. 79 sq.
4 *Nam cum ante dies plerosque de vestrae avaritiae cupiditate pulsaverim, ipsa die circa vesperum vociferatio populi exstitit, ut irreligiositas ejus penetraret ad coelum. Quod cum requirerem quid sibi clamor hic velit? dixerunt mihi quod laboranti lunae vestra vociferatio subveniret, et defectum ejus suis clamoribus adjuvaret. Risi equidem, et miratus sum vanitatem, quod quasi devoti Christiani Deo ferebatis auxilium. Clamabatis enim ne, tacentibus vobis, perderet elementum: tanquam infirmus enim et imbecillis, nisi vestris adjuvaretur vocibus, non posset luminaria defendere quae creavit; bene igitur facitis, qui Divinitati exhibetis solatium, ut vobis juvantibus possit coelum regere. Sed si vultis hoc plenius facere, cunctis et totis noctibus pervigilare debetis: nam quoties putatis, dormientibus, luna vim passa est; et tamen de coelo non corruit?* Maximus von Turin, Homilia 100 De defectione lunae (I), ed. PL 57, 485, übers. Krawutzcky 146.

und der Dummheit ist hier allerdings primär kein Vorwurf intellektuellen Mangels. Denn, so MAXIMUS VON TURIN:

„Leidet der Mond an einer Verfinsterung immer nur gegen Abend? oder etwa auch gelegentlich bei Tageslicht? Aber bei Euch pflegt er sich nur um die Abendstunde zu verdunkeln — wenn euer Bauch nach einem reichhaltigen Mahl sich spannt und dehnt und der Wein zu Kopfe gestiegen ist! Dann gerät bei Euch der Mond in Bedrängnis, wenn auch der Wein euch zusetzt; dann, ich sag es noch einmal, gerät der Mondball in Aufregung, wenn euere Augen trüb vom Weine sind. Wie also kannst du, betrunken wie du bist, sehen, was mit dem Mond am Himmel zugeht, wo du nicht einmal bemerkst, was sich um dich herum auf Erden tut? Das verhält sich so, wie Salomo sagt: Der Tor wandelt sich wie der Mond! Wie der Mond nämlich wandelst du dich, weil du, töricht und dumm, seinetwegen gottvergessen wirst, wo du vorher Christ gewesen bist. Du lästerst nämlich Gott, wenn du seinem Geschöpf Schwachheit zuschreibst! Wie der Mond wandelst du dich: denn eben noch leuchtend an Frömmigkeit, verfinstert dich deine Treulosigkeit. Wie der Mond wandelst du dich: wie den Mond die Dunkelheit, so überfällt dich, allen Verstandes beraubt, abscheulichste Finsternis. Tor, wolltest du dich doch wandeln wie der Mond! Jener nämlich kehrt schnell wieder zu seiner ganzen Fülle zurück, du nicht einmal spät zur Weisheit; jener nimmt schnell das Licht wieder an, das er verlor, du nicht einmal langsam den Glauben, den Du verleugnet hast! Schwerer also wiegt dein Wandel als der des Mondes. Der Mond erleidet allein einen Mangel an Licht, du verlierst dein Heil. Wie richtig steht vom Weisen geschrieben: Und er bleibt mit der Sonne! Es bleibt nämlich der Weise mit der Sonne, weil die Beständigkeit des Glaubens mit dem Heiland bleibt. Doch möge jemand sagen: Also erleidet der Mond keine Not. Doch natürlich erleidet er das. Wir können das nicht bestreiten. Aber er leidet mit allen übrigen Geschöpfen, wie der Apostel sagt: „Daß die ganze Schöpfung voll Seufzen und Wehen ist bis auf diesen Tag"[5], und weiter: „Daß einst auch sie, die Schöpfung, von der Knechtschaft des Verderbens erlöst wird". „Erlöst wird", sagt er, „von der Knechtschaft". Du siehst also, daß der Mond nicht unter Zauberliedern leidet, sondern sich im Gehorsam müht, daß er nicht Gefahren leidet, sondern einer Pflicht nachkommt[6], nicht leidet er, daß er verlösche, sondern, daß er diene: „Ist doch die Schöpfung der Vergänglichkeit nicht freiwillig unterworfen".[7] Also: Der Mond ändert nicht freiwillig seinen Stand; du aber freiwillig dich nach eigenem Sinn. Jener erleidet Verlust, weil es ihm so bestimmt ist, du erleidest Schaden nach eigenem Willen. Wärest du, Bruder, doch nicht wie der Mond im Verdunkeln. Sei vielmehr wie der

---

[5] Röm 8, 22.
[6] Cf.: *Nullus, si quando luna obscuratur, vociferare praesumat, quia, Deo iubente, certis temporibus obscuratur*, Homila, wie S. 251, zu Anm. 225.
[7] Röm 8, 20.

Mond, wenn er voll und makellos ist. Denn vom Gerechten steht geschrieben: „Wie der Mond soll er in Ewigkeit bestehen, gleich wie der Zeuge am Himmel".[8]

Es geht hier also nicht um mangelnde Einsicht in natürliche Verhältnisse, sondern um mangelndes Vertrauen, das in unzureichendem Wissen um Gott als Schöpfer gründe. ‚Aberglaube' gewinnt eine andere Bedeutung als uns geläufig. Die Argumentation von Maximus und Hraban kann nicht mehr naturkundlich oder rationalistisch genannt werden. Der Mittel zufolge wohl, aber nicht der Intention nach. Denn die Funktion des naturkundlichen Arguments ist religiös. Nicht ein intellektuelles Manko, sondern ein religiös-sittliches soll erwiesen werden. Nicht Unwissenheit über naturgesetzliche Vorgänge gilt als Grund von Aberglauben, sondern mangelnde Glaubensbereitschaft. Wollten wir von ‚Aberglaube' sprechen, so müßte ‚Glaube' in Aberglaube nicht ‚Fürwahrhalten', sondern ‚Vertrauen' bedeuten, wäre nicht von *fides quae creditur*, sondern von *fides qua creditur* die Rede, um eine bekannte Unterscheidung zur Verdeutlichung heranzuziehen. Hraban schließt sich auch hier völlig an Maximus an, nur daß er die mehr rhetorischen Wendungen seiner Vorlage auflöst und mit bestimmteren Inhalt füllt:

> *Quae est dementia, fratres, quaeve haec insania? Nunquid vos fortiores estis Deo, ut pro illo pugnare nitamini: aut sues vestrae potentiores angelis ejus sunt, ut grunitu suo ipsi indigeant? Quomodo coelo et sideribus feretis auxilium, qui vosmetipsos in terra non sufficitis ad protegenum? Quid superbit cinis et pulvis?.[9] Scriptum est enim: Non est in hominis potestate via ejus: exiet spiritus ejus, et revertetur in terram.[10] Quid dicam vobis, fratres: laudo vos? in hoc non laudo, quia per diabolum illusi, paganico errori ex parte non parva dediti estis; et hoc unde, nisi ex paganis, quorum consortia diligitis, eorum mores imitamini: contradixi enim vobis saepius illorum consortia et nefanda convivia; sed obedire mihi vos vetat avaritia. Pecuniam diligitis, et gehennam non expavescitis; corporales delicias appetitis, et salutem animae aeternam negligitis: idcirco nec corporis nec animae sanitatem habere poteritis; quia, ut ait apostolus Paulus: Ideo sunt inter vos multi infirmi et imbecilles, et dormiunt multi.[11]*

Die Feststellung Schnürers, der Abt von Fulda habe den Aberglauben auszurotten gesucht, „indem er ganz richtig den natürlichen Vorgang darlegte"[12], trifft die Sache somit nicht ganz. Auch bei Hraban gibt sich die natürliche Erklärung nur als ein Moment der Kritik zu erkennen. Maximus und Hraban wollen zuerst nur zeigen, daß die Natur nach Regeln geordnet ist. Diese Regelhaftigkeit wird nun nicht als abstrakte Gesetzmäßigkeit aufgefaßt, sondern als Ausdruck göttlicher Weltschöpfung. Der Vorwurf der Dummheit stützt sich deshalb auch nicht auf eine

---

[8] Ps 89, 38; wie Anm. 4.
[9] Eccl 10.
[10] Ps 145.
[11] I Kor 11.; Hrabanus, Hom. 42, ed. PL 110, 79.
[12] Schnürer, Kirche und Kultur, II 60.
[13] S. oben S. 106 f.

schuldhaft zuzurechnende Unwissenheit über natürliche Verhältnisse, er zielt vielmehr auf die Defizienz ‚inneren Wissens‘, des fehlenden Vertrauens in ein göttliches Weltregiment und auf die implizit gegebene Hybris, den Lauf der Natur
lenken und ändern zu wollen. Schon die Belehrung MAXIMUS’ VON TURIN enthält,
soweit sie den Römerbrief zitiert, mehr als beliebige Zitate. Sie orientiert die
Polemik gegen Abergläubische völlig am PAULINISchen Gedanken: Wer solches
glaube, beweise nur einen Mangel an Glaubensgewißheit. Auch HRABANUS betont
den Glauben als Hoffnung erneut und sicher nicht ohne Absicht: „Selig, dessen
Hoffnung beruht auf Gott, der gemacht hat Himmel und Erde.“ Das naturkundliche Argument wird somit belanglos. Es wird zum Nebensächlichen.

Der Versuch, abergläubische Ansichten durch Hinweise auf die Natürlichkeit des
jeweiligen Geschehens zu verhindern, war auch in anderen Fällen gemacht worden:
Bei der Erklärung der Träume[13] oder der Weissagung durch Beobachtung der
Vögel[14]. Auch in den Lehren AUGUSTINS und THOMAS’ VON AQUIN über das Wesen
der Superstition spielte der Gedanke, daß alles, was geschehen kann, nur natürlicherweise geschieht, eine wichtige Rolle. Doch auf andere Weise. Über Visionen
und Träume hatte PETRUS VON BLOIS[15] geurteilt, daß der Glaube daran immer
dann abergläubisch sei, wenn man „seine Hoffnung darauf setze“: *Jam vero in
visionibus sperare superstitiosum est et saluti contrarium.*[16] In Träumen sei keine
unerlaubte Divination, solange sie auf natürliche Weise oder durch das Offenbarungswirken Gottes zustande kämen.

Die natürliche Erklärung des Traumerlebnisses bei PETRUS VON BLOIS, ALCHER
VON CLAIRVAUX und JOHANNES VON SALISBURY diente jedoch allein der Unterscheidung zwischen „wahren“ und „falschen“ Träumen (Illusion). Was dann aber
PETRUS VON BLOIS nur anklingen läßt, *Jam vero in visionibus sperare superstitiosum est*, besitz bei AUGUSTINUS und THOMAS für die Interpretation des Aberglaubens grundsätzliche Bedeutung. Von der Feststellung ausgehend, daß alles, was
geschieht, aufgrund natürlicher Gesetzmäßigkeiten oder durch besonderes Wirken
Gottes oder die Tätigkeit der Geister geschehe, gelte für den Aberglauben, daß,
sofern von Dingen Wirkungen erwartet würden, die sie ihrer Natur nach nicht
haben könnten, er sein Vertrauen darin setze, die Dinge könnten auf andere als
natürliche Weise den gewünschten Erfolg herbeiführen. Wenn aber etwas nicht auf
natürliche Weise bewirkt werde — *naturaliter tales effectus causare*[17] — dann
könne es nur auf nicht natürliche Weise — *non naturaliter* — zustandekommen:
Nämlich *ex operatione daemonum habere effectum*[18]. Bewirken Dinge aber etwas
nicht als Ursachen, dann können sie allein etwas bewirken als Zeichen. Unter Vor-

---

[14] S. oben S. 93 f.
[15] S. oben S. 94 f.
[16] Wie Anm. 102, S. 95.
[17] THOMAS VON AQUIN, S. Th. II. II. 96, 2.
[18] Ibd.

aussetzung der Leistungsmöglichkeit superstitioser Manipulationen wird somit auch die natürliche Erklärung zu einem unzureichenden Mittel der Kritik, kehrt sich das natürliche Argument um und gegen sich selbst: Denn, so Augustinus und nach ihm Thomas, nicht weil diese Dinge Kraft hatten, etwas zu bewirken, gab sich der Aberglauben damit ab, sondern weil man sich mit diesen Dingen abgab, erlangten sie Kraft.[19] Damit ist der natürlicherweise nicht möglichen Wirkung die Möglichkeit ihrer Realisation ex *operatione daemonum* eröffnet und dem naturkundlichen Argument und jeder rationalen Kritik der Boden entzogen.

*

Eine Welt als Schöpfung ist prinzipiell geordnet und gut. Alles folgt Gesetzen und keine Kreatur kann etwas bewirken, außerhalb dieser Ordnung. Nur die geistigen Potenzen — Engel, Dämonen und Menschen — können freiwillig handeln. Sofern durch Geister wider die durch die kreatürliche Ordnung verbürgte Sicherheit dem Menschen Schaden angetan werden kann (Exzeptionalismus), kann dies nur geschehen *deo permittente*[19a], mit göttlicher Zulassung. Das Argument der kreatürlichen Subordination der Natur unter ein höchstes Gesetz konnte deshalb für die Superstitionenkritik nur eingeschränkte Bedeutung gewinnen. Vielmehr mußte das *deo permittente* dämonisches Wirken, wenn auch nur als exzeptionelles, erst zur Gewißheit werden lassen.

Es muß, was Hrabanus Maurus dem Glauben an dämonische Vorgänge bei einer Mondfinsternis an natürlichen Erklärungen entgegenzuhalten wußte, für den gleichen Autor schon Episode bleiben. Zwar weist er den Glauben zurück, Ungeheuer drohten den Mond bei Mondfinsternis zu verschlingen, da solche Wesen kein reales Dasein besäßen. Doch gesteht er zu, daß es Dämonen möglich sei, solches dem Menschen vorzugaukeln: *Ipsa autem monstra, quae dictis lunam, defectus sui tempore, laniare, nihil sunt; neque enim credi fas est homines in belluas posse mutari: sed daemonum fictio haec hominibus brutis et insipientibus per quaedam phantasmata ingerit, quo facilius eos possint ad idolatriam provocare.*[20] An anderer Stelle stellt er auch, was ihm literarische Tradition an dämonologischen Lehren vermittelt, als wirklich hin.[21] Die Feststellung etwa: ein luftartiger Leib erlaube es den Dämonen, den Körper des Menschen auf unsichtbare Weise zu durchdringen und sich vermittels der von ihnen bewirkten Trugbilder selbst in die Gedanken des Menschen einzuschleichen, dürfte kaum dazu geeignet gewesen sein, die Macht böser Geister in Zweifel zu stellen.

Auch der für die Auseinandersetzung um Realität oder Illusion des Hexenwesens[22] wichtige *Canon episcopi*, ebenfalls ein Text des 9. Jahrhunderts, leugnet

---

[19] S. oben S. 116.
[19a] Cf. o. S. 91.
[20] Hrabanus, Hom. 42, ed. PL 110, 79.
[21] Cf. De magicis artibus, ed. PL 192, 1095—1110.

die Realität als dämonisch empfundener Erscheinungen[23], eine Auffassung, von der die spätere Zeit abgerückt ist, ja dessen Gegenteil, die Realität der Wahnbilder, etwa im Hexenhammer von 1487, zur Glaubenssache gemacht wurde.

Den eindrucksvollsten Versuch von der christlichen Schöpfungslehre her wesentliche Thesen populärer Dämonologie zu erschüttern, hat AGOBARD VON LYON unternommen. Auch er kann das Wirken von Engeln und Dämonen in der Welt nicht abstreiten, doch betont er, daß sie nur mittelbare Macht besäßen. Darin stimmt er mit der mittelalterlichen Angelologie und Dämonologie überein. Doch hebt ihn die differenzierende Handhabung seines kritischen Instrumentariums von den letztlich doch schwankenden und wenig entschlossenen Belehrungen ab, wie sie MAXIMUS VON TURIN und HRABANUS MAURUS vorgetragen haben.

---

[22] Der umfangreiche Komplex des Hexenglaubens mußte und konnte in dieser Untersuchung unberücksichtigt bleiben, da die Mehrzahl der zu erörternden Texte außerhalb des hier zu behandelnden Schrifttums und Zeitraumes liegen, andererseits gerade zu diesem Thema umfangreiche Spezialliteratur vorliegt.

[23] *Subversi sunt, et a diabolo capti tenentur, qui, derelicto creatore suo, a diabolo suffragia quaerunt. Et ideo a tali peste mundari debet sancta Ecclesia. Illud etiam non omittendum quod quaedam sceleratae mulieres retro post Satanem conversae, daemonum illusionibus et phantasmatibus seductate, credunt se et profitentur nocturnis horis cum Diana paganorum dea et innumera multitudine mulierum equitare super quasdam bestias, et multa terrarum spatia intempestae noctis silentio pertransire, ejusque jussionibus velut dominae obedire, et certis noctibus ad ejus servitium evocari. Sed utinam hae solae in perfidia sua perissent, et non multos secum in infidelitatis interitum pertraxissent. Nam innumera multitudo, hac falsa opinione decepta, haec vera esse credit, et credendo a recta fide deviat; et in errorem paganorum revolvitur, cum aliquid divinitatis aut numinis extra unum Deum esse arbitratur. Quapropter sacerdotes per ecclesias sibi commissas populo omni instantia praedicare debent ut noverint haec omnimodis falsa esse, et non a divino sed a maligno spiritu talia phantasmata mentibus infidelium irrogari. Siquidem ipse Satanas, qui transfigurat se in angelum lucis, cum mentem cujuscunque mulierculae ceperit, et hanc sibi per infidelitatem et incredulitatem subjugaverit, illico transformat se in diversarum personarum species atque similitudines, et mentem, quam captivam tenet, in somnis deludens, modo laeta, modo tristia, modo cognitas, modo incognitas personas ostendens, per devia quaeque deducit; et cum solus spiritus hoc patitur, infidelis mens haec, non in animo, sed in corpore, evenire opinatur. Quis enim non in somnis et nocturnis visionibus extra seipsum educitur, et multa videt dormiendo quae nunquam viderat vigilando? Quis vero tam stultus et hebes sit qui haec omnia, quae in solo spiritu fiunt, etiam in corpore accidere arbitretur; cum Ezechiel propheta visiones Domini in spiritu, non in corpore, viderit; et Joannes apostolus Apocalypsis sacramenta in spiritu, non in corpore, vidit et audivit, sicut ipse dicit: 'Statim fui in spiritu' (Apoc. IV). Et Paulus non audet se dicere raptum in corpore. Omnibus itaque publice annuntiandum est quod qui talia et his similia credit, fidem perdidit, et qui fidem rectam in Deo non habet, hic non est ejus, sed illius in quem credit, id est diaboli. Nam de Domino nostro scriptum est: 'Omnia per ipsum facta sunt. Quisquis ergo aliquid credit posse fieri, aut aliquam creaturam in melius, aut deterius immutari aut transformari in aliam speciem vel similitudinem, nisi ab ipso Creatore, qui omnia fecit, et per quem omnia facta sunt, procul dubio infidelis est,* REGINO VON PRÜM, De syn. caus. II, c. 364, ed. PL 132, 352; dasselbe überliefern: BURCHARD VON WORMS X 1 (s. oben S. 96 f. die dt. Übersetzung) u. Ivo, Panormia VIII 75.

Die Polemik des Erzbischofs von Lyon gegen den Glauben an Wettermacher argumentiert von zwei Ebenen aus. Wenn es wirklich Menschen gäbe, die Wetter machen könnten, so dürfte das nicht im Widerspruch zur biblischen Lehre und zum christlichen Monotheismus stehen. Zuerst aber sei der Wahrheitsgehalt der Berichte empirisch auf dem Wege der Zeugenbefragung zu ermitteln. Soweit es diese Voraussetzung beträfe, habe er selbst keinen Zeugen gefunden, dessen Wissen nicht vom Hörensagen stamme und der ihm hätte sagen können: Ich habe es mit eigenen Augen gesehen;

> *sed necdum audivimus ut aliquis se haec vidisse testaretur. Dictum est mihi aliquando de aliquo, quod se haec vidisse diceret. Sed ego multa sollicitudine egi ut viderem illum, sicuti et feci. Cum autem loquerer cum illo, et tentaret dicere se ita vidisse, ego multis precibus et adjurationibus cum divinis etiam comminationibus obstrinxi illum rogitans, ut non diceret illud nisi quod verum esset. Tunc ille affirmabat quidem verum esse quod dicebat, nominans hominem, tempus et locum; sed tamen confessus est se eodem tempore praesentem non fuisse.*[24]

Worum geht es? „Nahezu alle Menschen dieser Gegend", so beginnt AGOBARD *Contra insulsam vulgi opinionem de grandine et tonitruis*, „Edle und Unedle, Stadtbewohner und Landvolk, Alte und Junge glaubten, daß Hagel und Donner durch Menschen nach Belieben gemacht werden können".[25] Ja, man sei so schwachsinnig, zu glauben, es gäbe ein Land mit Namen *Magonia*, von wo in den Wolken Schiffe gefahren kämen, deren Besatzung die durch Hagel abgeschlagenen Früchte von den Wettermachern aufkauften und in ihr Land verschifften. Man habe sogar einzelne dieser Luftschiffer gefangen und sie zu steinigen versucht. Die vermeintlichen Wettermacher nun böten sich an, gegen ein Entgelt vor Schaden bewahren zu wollen.[26]

AGOBARD kommt dann noch auf einen anderen Aberglauben zu sprechen, an dem man ersehen könne, zu welchem Unheil derartige Annahmen führen müßten. Bei Gelegenheit einer in Italien grassierenden Rinderpest habe man unschuldige

---

[24] AGOBARD, l. c. 151 sq.

[25] *In his regionibus pene omnes homines, nobiles et ignobiles, urbani et rustici, senes et juvenes, putant grandines et tonitrua hominum libitu posse fieri*, AGOBARD VON LYON, Liber contra insulsam vulgi opinionem de grandine et tonitruis, ca. a. 820, ed. PL 104, 147.

[26] *Plerosque autem vidimus et audivimus tanta dementia obrutos, tante stultitia alienatos, ut credant et dicant quamdam esse regionem, quae dicatur Magonia, ex qua naves veniant in nubibus, in quibus fruges, quae grandinibus decidunt, et tempestatibus pereunt, vehantur in eamdem regionem, ipsis videlicet nautis aereis dantibus pretia tempestariis, et accipientibus frumenta vel caeteras fruges. Ex his item tam profunda stultitia excaecatis, ut haec posse fieri credant, vidimus plures in quodam conventu hominum exhibere vinctos quatuor homines, tres viros, et unam feminam, quasi de ipsis navibus ceciderint: quos scilicet per aliquot dies in vinculis detentos, tandem collecto conventu hominum exhibuerunt, ut dixi, in nostra praesentia, tanquam lapidantos. Sed tamen vincente veritate, post multam ratiocinationem, ipsi qui eos exhibuerant, secundum propheticum illud confusi sunt, sicut confunditur fur quando deprehenditur*, Ibd. 148.

Menschen verdächtigt, das Land durch Ausstreuen irgendwelcher Pulver verseucht zu haben. So unsinnig das ganze wäre — man sage ihm nur, woher eine solche Masse an Giftpulver zu beschaffen wäre, um so weite Landstriche zu verseuchen und wie das Ausstreuen wohl zu bewerkstelligen sei — so unsinnig mit klarem Verstand besehen diese Annahme also auch wäre, so hätten doch viele unschuldige Menschen, von der aufgebrachten Masse verfolgt, ihr Leben diesem Wahn opfern müssen. Nicht einmal die Heiden, die von dem kreatürlichen Charakter der Natur nichts gewußt hätten, hätten so alberne Dinge geglaubt wie heute die Christen.[27] Es käme darauf an, daß man erkenne, daß alles, was in der Welt geschehe, durch Gott geschehe. Und wenn das, was man vom Wettermachen glaube, wahr sei, müßte es aus der Schrift zu erweisen sein.[28] Die Schrift aber bezeuge allein Gott als den Urheber des Wetters.[29] Soweit heilige Menschen von Gott die Macht erhalten hätten, Wetter zu schicken, man denke an Moses oder Elias, so könnten sie das stets nur im Namen Gottes.

Unwissenheit um Gott bezeugten somit jene, die glaubten, Menschen könnten das gleiche bewirken.

Könnten die Wettermacher wirklich leisten, was sie versprechen, so hieße das, neben dem göttlichen Weltregiment noch ein menschliches anzunehmen, göttliches Wirken also durch menschliches einzuschränken. Was an Unwettern immer geschehe, — zu leugnen, daß es allein durch Gott geschehen könne, hieße sich gegen Gott auflehnen. „Dies lehren, heißt aber nichts anderes, als die Unbedingtheit der göttlichen Providenz läugnen, also das Fundament des christlichen Theismus erschüttern. In der Tat, diejenigen, welche an den Erfolg der Beschwörungen der Wettermacher glauben, alle, welche außer der ersten Ursache — welche vielmehr die einzige ist — eine zweite, jener koordinierte setzen, sind nur halbe Monotheisten (semifideles). Sie können nicht beten zu dem Einen in völliger Zuversicht. Wie könnte derjenige erhören, welcher nicht der absolut Wirkende ist? — Alles, was geschieht in der Welt, geschieht durch Ihn."[30] Wer sein Vertrauen aber noch in solche setze, die behaupteten, nicht nur, daß sie Unwetter machten, sondern auch, daß sie davor zu schützen in der Lage seien, der sei nicht mehr nur ein halber Christ. Das sei nicht mehr nur Teilhabe, sondern Unglaube in ganzer Breite. Die Schrift nämlich begreife das rechte Verhältnis zu Gott als von drei Tugenden bestimmt: Glaube, Hoffnung, Liebe. Wer aber seinen Glauben und seine

---

[27] *Tanta jam stultitia oppressit miserum mundum, ut nunc sic absurde res, credantur a Christianis, quales nunquam antea ad credendum poterat quisquam suadere paganis creatorem omnium ignorantibus* Ibd. 158.

[28] *Quod utrum verum sit, ut vulgo creditur, ex auctoritate divinarum Scripturarum probetur necesse est,* ibd. 147.

[29] Nach AGOBARD, l. c.: Sir 43, 12—20; Ex 19, 18 ff.; Jos 10, 11; Sam 12, 16 ff.; 1 Kg 15, 41 ff.; Ps 78, 47; Job 37, 38; Weish 16, 15 f.

[30] H. REUTER, Geschichte der religiösen Aufklärung im Mittelalter vom Ende des achten bis zum Anfang des vierzehnten Jahrhunderts. 1. Berlin 1877, 27.

Hoffnung teile, sofern er auf Gott und Menschen, die sich dessen anmaßen, was allein Gottes sei, hoffe, der könne nicht unter die Gläubigen gezählt werden:

> *Hoc non est portio, sed fere plenitudo infidelitatis, et si diligenter consideramus, absque ambiguo pronuntiabimus id plenitudinem esse infidelitatis. Tres namque virtutes sunt, secundum Scripturas divinas, in quibus totus comprehenditur cultus, per quas colitur Deus, id est, fides, spes, charitas. Quicunque igitur fidem et spem suam partitus fuerit, ut ex parte credat in Deum, exparte credat hominum esse quae Dei sunt, et ex parte speret in Deo, ex parte autem speret in homine, hujus profecto fidem et spem divisam non accipit Deus; ac per hoc inter fideles censeri non potest.*[31]

Der Rückgriff auf das *Alte Testament* ist für die mittelalterliche Superstitionenkritik eine geläufige Erscheinung, wenn man sich auch nur selten so ausschließlich auf die Bibel berufen hat wie MAXIMUS VON TURIN, AGOBARD VON LYON und HRABANUS MAURUS in den besprochenen Fällen. Man wird also den Einfluß alttestamentlicher Vorstellungen und Verordnungen nicht für gering halten dürfen.[32] In verschiedener Hinsicht haben die Schriften des *Alten Testamentes* die superstitionskritische Literatur beeinflußt: Zum einen, was die Kenntnis bestimmter Superstitionskategorien angeht, zum anderen durch Übernahme mosaischer Zaubereigesetzgebung und Subsumption des Aberglaubens unter die Dekalogfrevel. Man denke etwa an die *divinatio per phytones*[33]. Hier handelte es sich um eine Divinationsart, die unter klassischen Divinationskategorien unbekannt, allein von der Samuelerzählung und der philippischen Sibylle der *Apostelgeschichte* her bekannt war. In allen anderen Fällen ist der Einfluß wohl wahrzunehmen, doch läßt sich nur schwer beurteilen, wie groß er gewesen ist, da die biblische Begrifflichkeit von der antiken sich nicht unterscheidet:

> *Exstant et alia pernitiosissima mala, quae et ritu gentilium remansisse non dubium est, ut sunt magi, arioli, sortilegi. venefici. divini, incantatores, somniatorum coniectores, quos divina lex inretractabiliter puniri iubet, de quibus in lege dicitur: ‚Anima, quae declinaverit ad magos et ariolos et fornicata fuerit cum eis, ponam faciem meam contra eam et interficiam illam de medio populi sui. Sanctificamini et estote sancti, quia ego sanctus sum dominus Deus vester. Custodite praecepta mea et facite ea, quia ego Dominus, qui sanctifico vos‘*[34], *et alibi: ‚Magos et ariolos et maleficos terrae vivere ne patiamini‘*[35], [36]*.*

Die römischen Tagesnamen der Wochengötter bekämpfte CAESARIUS VON ARLES unter Hinweis auf die Tagesbezeichnungen der biblischen Schöpfungswoche.[37] AUGU-

---

[31] AGOBARD, ibd. 157.
[32] S. oben S. 65, 92, 100 f., 217.
[33] S. oben S. 207 ff.
[34] Lev 20. 6—8.
[35] Cf. Ex 22, 18.
[36] Konzil von Paris, a. 829, c. 69, 2, ed. MG Leg. 3 II 669.
[37] S. oben S. 158.

STINUS hatte gegen die Leistungsfähigkeit der Astrologie das Schicksal der Zwillinge Esau und Jacob ins Feld geführt.[38] Er nimmt somit einen Bericht der Bibel als Argument gegen die Astrologie. Geradewegs entgegengesetzt motiviert ist die Berufung der Astrologiegläubigen auf den Schöpfungsbericht und die Erklärung, Gott habe die Sterne zu Zeichen für Zeiten der Jahre gesetzt. Für die Erlaubtheit astrologischer Anschauungen war weiterhin angeführt worden, die Magier hätten Christi Nativität gestellt.

Das Gesetz hingegen verbietet auf Träume zu achten, Wahrsagerei zu üben, zu zaubern etc.[39] An sich ist die mosaische Zaubereigesetzgebung ihrem jurisdiktionellen Charakter entsprechend von hinreichender Deutlichkeit und von alttestamentlicher Strenge. Sieht man noch von der Bedeutung des *Dekalogs* in der Aberglaubensbekämpfung ab, so ist also die Frage, inwieweit man sich auf die einschlägigen Verordnungen des *Deutoronomiums*[40] berufen wollte. Die Bußbücher jedenfalls lassen in ihrer Gesamtheit keinen bestimmenden Einfluß alttestamentlicher Verordnungen erkennen, sieht man von der jüngsten Redaktion verschiedener Bußbuchstatuten, dem *Poenitentiale Mediolanense*, vorerst noch ab. Um so auffälliger ist der Nachdruck, mit dem sich die karolingische Verordnungsliteratur auf die mosaische Zaubereigesetzgebung beruft.

Die karolingische Zaubereigesetzgebung steht sowohl auf dem Boden der römischen Kaiserrechte des *Corpus iuris civilis*[41] wie auch der mosaischen Verordnungen:

> *Omnibus. Item habemus in lege Domini mandatum: ,non auguriamini'; et in deuteronomio: ,nemo sit qui ariolos sciscitetur vel somnia observet vel ad auguria intendat'*[42]; *item: ,ne sit maleficus nec incantator nec pithones consolator'. Ideo praecipimus, ut cauculatores nec incantatores nec tempestarii vel obligatores non fiant; et ubicumque sunt, emendentur vel damnentur. Item de arboribus vel petris vel fontibus, ubi aliqui stulti luminaria vel alias observationes faciunt, omnino mandamus, ut iste pessimus usus et Deo execrabilis, ubicumque inveniatur, tollatur et distruatur.*[43]

Das *Capitulare Carisiacense* (a. 873) KARLS II. verschärft die Verordnung. Zugleich räumt es die Möglichkeit ein, in zweifelhaften Fällen ein Gottesurteil entscheiden zu lassen:

---

38 S. oben S. 183 f.

39 S. oben S. 268.

40 Cf. S. 64 f.

41 Cf. oben S. 218.

42 18, 10 f.

43 Admonitio generalis, a. 789, c. 65, ed. MG Leg. 2 I 58 sq.; Capitulare missorum item speciale, ca. a. 802/803, c. 40, ed. MG Leg. 2 I 104: *Ut nemo sit qui ariolos sciscitetur vel somnia observet vel ad auguria intendat: nec sint malefici nec incantatores nec phitones, cauculatores nec tempestarii vel obligatores; et ubicunque sunt, emendentur vel damnentur;* cf. Ansegisi capit. coll. I, c. 62, ibd. 402.

Et quia audivimus, quod malefici homines et sortiariae per plura loca in nostro regno insurgunt, quorum maleficiis iam multi homines infirmati et plures mortui sunt, quoniam, sicut sancti Dei homines scripserunt, regis ministerium est impios de terra perdere, maleficos et veneficos non sinere vivere, expresse praecipimus, ut unusquisque comes in suo comitatu magnum studium adhibeat, ut tales perquirantur et comprehendantur. Et si iam inde comprobati masculi vel comprobatae feminae sunt sicut lex et iustitia docet, disperdantur. Si vero nominati vel suspecti et necdum inde comprobari non possunt, Dei iudicio examinentur; et sic per illud Dei iudicium aut liberentur aut condemnentur. Et non solum tales istius mali auctores, sed et conscii et complices illorum, sive masculorum, sive feminarum, disperdantur, ut una cum eis scientia tanti mali de terra nostra pereat.[44]

Aufs Ganze gesehen hat man die Strenge der römischen und der mosaischen Zaubereigesetzgebung zu mildern gesucht. Der stärkere Einfluß auf die mittelalterliche Superstitionskritik ging auch nicht von der mosaischen Zaubereigesetzgebung, sondern vom 1. Gebot des *Dekalogs* aus: „Du sollst keine fremden Götter neben mir haben. Du sollst dir kein Bild verfertigen, kein Abbild von dem, was im Himmel droben und auf der Erde drunten oder im Wasser unter der Erde ist. Du sollst dich vor ihnen nicht niederwerfen und sollst ihnen nicht dienen."[45]

Unter den Bußbüchern bringt erst die verhältnismäßig späte Redaktion des *Poenitentiale Mediolanense* durch KARL BORROMÄUS († 1584) eine an den Dekalog angelehnte Ordnung der Bußbestimmungen, während die Poenitentialien sonst in der Anordnung des Stoffes zumeist in der Reihenfolge der drei Kapitalsünden: Mord, Unzucht, Idolatrie verfahren oder dem Schema der acht Hauptsünden folgen.[46] Eine eigenartige Vermischung von dekalogischen Vergehen mit superstitionskritischen Bestimmungen war schon in der *Ratio de cathecizandis rudibus* begegnet, einem „Missionskatechismus" der karolingischen Heidenmission. Auf die drei Kapitalfrevel, nach denen ein Großteil der Bußbücher ihr Material geordnet haben, folgten nach zwei *Dekalog*vorschriften Verbote superstitioser Gebräuche, wie sie in Kapitularien, Synodalstatuten, Bußbüchern und anderen Texten immer wieder zu finden sind: *De decem praeceptis legis ...*

Sic ergo ait per Moysem stanctum famulum suum: Idola non coles. non homicidium facies. non moechaberis. falsum testimonium non dicis. non facies furtum. non praecantabis. non auguriabis non ad montes. non ad arbores. non ad fontes. non ad flumina. non ad angulos sacrificia facies.[47]

---

[44] Capitulare Carisiacense, a. 873, c. 7, ed. MG Leg. 2 II 345; eine Synode vom Jahre 859, ebenfalls unter Karl dem Dicken abgehalten, gibt einen Hinweis, wer mit den *sancti Dei homines* gemeint ist, auf den sich die Verordnungen beziehen: *et sanctus Cyprianus regis ministerium esse dicit, impios de terra perdere, homicidas, periuros, adulteros, veneficos, sacrilegos non sinere vivere,* Synodus Mettensis, c. 8, ed. ibd. 444; CYPRIAN, Tractatus de duodecim abus. saeculi, c. 9, ed. CSEL III 166.

[45] Ex 20, 2—6; cf. Dt 5, 7—10.

[46] SCHMITZ I 102 f.; 190 ff.

Das Mailänder Bußbuch, unter den *Acta ecclesiae Mediolanensis*, 1582 gedruckt, stellt nun unter das erste Gebot nahezu alles, was in unserer Untersuchung thematisch wurde, und zeigt auf diese Weise sehr deutlich die vollzogene Gleichsetzung von Superstition und Idolatrie, wie sie schon die zu Beginn dieser Untersuchung festgestellte, dort nur erst noch nominelle Identiät von Idolatrie und Aberglaube anzunehmen nahegelegt hat[48]:

> *Qui daemoni immolaverit, in poenitentia erit annis item decem. Qui more gentilium elementa coluerit, qui vel segetibus faciendis, vel aedibus extruendis, vel arboribus conferendis, vel nuptiis contrahendis, inanem signorum fallaciam observaverit, poenitentiam aget annos duos feriis legitimis. Qui ritu paganorum observavit Kalendas Januarii, in poenitentia erit annos item duos per legitimas ferias. Qui festa gentilium celebravit, poenitentiam aget itidem annos duos legitimis feriis. Qui feriam quintam in honorem Jovis honoraverit poenitens pane et aqua victitabit dies quadraginta. Qui conviviis gentilium et escis immolatiis usus erit, publicam poenitentiam aget. Qui comederit de idolotytho, poenitens victitabit pane et aqua dies tridinta. Qui cum Judaeo cibum sumpserit, poenitens erit dies decem pane et aqua victitans. Qui auguriis et divinationibus servierit, quive incantationes diabolicas fecerit, poenitens erit annos septem. Mulier incantatrix poenitentiam aget annum, vel, ut alio canone cavetur, annos septem. Qui herbas medicinales cum incantationibus collegerit, poenitentiam aget dies viginti. Qui magos consuluerit, quive domum suam induxerit aliquid arte magica exquirendi causa, in poenitentia erit annos quinque. Qui aedes magicis cautionibus lustrat aliudve tale admittit, et qui ei consentit, quive consulit, in poenitentiam aget annos septem, tres in pane et aqua. Si vero crediderit participesve fuerit, annum unum per legitimas ferias. Si quis ad fascinum praecantaverit, poenitentiam aget quadragesimas tres in pane et aqua. Si quis ligaturas aut fascinationes fecerit, poenitens erit annos duos per legitimas ferias. Si quis sortilegus erit, poenitentiam aget dies quadraginta. Si quis in codibus, aut in tabulis sorte ducta res futuras requisierit, poenitens erit dies quadraginta. Respiciens futura in astrolabio, annis duobus. Si quis aliquid commederit aut biberit, aut super se portaverit ad evertendum judicium Dei, poenitentiam aget ut magus. Si quis clericus vel monachus, postquam Deo voverit, ad saeculum redierit, poenitentiam aget annos decem, quorum tres in pane et aqua.*[49]

Augustinus hatte unter das erste Gebot die Astrologie *(mathematici)*, das *haruspicium (aruspices)*, die Wahrsagerei *(sortilegi)* und das *augurium (augures)* gezählt. Das 1. Gebot richte sich gegen Superstition überhaupt: *Tangis primam chordam, qua unus colitur Deus; cecidit bestia superstitionis.*[50] Isidor von Sevilla

---

[47] Zum Text sowie weiteres zum Einfluß alttestamentlicher Gesetzgebung auf die Kritik, S. 65.

[48] S. oben S. 34, 41 f.

[49] Poen. Mediolanense, ed. Schmitz I 809—811; cf. ders. II 729 f.

[50] Sermo 9 De decem Chordis, ed. PL 38, 75; für das Folgende cf. P. Rentschka, Die Dekalogkatechese des hl. Augustinus. Ein Beitrag zur Geschichte des Dekalogs. Kempten 1905, 127 ff.

erweist sich auch in Fragen der Dekalogerklärung[51] von Augustinus abhängig. Alkuins Abhandlung *De decem verbis decalogi*[52] ist wiederum nichts anderes als ein etwas gekürzter Auszug aus Isidor. Petrus Lombardus selbst ist Augustinus noch stärker verpflichtet als der Enzyklopädist aus Sevilla.[53] Auch Thomas von Aquin[54] beruft sich ausdrücklich auf Augustinus und zählt unter das 1. Gebot: Idolatrie (= Superstition), Divination, Sortilegien und Astrologie.

Dem literarisch-traditionellen Charakter des Superstitionsbegriffs jener Zeit entsprechend, erfahren wir somit sachlich und begrifflich nichts Anderes, als was schon bei Augustinus stand. Das ändert sich erst im späteren Mittelalter; nun wird in Dekalogkatechesen, Traktaten *De decem praeceptis* und Zehngebotepredigten[55] eine Fülle abergläubischer Gebräuche und Anschauungen genannt, die, wenn sich auch hier doch viel Traditionelles zeigt, ein unverhältnismäßig anschaulicheres und bunteres Bild vom ‚Aberglauben‘ ihrer Zeit bieten.

*

[51] Quaestiones in vetus testamentum, In Exodum, c. 29, 15, ed. PL 83, 303; weiteres vgl. bei Rentschka, a.a.O. 160—163.

[52] Ed. PL 100, 567.

[53] Petrus Lombardus, Lib. sent. III, dist. 37 sqq.

[54] S. Th. I. II. 100, 4 sqq.

[55] Z. B. Nicolaus de Lyra († 1349), Praeceptorium seu expositio in decalogum (Hain 10400—10407); Nikolaus von Dinkelsbühl, De praeceptis decalogi (1370). Argentorati 1516, f. 3; Astexanus de Ast, Summa de casibus (1317), 10 Ed. 1468 —1730; Ps.-Johannes Gerson († 1429), Compendium breve et utile, aliquarum materiarum communium ad fidem et doctrinam catholicam spectantium. II. Argentorati (Jo. Prys) 1488; Johannes Nider (1438), Praeceptorium divinae legis, id est tractatus de decem praeceptis (Hain 11780—11796); Marquard von Lindau († 1392), De decem praeceptis, ed. V. Hasak, Ein Epheukranz. Augsburg 1889; Der Spiegel des Sünders (ca. 1470) (Hain 14945—48); Ludolf von Göttingen, Eyn speyghel des cristen ghelouen. Ms a. 1472, Geffcken 91—93; Der Sele Trost. Augsburg 1483; Arnold Geilhofen (od. de Hollandia), Gnotosolitos sive speculum conscientiae. Bruxellis 1476 (Hain 7514 f.); Stephan von Landskrona, Himmelsstrass. Augsburg 1484; Lübecker Beichtbuch. Lübeck (B. Gothan) 1485, Geffcken 124; Speygel der dogede. Lübeck 1485, Geffcken 141 f.; Erklerung der zwölf artikulen des christlichen glaubens. Ulm 1486; Johannes Beets, Expositio Decalogi. Lovanii (Egidius van der Heerstraten) 1486 (Hain 2736); Michael von Mailand, Sermones quadragesimales de decem preceptis. Venetiis (Jo. et Gregor de Gregoriis) 1492 (Hain 4504); Praeceptorium perutile etc. Leipzig (Conrad Kachelouen) 1494 (Hain13317); Beichtspigel mit vil lere vnnd beispilen etc. Leipzig (Conrad Kachelofen)1495; Der guldin Spiegel des Sünders. Basel 1497; Eyn ordnung der Bycht. Ms. ca. a. 1500, Hasak 227; Johannes Herolt, De eruditione Christifidelium. Straßburg 1476 (Hain 8516—22); Spegel des christene mynschen. Lübeck 1501, Geffcken 150 f.; Der beschlossen gart des rosenkrantz Mariae. Nürnberg (Pinter) 1505; Ludovicus Vivaldus de monte regali, Aureum opus de veritate contritionis. Parisiis (Jo. Barbier) 1508; Spiegel Christlicher walfart. Straßburg 1509; Guilelmus de Bellay, Peregrinatio Humana. Paris 1509; Johannes de Burgo, Pupilla oculi. Straßburg 1516. Die handschriftliche Überlieferung ist noch gar nicht erfaßt. Für München vgl. man P. E. Weidenhiller, Untersuchungen zur katechetischen Literatur des späten Mittelalters. München 1965.

Die Subsumtion des Aberglaubens unter das erste Dekaloggebot ist von der dämonologischen Interpretation der Superstition her gegeben. Wo die heidnischen Götter als Dämonen aufgefaßt werden und die Erfolge praktizierten Aberglaubens *ex operatione daemonum* geschehen sollen, konnte Aberglaube nur Idolatrie sein.

Die hier behandelten Zeugnisse haben den angenommenen Bezug von Aberglaube und Idolatrie überall deutlich hervortreten lassen: *quia hoc daemonium*[56] (*daemonum*[57], *daemoniacum*[58]) *est; adinventiones diaboli*[59], *temptationes diaboli*[60]; *opera diaboli*[61], *pompa diaboli*[62], *cultura diaboli*[63] — d. h. Neujahrsgebräuche, Angangsglaube, Wahrsagen, Losdeuten, Amulettglaube, Zauberei, Magie ist Idolatrie, Götzendienst; *quae omnia idolatriam esse nulli fideli dubium est*[64]. *Partes idolatriae sunt veneficia, praecantationes, suballigaturae, vanitates, auguria, sortes, observatio omnium* (besser: *ominum*), *parentalia.*[65] Folgerichtig sei jeder, der solche Dinge glaube oder praktiziere, ein falscher Christ[66]; den Namen eines

---

[56] Poen. Casinense, c. 60, 70 ed. SCHMITZ I 413 sq.; CUMMEANI, c. VII 5, ibd. 632; Valicellanum I., c. 87, 88, ibd. 310 sq.

[57] Poen. XXXV Capitulorum, c. 18, ed. WASSERSCHLEBEN 517; Excarpsus CUMMEANI, c. VII 9, ed. SCHMITZ I 633, cf. 666; Parisiense, c. 26, ed. WASSERSCHLEBEN 414.

[58] S. oben S. 136, 140, zu Anm. 140; Poen. Ps.-Romanum, c. 35, 38, ed. SCHMITZ I 479.

[59] Vita Eligii, ed. MG Script. rer. Merow. IV, 705.

[60] CAESARIUS, Sermo 52, ed. CCL 103, 230.

[61] S. Anm. 140; Nachbonif. Sermo 15, ed. PL 89, 870: *Quid sunt ergo opera diaboli? Haec sunt superbia, idolatria, invidia, homicidium, detractio, mendacium, perjurium, odium, fornicatio, adulterium, omnis pollutio, furta, falsum testimonium, rapina, gula, ebrietas, turpiloquia, contentiones, ira, veneficia, incantationes et sortilegos exquirer, strigas et fictos lupos credere, abortum facere, Dominis inobedientes esse, phylacteria habere. Haec et his similia mala opera sunt diaboli;* Vita Eligii, l. c. 705; Rede an Getaufte, saec., 10/11, ed. CASPARI 200.

[62] Cf. die Nachweise bei CASPARI, Corr. rust. XCVIII sq.; CIX; Vita Eligii, l. c. 704; cf. auch weiter unten; K. RANKE, Pompa diaboli. Etymologisches und Volkskundliches zur Wortfamilie pump(er): Beiträge zur deutschen Volks- und Altertumskunde 1 (1954) 79—106.

[63] MARTIN VON BRAGA, Corr. rust., c. 16, pass., ed. BARLOW; Rede an Getaufte, saec. 12, ed. CASPARI 204 sq.; *praecantatores velud ministros diaboli fugiant,* CAESARIUS, Sermo 204, ed. CCL 104, 821; *quia per haec videtur ea diabolos consecrare,* Vita Eligii, l. c. 706.

[64] *Perscrutandum si aliquis subulcus vel bubulcus sive venator, vel ceteri hujusmodi, dicat diabolica carmina super panem, aut super quaedam nefaria ligamenta, et haec aut in arbore absondat, aut in bivio, aut in trivio projiiciat, ut sua animalia liberet a peste et clade, et alterius perdat: quae omnia idolatriam esse nulli fideli dubium est; et ideo summopere sunt exterminanda,* Synode von Rouen, a. 650, c. 4, ed. MANSI 10, 1200; REGINO VON PRÜM, De syn. caus., II, c. 44, ed. PL 132, 284; IVO VON CHARTRES, Decr., p. XI, ed. PL 161, 756; BURCHARD VON WORMS, Decr. X, c. 18, ed. PL 140, 836; cf. Karoling. Musterpredigt, ed. SCHERER 439; Ps.-ALKUIN, De divin. offic., c. 13, ed. PL 101, 1196.

[65] GAUDENTIUS VON BRESCIA, Sermo 4 De exodi lectione quartus, ed. PL 20, 870; cf. weiterhin oben S. 62 f.

[66] *falsi Christiani,* HRABANUS, De mag. art., ed. PL 110, 1095.

Christen habe er nicht verdient[67], die Taufgnade[68] und den Glauben verloren[69] und sei noch schlechter als ein Ungläubiger[70]; er sei kein Christ sondern Heide *(paganus)*[71], Gottesräuber[72] und vom Satan besessen[73].

Doch sagt dieses alles eben nur soviel, daß die Gleichsetzung von Aberglaube und Heidentum, Götzendienst und Dämonenkult hier vollzogen ist. Die Feststellungen können somit zur Erläuterung der Subsumtion des Aberglaubens unter das Verbot des Polytheismus gelten. Über die Gründe, die dazu geführt haben, sagt die Tatsache allein noch nichts aus.

Es soll deshalb versucht werden, die verschiedenen Momente des Prozesses herauszuarbeiten, die in dieser Richtung wirksam gewesen sind.

Es gehört zu den Topoi der Beurteilung von Aberglauben, Aberglauben als Altes zu begreifen: Sei es „alter Aberglaube" mit Herablassung oder Entrüstung gesprochen oder wissenschaftliches Urteil über trümmerhafte Reste eines mythischen Weltbildes. Sieht man von der polemischen Funktion des Begriffes „alter Aberglaube" ab[74], so bleibt für eine Analyse der gelehrten Feststellung von Reliktcharakter zweierlei wichtig: Was das Alter angeht und was den „Aberglauben" betrifft. Hierzu, und um über das Folgende nicht falsch verstanden zu werden, muß gesagt werden, daß, wo die christliche Kritik und Polemik gegen Superstition in der unmittelbaren Konfrontation mit dem Heidentum Aberglauben als Rest von Heidentum beurteilt, dieses Urteil ein Doppeltes enthält: Es wird nicht nur über ein relatives Alter geurteilt. Der Missionar und Prediger, der eine bestimmte Gewohnheit als alten Aberglauben tadelt, dürfte zumeist darin recht haben, daß sich die Sache selbst als etwas zu erkennen gibt, das älter ist als das Christentum in seinem Umkreis. Doch ist damit noch nicht die Richtigkeit des Urteils erwiesen, es handele sich in diesem Fall auch um Aberglauben, also um etwas primär die Religion Betreffendes.

Der von PETRUS CHRYSOLOGUS[75] bezeugte Einwurf, man wolle gar nicht Götzendienst treiben, man halte es auch nicht für gotteslästerlich, bestimmte Gewohnheiten zur Feier des neuen Jahres zu befolgen, sondern wolle darin nur der

---

[67] *nomen christianum habere non possit,* Hom. de sacril., c. 26, ed. CASPARI 15.

[68] *perdit babtismi sacramentum,* CAESARIUS, Sermo 13, ed. CCL 103, 68; Vita Eligii II, l. c. 705.

[69] Hom. de sacril., c. 2, 3, l. c. 6; cf. Ratio de cathec. rud., ed. CASPARI 83; BURCHARD VON WORMS, Corrector, c. 62, ed. SCHMITZ II 423; GRATIAN, Decr., p. II, c. 26, qu. 7, c. 16, ed. FRIEDBERG 1045 sq.

[70] Konz. v. Nantes, ca. a. 658, ed. MANSI 18, 172.

[71] Hom. de sacr., c. 4, 5, etc. pass., ed. CASPARI 6 sqq.

[72] *Sacrilici,* ibd., c. 22, 12; cf. oben 50, 62 f.

[73] *Iste non solum paganus, sed demoniacus est,* Hom. de sacr., c. 11, l. c. 8.

[74] HARMENING, Aberglaube und Alter.

[75] S. oben S. 122 f.

Freude Ausdruck geben über den Beginn eines neuen Jahres, sollte nicht nur rhetorisch genommen werden. Grundsätzlich ist gegenüber dem Urteil des christlichen Berichterstatters Skepsis angebracht, es handele sich bei diesem und jenem um einen Rest alten Götzendienstes und um Aberglauben. Sollte es nicht auch im Heidentum brauchmäßig-spielerische Handlungen geben können, die durchaus nicht religiös motiviert sind? Die verbotenen Reigentänze, Umzugstänze *per plateas*, Bart- und Weibermasken sind doch primär Lustbarkeiten und erst die Interpretation betont ein religiöses Moment oder trägt es heran. Ist die Beurteilung bestimmter Gewohnheiten als Reste des Heidentums dort und solange noch als Urteil über Objektives anzusehen, wo Heidentum als gegenwärtige und bekannte Größe vorausgesetzt werden kann, also zu Zeiten der Mission, so gewinnen gleiche Beurteilungen in späterer Zeit rein topischen Charakter und müssen als Zeugnisse des eingeführten Interpretationsmodells „alter Aberglaube" angesehen werden: Abergläubische Anschauungen und Gewohnheiten, das sind: *gentilium observationes*[76], *paganas observationes*[77], *observationes paganorum*[78], *paganitates*[79], *pagania*[80], *paganismus*[81], *paganorum consuetudines*[82]; *traditiones gentilium*[83] (*paganorum*[84]); so etwas tut man *similitudine paganorum*[85], *more gentilium*[86], *ritu paganorum*[87]; das ist *cultus paganorum*[88], *paganissimus ritus*[89]:

---

[76] Conc. Turon. II., a. 567, c. 23, ed. MG Leg. 3 I 133.

[77] KARL D. GR., Capitulare primum, a. 769, c. 7, ed. MG Leg. 2 I 46; BONIFATIUS, Ep. 78, ed. MG Ep. ²3, 351.

[78] BURCHARD VON WORMS, Decr. X, c. 15, ed. PL 140, 835; IVO VON CHARTRES, Decr., p. XI, c. 42, ed. PL 161, 756.

[79] Ordo poenitentiae, ed. SCHMITZ I 749.

[80] Musterpredigt, ed. SCHERER 439; Poen. Ps.-BEDAE, c. 33, ed. WASSERSCHLEBEN 255.

[81] MARTIN VON BRAGA, Capitula, c. 73, ed. BARLOW 141.

[82] CAESARIUS, Sermo 54, ed. CCL 103, 240; Vita Eligii II, c. 16, ed. MG Script. rer. Merow. IV 705; *consuetudine paganorum*, BONIFATIUS, Ep. 50, ed. MG Ep. ²3, 301; Poen. XXXV Capitul. c. 18, ed. SCHMITZ I 666; Valicellanum II., c. 62, ibd. 379; *paganorum consuetudinem sequens*, MARTIN VON BRAGA, Capitula, c. 71, ed. BARLOW 140; REGINO VON PRÜM, De syn. caus. II, c. 348, ed. PL 132, 349; Ivo, Decr., p. XI, c. 34, ed. PL 161, 754; *secundum paganicam consuetudinem*, Ps.-Arelatense IV, c. 5, ed. MANSI 8, 630 (= BURCHARD VON WORMS, Decr. X, c. 34); Ivo, Decr., p. XI, c. 58, ed. PL 161, 758.

[83] Ibd., c. 72, p. 141; Poen. HALITGARI (c. 26), ed. SCHMITZ I 727; REGINO VON PRÜM, De syn. caus. II, c. 366, ed. PL 132, 353; BURCHARD VON WORMS, Decr. X, c. 13, ed. PL 140, 835; IVO VON CHARTRES, Decr., p. XI, c. 40, ed. PL 161, 755; GRATIAN, Decr., p. II, c. 26, qu. 5, c. 3, ed. FRIEDBERG 1027.

[84] BURCHARD VON WORMS, Corrector, c. 61, ed. SCHMITZ II 423.

[85] Konzil von Rom, a. 826, c. 35, ed. MG Leg. 2 I 376; Ivo, Decr., p. XI, c. 77, ed. PL 161, 773.

[86] Ratio de cathec. rud., ed. HEER 83; Poen. HALITGARI (c. 25), ed. SCHMITZ I 727; REGINO VON PRÜM, De syn. caus. II, c. 347, ed. PL 132, 349; *gentili more*, BONIFATIUS, Ep. 51, ed. MG Ep. ²3, 304; Ivo, Decr., p. XI, c. 7, ed. PL 161, 747; *morem gentilium subsequuntur*, Konzil von Ankyra, a. 314, c. 23, ed. MANSI 2, 527; CRESCONIUS AFRIC., Breviarium canonicum, c. 40, ed. PL 88, 876; Ivo, Decr., p. XI, c. 2, ed. PL 161, 746 sq.; ID., Panormia VIII, c. 62, ibd., 1317; GRATIAN, Decr., p. II, c. 26, qu. 5, c. 2, ed. FRIEDBERG

18*

Denn die Heiden seien darauf gekommen: *quod a paganis inventum est*[90], und es bestehe kein Zweifel, daß all das — Magie, Wahrsagen, Zaubern, Losdeuten, Traumdeuten, Zukunftsschau, Wetterzauber, Behexungen, Liebestränke, Amulette — Rest heidnischer Gebräuche sei: *quae ex ritu gentilium remansisse non dubium est*[91], *quod de paganis remansit*[92], *quod adhuc de paganis residit*[93], *de paganorum (profana) observatione remansit*[94], *ex vetusta consuetudine paganorum*[95] stamme.

Ein anderes kommt hinzu. Es wurde ein großer Einfluß alttestamentlicher Verordnungen auf die Superstitionskritik festgestellt. Wo sich nun der Reliktgedanke mit der Übernahme superstitionskritischer Bestimmungen des *Alten Testaments* verbindet, kommt es zu einer interessanten Aspektverschiebung. Die Feststellung, Aberglaube sei ein Rest von Heidentum — als Aussage über ein relatives Alter möglicherweise zutreffend — wird unter der Hand vom Urteil über etwas Historisches zu einem dogmatischen, an alttestamentlich beglaubigten Superstitionskategorien orientierten Urteil. Anstelle der Erkenntnis des geschichtlichen Charakters von Superstition als paganer Rest, tritt eine Lehre von ihr als Tatsache. Aberglaube ist Relikt von Heidentum, weil das Alte Testament diese Form kennt: *Scriptura dicit*[96], *Unde Scriptura*[97], *scriptum est enim*[98], *quid lex divina sanciat*[99], *quae divina lege prohibentur*[100], *habemus in lege Domini mandatum*[101] usf.:

1027; *secundum morem gentium observant*, Excarpsus CUMMEANI, c. VII 16, ed. SCHMITZ I 633; Poen. XXXV Capitul. XVI 2, ibd. 666; *more gentium observant*, Poen. Parisiense, c. 13, ibd. 682.

[87] Konzil von Rom, a. 743, c. 9, ed. MG Leg. 3 II 15; BURCHARD VON WORMS, Corrector, c. 62, ed. SCHMITZ II 423; Poen. Mediolanense, ed. WASSERSCHLEBEN 706; IVO, Decr., p. XI, c. 43. PL 161, 756; u. a. m.; *ritu pagano*, Conc. Germanicum, a. 743, c. 5, ed. MG Leg. 3 II 3 sq.

[88] BONIFATIUS, Ep. 43, ed. MG Ep. 23, 291.

[89] Vita Caesarii, c. 5, ed. PL 67, 22; *ritus paganorum*, Konzil von Reims, a. 624 s. 630, c. 14, ed. MG Leg. 3 I 204.

[90] Konzil von Rouen, a. 650, c. 13, ed. MANSI 10, 1202; REGINO VON PRÜM, De syn. caus. II, c. 51, ed. PL 132, 285; BURCHARD VON WORMS, Decr. X, c. 17, ed. PL 140, 885; IVO VON CHARTRES, Decr., p. XI, c. 44, ed. PL 161, 756.

[91] Konzil von Paris, a. 669, c. 69, ed. MG Leg. 3 II 669 sq.

[92] Poen. Hubertense, c. 35, ed. WASSERSCHLEBEN 382; Floriacense, c. 31, ibd. 424.

[93] Poen. Valicellanum I., c. 88, ed. SCHMITZ I 311; Merseburgense a., c. 32, ed. WASSERSCHLEBEN 395; u. a.

[94] CAESARIUS, Sermo 13, ed. CCL 103, 67; *quae de paganorum profana observatione remansit*, ID., Sermo 13, ibd. 66; *quia hoc de paganorum consuetudine remansit*, Poen. Ps.-THEODORI, c. 23, ed. WASSERSCHLEBEN 607.

[95] Konzil von Neuching, a. 772, c. 6, ed. MG Leg. 3 II 100 sq.

[96] BONIFATIUS, Ep. 51, ed. MG Ep. 23, 304.

[97] Ps.-ALKUIN, De divinis officiis, c. 13, ed. PL 101, 1196.

[98] Konzil von Nantes, a. 658, c. 20, ed. MANSI 18, 172.

[99] HRABANUS MAURUS, De magicis artibus, ed. PL 110, 1095.

Noli adorare idolis; non ad petras, neque ad arbores, non ad angulos, neque ad fontes, non ad trivios nolite adorare, nec vota reddire. Precantatores et sortilogos, karagios, aruspices, divinus, ariolus, magus, maleficus, sternutus et auguria per aviculas vel alia ingenia mala et diabolica nolite facire nec credire. Nam Vulcanalia et Kalandas observare, laurus ponire, pedem observare, effundire super truncum frugem et vinum, et panem in fontem mittere; mulieres in tela sua Minerva nominare, et veneris aut alium diem in nuptiis observare, et, quo die in via exeatur, attendire, omnia ista, quid est aluit, nisi cultura diaboli? Karactires, erbas sucino nolite vobis vel vestris apendire. Tempestarios nolite credere; nec aliquid pro eis dare, neque qui dicunt quod manus fructa tollere possent. Nolite hoc credere neque in inpurias, que dicunt homines super tectus mittere, ut aliqua futura possint eis denuntiare, quod eis bona aut mala adveniat. Nolite eis credere, quia soli deo est futura prescire. Cervulos et veculas in Kalandas vel aliud tempus nolite anbulare. Viri vestes femineas, femine vestis virilis in ipsis Kalendis vel in alia lusa quam plurima nolite vestire. Membra ex ligno facta in trivios et ad arboribus vel alio nolite facire, neque mittere, quia nulla sanitate vobis possunt preaestare. Luna quando obscuratur, nolite clamores emittere. Nullus carminum diabolicum credire, nec super se mittere non presumat. Nullus Christianus neque ad ecclesiam, neque in domibus, neque in trivios, nec in nullo loco ballationes, cantationis, saltationis, vel iocus et lusa diabolica facire non presumat. Mimaricias et verba turpia et amaturia vel luxoriosa ex ore suo non proferat. Omnia filactiria diabolica et cunta supradicta nolite ea credire, nec adorare, neque vota illis reddere, nec nullum honorem inpedire, quia in Exodo dominus ait: ,Non facies tibi sculptile. neque omnem similitutinem. que est de celo desuper. et que in terra deorsum. nec horum. que sunt in aquis sub terra; non adorabis ea. neque colis‘.102 Et iterum: ,Qui immolauerit diis, occiditur. preter domino soli‘.103 Et in Leuitico dominus: ,Non auguriabimini, nec obseruabitis somnia‘.104 Et iterum in Deuteronomio: ,Ne inueniatur. qui ariolus scitetur et obseruit somni adque auguria: ne sit malificus, ne incantatur ne phitonis consulat, neque diuinus. et querat a mortuis ueritatem. Omnia hec abominabitur dominus105: Et iterum dominus: non induitur uestem uirilem mulier, nec vir utitur veste feminea. Abominabilis enim apud deum est. qui hec facit‘.106 Et iterum:, Maledictus homo, qui facit sculptile‘.107 Et propheta: ,Hec dicit dominus, deus Israel: Non uos seducunt prophete uestri, qui sunt in medio uestri, et diuini uestri, et ne adtendatis ad somnia uestra que somniatis, quia falsum ipse prophetant uobis‘108, sed deum trinum et unum adorate et honorificate109.

---

[100] 16. Konzil von Toledo, a. 693, c. 2, ed. MANSI 12, 69 sq.
[101] Admon. gener., c. 65, ed. MG Leg. 2 I 58 sq.
[102] Ex 20, 4 sq.
[103] Ex 22, 19.
[104] Lev 19, 26.
[105] Dt 18, 10—12.
[106] Dt 22, 5.
[107] Dt 27, 15.
[108] Jer 29, 8 sq.
[109] PIRMIN VON REICHENAU, Dicta, c. 22, ed. JECKER.

Durch Berufung auf das *Alte Testament* wird Superstition aus dem Umkreis der biblischen Schriften wie absolut gesetzt und zu einer Möglichkeit des Menschen schlechthin. Wollten die oben angeführten Wendungen Aberglauben als Relikt einer alten Zeit, des Heidentums, ausweisen, so gerät unter Einfluß der Offenbarungsschriften und des *Dekalogs* Aberglaube objektiv zu einem geschichtslosen Durativ und subjektiv zu einer in der Natur des Menschen gegründeten Sündenmöglichkeit: Denn den Dekalogsünden zugesellt, kann Aberglaube nicht mehr etwas Temporäres, überwindbares Relikt sein, sondern gründet wie jeder der Dekalogfrevel in einem Hang zur Sünde. Seine Beschreibung gehört somit in den Umkreis theologischer Anthropologie.

Der Topos ‚Dummheit und Torheit von Aberglauben‘ deutet in die gleiche Richtung. Der geringste Vorwurf, dem Heiden und Abergläubischen in gleicher Weise gemacht, ist der des Irrtums: *error*[110], *tenebrosae superstitiones errorum*[111]. Eine bemerkenswerte Doppeldeutigkeit: *error* als „alter Irrtum" und *error* als „dummer, törichter Irrtum" tritt auch hier hervor: *error vetustatis*[112], *error pristinus*[113], *error antiquus*[114] — *vulgatissimus error*[115], *error stultissimus*[116]. Kräftiger sind Auszeichnungen von Superstition wie: *anilis*[117], *fatuitas*[118], *inept(i)a*[119], *ridicul(os)a*[120], *demens*[121], *dementia*[122]. Deshalb müßte der Heide eigentlich vor Scham erröten: *pagani erubescant pro tam absurdis opinionibus*[123]. Heidentum und Aberglaube, was sei das anderes als großer Schwindel, große Windbeutelei (*vana, vanitas*[124]), unglaubliche Torheit (*stulta, stultitia*[125]). Unverständig und ohne Einsicht

---

[110] CAESARIUS, Sermo 193, ed. CCL 104, 783.

[111] MAXIMUS VON TURIN, Homilia 103, ed. PL 57, 491 sq.

[112] PETRUS CHRYSOLOGUS, Sermo 155, ed. PL 52, 611.

[113] Konzil von Clichy, a. 627, c. 16, ed. MG Leg. 3 I 199; Konzil von Reims, a. 624, s. 630, c. 14, ed. MG Leg. 3 I 204.

[114] Konzil von Tours, a. 567, c. 23, ed. MG Leg. 3 I 133.

[115] AUGUSTINUS, Ep. ad Galatas expos. 34.

[116] MARTIN VON BRAGA, De corr. rust., c. 11, ed. BARLOW.

[117] LACTANTIUS, Div. inst. V, 13, ed. CSEL 19, 439; id., Epitome div. inst., c. 17 (22), ibd. 688.

[118] Konzil von Tours, a. 567, c. 23 (22), ed. MG Leg. 3 I 133.

[119] MAXIMUS VON TURIN, Homilia 103, ed. PL 57, 494; Vita Eligii II, c. 16, ed. MG Script. rer. Merow. IV 706, cf. oben S. 156.

[120] MAXIMUS VON TURIN, Homilia 103, ed. PL 57, 494; CAESARIUS, Sermo 54, ed. CCL 103, 236; Vita Eligii II, ed. MG Script. rer. Merow. IV 705.

[121] CAESARIUS, Sermo 193, ed. CCL 104, 783; HRABANUS MAURUS, De mag. art., ed. PL 110, 1097.

[122] AGOBARD VON LYON, Contra insulsam vulgi opinionem de grandine et tonitruis, ed. PL 104, 148.

[123] DANIEL VON WINCHESTER, BONIFATII Ep. 23, ed. MG Ep. 23, 272; cf. weiterhin oben S. 57; CAESARIUS, Sermo 13, ed. CCL 103, 67; ID., Sermo 54; ID., Sermo 192, MAXIMUS VON TURIN, Tractatus 4 Contra paganos, ed. PL 57, 787.

[124] Cf. oben 34; LACTANTIUS, Div. inst. I, c. 1, 15, 23, ed. CSEL 19, 5, 58, 92; ID., Epitome div. inst., c. 55 (60), ed. CSEL 19, 737; FILASTRIUS VON BRESCIA, Diversarum here-

(*insipiens, insipientia*[126]) sei, wer an solchen Dingen hänge. Er beweise damit nur, daß er im Grunde keine Ahnung habe (*ignorans, ignorantia*[127]). Daß es sich dabei nicht um Unwissenheit über natürliche Verhältnisse und Vorgänge, sondern um Unwissenheit um Gott (*ignorantia dei*) handele, tritt ausdrücklich hervor: *Deus uerus, qui superstitione sollicita* (= Heidentum) *ab ignorantibus colebatur*[128], *homines quippe stulti et ignorantus deum*[129], *homines ignorantes Deum*[130]. In Unkenntnis Gottes sind Heiden und Abergläubische ganz gleich: *pagani creatorem omnium ignorantes.*[131]

Die Unwissenheit und Torheit des Heiden und Abergläubischen, wie sie die jederzeit beliebig vermehrbaren Nachweise sehr deutlich herausstellen, worin gründen sie? Was bedeuten sie für die Natur des Aberglaubens? Kommt ihnen überhaupt ein heuristischer Wert zu, oder meinen sie nicht mehr als die Tatsache selbst?

Die für die abendländische Heiden- und Aberglaubenspredigt wichtige Musterpredigt des ersten Bischofs von Dumium (b. Braga), MARTIN VON BRAGA, kann darauf eine erste Antwort geben. Die Predigt, nach den einleitenden Bemerkungen später betitelt *De correctione rusticorum, qui cum fideles essent, honorem*

---

seon liber, c. 36, 38, ed. CSEL 38, 20, 42; AUGUSTNIUS, De civ. dei IV, c. 23; MAXIMUS VON TURIN, Homilia 100, 101, 103, ed. PL 57, 485, 487, 491; ID., Tractatus 4 Contra paganos, ibd. 784; PETRUS CHRYSOLOGUS, Sermo 155, ed. PL 52, 609; CAESARIUS, Sermo 52 ed. CCL 103, 230 sq.; Sermo 193, ibd. 783; MARTIN VON BRAGA, De corr. rust., c. 11, 12, ed. BARLOW; ISIDOR VON SEVILLA, Etym. VIII 9, 3, ed. LINDSAY; Konzil von Nantes, c. 20, ed. MANSI 18, 172; DANIEL VON WINCHESTER, BONIFATII Ep. 23, ed. MG Ep. 23, 272; Hom. de sacr., c. 13, ed. CASPARI 8; Ivo, Decr., p. XI, c. 19, ed. PL 161, 751; ID., Panormia VIII, c. 80, ibd. 1325; HUGO VON ST-VICTOR, Didascalion, c. 3, ed. BUTTIMER 25.

125 Cf. oben S. 64—67; MAXIMUS VON TURIN, Homilia 100, ed. PL 57, 485 sq.; ID., Tractatus 4 Contra paganos, ed. PL 57, 783 sqq.; CAESARIUS, Sermo 52, ed. CCL 103, 231; ID., Sermo 54 et 192; MARTIN VON BRAGA, De corr. rust., c. 11, ed. BARLOW; Vita Eligii II, ed. MG Script. rer. Merow. IV 707 sq.; Conc. Germanicum, c. 5, ed. MG Leg. 3 II 4; Capitulare incerti anni, ca. a. 744, c. 12, ed. HARTZHEIM I 425; KARL D. GR., Capitulare primum, c. 6, ed. MG Leg. 2 I 45; KARLMANN, Capitulare, a. 742, c. 5, ed. MG Leg. 2 I 25; Admotio generalis, c. 65, ibd. 59; Homilia de sacrilegiis, c. 22, ed. CASPARI 12; Capitulare missorum item speciale, c. 41, ibd. 104; AGOBARD VON LYON, De grandine etc., ed. PL 104, 147 sqq.; HRABANUS MAURUS, De mag. art., ed. PL 110, 1097; BURCHARD VON WORMS, Corrector, c. 167, ed. SCHMITZ II 445; Konzil von Seligenstadt, c. 6, ed. MANSI 19, 394.

126 MAXIMUS VON TURIN, Homilia 100, ed. PL 57, 486; *insipientiae nebula*, id., Hom. 101, ibd. 487; CAESARIUS, Sermo 192, ed. CCL 104, 780; Homilia de sacrilegiis, c. 17, ed. CASPARI 10; Homilia saec. 8, ed. MORIN 518; HRABANUS MAURUS, De mag. art., ed. PL 110, 1099.

127 CAESARIUS, Sermo 193, d. CCL 104, 783; ATTO VON VERCELLI, Sermo 13, ed. PL 134, 850; ID., De grandine etc., ed. PL 104, 151.

128 PAULUS OROSIUS, Historiae adversum paganos, ed. CSEL 5, 350.

129 CAESARIUS, Sermo 192, ed. CCL 104, 779.

130 MARTIN VON BRAGA, wie Anm. 273, S. 158.

131 AGOBARD VON LYON, De grandine etc., ed. PL 104, 158.

exhibeant idolis[132], geht auf die Anregung des Bischofs POLEMIUS VON ASTURICA zurück. Dieser hatte sich, nachdem ein Synodalabschluß die Landesbischöfe aufgefordert hatte, bei ihren Kirchenvisitationen dem Volke zu predigen, an MARTIN gewandt mit der Bitte um eine passende Predigtanleitung[133]. Ist das an sich schon für die Beantwortung der Frage bemerkenswert, inwieweit dem zuständigen Klerus jeweils überhaupt eine objektive Aussage und Selbstmitteilung über superstitiose Anschauungen und Gebräuche ihrer Gemeinde zugemutet werden kann, so ist für dieselbe Frage aber noch aufschlußreicher, daß die Predigt schon bald auch in Händen anderer Prediger war, die in ähnlicher Bedrängnis gewesen sein mögen wie der asturische Bischof POLEMIUS. Es sei nur an die wiederholt bemerkte Abhängigkeit der Musterpredigt der *Vita Eligii* und an die Dicta PIRMINS VON REICHENAU erinnert[134]. Die um 1000 verfaßte angelsächsische Stabreimpredigt *De falsis diis* von AELFRIC stützt sich ebenfalls deutlich auf MARTINS Paganienpredigt. Sie stimmt mit dem von MARTIN geschilderten Gang der Entwicklung des Heidentums überein und berührt sich an verschiedenen Stellen auch textlich mit *De correctione rusticorum*[135]. Wie schon die Benutzung MARTINS durch die Musterpredigt der *Vita Eligii* und PIRMIN, so setzt auch die Kenntnis der Predigt bei AELFRIC vermittelnde Abschriften und Bearbeitungen voraus und gibt damit Hinweis auf die weite Verbreitung der Vorlage. Der um 1300 geschriebene Sermo „Woher der Unglauben seinen Ursprung hat" ist eine freie Bearbeitung AELFRICS. Er bringt den Stoff MARTINS bis in die altnorwegische Kirche und Literatur.[136]

Der wichtige Teil *De correctione rusticorum* über Ursprung und Wesen des Heidentums beginnt mit dem Brief MARTINS an POLEMIUS:

> *Epistolam tuae sanctae caritatis accepi, in qua scripsisti ad me, ut pro castigatione rusticorum, qui adhuc pristina paganorum superstitione detenti, cultum uenerationis plus daemoniis, quam deo persoluunt, aliqua de origine idolorum et sceleribus ipsorum uel pauca de multis ad te scripta dirigerem. Sed quia oportet ab initio mundi uel modicam illis rationis notitiam quasi pro gustu porrigere, necesse me fuit ingentem praeteritorum temporum gestorumque siluam breuiato tenuis conpendii sermone contingere et cibum rusticis rustico sermone condire. Ita ergo, opitulante tibi deo, erit tuae praedicationis exordium ...*

Daran schließt sich an die Darstellung der Geschichte des Heidentums. Ich gebe davon eine kurze Zusammenfassung und merke den zusammenhängenden Text in einer Fußnote an[137].

---

[132] Cf. CASPARI LXXXV.

[133] SCHNÜRER, Kirche und Kultur, I 155 f.

[134] Vgl. die Quellenkonkordanz.

[135] CASPARI CXIV—CXXII.

[136] Ebenda CXXII.

[137] Desideramus, filii karissimi, adnunciare uobis in nomine domini nostri Jesu Christi, quae aut minime audistis, aut audita fortasse obliuioni dedistis. Petimus ergo caritatem

Als Gott zu Anfang Himmel und Erde machte, da erschuf er auch die Engel. Einer von diesen, der Erste von allen, wollte nun aber nicht Gott, seinem Schöpfer, die Ehre geben, sondern hielt sich selbst für gottähnlich. Für diesen Hochmut (*superbia*) wurde er mit seinen Genossen vom Himmel hinabgeworfen und ist der

---

uestram, ut, quae pro salute uestra dicuntur, adtentius audiatis. Longus quidem per diuinas scripturas ordo digeritur, sed, ut uel aliquantulum in memoria teneatis, pauca nobis de pluribus commendamus. Cum fecisset deus in principio caelum et terram, in illa caelesti habitatione fecit spiritales creaturas, id est angelos, qui in conspectu ipsius adstantes laudarent illum. Ex quibus unus, qui primus omnium archangelus fuerat factus, uidens se in tanta gloria praefulgentem, non dedit honorem deo creatori suo, sed similem se illi dixit; et pro hac superbia cum aliis plurimis angelis, qui illi consenserunt, de illa caelesti sede in aerem istum, qui est sub caelo, deiectus est; et ille, qui erat primus archangelus, perdita luce gloriae suae, factus est tenebrosus et horribilis diabolus. Similiter et illi alii angeli, qui consentientes illi fuerunt, cum ipso de caelo proiecti sunt, et, perdito splendore suo, facti sunt daemones. Reliqui autem angeli, qui subditi fuerunt deo, in suae claritatis gloria in conspectu domini perseuerant; et ipsi dicuntur angeli sancti. Nam illi, qui cum principe suo Sathan pro superbia sua iactati sunt, angeli refugae et daemonia appellantur. Post istam uero ruinam angelicam placuit deo de limo terrae hominem plasmare, quem posuit in paradiso; et dixit ei, ut, si praeceptum domini seruasset, in loco illo caelesti sine morte succederet, unde ingeli illi refugae ceciderunt, si autem praeterisset dei praeceptum, morte moreretur. Uidens ergo diabolus, quia propterea fuerat homo, ut in loco ipsius, unde ipse cecidit, in regno dei succederet, inuidia ductus, suasit homini, ut mandata dei transcenderet. Pro qua offensa iactatus est homo de paradiso in exilio mundi iustius, ubi multos labores et dolores pateretur. Fuit autem primus homo dictus Adam, et mulier eius, quam de ipsius carne deus creauit, dicta est Eua. Ex istis duobus hominibus omne genus hominum propagatum est. Qui, obliti creatorem suum, deum, multa scelera facientes, inritauerunt deum ad iracundiam. Pro qua re inmisit deus diluuium et perdidit omnes, excepto uno iusto, nomine Noe, quem cum suis filiis pro reparando humano genere reseruauit. A primo ergo homine Adam usque ad diluuium transierunt anni II milia CCXLII. Post diluuium iterum recuperatum est genus humanum per tres filios Noe, reseruatos cum uxoribus suis. Et cum coepisset multitudo subcrescens mundum inplere, obliuiscentes iterum homines creatorum mundi, deum, coeperunt, dimisso creatore, colere creatures. Alii adorabant solem, alii lunam uel stellas, alii ignem, alii aquam profundam uel fontes aquarum, credentes, haec omnia non a deo esse facta ad usum hominum, sed, ipsa ex se orta, deos esse. Tunc diabolus uel ministri ipsius, daemones, qui de caelo deiecti sunt, uidentes, ignaros homines, dimisso creatore suo, per creaturas errare, coeperunt se illis in diuersas forma ostendere et loqui cum eis et expetere ab eis, ut in excelsis montibus et in siluis frondosis sacrificia sibi offerent et ipsos colerent pro deo, inponentes sibi uocabula sceleratorum hominum, qui in omnibus criminibus et sceleribus suam egerant uitam, ut alias Iouem se esse dicret, qui fuerat magus et in tantis adulteriis incestus, ut sororem suam haberet uxorem, quae dicta est Iuno, Mineruam uero et Uenerem, filias suas, corruperit, neptes quoque et omnem parentelam suam turpiter incestauerit. Alius autem daemon Martem se nominauit, qui fuit litigiorum et discordiae commissor. Alius deinde daemon Mercurium se appellare uoluit, qui fuit omnes furto et fraudis dolosus inuentor; cui homines cupidi quasi deo lucri, in quadriuiis transeuntes, iactatis lapidibus acernos petrarum pro sacrificio reddunt. Alius quoque daemon Saturni sibi nomen adscripsit, qui, in omni crudelitate uiuens, etiam nascentes suos filios deuorabat. Alius etiam daemon Uenerem se esse confinxit, quae fuit mulier meretrix. Non solum cum innumerabilibus

281

finstere Teufel geworden; seinen Mitverschwörern erging es ebenso; sie wurden Dämonen. Infolge dieses Ruins unter den Engeln nun bildete Gott den Menschen, um ihn, sofern er sein Gebot befolgte, unsterblich an Stelle jener treulosen Engel in den Himmel aufzunehmen. Darüber wurde der Teufel neidisch auf den

---

adulteris, sed etiam cum patre suo, Ioue, et cum fratre suo, Marte, meretricata est. Ecce tales fuerunt illo tempore isti perditi homines, quos ignorantes rustici per adinuentiones suas pessimas honorabant, quorum uocabula ideo sibi daemones adposuerunt, ut ipsos quasi deos colerent et sacrificia illis offerent et ipsorum facta imitarentur, quorum nomina inuocabant. Suaserunt etiam illis daemones, ut templa illis facerent et imagines uel statuas sceleratorum hominum ibi ponerent et aras illi constituerent, in quibus non solum animalium, sed etiam hominum sanguinem illis funderent. Praeter haec autem multi daemones ex illis, qui de caelo expulsi sunt, aut in mari, aut in fluminibus, aut in fontibus, aut in siluis praesident, quos similiter homines ignorantes deum quasi deos colunt, et sacrificia illis offerunt. Et in mari quidem Neptunum appellant, in fluminibus Lamias, in fontibus Nymphas, in siluis Dianas, quae omnia maligni daemones et spiritus nequam sunt, qui homines infideles, qui signaculo crucis nesciunt se munire, nocent et uexant. Non tamen sine permissione dei nocent, quia deum habent iratum et non ex toto corde in fide Christi credunt. sed sunt dubii in tantum, ut nomina ipsa daemoniorum in singulos dies nominent, et appellent diem Martis et Mercurii et Iouis et Ueneris et Saturni, qui nullum diem fecerunt, sed fuerunt homines pessimi et scelerati in gente Graecorum. Deus autem omnipotens, quando caelum et terram fecit, ipse tunc creauit lucem, quae per distinctionem operum dei septies reuoluta est. Nam primo die deus lucem fecit, quae appellata est dies. Secundo firmamentum caeli factum est. Tertio terra a mari diuisa est. Quarto sol et luna et stellae factae. Quinto quadrupedia et uolatilia et natalia. Sexto homo plasmatus est. Septimo autem die conpleto omni mundo et ornatu ipsius, requiem deus appellauit. Una ergo lux, quae prima in operibus dei facta est, per distinctionem operum dei septies reuoluta, septimana est appellata. Qualis ergo amentia est, ut homo baptizatus in fide Christi diem dominicum, in quo Christus resurrexit, non colat et dicat, se diem Iouis colere et Mercurii et Ueneris et Saturni, qui nullum diem habent, sed fuerunt adulteri et magi et iniqui et male mortui in prouincia sua! Sed, sicut diximus, sub specie nominum istorum ab hominibus stultis ueneratio et honor daemonibus exhibitur. Similiter et ille error ignorantibus et rusticis, hominibus subrepit, ut Kalendas Ianuarias putent anni esse initium, quod omnino falsissimum est. Nam sicut scriptura dicit, VIII kal. Aprilis in ipso aequinoctio initium primi anni est factum. Nam sic legitur: ,diuisit deus inter lucem et tenebras (Gen. 1, 4); omnis autem recta diuisio aequalitatem habet, quantum et nox. Et ideo falsum est, ut Ianuariae Kalendae initium anni sit. Iam quid de illo stultissimo erore cum dolore dicendum est, quia dies tinearum et murium obseruant, et, si dici fas est, ut homo Christianus pro deo mures et tineas ueneretur? Quibus si per tutelam cupellae aut arculae non subducantur, aut panis at pannus, nullo modo, proferendo (?) sibi exhibitis, quod inuenerint, parcent. Sine causa autem miser homo sibi istas praefigurationes ipse facit, ut, quasi sicut in introitu anni satur est et laetus ex omnibus, ita illi et in toto anno contingat. Obseruationes istae omnes paganorum sunt per adinuentiones daemonum exquisitae. Sed uae illi homini, qui deum non habuerit propitium, et ab ipso saturitatem panis et securitatem unitae non habuerit datam! Ecce istas superstitiones uanas aut occulte, aut palam facitis, et numquam cessatis ab istis sacrificiis daemonum. Et quare uobis praestant, ut semper saturi sitis, et securi et laeti? quare, quando deus iratus fuerit, nos non defendunt ista, sacrificia uana de locusta, de mure et de multis aliis tribulationibus, quas uobis deus iratus inmittit? Non intellegitis aperte, quia mentiuntur vobis daemones in istis obseruationibus uestris, quas uane tenetis, et in auguriis, quae adtenditis, frequentius uos

---

Menschen und überredete ihn, daß er Gottes Gebot übertrat; und so aus dem Paradies in die Verbannung dieser Welt verjagt worden ist, wo er jetzt Mühsal und Leid erdulden mußte. Die Nachkommen jener ersten Menschen vergaßen ihren Schöpfer und verübten viele Verbrechen, so daß Gott zornig wurde und sie alle, Noe mit seiner Familie ausgenommen, in einer großen Wasserflut ertränkte. Nach dieser Sintflut, als die Menschen begonnen hatten, die Erde wieder zu bevölkern, vergaßen sie ihren Schöpfer aufs neue und vergötzten die Natur. Die einen beteten die Sonne an, andere den Mond, die Sterne, das Feuer oder das Meer; denn sie glaubten, nicht Gott habe diese Dinge erschaffen, sie seien vielmehr aus sich selbst entstanden und wären Götter. Da täuschte nun der Teufel und sein ganzer Schwarm die unwissenden Menschen *(ignaros homines)*. Sie ließen sich in verschiedenen Gestalten sehen, sprachen mit den Menschen und erreichten, daß man sie als Götter verehrte und ihnen auf Bergen und in Wäldern Opfer brachte. Dabei legten sie sich Namen von verruchten Menschen zu, die ihr Leben in Verbrechen und großer Schuld verbracht hatten: So sagte der eine, er sei Jupiter, ein anderer Dämon nannte sich Mars, ein anderer schließlich Merkur, einer auch Saturn und ein weiterer Dämon endlich log, er sei Venus.

> *Ecce tales fuerunt illo tempore isti perditi homines, quos ignorantes rustici per adinuentiones suas pessimas honorabant ... Sed sicut diximus, sub specie nominum istorum ab hominibus stultis ueneratio et honor daemonibus exhibetur. Similiter et ille error ignorantibus et rusticis hominibus subrepit, ut Kalendas Ianuarias putent anni esse initium, quod omnino falsissimum est ... Iam quid de illo stultissimo errore cum dolore dicendum est, qui dies tinearum et murium obseruant ... Obseruationes istae omnes paganorum sunt adiuentiones daemonum exquisitae ... Ecce istas superstitiones uanas aut occulte aut palam facitis, et numquam cessatis ab istis sacrificiis daemonum ... Non intellitis aperte, quia uobis daemones in istis obseruationibus uestris, quas uane tenetis, et in auguriis, quae adtenditis, frequentius uos inludunt? Nam, sicut dicit sapientissimus Salomon: ,Diuinationes et auguria uana sunt'[138]; et, quantum sperauit homo in illis, tantum fallitur cor eius. ,Ne dederis in illis cor tuum, quoniam multos scandalizauerunt'[139]. Ecce hoc scriptura dicit, et certissime sic est."[140]*

inludunt? Nam, sicut dicit sapientissimus Salomon: ,Diuinationes et auguria uana sunt' (Sir. 34, 5); et, quantum sperauerit homo in illis, tantum fallitur cor eius. ,Ne dederis in illis cor tuum, quoniam multos scandalizauerunt' (Sir. 34, 6—7). Ecce hoc scriptura sancta dicit; et certissime sic est. Quia tamdiu infelices homines per auium uoces daemonia suadent, donec per res friuolas et uanas et fidem Christi perdant, et ipsi in interitum mortis suae de inprouiso incurrant. Non iussit deus hominem futura cognoscere, sed ut, semper in timore illius uiuens, ab ipso gubernationem et auxilium uitae suae speret. Solius dei est, antequam aliquid fiat, scire, homines autem uanos daemones diuersis argumentis inludunt, donec illos in offensam dei perducant, et anima eorum secum pertrahant in infernum sicut ab initio fecerunt per inuidiam suam, ne homo regnum caelorum intraret, de quo illi deiecti sunt. Martin von Braga, De corr. rust., c. 1—12.

[138] Cf. Sir 34, 5.
[139] Ebd. 34, 6 u. 7.
[140] Martin v. Braga, De corr. rust, c. 12.

Auffällig an dieser Belehrung über den Ursprung des Götzendienstes ist die Verbindung euhemeristischer und dämonologischer Interpretationselemente und die Trennung des eigentlichen ‚Götzendienstes' von der Kreaturvergötterung.

Dem Götzendienst geht die Kreaturvergötterung und dieser die sittliche Verdorbenheit der Menschen voraus. Die Darstellung hat durchaus ihre Konsequenz: Die Nachkommen der ersten Menschen vergaßen Gott, ihren Schöpfer, und verübten viele Verbrechen. So charakterisiert MARTIN die Menschheit vor der Flut. Von Naturkult oder Idolatrie ist noch nicht die Rede, sondern allein vom ethischen Verfall der Menschheit. Doch gründet dieser im Vergessen Gottes. Nach der Sintflut steigert sich die Gottvergessenheit zur selbstgewählten Gottverlassenheit *(dimisso creatore)* und Folge davon ist die im Nichtwissen um Gott und den Schöpfungscharakter der Welt gründende Kreaturvergötterung: Man glaubte, Sonne, Mond, Sterne, Feuer und Wasser seien aus sich selbst entstanden und wären Götter. Nun erst mischen sich die Dämonen ein. Denn sie sahen, daß die Menschheit unwissend *(ignaros homines)* geworden war und sich über Natur und Ursprung der Welt im Irrtum befand.

Die in Götzendienst gefallenen Menschen nennt MARTIN *homines ignorantes deum* und *ignorantes rustici.* Das gilt ihm für die vorchristliche Menschheit ebenso wie für rückfällige Christen. Den idolatrischen Fall kennzeichne weiterhin mangelnder Glaube und Zweifel: *non ex toto corde in fide Christi credunt, sed sunt dubii in tantum, ut . . . .*

Diese Formulierungen sind deshalb interessant, weil sie den Gedanken nahelegen, MARTIN sei der Ansicht gewesen, Reste von Heidentum fänden sich besonders häufig unter der Landbevölkerung, unter „unwissenden Bauern", der Götzendienst wäre „gewissermaßen von vornherein und seiner Natur nach Religion unwissender Bauern, eine Bauernreligion, Paganismus".[141] AGOBARD VON LYON hat knapp 400 Jahre später allerdings etwas ganz ähnliches bemerkt: Aberglaube als Relikt des Heidentums halte sich besonders hartnäckig unter der bäuerlichen Bevölkerung: *Et inde esse existimo quod hodieque durat in rusticus.*[142] Daß AGOBARD wirklich dieser Ansicht gewesen ist, kann seine Feststellung unterstreichen, im Falle des Glaubens an Wettermacherei handele es sich um Glaubensvorstellungen, die nicht auf eine bestimmte Bevölkerungsschicht beschränkt seien, sondern sich unter Edlen und Unedlen, unter Städtern und Bauern, Alten und Jungen verbreitet fänden.[143]

Geht man aber noch weiter zurück als bis auf MARTIN, so gibt sich auch das Attribut *rusticus* bald als Topos des *ignorantia*-Vorwurfes zu erkennen. Über

---

[141] CASPARI S. XCVI.
[142] S. oben S. 124.
[143] S. oben S. 266.

die Einführung der römischen Götterdienste durch König Numa Pompilius urteilt LACTANTIUS:

> *Has omnes ineptias primus in Latio Faunus induxit, qui et Saturno avo cruenta sacra constituit et Picum patrem tamquam deum coli uoluit et Fentam Faunam conjugem sororemque inter deos conlocauit ac Bonam Deam nominauit, deinde Romae Numa, qui agrestes illos ac rudes uiros superstitionibus nouis onerauit, sacerdotia instituit, deos familiis gentibusque distribuit, ut animos ferocis populi ab armorum studiis auocaret. ideo Lucilius deridens ineptias istorum qui uanis superstitionibus seruiunt, hos uersus posuit:*

> > *terriculas Lamias, Fauni quas Pompiliique*
> > *instituere Numae, tremit has, hic omnia ponit.*
> > *ut pueri infantes credunt signa omnia aena*
> > *iuuere et esse homnines, sic isti omnia ficta*
> > *uera putant, credunt signis cor inesse in aenis.*
> > *pergula pictorum, ueri nihil, omnia ficta!*[144]

Nicht anders urteilt LACTANTIUS über Sabinus: Er habe „ungebildete und unwissende" Menschen in neuen Aberglauben verstrickt: *Harum uanitatum aput Romanos auctor et constitutor Sabinus ille rex fuit, qui maxime animos hominum rudes atque inperitos nouis superstitionibus implicauit.*[145] Auch die *Ratio de cathecizandis rudibus* bezeugt allein die seit AUGUSTINUS[146] eingeführte Bezeichnung des Heiden als *rudes* — ungebildet und unwissend.[147]

Ähnlich verhält es sich mit dem Namen *paganus* = Heide: CASPARI gebrauchte „Paganismus" und „Bauernreligion" als Synonyme[148] und KRAWUTZCKY wartete gar mit einer Predigt des MAXIMUS VON TURIN „Gegen die vom Dorfe" *(contra paganos)* auf.[149] Auch hier ist von neueren Relikttheorien und der Erforschung bäuerlicher Kultur als Residualbereich religiöser Anschauungen und Gewohnheiten her *paganus* als Name für Heide[150] im Sinne von „Landbewohner" übersetzt. Doch hat schon HARNACK[151] darauf aufmerksam gemacht, daß das verhältnismäßig frühe Aufkommen des Namens *pagani* für Heide (zu einer Zeit, als die Verhältnisse noch nicht soweit vorangeschritten waren, als daß man von Heiden als von „Dörflern" hätte reden können) die Übersetzung im Sinne von „Hinterwäldner", wie wir sinngemäß sagen würden, nicht zulasse. Das Wort hatte ja schon im nichtchristlichen Sprachgebrauch und der Militärsprache eine andere

---

144 LACTANTIUS, Epitome div. inst., c. 17 (22), ed. CSEL 19, 687 sq.
145 ID., Div. inst. I, c. 22, ed. CSEL 19, 88.
146 Cf. HEER, Missionskatechismus, 10 f.
147 Cf. ATTO VON VERCELLI, Sermo 3, oben S. 38.
148 CASPARI, De corr. rust., XCVI.
149 Das katechetische Lehrsystem des hl. Maximus von Turin, 146—149.
150 Bezeugt seit der 1. Hälfte des 4. Jahrhunderts; cf. BAUS, Altchristliches Latein, 199.
151 Mission I 430 f.

Bedeutung angenommen: Zivilist, Nichtsoldat. Man wird den Wortsinn deshalb vor allem von der paramilitärischen Terminologie und Selbstbezeichnung des frühen Christentums her zu verstehen suchen müssen: Christus ist der *imperator* der Christen, die Christen sind *milites Christi*.[152] PAULUS redet von seinen Mitarbeitern als von „Mitsoldaten" *(commilitones)*[153] und von seinen Mitgefangenen als von „Mitkriegsgefangenen" *(concaptivi)*[154]. *Sacramentum* bedeutete soviel wie „Fahneneid"[155] und auch das *signum*, welches der Christ in der Taufe empfängt[156], dürfte nicht ohne Bezug auf die Bedeutungsmöglichkeit „Feldzeichen", „Fahne" sein. Im Gegensatz zum Soldaten Christi dürfte *paganus* also insbesondere den Nichtgetauften, den, der den Fahneneid *(sacramentum)* der Taufe nicht geschworen hat, bezeichnen.

Natürlich ist der etymologische Bezug des Wortes *paganus* auf *pagus*[157] früh und auch von christlicher Seite her gemacht worden[158], nur eben noch nicht im Sinne von „Landbewohner" als Reliktträger älterer Religionszustände, sondern als außerhalb der *civitas dei* lebender Heide. Was bei FESTUS allein Benennung eines Menschen seiner ländlichen, fern der Stadt gelegenen Herkunft nach ist, wird in einer genuin christlichen, allegorisierenden Etymologie auf den Aufenthalt des Heiden außerhalb des Gottesstaates bezogen, wobei eine parallele Etymologie von *gentiles* (Heiden) auf γῆ (Erde) den Wortsinn dahingehend erläutert, daß dem Heiden der Zugang zum Reich Gottes deshalb nicht gelinge, weil er am Irdischen hänge[159]: *Praeceperas mihi, uti adversus vaniloquam pravitatem eorum, qui alieni a civitate Dei ex locorum agrestium compitis et pagis pagani vocantur sive gentiles quia terrena sapiunt... explicarem.*[160] Von hier aus ist schließlich die Bedeutung *paganus* = Heide vollzogen, nicht über den Umweg einer ursprünglichen Relikttheorie. Auch die seltenere, schon der Antike bekannte[161] und durch ISIDOR[162] überlieferte Erklärung, die in *paganus* einen Bezug auf gewisse ländliche Götterkulte sieht, ist primär keine Tendenzetymologie zur Absicherung von Reliktbehauptungen, wenn sie auch die spätere Ausbildung des Gedankens[163] ge-

---

[152] Cf. HARNACK, Mission, I 428 f.; DERS., Militia Christi. Die christliche Religion und der Soldatenstand in den ersten drei Jahrhunderten. 1905.
[153] Phil 2, 25; Phlm 2.
[154] Röm 16, 7; Kol 4, 10; Phlm 23.
[155] HARNACK, Mission, I 430.
[156] *signum, quod in baptismo accepit*, MARTIN VON BRAGA, De corr. rust., c. 16.
[157] FESTUS 247, 5: *Pagani a pagis dicti.*
[158] Prolog des OROSIUS zu den Historiae adversum paganos, ed. CSEL 5, 6 sqq.
[159] KLINCK, Etymologie, 83—85.
[160] OROSIUS, Prolog. 9.
[161] Beispiele bei KAHANE, Etymologies, 33.
[162] Etymologiae VIII 10, 1: *Pagani ex pagis Atheniensium dicti, ubi exacti sunt. Ibi enim in locis agrestibus et pagis gentiles lucos idolaque statuerunt, et a tali initio vocabulum pagani sortiti sunt.*
[163] Vgl. oben S. 123.

fördert haben kann. Wie *paganus* nicht auf „Bauer" geht, so steht aber auch *rusticus, rudis,* nicht zur Bezeichnung des Landvolkes als „gewissermaßen von vornherein und seiner Natur nach" zum Träger von Aberglauben prädestiniert, sondern als Synonym für „dumm, roh, unwissend, primitiv" u. ä.

Die *ignorantia* des Superstitiosen, das zeigte MARTINS VON BRAGA Predigtentwurf sehr deutlich, geht unmittelbar auf den Fall des ersten Menschen zurück. Und daß jener Fall zu einer Verdunkelung der menschlichen Vernunft und des Wissens über das Wesen Gottes und der Welt geführt hat, gehört zum traditionellen Lehrbestand über die Folgen der Paradiesessünde. *Ignorantia* — das ist Folge jener „alten Sünde"[164] Adams, ist Signum der versehrten Natur des erbsündigen Menschen. Nun an Vernunft geschwächt und in Nebel der Unwissenheit gehüllt[165], sei die Menschheit zur Vergötterung der Natur gekommen und in der Folge in Götzendienst verstorbener Menschen und lebloser Puppen geraten[166].

So differenziert bis in das Hochmittelalter hinein und so unterschiedlich die Lehren über die Folgen der ersten Sünde gewesen sind, der Gedanke, der Sündenfall habe zu einer allgemeinen Verdunkelung der Vernunft und Schwächung des Urteils über Gott und Welt und die Natur des Menschen, habe zu Unwissenheit und Irrtum geführt, begegnet, wo nur immer nachgedacht wird über den mythischen Fall. Auch hier hat AUGUSTIN den größten Einfluß auf die mittelalterliche Theologie der Erbsünde genommen, wenn seine Lehren sich auch nicht in ihrer ganzen Härte behauptet haben.[167] Um so erstaunlicher ist es, daß sich MARTIN VON BRAGA mit seiner Predigt völlig unberührt von der Augustinischen Erbsündelehre zeigt. Man wird daraus nicht den Schluß ziehen dürfen, in Spanien und Portugal sei zu dieser Zeit die Erbsündelehre noch unbekannt gewesen. Dagegen spricht schon, daß GREGOR D. GR. seinen für diese Frage wichtigen Jobkommentar LEANDER VON SEVILLA zugeeignet hat und daß nicht viel später die Schriften ISIDORS VON SEVILLA die Verbreitung des Augustinismus auf der iberischen Halbinsel bezeugen.[168]

---

[164] DIDYMUS, De Trinitate II, c. 12, III, c. 17, ed. PG 39, 384, 867; *antiqum illud delictum,* PELAGIUS, In Rom. V, c. 12, ed. A. SOUTER, Cambridge 1926, 46.

[165] „Jheremias der Propheta sprach: Opposuisti nubem, ne transeat oratio, herre got, sprach er, du hast ein wolken gesazt zwischen uns und dich, daz unser gebet dar zu dir nicht müge cůmen. daz wolken enwaz anders niht wan al die schult die der mensche wider got hatte getan. daz wolken nam unser herre Jhesus Christus dar von mit sinem tode" SCHÖNBACH, Predigten, I 179; cf. GREGOR VON NAZIANZ, Orat. theol. XXVIII 12.

[166] THEOPHILUS VON ANTIOCHIEN, Ad Autolycum II 28; ATHENAGORAS VON ATHEN, Apol. 22; ORIGINES in Rom. V 12; ATHANASIUS, Contra gentes 7 sq.; CYRILL VON JERUSALEM, Cat. VI 11 sq.; AUGUSTINUS, De civ. dei XXI 14; GREGOR VON TOURS, Historiarum liber I 5; PIRMIN, Dicta 2—4; Musterpredigt, ed. SCHERER 437.

[167] GROSS I 375.

[168] Cf. GROSS, Erbsündedogma, II, 116; ISIDOR war Nachfolger des Erzbischofs LEANDER VON SEVILLA.

Der fehlende Einfluß augustinischer Erbsündelehre auf MARTIN erklärt sich jedoch leicht, wenn man weiß, daß der Erzbischof von Braga längere Zeit in Palästina gelebt hat und deshalb nicht an der lateinischen, sondern der griechischen Theologie orientiert, dieser aber die Radikalität der augustinischen Erbsündetheologie bis dahin fremd geblieben war. MARTIN vertritt die traditionelle Erbübellehre — von einer sittlichen Erbverderbnis weiß er noch nichts.[169]

Nach AUGUSTINUS hätte die Menschheit „im Paradies ein Leben geführt, das nicht nur gottverbunden und makellos, sondern auch eitel Lust und Wonne gewesen und ohne Unterbrechung durch den Tod in die unvergleichlich größere Himmelsseligkeit übergegangen wäre. Die Verwirklichung dieser vom Schöpfer geplanten natürlichen Ordnung hat der Sündenfall verhindert. Die sich vererbende Ursündenschuld brachte zugleich mit dem Tode das unübersehbare Heer aller übrigen physischen und moralischen Übel über sämtliche Adamskinder. Sie macht die Ungetauften zu wehrlosen Sklaven der Sünde und des Teufels, die ganze Menschheit zu einer einzigen Masse von Sündern und Verdammten. Sie allein genügt, um die ungetauft sterbenden Säuglinge der Höllenpein zu überantworten. Allein Gottes allmächtige Gnade vermag den Erbsünder seinem sonst unentrinnbaren zeitlichen und ewigen Verderben zu entreißen. Sämtliche Übel also, physische und moralische sowohl als auch zeitliche und ewige, kommen von der Ur- und Erbsünde. So lautet AUGUSTINS Lösung des Welträtsels vom Ursprung des Übels".[170] Das *Enchiridion de fide spe et caritate* gibt einen guten Überblick über die Lehren AUGUSTINS zu diesem Thema. Uns interessiert hier vor allem die Bedeutung, die AUGUSTINUS der Unwissenheit als Ursündenfolge zumißt und wie er das Verhältnis der Menschheit nach dem Fall zu den Dämonen charakterisiert, da darauf noch einzugehen ist: „Der in die Irre gegangene Wille ist das erste Übel des vernünftigen Geschöpfes, d. h. der erste Mangel des Guten. Gegen unseren Willen schlich sich dazu noch die Unwissenheit in bezug auf das Tun ein und die Sucht nach dem Schädlichen ... Alle diese Übel sind den Menschen und den Engeln gemeinsam; und beide sind denn auch wegen ihrer Bosheit von der Gerechtigkeit des Herrn verurteilt worden. Als besondere Strafe trifft den Menschen dazu noch der leibliche Tod. Gott hatte dem Menschen diese Strafe angedroht für den Fall, daß er der Sünde verfiele. Er hatte ihm die Gabe des freien Willens zugestanden, doch in der Weise, daß er den Willen lenken würde durch seinen Befehl und ihn schrecken wollte durch seine Strafandrohung. Auch hatte er ihn in das Glück des Paradieses versetzt, in dieses Schattenbild des Lebens, von dem aus er zu einem besseren Leben aufsteigen sollte, wenn er die Gerechtigkeit zu bewahren wußte. Durch den Sündenfall wurde der Mensch (aus dem Paradiese) vertrieben. Damit verwickelte er auch seine Nachkommenschaft, die er durch seine Sünde gleichsam in der Wurzel verderbt hatte, in die Strafe des Todes und der

---

[169] GROSS II 114 ff.
[170] Ebenda I 371 f.

Verdammnis. Somit zog sich jeder Mensch, der von ihm und seiner gleichfalls als Verführerin zur Sünde verdammten Frau geboren würde, auf dem Wege der fleischlichen Begierde, in der er eine Strafe fand, die seinem Ungehorsam entsprach, die Erbsünde zu. Die Erbsünde aber drängte ihn durch verschiedene Irrtümer und Schmerzen hindurch zu dieser letzten und endlosen Pein in Gemeinschaft mit den gefallenen Engeln, seinen Verderbern, Sklavenhaltern und Schicksalgenossen. ‚Auf diese Weise ist also durch einen Menschen die Sünde in die Welt gedrungen und durch die Sünde der Tod, und so ist der Tod auf alle Menschen übergegangen, weil alle in ihm gesündigt haben.'[171] Welt nennt der Apostel an dieser Stelle das gesamte Menschengeschlecht. Das war also die Sachlage. Die von Gott verdammte Gesamtheit der Menschen lag nicht nur im Bösen, sie wälzte sich darin und stürzte von einem Übel ins andere. Und in Gemeinschaft mit dem sündigen Teil der Engelwelt trug sie die gerechte Strafe für ihren gottlosen Abfall."[172]

Nun ist die Lehre von der Unwissenheit als Folge der ersten Sünde von AUGU-STINUS allerdings nicht immer so konsequent vertreten worden, wie es vor allem folgender Text anzunehmen nahelegt:

> *Nemo habet de suo nisi mendacium et paccatum. Si quid autem homo habet veritatis atque iustitiae, ab illo fonte est, quem debemus sitire in hac eremo, ut ex eo quasi guttis quibusdam irrorati, et in hac peregrinatione interim consolati ne deficiamus in via, venire ad ius requiem satietatemque possimus.*[172a]

Auch den Heiden, besonders den Philosophen unter ihnen, sei eine Befähigung, Gott aus der Schöpfung zu erkennen, eine natürliche Gotteserkenntnis nicht abzusprechen.[173] „Denn, was an Gott erkennbar ist, ist ihnen wohlbekannt, Gott selber hat es ihnen ja offenbart. Denn er, der Unsichtbare, wird in den Geschöpfen denkend erkannt schon seit Erschaffung der Welt; seine ewige Allmacht und die Gottheit." Mit diesen Worten des Römerbriefes[174] hat AUGUSTINUS die Naturphilosophie (Physik) der Platoniker beurteilt.[175] Doch ist die Gotteserkenntnis der Heiden ohne praktische Wirkung geblieben. Denn wo PAULUS davon spreche, „daß Gott ihnen sein unsichtbares Wesen durch das Licht der Vernunft an seinen Werken zu erkennen gab, ist auch gesagt, daß sie Gott nicht auf rechte Weise verehrt hätten, weil sie auch anderen Dingen, denen es nicht gebührte, die nur dem Einen schuldigen göttlichen Ehren erwiesen haben: ‚Obwohl sie Gott erkannten, haben sie ihn nicht als Gott geehrt, noch ihm gedankt, sondern wurden

---

171 Röm 5, 12. 5.
172 Enchiridion, c. 24—27, ed. u. übers. BARBEL 60—65.
172a Augustinus, In Joannem tractatus 5, c. 1, ed. PL, 35, 1414.
173 AGUSTINUS, De civ. dei VIII, c. 6; weitere Nachweise bei GROSS I 360, Anm. 86.
174 Röm 1, 19 sq.: *quia quod notum est Dei, manifestum est in illis. Deus enim illis manifestavit. Invisibilia enim ipsius, a creatura mundi, per ea quae facta sunt, intellecta, conspiciuntur: sempiterna quoque eius virtus, et divinitas.*
175 Civ. dei VIII, c. 6.

töricht in ihren Gedanken, und ihr unverständiges Herz wurde verfinstert. Weise meinten sie zu sein und sind Toren geworden und vertauschten die Herrlichkeit des unvergänglichen Gottes mit dem Bilde vom vergänglichen Menschen, den Bildern von Vögeln, von vierfüßigen und kriechenden Tieren'."

Die Torheit der Heiden ist also die Torheit dessen, der wohl erkennt, was wahr ist, doch nicht danach handelt.

Von hier aus wird erst die Breite und Tiefe des *ignorantia — stultitia —* Begriffes, wie ihn die Superstitionskritik und die Kritik des Heidentums kennt, deutlich: Ob nun *ignorantia* ein Erbübel oder eine Erbverderbnis ist, also als natürliches und natürlicherweise irreparables Defekt angesehen wird — AUGUSTINUS äußert sich selbst sehr widersprüchlich darüber — rechtverstanden sind *ignorantia* und *stultitia* nur verschiedene Aspekte, implizieren sie sich wechselseitig im Begriff des *insipiens cor,* des „unverständigen Herzens". Wie der Abergläubische in Aberglauben gerät, weil er nicht glaubt *ex toto corde in fide Christi*[176], weil er seine „Hoffnung" nicht ungeteilt auf Gott setzt[177], so reicht auch die Gotteserkenntnis der Heiden nicht aus, wenn sie allein im konsequenzlosen Gedanken bleibt: Dann bleibt das Herz unverständig und Weisheit wird zur Torheit.

Die Heiden, denen doch eine natürliche Erkenntnis Gottes möglich gewesen ist, und die, sofern sie etwa der gleichen Meinung sind wie die Platoniker[178], nicht anders über Gott gedacht haben als auch AUGUSTINUS selbst[179], sind dennoch in Polytheismus und Götzendienst geraten. Wie das? Obgleich sie Gott als das höchste Gut erkannten, erschien ihnen doch die Vorstellung unwürdig, „daß Menschen sich mit Göttern und Götter mit Menschen einließen, würdig hingegen, daß sich Dämonen mit Göttern und Menschen einließen, um hier Bitten vorzubringen, dort Erhörung zu übermitteln".[180] Deshalb wandten sie sich den Dämonen als vermittelnden Instanzen zwischen Himmel und Erde zu, obgleich sie sehr wohl um deren Schlechtigkeit, Boshaftigkeit und Hinterlist wußten.

Ebenso verhält es sich mit Aberglauben. Er setzt seine Hoffnung auf anderes als auf Gott, auf Menschen und Dinge, denen er, weil es ihm nicht Ernst ist mit dem Gedanken der Schöpfung, Wirkungen und Kräfte zuschreibt, die sie nicht haben können.[181] Für AUGUSTINUS steht außer Frage, daß die fälschlicherweise

---

176 MARTIN VON BRAGA, oben Anm. 137.

177 Cf. oben S. 267 f.

178 Civ. dei VIII, c. 9.

179 „Was jedoch den einen Gott als den Urheber des Alls betrifft, der unkörperlich über alle Körper erhaben ist und ebenso in seiner Unvergänglichkeit über allen Seelen thront, der unser Ursprung, unser Licht und unser Gut ist: in dieser Frage, in der sie mit uns übereinstimmen, stellen wir die Platoniker jedenfalls über alle übrigen Philosophen", Civ. dei, VIII, c. 10, übers. PERL.

180 Civ. dei VIII 17, dt. PERL 38.

181 S. oben S. 267.

für Götter verehrten Geister existieren — ihre Gewalt zu schaden ist dafür Beweis genug.[182] Wenn aber schon die Heiden, wie sie selbst bezeugen, sahen, daß die Dämonen nicht nur nicht Götter, sondern leidenschaftliche, lasterhafte und böse Geister seien, dann ist es doch nichts anderes als große Torheit, ihnen religiöse Verehrung zu erweisen, die ihnen nicht zusteht: „Kann es also einen anderen Grund als Torheit und beklagenswerten Irrtum geben, daß wir uns in Ehrfurcht vor jemand erniedrigen, dem wir im Leben gar nicht gleichen wollen, daß wir jemand in frommer Regung verehren, den wir nicht nachahmen möchten, wo doch das Höchste einer Religiosität darin besteht, den nachzuahmen, dem unsere Verehrung gilt?"[183]

Die Torheit des Heiden, so wäre zusammenzufassen, besteht also letztlich darin, daß er den Gedanken eines höchsten Gottes nicht realisiert, und nicht allein Gott Verehrung zuwendet, sondern ebenso kreatürlichen Dingen und Dämonen. Was den Heiden an ihrer Gotteserkenntnis gefehlt hat, das sind die Qualitäten des Herzens: Hoffnung, Vertrauen und Liebe. Eben dieses fehlt aber auch dem Abergläubischen, der seine Hoffnung nicht ungeteilt auf Gott setzt.[184] Was für Heidentum gilt, das gilt auch für Aberglauben. Denn im Wissen über Gott und Welt getrübt, nimmt er Zuflucht zu den lächerlichsten Dingen und erwartet von ihnen Wirkungen, die sie nicht haben können. Und wie der Heide, so wird auch der Abergläubische von den Dämonen getäuscht. Den unwissenden Heiden haben die Dämonen durch allerlei Gaukeleien und, ihre Engelnatur befähigt sie dazu, durch scheinbare Wunder verführt, leblose Puppen für Götter zu halten. Den Abergläubischen aber, durch dessen an sich wirkungslose und alberne Manipulationen eingeladen, täuschen sie auf gleiche Weise, indem sie zuweilen Hilfe bringen und Zukünftiges vorhersagen, um ihn unter ihre Herrschaft zu bringen.

Wollten die oben[185] angeführten Wendungen über ‚alten Aberglauben' den historischen Reliktcharakter als erwiesen betonen, so gerät unter dem Einfluß der Offenbarungsschriften[186] und der Erbsündetheologie das Relikt einer alten, überwundenen Zeit zu einem im Historischen nicht aufgehenden ‚Rest' des ‚alten Menschen' — wird Gegenstand theologischer Anthropologie: Als ‚Rest' konserviert Superstition nicht etwas Vergangenes, sondern weist auf stets Gegenwärtiges hin, insofern sie sich als *ignorantia dei* und Torheit *(stultitia)* unverständiger Herzen *(insipiens cor)* erweist und darin sich als Signum der erbsündigen Natur des Menschen zu erkennen gibt. Die Geschichte der Menschheit des Heidentums (bis zum Evangelium) und des Menschen (ohne Taufgnade) ist damit bestimmt von der zeitlosen Präsenz des Mythischen jenes urmenschlichen Falles, der uns „in unsere Blind-

---

[182] Civ. dei VIII, c. 13.
[183] Civ. dei VIII 17, dt. PERL 37.
[184] S. oben S. 267.
[185] S. 274 ff.
[186] S. oben S. 276 ff.

heit vergraben hat".[187] Superstition als ‚Rest' verweist auf das *antiquum delictum*[188], auf die anthropologische Verfassung des erbsündigen Menschen.

*

Zum Verständnis der mittelalterlichen Vorstellung vom Wesen des Aberglaubens ist es unerläßlich wenigstens einen Überblick über die Lehren zur Geschichte der Idolatrie zu gewinnen. Denn beides, Götzendienst und Aberglaube, komme durch die Tätigkeit der Dämonen zustande. Fragen wir zuerst, was jene Dämonen sind, so können wir uns im allgemeinen auf die Lehren AUGUSTINS beschränken. Denn die mittelalterliche Dämonologie und Lehre über das Wesen und die Geschichte der Superstition ist nahezu ausschließlich an den Feststellungen AUGUSTINS orientiert.[189]

Die Lehrmeinung der Antike und des frühen Christentums über Natur und Funktion der Dämonen ist in Anbetracht der unterschiedlichen antiken Kosmologien, Weltanschauungen und Religionen nicht einheitlich. Doch ist die allgemeinste Überzeugung, daß es sich bei ihnen um göttliche Wesen handele.[190] Anders jedoch als die olympischen, die Hoch-Götter, sind sie ohne Mythos, besitzen keine individuelle Gestalt und Persönlichkeit, sondern sind als numinose Naturpotenzen gewissermaßen auf einer älteren Stufe der Götterentwicklung stehen geblieben.[191] Was AUGUSTINUS an folgender Stelle über die Zahl der Götter sagt, das bezieht sich ausschließlich auf jene Dämonen, nicht auf Götter: „Ja, wie sollten hier an einer Stelle dieses Buches alle Namen der Götter und Göttinnen untergebracht werden, wo die alten Autoren in ihren großen Werken, in denen sie jedem einzelnen Ding eine eigene Obliegenheit einer oder der anderen Gottheit zuteilten, sie kaum zusammenfassen konnten? So war nach ihrer Meinung die Besorgung der Fluren nicht etwa irgendeinem einzelnen Gotte anvertraut, sondern der Acker im Tal der Göttin Rusina, der Bergkamm dem Gotte Jugatinus; die Hügel setzten sie unter die Aufsicht der Göttin Collatina, die Täler wieder beschützte Vallonia. Sie konnten nicht einmal eine geeignete Segetia finden, der allein sie die Saaten

---

187 *Aerumnosi, unde sumus expulsi, quo sumus impulsi! Unde praecipitati, quo abruti! A patria in exsilium, a visione dei in caecitatem nostram,* ANSELM V. CANTERBURY, Proslogion, c. 1, ed. SCHMITT 99.

188 S. Anm. 164, S. 287.

189 Es sei nur auf die einflußreicheren Texte verwiesen: HRABANUS MAURUS, De mag. art., ed. PL 110, 1099 sqq.; ID., De universo, c. 6, ed. PL 111, 426 sqq.; BURCHARD VON WORMS, Decr. X, c. 40 sqq., ed. PL 140, 839 sqq.; IVO V. CHARTRES, Decr., p. XI, c. 66 sqq., ed. PL 161; ID., Panormia VIII, c. 68, ibd.; GRATIAN, Decr., p. II, c. 26, qu. 2, c. 7, ed. FRIEDBERG 1022 sq.; ID., 3 et 4, c. 2, 1025 sq.; PETRUS LOMBARDUS, Sententiarum lib. 2, dist. 7, ed. PL 192, 665 sq.; zu THOMAS V. AQUIN s. u.

190 Cf. NILSSON, Griech. Religion, I, pass.; ABT, Apuleius 252, pass.; E. LUCIUS/G. ANRICH, Die Anfänge des Heiligenkults in der christlichen Kirche. Tübingen 1904, 3 ff., pass.; eine gute Übersicht bei BARTSCH, Sachbeschwörungen, 50—60.

191 Cf. NILSSON, Griech. Religion, I 59 f.

während der ganzen Dauer anvertraut hätten, sondern den Getreidesamen sollte, solange er noch in der Erde lag, die Göttin Seja betreuen, wenn er zu keimen begann und zur Saat gedieh, die Göttin Segetia, über das gesammelte und eingeheimste Getreide aber setzen sie als Beschützerin die Göttin Tutilina."[192]

Die patristische Polemik gilt allerdings nicht solchen Naturdämonen. Längst waren die Dämonen nicht mehr nur das Göttliche einzelner Naturkräfte, sondern vor allem in der neuplatonischen Kosmologie allgemeinste kosmologische Potenzen und vermittelnde Instanzen zwischen Menschen und Göttern geworden.[193] Zur neuplatonischen Dämonenlehre nun, wie sie APULEIUS in *De deo Socratis* vertreten hat, nimmt AUGUSTINUS ausführlich Stellung und sucht sie zu widerlegen.[194] Dabei gilt auch für AUGUSTINUS, daß die Dämonen nicht Einbildungen der Heiden, sondern reale Mächte seien, allerdings keine Götter, sondern böse und betrügerische Geister. Und nicht nur, daß die Dämonen nicht Götter seien, vielmehr seien auch alle Götter Dämonen.[195] Darüber hätten sie die Heiden zu täuschen verstanden: daß man sie für Götter verehrte; und darin gäben sie auch zu erkennen, wer sie in Wirklichkeit seien: gefallene Engel.[196] Weil die abtrünnigen Engel voller Hochmut[197] nicht Gott verehren wollten, seien sie vom Himmel herabgestürzt[198], ließen aber auch nach ihrem Sturz nicht davon ab, nach göttlichen Ehren zu streben. Auf jede mögliche Weise versuchten sie deshalb den Menschen zu täuschen und zu betrügen; alles nur zu dem Ende, wie Götter verehrt zu werden.[199] Zu ihren Betrügereien befähigte sie ihre besondere Natur. Wie sie in der Luft hausten[200], so hätten sie auch einen luftartigen Leib, der zwar nicht reiner Geist aber auch kein irdischer Körper sei. Und wie in der Luft jede Bewegung um vieles schneller vorgehe, so könnten sie mit größter Schnelligkeit, die selbst die schnellsten Vögel nicht erreichten, ihren Ort wechseln.[201] Ihr Luftkörper ermögliche es

---

[192] Civ. dei IV 8, übers. PERL.
[193] Cf. ibd. IX 1.
[194] Ibd. VIII 13 sqq.
[195] Ibd. I 29, 31; II 4, 10, 11, 13, 18, 22, sqq., 26, 29; IV 1, 23; VII 33; Enarr. in ps. 95, 5; Ep. 102, qu. 3.
[196] Civ. dei IX 15, 19.
[197] Ibd. I 31; IX 23; VIII 22; IX 20, 22; Ep. 49, qu. 3.
[198] Ibd. VIII 22.
[199] Ibd. II 4, 24, 25.
[200] Ibd. VIII 22: „Sie hausen zwar in der Luft, weil sie, aus der Erhabenheit des oberen Himmels herabgestürzt, mit Recht für die nicht rückgängig zu machende Überschreitung zu diesem ihnen gemäßen Kerker verurteilt sind, doch sind sie deshalb nicht, weil die Luft über der Erde und dem Wasser schwebt, an Wert dem Menschen überlegen", übers. PERL; cf. VIII 15; X 12.
[201] *Daemonum eam esse naturam, ut aerii corporis sensu terrenorum corporum sensum facile praecedant, celeritate etiam propter eiusdem aerii corporis superiorem mobilitatem non solum cursus quorumlibet hominum uel ferarum, uerum etiam uolatus auium incomparabiliter iucant,* AUGUSTINUS, De divinatione daemonum, c. 3, ed. CSEL 41, 603; cf. HRABANUS MAURUS, De mag. art., ed. PL 110, 1102.

ihnen, selbst in Menschen einzudringen, sie zu quälen oder ihnen Trugbilder vorzugaukeln.[202] Weil sie behende hierhin und dorthin fliegen könnten, erführen sie auch vieles mehr, als was einem Menschen bekannt werden könnte.[203] Hinzu komme, daß sie auf Grund ihres hohen Alters auch bedeutend mehr Kenntnisse erwerben könnten, als es dem Menschen in der kurzen Spanne seines Lebens je möglich sei.[204] Zudem hätten sie schärfere, engelhafte Sinne und ein erhöhtes Wissen.[205] So heiße auch ihr griechischer Name *daimones* soviel wie die „Wissenden".[206] Augustinus übernimmt also die von Platon[207] eingeführte Ableitung des Wortes von δαήμων „kundig, erfahren", nur daß er jenes große Wissen der Dämonen nicht positiv, auch nicht wertneutral nimmt. Ihr Wissen werde ihnen zum Verhängnis: Wenn nämlich der Apostel davon rede, daß „Wissen aufblähe, Liebe dagegen erbaue"[208], „so kann das nicht anders verstanden werden, als daß Wissen nur dann von Nutzen ist, wenn ihm Liebe innewohnt, ohne die es bloß aufgeblasen macht, das heißt zum Hochmut nichtigster Prahlerei emportreibt. In den Dämonen ist also ein Wissen ohne Liebe, und deshalb sind sie so aufgeblasen, das heißt so hochmütig, daß sie alles daransetzen, sich göttliche Ehren und religiösen Dienst zu verschaffen, der, wie sie wissen, nur dem wahren Gott gebührt. Und darauf arbeiten sie hin mit allen Mitteln und bei wem immer sie es nur vermögen."[209]

---

[202] „Sie schleichen sich sogar heimlich in die Körper ein als feine Geister und bewirken Krankheiten, ängstigen die Seelen, verzerren die Glieder, um sie zu ihrer Verehrung zu nötigen", Minucius Felix, Octavius, c. 27, übers. BKV 14, 63; *suadent autem miris et inuisibilibus modis per illam subtilitatem corporum suorum corpora hominum non sentientium penetrando et se cogitationibus eorum per quaedam imaginaria uisa miscendo, siue uigilantium siue dormientium,* Augustinus, De div. daem., c. 5, ed. CSEL 41, 607.

[203] *quibus duabus rebus, quantum ad aerium corpus attinet, praediti, hoc est acrimonia sensus et celeritate motus, multo ante cognita praenuntiant uel nuntiant, quae homines pro sensus terreni tarditate mirentur,* Augustinus, De div. daem., c. 3, ed. CSEL 41, 603; cf. Hrabanus Maurus. De mag. art., ed. PL 110, 1101.

[204] Civ. dei IX 22; *accesit etiam daemonibus per tam longum tempus, quo eorum uita protenditur, rerum longe maior experientia, quam potest hominibus propter breuitatem uitae prouenire. per has efficacias, quas aerii corporis natura sortita est, non solum multa futura praedicunt daemones, uerum etiam multa mira faciunt,* Augustinus, De div. daem., c. 3 ed. CSEL 41, 604; cf. Hrabanus Maurus, De mag. art,, ed. PL 110, 1101.

[205] Cf. oben S. 176; Civ. dei IX 21 sqq.

[206] Civ. dei IX 20.

[207] Kratylos 398 a.

[208] 1 Kor 8, 1.

[209] Augustinus, Civ. dei, IX 20, übers. Perl; die Übernahme der platonischen Etymologie ist allerdings kein Beweis dafür, „wie konservativ man sich oft den antiken Ableitungen gegenüber verhielt", wie hierzu R. Klinck, Etymologie des Mittelalters, 104, feststellt; sie erweist sich vielmehr erst im Umkreis der christlichen Dämonologie und der Lehre vom Ursprung des Heidentums als passend und sehr willkommen, keinesfalls aber widerspricht sie der christlichen Lehre (Klinck, ebd.), was man schon aus den folgenden Hinweisen ersehen mag. Anzumerken wäre auch, daß die von Augustinus christianisierte Etymologie nicht ganz so wenig Nachahmer gefunden hat, wie Klinck meint; zum Ver-

Die intellektuellen und ‚körperlichen' Vorzüge der Geisternatur befähigten sie
zu ihren Betrügereien: Sie hätten die Zauberei und Magie erfunden, die astrologischen und divinatorischen Künste eingeführt.[210] Sie seien auch in der Lage, Wunder
zu wirken: Ob das nun reine Gaukeleien seien und trügerische Vorspiegelungen
oder durch ihre magischen Künste zustande komme, darüber gingen die Meinungen auseinander.[211] Ihre Wahrsagungen und Orakel jedenfalls seien nichts
anderes als Erkenntnisse von Sachverhalten, die dem Menschen noch verborgen
seien, die sie aber aufgrund ihrer besonderen Natur eher wahrnehmen könnten.
Zumeist jedoch verkündeten sie nur das voraus, was sie selbst im Schilde führten
und dann auch zuwege brächten, etwa Krankheiten[212], oder, was auch nicht selten
geschehe, was sie an bestimmten Zeichen erkannten, die der Mensch nicht sehen
könne. Und deshalb müßte man sie nun nicht gerade Propheten nennen. Denn
ein Arzt, der aus bestimmten körperlichen Zuständen seines Patienten erkenne,
ob dieser gesund oder krank sein werde, werde ja auch nicht Wahrsager genannt.
So erkennten nämlich die Dämonen, weil ihr Lebenselement die Luft sei, leichter,
was darin vorgehe und könnten somit den Wetterverlauf vorher erkennen und
entsprechend zutreffende metereologische Auskünfte erteilen.[213] All ihre Tätigkeit
aber sei allein von dem Zweck bestimmt, als Götter verehrt zu werden und so
einerseits sich selbst daran zu ergötzen, andererseits aber die Menschen von Gott
abzuziehen. Deshalb verkündeten sie nicht selten auch Wahres, damit man sich

---

gleich sei aus dem Psalmenkommentar (Ps 95, 5) BRUNOS VON WÜRZBURG angeführt:
*Daemonia sunt enim quae nulli praestant bona, sed in se credentes semper decipiunt, dicti
daemones, quasi scientes. Sed quoniam scientia dici non potest, quae Creatoris non obse-
cundat arbitrio, eos ita scientes debemus accipere, quasi non intelligentes, sicut et Apostolus sapientiam mundi stultitiam vocat (1 Kor 1). Deus coelos fecit, id est, apostolos et
sanctos viros instituit, qui daemonibus imperare consueverunt*, ed. PL 142, 351. Auch die
„weniger kritisch gegenüber der antiken Deutung von ‚daemon'" (KLINCK 103) angelegte
Erklärung bei ISIDOR VON SEVILLA geht auf AUGUSTINUS zurück: hier wären die von uns
genannten Stellen heranzuziehen.
210 U. a. MINUCIUS FELIX, Octavius, c. 26; LACTANTIUS, Epitome div. inst., c. 23; AUGU-
STINUS, Civ. dei XXI 6; HRABANUS MAURUS, De mag. art.; THOMAS VON AQUIN, S. Th. II.
II. 94, 4.
211 Civ. dei VIII 19, 20; X 12.
212 *Quae cum ita sint, primum sciendum est, quoniam de diuinatione daemonum quaestio
est, illos ea plerumque praenuntiare, quae ipsi facturi sunt. accipiunt enim saepe potestatem et morbos inmittere et ipsum aerem uitiando morbidum reddere et peruersis atque
amatoribus terrenorum commodorum malefacta suadere, de quorum moribus certi sunt,
quod sint eis talia suadentibus consensuri*, AUGUSTINUS, De div. daem. c. 5, ed. CSEL
41, 607.
213 *aliquando autem non quae ipsi faciunt, sed quae naturalibus signis futura prae-
noscunt, quae signa in hominum sensus uenire non possunt, ante praedicunt. neque enim
quia praeuidet medicus, quod non praeuidet eius artis ignarus, ideo iam diuinus habendus
est. quid autem mirum, si quemadmodum ille in corporis humani uel perturbata uel
modificata temperie seu bonas seu malis futuras praeuidet ualitudines, sic daemon in aeris
affectione atque ordinatione sibi nota, nobis ignota futuras praeuidet tempestates?*, ibd.
607 sq.

um so eifriger um ihren Rat und ihre Hilfe bemühe[214] und sich über ihr Wesen im unklaren bleibe. Kein Mittel sei ihnen zu gering: Sie achteten selbst noch darauf, daß jemand nicht etwa ein Buch aufschlage, in dem etwas über ihre wahre Natur zu lesen steht.[215]

Von Anfang an verfolgten die Dämonen den Menschen mit ihren Nachstellungen. Denn als sie sahen, daß Gott den Menschen bildete, um ihn an ihrer Statt in den Himmel aufzunehmen, da wurden sie neidisch auf den Menschen und suchten ihn von Gott abzuziehen.[216] Nun erkannten sie aber sehr bald, daß sie Adam nicht hintergehen konnten. Denn dieser war ganz irrtumslos, mit höchster Weisheit und überhaupt mit allen nur denkbaren geistigen und körperlichen Vorzügen von Gott ausgestattet. „Nachdem sich aber jener hoffärtige und darum neidische Engel durch seinen Hochmut von Gott zu sich gekehrt hatte, sich in seinem tyrannischen Stolz lieber über Untertanen freuen als selbst untertan sein wollte und aus dem geistigen Paradies herabgestürzt war, da strebte er mit verführerischer List nach dem Sinn des Menschen, dem er, da er selbst gefallen war, die Standhaftigkeit neidete. Im leiblichen Paradies nun, wo sich mit den beiden Menschen, dem Mann und der Frau, auch die übrigen zahmen und unschädlichen irdischen Lebewesen tummelten, wählte er sich die Schlange aus, ein schlüpfriges Tier, in krummen Windungen geschickt, das just seinem Tun entsprach, und das ihm als Sprecher dienen sollte. In geistiger Bosheit machte er sich durch seine Engelerscheinung und seine überragende Natur die Schlange gefügig, um sie als Werkzeug zu mißbrauchen, und nahm so das Truggespräch mit dem Weibe auf. In der Meinung, der Mann sei nicht so leichtgläubig und könne nicht durch eigenen Irrtum betrogen werden, sondern nur fremdem Irrtum unterliegen, machte er beim minderen Teil des Menschenpaares den Anfang, um so nach und nach zum Ganzen zu gelangen."[217]

Nur Eva, die an Adams Irrtumslosigkeit nicht teilhatte, konnte verführt werden. Sie übertrat Gottes Gebot und stürzte, nachdem sie auch Adam dazu überredet hatte, das ganze Menschengeschlecht in größten Jammer: „Damals ‚aß der Mensch Engelbrot', nach dem ihm nun hungert, jetzt ißt er ‚Schmerzensbrot', das er damals nicht kannte. Wehe, öffentliche Trauer der Menschen, allgemeines Wehklagen der Söhne Adams! Jener rülpste vor Sättigkeit, wir schluchzen vor Hunger ... Warum hat er nicht für uns bewacht, da er leicht konnte, wessen wir so drückend entbehren? Warum hat er so uns das Licht verwahrt und uns mit Finsternis verdeckt?"[218]

---

[214] Civ. dei III 11.
[215] Justinus, Apol., c. 12 sq.
[216] Cf. oben Anm. 137.
[217] Augustinus, De civ. dei XIV 11, übers. Perl; zur Psychologie des Sündenfalls vgl. man A. Solignac, La Condition de l'homme pécheur d'après saint Augustin: Nouvelle Revue théologique 88 (1956) 367—376.

Des Geistbesitzes verlustig geriet die Menschheit in Finsternis und Unwissen-heit[219], stolperte von einer Sünde zur anderen, und fiel in Laster und Verbre-chen[220], so daß Gott zornig wurde über die Menschen und sie in einer großen Flut ertränkte — Noe und seine Familie ausgenommen.[221] Als nun die Menschheit nach der Flut aufs Neue begann sich zu vermehren, vergaßen sie wiederum ihren Schöpfer und wandten sich der Kreatur zu. Denn sie waren unwissend geworden und meinten, die Naturdinge wären aus sich entstanden und seien Götter.[222] Als die Dämonen aber sahen, in welchen Irrtum die Menschheit gefallen war, redeten sie den Menschen ein, sie seien Götter.[223] Doch auch hier konnten sie schon auf die Torheiten der Menschen zurückgreifen. Denn man hatte mit der Zeit das Andenken verstorbener Menschen, großer Heroen und weiser Männer zur kul-tischen Verehrung gesteigert und Menschen zu göttlichen Ehren erhoben. Um sich ihr Andenken stets vor Augen stellen zu können, hatte man Bilder von ihnen angefertigt. Da ließen sich die Dämonen in verschiedenen Gestalten sehen, spra-chen aus jenen Bildern, wirkten ihre Wunder und Zauberkünste und taten so, als wären sie jene Helden der Vorzeit und Götter:

Quos pagani deos asserunt, homines olim fuisse produntur, et pro uniuscujusque vitae meritis coli apud suos post mortem coeperunt: ut apud Aegyptum Isis, apud Cretam Jovis, apud Mauros Juba, apud Latinos Faunus, apud Romanos Quirinus. Eodem quoque modo apud Athenas Minerva, apud Samum Juno, apud Paphos Venus, apud Lemnos Vulcanus, apud Naxos Liber, apud Delphos Apollo. In quorum etiam laudi-bus accesserunt et poetae, et compositis carminibus, in coelum eos sustulerunt. Nam quarumdam adinventiones artium reperisse dicuntur. Ut a Scolapio (Aesculapio) medi-cina, Vulcano fabrica. Ab actibus autem vocantur, ut Mercurius, qui mercibus praeest, Liber a liberalitate. Fuerunt quidam viri fortes aut urbium conditores, quibus mortuis homines qui eos dilexerunt simulacra finxerunt ut haberent aliquod ex imaginum contemplatione solatium: sed paulatim hunc errorem persuadentibus daemonibus ita in posteris irrepsisse constat, ut quos illi pro sola nominis memoria honoraverunt, successores deos existimarent atque colerent. Simulacrorum usus exortus est, cum ex desiderio mortuorum constituerentur imagines vel effigies, tanquam in coelum receptis: pro quibus se in terris daemones colendi supposuerunt, et sibi sactrificari a deceptis et perditis persuaserunt.[224]

---

[218] ANSELM VON CANTERBURY, Proslogion, c. 1, übers. HAPP.

[219] S. oben Anm. 137.

[220] Ebenda.

[221] Ebenda.

[222] Ebenda; Rede an Getaufte, saec. 10/11, ed. CASPARI 195.

[223] LACTANTIUS, Epitome div. inst., c. 23; AUGUSTINUS, Sex quaestiones contra paganos expositae I, qu. 3, ed. PL 33, 377 sq.; *Satanas hoc enim nititur, ut adoretur quasi Deus,* HRABANUS MAURUS, De mag. art., ed. PL 110, 1100.

[224] HRABANUS MAURUS, De universo XV 6, ed. PL 111, 426; die euhemeristische Er-klärung der heidnischen Mythologie, Götter und Kulte ist nicht genuin christlich, sondern war schon von heidnischen Schriftstellern entwickelt: *Saturnum enim, principem hujus generis et examinis, omnes scriptores vetustatis, Graeci Romanique, hominem prodiderunt.*

Soweit also die Hauptzüge der patristischen und frühchristlichen Lehre über Ursprung und Wesen der Idolatrie.

Wo MARTIN VON BRAGA davon sprach, daß die Dämonen mit dem Menschen redeten[225], ist nun der systematische Ort, an dem AUGUSTINUS einsetzte mit seiner folgenreichen Superstitionstheorie: Was sind nämlich die abergläubischen Mittelchen, Praktiken, Riten anders als Dinge, durch deren Gebrauch man sich in Verbindung mit den Dämonen setzen will. An sich sind diese Dinge ja ganz sinnlos und ihre Anwendung kann keine Wirkung haben, weil solches natürlicherweise nichts bewirken kann. Aber man hat sich auf diese Dinge ja auch nicht eingelassen, weil ihnen an sich bestimmte Kräfte zukämen, sondern weil man sich darauf einließ, haben sie Kraft erlangt.

Wichtig ist zuerst, daß die Dämonen durch ‚Aberglauben' eingeladen werden. Sie lieben den Betrug. Sehen sie also jemanden im Irrtum, so stellen sie sich sogleich ein, um ihr betrügerisches Werk zu beginnen. Auch der Götzendienst war erst entstanden, als die Dämonen erkannten, daß die Menschen *ignorantes*, unwissend geworden und in Irrtum gefallen waren. Wird also eine abergläubische Manipulation angestellt, dann werden durch die, für sich genommen, wirkungslosen und albernen, Verrichtungen die bösen Geister angelockt. Wenn man die Formen des Aberglaubens recht verstehen will, muß man sie somit nicht wie etwas betrachten, das aus eigener Kraft etwas zu wirken vermag, sondern, sofern ein gewünschter Effekt eintritt, als Mittel, die dazu dienen, die Dämonen anzulocken und zu ihren Hervorbringungen zu veranlassen. Daß den Praktiken der Superstition ebenso wie den Riten und Kultbildern der Heiden tatsächlich eine Wirkung zukomme, das steht weitgehend außer Frage. Aber wie nun jene nicht selten erstaunlichen, wunderbaren Dinge durch das Wirken der Dämonen zustande kommen, so hat man die abergläubischen Praktiken schon von hier aus nicht wie natürliche Wirkursachen, sondern, weil solches nur durch die damit herbeigerufenen Dämonen geschieht, die Dämonen aber nicht durch Futter, wie Tiere, sondern wie Geister durch Sinnbilder angelockt werden, als Zeichen zu verstehen.

Über die wunderbare Lampe im Tempel der Venus, die kein Sturm noch Regen auszulöschen vermöchte, urteilt AUGUSTINUS: „Wir setzen nämlich zu dieser nicht

---

Scit hoc Nepos et Cassius in historia, et Thallus ac Diodorus hoc loquuntur, MINUCIUS FELIX, Octavius, c. 22; cf. TERTULLIAN, Apol., c. 10; LACTANTIUS, Div. inst. I, c. 13; CICERO, Disputationes Tusculanae I 12 sqq. Für die christliche Kritik der Heidengötter ist dagegen die Kombination der euhemeristischen Interpretation mit der spätantikchristlichen Dämonologie charakteristisch; cf. etwa JUSTINUS MARTYR, Apol., c. 10 sq., 22; CYPRIAN VON KARTHAGO, De idolorum vanitate, pass.; LACTANTIUS, Inst. div. I, c. 8—15, II, c. 13 sqq.; AUGUSTINUS, Civ. dei IV 8, VII 18, 27 sq., 35, VI 8, VIII 24, 26; AMBROSIUS, Sermo 7; CAESARIUS VON ARLES, Sermo 192; HRABANUS MAURUS, De universo XV, c. 6; GREGOR V. TOURS, Historiarum lib. II, c. 29; BONIFATIUS, Ep. 21 et 23; Ratio de cathec. rud., p. 82 sq. 86; Hom. de sacr., c. 23; ATTO, Sermo 3; Rede an Getaufte, saec. 10/11, p. 195; PETRUS LOMBARDUS. Sent. lib. III 37, 2; cf. oben S. 158, 162.
[225] S. oben Anm. 137.

verlöschenden Laterne auch gleich die vielen anderen Wunder hinzu, die Wunder menschlicher und magischer, das heißt dämonischer Künste, die durch Menschen ausgeführt oder allein durch Dämonen in großer Zahl vollbracht werden: sie in Abrede stellen, hieße ja der Wahrheit der heiligen Schriften widersprechen, an die wir glauben. Entweder wird bei jener Leuchte ein von Menschen erfundener künstlicher Mechanismus aus Asbeststein verwendet, oder sie ist durch magische Kunst verfertigt, weshalb die Menschen sie in jenem Tempel anstaunten, oder es hat sich irgend ein Dämon unter dem Namen der Venus so wirksam vergegenwärtigt, daß dieses Wunderzeichen den Menschen sichtbar wurde und längere Zeit andauerte. Die Geschöpfe aber, in denen sich Dämonen aufhalten, sind nicht von ihnen, sondern von Gott erschaffene, und die Dämonen werden durch verschiedene von ihnen bevorzugte Ergötzungen angelockt, nicht wie Tiere durch Futter, sondern als Geister durch Sinnbilder, die der Neigung jedes einzelnen entsprechen, durch allerlei Arten von Steinen zum Beispiel, durch Kräuter, Bäume, Tiere, Gesänge und Gebräuche. Um aber auch von Menschen angelockt zu werden, verführen sie selbst sie vorher mit allen Listen und Verschlagenheiten. Entweder flößen sie ihren Herzen ein geheimes Gift ein oder treten auf als trügerische Freunde, um aus ihren wenigen Schülern Lehrmeister für viele zu machen. Zuerst lehrten sie nämlich selbst, sonst hätte ja niemand gewußt, was jeder einzelne von ihnen begehrt und was er haßt, unter welchem Namen er beschworen, womit er bezwungen werden kann. Hieraus ergaben sich dann die magischen Künste und ihre Meister. Hauptsächlich aber bemächtigen sie sich der Herzen der Menschen und rühmen sich dieses Besitzes dann am stärksten, wenn sie sich in Engel des Lichtes verwandeln.[226] Es gibt also sehr viele Werke der Dämonen, und je mehr wir sie als Wunder betrachten, um so vorsichtiger haben wir uns vor ihnen zu hüten. Freilich sind auch sie für das, wovon wir hier handeln, von Nutzen. Wenn nämlich bereits unreine Dämonen solche Dinge vollbringen können, um wie viel machtvoller gar als sie alle ist Gott, der auch diese Engel, die Bewirker der größten Wunder, erschaffen hat! Es sind viele und große Wunderdinge, wie sie der Grieche ‚mechanémata‘ nennt, die durch menschliche Kunst entstehen, wobei die Schöpfung Gottes dienstbar gemacht wird. Infolgedessen halten sie die Menschen, die sie nicht durchschauen, für göttlich. Daher konnte es vorkommen, daß in einem Tempel durch entsprechend große Magnetsteine unter dem Boden und über der Decke ein ehernes Götzenbildnis in der Mitte schwebend in der Luft gehalten wurde. Da niemand vom Vorhandensein der Magnete wußte, hielt man es für Zauberei. Und etwas Ähnliches dürfte auch, wie bereits gesagt, bei jener Leuchte der Venus mit einem Asbeststein von einem kundigen Mann gemacht worden sein. Solche Werke von Zauberern, die unsere Schrift Giftmischer und Beschwörer nennt, verstanden die Dämonen derart zu entwickeln, daß ein be-

---

[226] 2 Kor 11, 14.

rühmter Dichter wohl nur die allgemeine Anschauung wiedergibt, wenn er von einem Weib, das in solcher Kunst erfahren war, sagt:

> Diese verheißt durch Zaubergesang die Herzen zu lösen,
> Welche sie will, und den anderen härteste Qual zu bereiten,
> Ströme zu hemmen im Lauf und zurück die Gestirne zu drehen;
> Nächtliche Manen beschwört sie: du hörst, wie die Erde dröhnt,
> Wo sie nur auftritt, und siehst die Eschen den Bergen entfliehen".[227]

Die dämonischen Wunder sind also keine ‚wirklichen Wunder' — Augustinus begreift sie als ‚Wunder der Technik', die zu bewerkstelligen die überragende Intelligenz und das ‚know how' der Dämonen hinreicht: die somit durchaus ‚technische Wissenschaft' der Dämonen aber heiße Magie und Zauberei: Was sie hervorbrachten, seien keine übernatürlichen Wunder, sondern technische Erfolge, oder, wie der Grieche sage: μηχανήματα

Wir können von dieser überraschenden Erklärung der Magie und Zauberei aber nun auch die auf den ersten Blick widersprüchlichen Äußerungen über die Herkunft der magischen Künste in Einklang miteinander bringen: Einmal nämlich hieß es, die Magie sei von den Dämonen erfunden und von diesen den Menschen gelehrt worden. Daneben läuft eine andere Lehrtradition, die jene Wissenschaften und Kenntnisse auf das größere, den Ursprüngen noch nahe Wissen der ältesten Menschheit zurückgeführt.

Der Gedanke ist älter als das Christentum; letztlich kann er nicht vom Mythos eines Goldenen Zeitalters getrennt werden. Auch den Griechen galt es als ausgemacht, daß die „Älteren" noch mehr über sich und die Welt gewußt haben. So hatte der griechische Stoiker Poseidonios (um 175 - 90), Ciceros Lehrer, über die ‚Urzeit' geurteilt: „da die Menschen eine unmittelbare, noch durch keine Entfremdung und keinen Abfall beeinträchtigte Berührung mit dem Göttlichen, dem Welt-Logos hatten ... Aus dem gleichen Grund wohnt dem, was die Weisen der Vorzeit aussprachen, ein besonders hoher Wahrheitsgehalt inne — so wie ihre Gesetze sich durch ethische Vollkommenheit auszeichneten."[228]

Später hat der dem Neupythagoreismus nahestehende Platoniker Numenios von Apamea (2. Jh.) die Überzeugung geäußert, man müsse die εὐδοκιμοῦντα ἔθνη befragen, wenn man die Wahrheit finden wolle, also die Brahmanen, Juden, Magier (= Chaldäer) und Ägypter.[229] Schon Platon hatte die Weisen der Frühzeit als wichtige Instanzen des Disputs bezeichnet: Die alten (οἱ πάλοι) haben den Dingen ihre Namen gegeben[230], sie haben uns das Wissen um die Unsterb-

---

227 Verg. Aen. 4, 487—491; Augustinus, Civ. dei XXI 6, übers. Perl.
228 N. Brox, Antignostische Polemik bei Christen und Heiden: Münchener Theologische Zeitschrift 18 (1967) 285.
229 Ebenda 285 f.
230 Phaidros 224 b.

lichkeit der Seelen vermittelt[231] u. a. Die „Alten" sind der Wahrheit nahe, weil sie den Ursprüngen und den Göttern noch nahe standen.

Nicht zuletzt hier hat der frühchristliche „Altersbeweis" seine Wurzeln. Wir erinnern an den schon angeführten Versuch, die Vorrangigkeit des mosaischen Gesetzes vor dem römischen auf diese Art zu erweisen.[232] Nur als eine besondere Variante des „Altersbeweises", das sei noch angemerkt, ist der ebenfalls gern geführte „Weissagungsbeweis" anzusehen: Da sich die Weissagungen der Propheten im Christentum bewahrheitet hätten, käme den Propheten des Alten Testaments, da sie ältere Gewährsleute als die jüngeren griechischen und römischen Philosophen seien, auch eine größere Autorität zu.[233]

In diesem Zusammenhang verdient nun größere Aufmerksamkeit, was in exemplarischer Weise JOHANNES CASSIANUS († ca. a. 430 - 435) in seinen *Collationes patrum* als Lehre über den Ursprung der Magie vorträgt: Die ursprüngliche und paradiesische Weisheit und Kenntnis der Natur unter den ersten Menschen[234] ist dem von Seth (der an die Stelle Abels trat) abstammenden Menschengeschlecht erhalten geblieben. Weil Seths Nachkommen gut und gerecht waren, nennt die Schrift sie auch *angeli dei* oder *filii dei*. Die Nachkommen Kains aber, böse Menschen, nenne sie *filii hominum*. Beide Geschlechter lebten getrennt, bis sich Seths Nachkommen, die „Gottessöhne" mit den „Menschensöhnen", den Nachfahren Kains einließen. Denn die „Söhne Gottes" sahen, daß die Töchter der „Menschensöhne" sehr schön waren. So kam das Wissen über die Natur, wie es bis dahin auf das Geschlecht Seth von Adam her übergegangen war, zu den Nachkommen Kains, den bösen Menschen. Das Wissen, das Gottesfurcht und Heiligkeit dem Geschlecht Seth erhalten hatte, wurde nun, durch Anreizung der Dämonen, zu schädlichen Zwecken mißbraucht und es entstand daraus Zauberei und Magie. Diese Wissenschaften und Künste gingen auf ihre Nachfahren über, die von der Verehrung Gottes abließen und dem Kult der Elemente, des Feuers und eherner Dämonenbilder sich zuwandten. Während Gott nun die verkommene Menschheit durch eine große Flutkatastrophe vernichtete, hat Cham, einer der Söhne Noes, jenes alte Wissen durch die Sintflut gebracht:

> *Cum vero fuisset impiae generationi permixtum (semen Seth), ad res profanas ac noxias quia pie didicerat, instinctu quoque daemonum derivavit, curiosasque ex ea maleficiorum artes atque praestigias ac magicas superstitiones audacter instituit, docens posteros suos, ut sacro illo cultu divini nominis derelicto, vel elementa haec, vel ignem, vel aereos daemones venerantur et colerent.[235]*

---

[231] Ep. VII 335 a; weiteres bei BROX 286 f.
[232] Tertullian, Apol. 45.
[233] JUSTINUS DER MÄRTYRER, TATIAN DER ASSYRER, cf. BARDENHEWER, I 164.
[234] Cf. Adams überragende Intelligenz (s. oben S. 296); auch er hat den Dingen ihren Namen gegeben.
[235] JOHANNES CASSIANUS, Collationes patrum, ed. PL 49, 758; cf. hierzu AUGUSTINUS, Civ. dei XV 23.

Die Vorstellung, Magie und Zauberei seien auf die überragenden Naturkennt-
nisse der Menschheit vor der Flut zurückzuführen, ist vor allem von Isidor dem
Mittelalter bekannt gemacht worden; wenn auch das, was der spanische Kirchenschriftsteller darüber zu berichten weiß, schon ziemlich verworren ist:

> *Magorum primus Zoroastres rex Bactrianorum, quem Ninus rex Assyriorum proelio*
> *interfecit: de quo Aristoteles scribit quod vicies centum milia versuum ab ipso condita*
> *indiciis voluminum eius declarentur. Hanc artem multa post saecula Democritus*
> *ampliavit, quando et Hippocrates medicinae disciplina effloruit. Apud Assyrios*
> *autem magicae artes copiosae sunt testante Lucano (6, 427):*
> > *‚Quis noscere fibra*
> > *facta queat, quis prodat aves, quis fulgura caeli*
> > *servet, et Assyria scrutetur sidera cura?'*
> *Itaque haec vanitas magicarum artium ex traditione angelorum malorum in toto ter-*
> *rarum orbe plurismis saeculis valuit.*[236]

Jener Zoroastres, Zarathustra, ist aber kein anderer als Chus, der erstgeborene
Sohn des Cham (Ham.). Chus wanderte in den östlichen Iran (Baktrien). Dort
wurde er „Zoroaster" genannt, d. h. „lebender Stern". Er besaß nämlich durch
seine Kunst die Kraft, Sterne und Feuer vom Himmel herabfallen zu lassen. So
lernten die Perser auch von ihm das Feuer anzubeten:

> *Habebat ergo Noe post diluvium tres filius, Sem, Cham et Iafeth. De Iafeth egressae*
> *sunt gentes, similiter et de Cham sive de Sem. ‚Et', sicut ait vetus historia, ‚ab his*
> *dissiminatum est genus humanum sub universo caelo'.*[237] *Primogenitus vero Cham*
> *Chus. Hic fuit totius artis magicae, inbuente diabolo, et primus idolatriae adinventor.*
> *Hic primus staticulum adorandum diaboli instigatione constituit; qui et stellas et*
> *ignem de caelo cadere falsa virtute hominibus ostendebat. Hic ad Persos transiit.*
> *Hunc Persi vocitavere Zoroastrem, id est viventem stellam. Ab hoc etiam ignem*
> *adorare consuiti, ipsum divinitus ignem consumptum ut deum colunt.*[238]

Ist Gregor von Tours hier der Meinung, Zarathustra sei ein Sohn Chams gewesen, so vertritt später Hugo von St-Victor die Ansicht, er sei identisch mit
Cham, habe nur den Namen gewechselt. Hugo knüpft an Isidor an, erweitert
das dort Mitgeteilte aber um diese wichtige Nachricht:

> *Magicae repertor primus creditur Zoroastres, rex Bactrianorum, quem nonnulli as-*
> *serunt ipsum esse Cham, filium Noe, sed nomine mutato. hunc postea Ninus, rex*
> *Assyriorum, bello victum interfecit, eiusque codices artibus maleficiorum pleno igne*
> *cremari fecit. scribit autem Aristoteles de hoc ipso, quod usque xxii centum milia*
> *versuum eius de arte magica ab ipso dictatos, libri eiusdem usque ad posteritatis*
> *memoriam traduxerunt. hanc artem postea Democritus ampliavit tempore quo Hippo-*
> *crates in arte medicinae insignis habebatur.*[239]

---

[236] Isodor von Sevilla, Etym. VIII 9, 1—3; Cf. Agustinus, Civ. dei XXI 14.
[237] Gen 9, 19.
[238] Gregor von Tours, Hist. I, c. 6, ed. Buchner 12.

Andere Nachrichten sprechen davon, Magie, dann auch Astrologie, stammten aus Chaldäa oder Ägypten.[240] Doch läßt sich auch diese Überlieferung in Einklang mit dem bisher Gesagten bringen: Cham hatte das Wissen der Vorzeit durch die Sintflut gerettet. Er zog nach Baktrien (Ostiran), erhielt dort den Namen Zarathustra und wurde König. Ninus, assyrischer König, eroberte das Reich Zarathustras und tötete ihn. Das Wissen aber ging in das Reich und an den Hof des Assyrerkönigs über. Zur Zeit des Ninus wurde Abraham in Chaldäa (Südbabylonien) geboren.[241] Abraham aber zog nach Ägypten und weihte die Ägypter in die Wissenschaft der Astrologie ein: *Astrologiam vero et nativitatis observantiam Chaldaei primi docuerunt. Abraham autem institutisse Aegyptios Astrologiam Iosephus autor adseverat.*[242]

Zusammenfassend können wir sagen, daß das biblische Mythologem des Geistverlustes durch Abfall von Gott (die Preisgabe der „Urverbundenheit"[243]) und das Theologem der *ignorantia* als Erbsündenfolge die ins Anthropologische transponierte historisch-mythische Depravationstheorie darstellt, ganz dem entsprechend, was oben über das Verhältnis von Superstition als Rest einer alten Zeit und als Rest des „alten Menschen" ausgeführt wurde.[244].

*

Kommen wir auf Augustins Beurteilung der venerischen Wunderlampe zurück! Neben der Erklärung dämonischer, resp. magischer Wunder ist wichtig, was Augustinus über die „Lockmittel" sagt, die die Dämonen herbeiholen: Es sind Sinnbilder, Zeichen. Hierzu gehören „allerlei Arten von Steinen zum Beispiel, Kräuter, Bäume, Tiere, Gesänge und Gebräuche". Nicht ohne Grund nennt Augustinus gerade diese Dinge: Sie sind geeignet, verschiedene Formen der Superstition zu bezeichnen.

In *De doctrina christiana*[245] behandelt Augustinus die Frage, inwieweit es Christen erlaubt sei, heidnische Wissenschaften zu treiben. Zur Beantwortung

---

239 Hugo von St-Victor, Didasc. VI, c. 15, ed. Buttimer 132; weiterhin vgl.: *Istorum enim Magorum primus, Zoroastres rex exstitit, a quo originem feruntur traxisse*, Ps.-Alkuin, De div. off., c. 5, ed. PL 101, 1178; Hinkmar von Reims, De divortio etc., interrog. 15, ed. PL 125, 718.

240 S. oben S. 167, 182, Anm. 18; Johannes von Salisbury, Policr. I 10.

241 Cf. Augustinus, Civ. dei XVIII 2.

242 Isidor von Sevilla, Etym. III, c. 24.

243 Cf. Augustinus, Civ. dei XIV 13: „Es wäre ja nicht zur bösen Tat gekommen, wenn kein böser Wille vorangegangen wäre. Aber was konnte der Anfang des bösen Willens sein, wenn nicht der Hochmut ... Verkehrte Hoheit ist, den Urgrund aufzugeben, mit dem der Geist Zusammenhang haben soll, und gewissermaßen sich selbst zum Urgrund zu werden, selbst Urgrund zu sein".

244 S. oben bes. S. 108, 291 f.

245 De doctrina christiana, übers. BKV 49.

dieser Frage bedarf es methodischer Prinzipien, die geeignet sind, zuerst das Gesamt menschlichen Wissens einzuteilen, um von da aus zur grundsätzlichen Bewertung der einzelnen Wissenschaften zu kommen. Augustinus verfährt zum Zwecke der Einteilung so, daß er unterscheidet zwischen Dingen *(res)* und Zeichen *(signa)*. Im 2. Buch *De doctrina christiana* bespricht er Zeichen[246]: „Ein Zeichen ist nämlich eine Sache, die außer ihrer sinnenfälligen Erscheinung aus ihrer Natur heraus noch einen anderen Gedanken nahelegt: sehen wir z. B. eine Spur, so denken wir uns, es sei das Tier vorübergegangen, dessen Spur es ist; oder sehen wir Rauch, so erkennen wir, daß auch Feuer in der Nähe ist; hören wir die Stimme eines Tieres, so können wir daraus auch einen Schluß auf seine Gemütsstimmung ziehen; an dem Ton der Kriegstrompete erkennen die Soldaten, ob sie vorrücken oder sich zurückziehen oder eine andere zur Schlacht gehörige Bewegung vollführen sollen."[247] Nach diesem lassen sich zwei Arten von Zeichen unterscheiden: Die natürlichen Zeichen *(signa naturalia)* und die „gegebenen Zeichen" *(signa data)*. Der Rauch eines Feuers etwa oder die Spur eines Tieres ist ein natürliches, das Signal der Kriegstrompete aber ein gegebenes Zeichen. *Signa data* dienen also der Verständigung unter Lebewesen, sind im weitesten Sinn Sprache.

Die wichtigsten Zeichen unter den Menschen sind Worte, und für Worte wiederum gibt es eigene Zeichen: Buchstaben. Die Zeichen der Sprache, etwa Schriftzeichen, können zuweilen dunkel sein. Bei Schrifttexten nun läßt sich die Dunkelheit zumeist durch vergleichende Untersuchungen beheben: dunkle Stellen der Schrift etwa durch Vergleichung verschiedener Übersetzungen. Andererseits helfen auch die objektiven Kenntnisse der Naturgeschichte, der Mathematik und Musik, den richtigen Sinn von Zeichen zu erkennen.

Mit Erwähnung der Musik kommt Augustinus auf die Musen, um sodann die Wissenschaften und Kenntnisse der Heiden überhaupt zu behandeln: Hier seien als eigener Komplex jene Kenntnisse hervorzuheben, die auf menschlicher Erfindung beruhen; diese Kenntnisse können entweder superstitios *(superstitiosum)* sein oder nicht[248] und soweit sie nicht superstitios seien, teils überflüssig *(superfluus)* wie die Mimik, Malerei, Bildhauerei, teilweise die Poesie, teils aber nützlich, wie Einrichtungen, die dem Verkehr unter Menschen dienen, etwa Kenntnis der Schrift oder Stenographie.

Innerhalb dieses Umkreises bespricht Augustinus den Aberglauben.

---

246 Zur mittelalterlichen Lehre von den Zeichen und Augustins Lehre vgl. H. Brinkmann, Die Zeichenhaftigkeit der Sprache, des Schrifttums und der Welt im Mittelalter: Zeitschr. f. deutsche Philologie 93 (1974) 1—11.

247 II, c. 1.

248 II, c. 19.

AUGUSTINUS führt hier weiter aus, was er im Buch über den Gottesstaat nur andeutet: Die abergläubischen Mittel und Verrichtungen sind nicht als Dinge, sondern als Sinnbilder und Zeichen zu begreifen. Sie dienen dazu, Verbindung mit Dämonen aufzunehmen. Wie nämlich die Sprache der Verständigung unter Menschen dient, den einzelnen Buchstaben, Silben und Worten aber für sich kein Sinn zukommt — so versteht der Grieche unter „Beta" einen bestimmten Buchstaben, der Lateiner dagegen ein besonderes Gemüse —, sondern sie ihre bezeichnende Kraft erst dadurch erlangen, daß man sich über ihre Bedeutung verständigt, gewissermaßen einen „Sprachvertrag" geschlossen hat, so haben auch die abergläubischen Mittel für sich keine Bedeutung sofern sie nicht als Wörter einer Sprache zur Verständigung mit den Dämonen gebraucht werden.

Nicht weil die abergläubischen Mittel, Riten, Gewohnheiten und Gebräuche Kraft besitzen etwas zu bewirken, gibt man sich mit ihnen ab, sondern weil man sich mit ihnen abgab, erlangten sie Kraft, nämlich durch die Tätigkeit der Dämonen: „Wie nun all diese Bezeichnungen der Sprache gerade so auf die Geister wirken, wie die daran interessierten Kreise eben darüber übereingekommen sind, und wie ihre Wirkung verschieden ist, wenn die Übereinstimmung eine verschiedene ist, und wie sich die Menschen bezüglich dieser Bezeichnung nicht deshalb verstanden haben, weil diese Bezeichnung schon an sich eine bezeichnende Kraft besaß, sondern sie vielmehr nur deshalb bezeichnende Kraft hat, weil man sich eben bezüglich ihrer miteinander verstand, so haben auch die Zeichen, durch die man sich die verderbliche Gesellschaft der Dämonen erwirbt, Kraft nur nach der Tätigkeit desjenigen, der sie beobachtet."[249]

Es verhält sich mit dem Aberglauben also ganz so wie mit der Entstehung des Götzendienstes: Am Anfang stand die Torheit der Vergötterung verstorbener Menschen der Vorzeit. Doch waren diese ‚Götter' nichts und ihr Kult somit hohl und leer, weil ohne Gegenstand. Nun aber mischen sich die Dämonen ein und wirken ganz in dem Sinne, wie es geeignet ist, den Eindruck zu erwecken, jene verstorbene Menschen seien wirklich Götter. Auch der Aberglaube ist für sich hohl und leer und deshalb Torheit, doch durch die Tätigkeit der Dämonen führen seine Praktiken zum Erfolg. Heiden und Abergläubische werden somit auf gleiche Weise getäuscht.

Aberglaube ist ein Komplex vereinbarter Zeichen, die der Verständigung mit den Dämonen dienen. Wie die Sprache unter Menschen auf Übereinkunft beruht und ihr Gebrauch die stillschweigende Anerkennung ihrer Verbindlichkeit voraussetzt, so liegt auch dem Aberglauben ein ‚Kommunikationsvertrag' mit den Dämonen zugrunde. Mit den Dämonen aber Verträge einzugehen, was ist das anderes als Dämonenkult, also Götzendienst? Aberglaube und Götzendienst sind

---

[249] II, c. 24.

deshalb nicht nur sehr ähnlich; sie sind identisch, weil sie auf gleiche Weise entstanden sind und das gleiche bewirken. Deshalb:

> *Superstitiosum est quidquid institutum est ab hominibus ad facienda et colenda idola pertinens, vel ad colendam sicuti Deum creaturam partemve ullam creaturae; vel ad consultationes et pacta quaedam significationum cum daemonibus placita atque foederata, qualia sunt molimina magicarum artium, quae quidem commemorare potius quam docere assolent poetae.*[250]

In der Übersetzung der Bibliothek der Kirchenväter heißt die wichtige Stelle: „Abergläubisch ist alles, was die Menschen zur Aufstellung und zur Verehrung von Götzen erfunden haben. Diese Erfindungen dienen teils dazu, irgendein Geschöpf oder auch nur einen Teil eines Geschöpfes als Gott zu verehren, teils dazu die bösen Geister um Rat zu fragen, ja mit ihnen in aller Form gleichsam Wahrsagungsverträge abzuschließen, wie uns dergleichen in den Versuchen der magischen Kunst vorliegen, welche die Dichter mehr bloß zu erwähnen als regelrecht zu mehren pflegen."[251]

Die Übersetzung von *pacta quaedam significationum cum daemonibus placita atque foederata* durch: „mit den Dämonen Wahrsagungsverträge abzuschließen" ist aber sicherlich nicht richtig. *Significatio* heißt hier präzis: „Bezeichnung", „Zeichen". Das erhellt schon das 24. Kapitel des gleichen Buches, in dem von Augustinus die Parallele: Sprache — Aberglaube, noch kräftiger durchgezogen wird:

> *Quae omnia tantum valent, quantum praesumptione animorum quasi communi quadam l i n g u a cum daemonibus foederata sunt. Quae tamen plena sunt omnia pestiferae curiositatis, cruciantis sollicitudinis, mortiferae servitutis. Non enim quia valebant, animadversa sunt; sed animadvertendo atque signando factum est ut valerent. Et ideo diversis diverse proveniunt secundum cogitationes et praesumptiones suas. Illi enim spiritus qui decipere volunt, talia procurant cuique, qualibus eum irretitum per suspiciones et consensiones ejus vident. Sicut enim, verbi gratia, una figura litterae X quae decussatim notatur, aliud apud Graecos, aliud apud Latinos valet, non natura, sed placito et c o n s e n s i o n e s i g n i f i c a n d i; et ideo qui utramque linguam novit, si homini Graeco velit aliquid significare scribendo, non in ea s i g n i f i c a t i o n e ponit hanc litteram, in qua eam ponit cum homini scribit Latino; et Beta uno eodemque sono, apud Graecos litterae, apud Latinos oleris nomen est; et cum dico, Lege, in his duabus syllabis, aliud Graecus, aliud Latinus intelligit: sicut ergo hae omnes s i g n i f a c t i o n e s pro suae cujusque societatis consensione animos movent, et quia diversa consensio est, diverse movent; nec ideo consenserunt in eas homines, quia jam valebant ad s i g n i f i c a t i o n e m, sed ideo valent, quia consenserunt in eas: sic etiam illa s i g n a, quibus perniciosa daemonum societas comparatur, pro cujusque observationibus valent. Quod manifestissime osten-*

---

[250] II, c. 20, ed. PL 34, 50.
[251] BKV 49, 80 f.

*dit ritus augurum, qui et antequam observent, et posteaquam observata signa tenuerint,
ad agunt ne videant volatus, aut audiant voces avium; quia nulla ista signa sunt,
nisi consensus observantis accedat.*[252]

Diese für das Mittelalter und die nachfolgenden Jahrhunderte so ungemein
wichtige und folgenschwere Theorie über Aberglauben als Kommunikationsme-
dium oder besser: Kommunikationsmittel mit den Dämonen auf der Basis eines
„Bündnis- und Verständigungspaktes" bezieht sich zudem auch keineswegs ausschließlich auf „Wahrsagerei", wie die merkwürdige, weil verwässernde Übersetzung „Wahrsageverträge", nahelegt, sondern auf all das, was AUGUSTINUS
nennt: Nichtmedizinische Verbände *(ligaturae)* und Heilmittelchen *(remedia)*,
Charaktere, Amulette, den „Brauch, einem, der das Schlucken hat, zu sagen, er
solle mit der rechten Hand den linken Daumen halten"[253] und alle *molimina
magicarum artium.*[254] Das gehört alles nicht zur Wahrsagerei, sondern zu den
klassischen Formen traditionellen ‚Volksaberglaubens'.

---

[252] II. c. 24, ed. PL 34, 53 sq. Sperrung von mir. In der Übersetzung der BKV: „Dies
alles hat nur insoweit Kraft, als es durch den die Geister beherrschenden Wahn als der
gemeinsamen Sprache mit den Dämonen verabredet worden ist; aber alles ist voll von
verderblicher Neugier, von quälender Sorge und von todbringender Knechtschaft. Nicht
weil es Kraft hatte, gab man sich damit ab, sondern weil man sich mit diesen Dingen abgab und sie bezeichnete, erlangten sie erst Kraft. Daher kommt für einen jeden aus ein und
derselben Sache etwas Besonderes heraus je nach seinen Gedanken und Vermutungen. Denn
die auf Trug sinnenden (bösen) Geister besorgen für jeden gerade das, worin sie ihn sehen
an sich durch seine persönlichen Vermutungen und Neigungen verstrickt sehen. So hat z. B.
auch die Gestalt ein und desselben kreuzweise geschriebenen Buchstabenzeichens X bei den
Griechen einen anderen Wert als bei den Lateinern; und zwar kommt ihm diese verschiedene Bedeutung nicht schon von Natur aus zu, sondern weil man eben stillschweigend gerade über diese Bedeutung übereingekommen ist. Wer also von diesen beiden Sprachen
etwas versteht, der wird, wenn er an einen Griechen schreibt, diesen Buchstaben in anderer
Bedeutung schreiben, als wenn er an einen Lateiner schreibt. Auch ein dasselbe Wort ‚beta'
ist bei den Griechen der Name eines Buchstabens, bei den Lateinern aber die Bezeichnung
eines Gemüses; ferner wenn ich ‚lege' sage, so denkt sich bei diesen zwei Silben sowohl
der Grieche, als auch der Lateiner etwas anderes. Wie nun alle diese Bezeichnungen gerade so auf die Geister wirken, wie die daran interessierten Kreise eben darüber übereingekommen sind, und wie ihre Wirkung verschieden ist, wenn die Übereinstimmung eine
verschiedene ist, und wie sich die Menschen bezüglich dieser Bezeichnung nicht deshalb
verstanden haben, weil diese Bezeichnung schon an sich eine bezeichnende Kraft besaß,
sondern sie vielmehr nur deshalb ihre bezeichnende Kraft hat, weil man sich eben bezüglich ihrer miteinander verstand, so haben auch jene Zeichen, durch die man sich die verderbliche Gesellschaft der Dämonen erwirbt, Kraft nur nach der Tätigkeit derjenigen, der
sie beobachtet. Dies zeigt ganz klar der Gebrauch der Auguren: bevor diese ihre eigentlichen Beobachtungen anstellen, und auch nachher, wenn sie ihr Zeichen einmal beobachtet
haben, bemühen sie sich gar nicht, auf den Flug der Vögel zu sehen oder auf ihre Stimme
zu hören: denn Vogelflug und Vogelstimme sind ja keine Zeichen, wenn der Beobachter
seine Aufmerksamkeit nicht darauf richtet", BKV, 48, 83—85.

[253] S. oben S. 237.

[254] De doctr. christ. II, 20, ed. PL 34, 50.

Über die rein kommunikative Funktion der abergläubischen Mittel als Zeichen zur Verständigung mit den Dämonen hinaus, gerät die AUGUSTINische Interpretation des Aberglaubens als zeichenhaftes Tun in Parallelität zur Sakramententheologie. Denn wenn „Menschen nicht anders zum Bekenntnis einer Religion (zusammengeführt werden können) als durch Bindung an gemeinsame sichtbare Zeichen oder Sakramente"[255], so sind auch die superstitiosen Zeichen letztlich aufzufassen als ‚Sakramente' zum Bekenntnis der Dämonenverehrung:

> *Quod et de idolis et de immolationibus quae honori eorum exhibentur, dixit apostolus, hoc de omnibus imaginariis signis sentiendum est, quae vel ad cultum idolorum vel ad creaturam eiusque partes tamquam Deum colendas trahunt vel ad remediorum aliarumque observationum curam pertinent, quae non sunt divinitus ad dilectionem Dei et proximi tamquam publice constituta, sed per privatas appetitiones rerum temporalium corda dissipant miserorum. In omnibus ergo istis doctrinis societas daemonum formidanda atque vitanda est.*[256]

In *De diversis quaestionibus ad Simplicianum*[257] spricht AUGUSTINUS geradezu von *magicis sacris*, wo er die Beschwörung Samuels durch die Pythonissa behandelt. Die Parallelität von superstitiosen Zeichen und Sakrament impliziert nun aber für die Superstitionstheorie gleiche Konsequenzen, wie sie die Sakramententheologie explizit gemacht hat. D. h., hat das Sakrament „kirchenbildende Kraft und Funktion"[258], so gilt das auch vom abergläubischen Zeichen. Der praktizierende Superstitiose konstituiert sich somit als Mitglied einer ‚Kirche' und zwar einer ‚dämonischen Kirche',

Es wäre gesondert zu untersuchen, ob und inwieweit später der AUGUSTINische Ansatz bei der Entwicklung des mittelalterlichen Hexensektenbegriffs wirksam geworden ist, ein Begriff, der schließlich erst die Verfolgung von Zauberern und Hexen durch die Inquisition und somit die organisierte Hexenverfolgung möglich gemacht hat.

AUGUSTINUS hatte die Kommunikationstheorie über Superstition im Zusammenhang seiner „großen Abrechnung mit dem Heidentum" entwickelt. Sie galt somit mehr der Polemik und Kritik an einer versinkenden Welt. Als eine Konzeption geschichtsphilosophischer Relevanz war sie geeignet, den historischen Prozeß der Entwicklung des Heidentums und der Idolatrie zu erklären. Auf ganz andere Weise, ja geradezu in Umkehrung der Richtung: von der Reflexion über einen historischen Vorgang zum Prinzip eines historischen Prozesses selbst, ist die Kommunikationstheorie AUGUSTINS aber geschichtsmächtig geworden durch ihre Wirkung auf die THOMASische Superstitionstheorie. Über die Superstitionssystematik

---

255 AUGUSTINUS, Contra Faustum 19, 11.
256 ID., De doctr. christ. II 23.
257 II 3, 3, ed. PL, 40, 144.
258 F. HOFMANN, Der Kirchenbegriff des hl. Augustinus. München 1933, 341.

des großen Scholastikers hat sie den Lehren von Teufelsbündnis und Satanskult die geistigen und theoretischen Grundlagen gelegt und auf ihre Weise zur Entwicklung von Hexenwahn und Hexenverfolgung beigetragen.

Es ist sehr viel darüber gestritten worden, welchen Anteil THOMAS VON AQUIN an der Entwicklung der Vorstellung des Hexenwesens genommen hat.[259] Die Frage fällt zwar nicht mehr in den historischen Umkreis dieser Untersuchung, doch darf an sie wohl erinnert werden, um deutlich werden zu lassen, welche praktischen Konsequenzen das gehabt hat, was wie hier nur als Theorie betrachtet wird.

Merkwürdig allerdings auch hier eine falsche Übersetzung der von THOMAS an zentraler Stelle[260] herangezogenen AUGUSTINIschen Theorie der Kommunikationsverträge mit den Dämonen: Die lateinisch-englische Ausgabe der *Summa theologiae* — die deutsche Thomasausgabe ist bis hierher noch nicht fortgeschritten — übersetzt *ad consultationes et pacta quaedam significationum cum daemonibus placita atque foederata* mit „consultations and contracts made with demonic powers for information". Also wieder die gleiche Fehlübersetzung wie in der BKV. Man sieht sich da an die Erklärungsversuche Mansers erinnert, der es unternommen hat, THOMAS gegen SOLDAN-HEPPE[261] zu verteidigen. Manser spricht bei Behandlung der wichtigen Stelle wohl stets von *pacta*, doch betrifft das bei ihm ausschließlich „Wahrsagerei" — wo THOMAS doch selbst nur kurz danach erneut AUGUSTINUS zitiert mit: ‚*Ad hoc genus pertinent omnes ligaturae'* etc.

Diese Feststellungen sind insofern von Wichtigkeit, weil die Behauptung, hier gehe es nur um „Wahrsageverträge", die äußerst scharf gefaßte Theorie über Aberglauben als Gegenstand semiotischer Erörterungen und als auf Dämonenpakt basierendes Phänomen auf den Umfang von Wahrsagerei einschränkt und damit verwässert und als belanglos hinstellt. Denn daß Erfahrung zukünftiger, verborgener Dinge immer nur aufgrund von Offenbarung, hier dämonischer Offenbarung, möglich ist, leuchtet ein. Aber daß nun auch ein Amulett oder die Empfehlung, man solle sich beim Schluckauf mit der rechten Hand den linken Daumen halten, etwas ist, das unter jene Verbindlichkeiten des Kommunikationsvertrages mit den Dämonen gehört, das ist übersehen worden.

Weder bei AUGUSTINUS noch bei THOMAS ist die Lehre vom Paktcharakter des Aberglaubens nur gedankliche Spielerei oder systematisierende Konsequenzmacherei. Das zeigt nicht zuletzt die Mühe, der sich THOMAS unterzogen hat, auch die, wie es scheint, harmlosesten Superstitionen, etwa Bleigießen, von der AUGUSTINIschen Theorie des Kommunikationspaktes her zu interpretieren. THOMAS

---

[259] Das meiste kommt bei G. M. MANSER zur Sprache, Thomas von Aquin und der Hexenwahn: Divus Thomas. Jahrbuch für Philosophie und spekulative Theologie. Serie II 9 (1922) 17—49, 81—110.
[260] S. Th. II. II. 92, 3.
[261] Geschichte der Hexenprozesse.

gelingt das durch die Unterscheidung von *pacta expressa* und *pacta tacita,* also „ausdrücklichen Dämonenpakten" und „stillschweigenden Dämonenpakten". Was der Scholastiker darunter versteht, wird sich im Zusammenhang der folgenden Darstellung des Thomasischen Superstitionssystems ergeben.

Thomas gelangt auf zweierlei Weise zum Begriff *superstitio.*

Einmal geht er vom Begriff *fides* aus: *fides* und *religio* ist nicht das gleiche.[262] Doch ist *religio* Bezeugung *(protestatio)* der *fides* durch äußere Zeichen.[263] Der Gegensatz von *fides* ist, so fährt er fort, *infidelitas.* Die Bezeugung *(protestatio)* der *infidelitas* durch äußeren Kult ist *superstitio.*[264] Das aber ist Idolatrie.[265]

Einen zweiten Ansatz zur Begriffsbestimmung nimmt Thomas vom Begriff *religio* her. *Religio* ist eine moralische Tugend; denn sie gehört zur Gerechtigkeit.[266] Nach Aristoteles[267] ist eine moralische Tugend als Mitte zweier extremer Positionen definiert[268]; und zwar bezeichnen die Extreme entweder ein Zuviel oder ein Zuwenig im Verhältnis zu jener mittleren Position. Nun ist es allerdings so, daß es für Religion kein Zuviel der Quantität nach gibt, d. h. es kann kein Zuviel in der rechten Verehrung des wahren Gottes geben. Es verhält sich hier ähnlich wie mit der Großmütigkeit. Darin kann auch nicht zuviel, sondern nur zuwenig getan werden. Andererseits verfehlt man diese Tugend, wenn man sie dem Falschen zuwendet oder zur unrechten Zeit bezeigt, oder was es sonst noch für Umstände gibt, die ihr zuwider sind. Entsprechend gilt für *religio:* Sie kann ihr mittleres Maß nicht dadurch überschreiten, daß sie etwas zuviel tut in der rechten Verehrung des wahren Gottes; doch kann ihr ein Unmaß widerstreiten, das nach dem Mangel des rechten Verhältnisses bezeichnet wird, d. h. sofern sie göttlichen Kult einer Sache oder jemandem zuwendet, dem er nicht zusteht, oder indem sie auf ungebührliche Weise Gott verehrt:

> *Sic igitur superstitio est vitium religioni oppositum secundum excessum, non quia plus exhibeat in cultum divinum quam vera religio: sed quia exhibet cultum divinum vel cui non debet, vel eo modo quo non debet ... religio non potest habere excessum secundum quantitatem absolutam. Potest tamen habere excessum secundum quantitatem proportionis: prout scilicet in cultu divino fit aliquid quod fieri non debet.*[269]

---

262 II. II. 94, 1.
263 *fidei protestatio per aliqua exteriora signa,* ibd.
264 *infidelitatis protestatio per exteriorem cultum,* ibd.
265 Die Häresie dagegen ist eine *species* der *infidelitatis.*
266 II. II. 81, 5: *religio non est virtus theologica neque intellectualis, sed moralis: cum sit pars iustitiae. Et medium in ipsa accipitur non quidem inter passiones, sed secundum quandam aequalitatem inter operationes quae sunt ad Deum.*
267 Eth. Nic. IV 1121 a 21—27.
268 Cf. I. II. 64, 1.
269 II. II. 92, 1.

THOMAS unterscheidet somit *superstitio:* 1. Als ungebührliche Verehrung Gottes: *Deo vero modo indebito in cultu veri dei.* 2. Als Kult *cui non debet exhiberi, scilicet cuicumque creaturae*[270], also die kultische Verehrung von Objekten, denen kein Kult gebührt.

Die *prima superstitionis species* betrifft die Fragen, ob, nachdem das Evangelium verkündet ist, noch an Kultpraktiken des Alten Testamentes festgehalten werden dürfe[271] und ob man Gott anders verehren dürfe als Christus u. a.[272]

Für unsere Untersuchung wichtiger ist, was THOMAS unter dem anderen *genus superstitionis*[273] begreift, das sich in *multae species* gliedere; und zwar: 1. Idolatrie, 2. *superstitio divinativa*, 3. *superstitio observationum*. Interessant ist nun, wie THOMAS zu dieser Einteilung gelangt. Er beruft sich auf AUGUSTINUS, der gelehrt habe, *superstitiosum esse quidquid institutum ab hominibus est ad facienda et colenda idola pertinens* etc.[274] = Idolatrie (1.). THOMAS spaltet davon ab, was AUGUSTINUS anfügt: *ad consultationes et pacta quaedam significationum cum daemonibus placita atque foederata*[275] = *superstitio divinativa* (2.). Was AUGUSTINUS sodann als zu diesem (2.) *genus* gehörig bezeichnet, faßt THOMAS in einer dritten Unterabteilung zusammen: *,Ad hoc genus pertinent omnes ligaturae'*[276] etc.[277] = *superstitio observationum* (3.).

Man mag hier den Grund für die häufig belegte Fehleinschätzung suchen, THOMAS habe den Dämonenpakt allein auf die *superstitio divinativa*, die Divinationskategorien eingeschränkt, da er den Paktcharakter jener (3.) Superstitionskategorie hier nicht eigens betont. Doch holt das THOMAS qu. 96,2 mit um so größerer Deutlichkeit nach. Über Charaktere u. ä. urteilt er dort ganz im Sinne AUGUSTINS:

> *Si autem naturaliter non videantur posse tales effectus causare, consequens est quod non adhibeantur ad hos effectus causandos tanquam causae, sed solum quasi signa. Et sic pertinent ,ad pacta significationum cum daemonibus inita'.*[278] *Unde Augustinus dicit, ,Illiciantur daemones per creaturas, quas non ipsi, sed Deus condidit, delectabilibus pro sua diversitate diversis, non ut animalia cibis, sed ut spiritus signis, quae cujusque delectationi congruunt, per varia genera lapidum, herbarum, lignorum, animalium, carminum, rituum'.*[279]; [280]

---

[270] II. II. 92, 2.
[271] Cf. oben S. 39.
[272] II. II. 93, 1—2.
[273] II. II. 92, 2.
[274] De doctr. christ. II 20.
[275] Ibd.
[276] Ibd.
[277] II. II. 92, 2.
[278] AUGUSTINUS, Civ. dei XXI 6.
[279] Ibd.
[280] II. II. 96, 2.

Alle Formen der Superstition, des Aberglaubens, werden sonach auch von THOMAS als Kommunikationsmittel zur Verständigung mit den Dämonen betrachtet und haben als ein Zeichensystem Kraft und Bedeutung nur, insofern sie auf jenem von AUGUSTINUS eingeführten „Verständigungs- und Beistandspakt" mit den bösen Geistern basieren.

Stellen wir nun kurz den Aufbau des THOMASISCHEN Systems vor Augen, so sieht man bald, was THOMAS über AUGUSTINUS hinausgehend zur dämonologischen Interpretation beigetragen und inwieweit er die Vertragstheorie AUGUSTINS ausgebaut hat.

Die Erörterungen zur Idolatrie, der ersten *species superstitionis*, beschränken sich im wesentlichen auf eine Wiederholung der von AUGUSTINUS referierten Lehren heidnischer Religionsphilosophie.[281]

Die *superstitio divinativa* (2.) beschäftigt sich mit verschiedenen Arten der Wahrsagung und superstitiosen Zukunftserforschung.[282] Etwas Zukünftiges kann erkannt werden auf doppelte Weise, entweder als solches selbst oder aus seinen Gründen *(in suis causis)*. Zukünftiges als ein konkretes Zukünftiges kann der Mensch nur erkennen, wenn es eintritt, Gott aber, bevor es geschieht. Wenn also sich jemand dessen anmaßt, was Gottes sei — die Erkenntnis des Zukünftigen als etwas Faktisches — so nennt man solche *divini*.

Es kann allerdings Zukünftiges erkannt werden aus Ursachen, die ihm vorhergehen. Dabei muß man dreierlei unterscheiden: ob jene zukünftigen Ereignisse mit Notwendigkeit eintreten, z. B. Sonnen- oder Mondfinsternisse *(eclipses)*, ob sie durch mehrere Ursachen, eine Reihe von Umständen, zustande kommen, wie Regenwetter, Gesundheit oder Tod, oder ob sie eintreten, ohne daß sie durch natürliche Ursachen hierzu hinreichend determiniert wären. Letzteres kann vom Menschen nur als gegenwärtiges Ereignis erkannt werden: etwa wenn ich Sokrates hin und her gehen sehe.

Den Zeitpunkt von Mond- und Sonnenfinsternissen kann der Astronom vorausberechnen, und durch Beobachtung des Himmels kann man Schlüsse auf das zukünftige Wetter ziehen. Das ist erlaubt. Anders verhält es sich mit jenen Dingen, die nicht objektiv determiniert sind. So etwas kann nur als Ereignis erkannt werden, also als Gegenwärtiges. Ereignisse der Zukunft erkennt aber nur Gott als gegenwärtige. Sich um solche Erkenntnisse bemühen, heißt deshalb: Divination betreiben; denn das ist Anmaßung dessen, was göttlich *(divinus)* ist.

Jede Divination erfolgt aber durch Tätigkeit der Dämonen.[283] Und zwar können die Dämonen zu diesem Ende ausdrücklich angerufen werden *(expresse in-*

---

[281] AUGUSTINUS, Civ. dei, bes. VI, X, XVI.
[282] *divinatio*, II. II. 95, 1.
[283] *omnis divinatio ex operatione daemonum provenit* 95, 2.

vocare), oder sie mischen sich ein, wo sie Menschen sehen, die mit törichten Mitteln die Zukunft erforschen zu können glauben.

Auf ausdrückliche Dämonenanrufung pflegen die Dämonen Zukünftiges auf vielerlei Weise zu verkünden: In der Form von Blendwerken und Gaukeleien[284], also durch optische oder akkustische Täuschungen *(aspectui, auditui)*; oder durch Träume[285]; oder durch Nigromantie[286]; also durch Totenerscheinungen; oder durch Phytonen *(per phytones)*[287], also durch lebende Menschen; oder durch irgendwelche Figuren und Zeichen, die sie an bestimmten unbelebten Dingen erscheinen lassen[288]. Zu dieser Divinationskategorie gehören die Künste der Geomantie[289]: hier erscheinen Zeichen an hölzernen oder eisernen Gegenständen oder werden auf polierten Steinen sichtbar; der Hydromantie[290], die nach Bildern im Wasser sucht; der Aeromantie[291], die die Luft beobachtet; der Pyromantie[292], die auf Bewegungen des Feuers schaut; des Aruspiciums[293], das Schlüsse aus der Betrachtung der Eingeweide von Tieren zieht, die auf den Altären der Dämonen geopfert worden sind. Das alles kann nur durch ausdrückliche Anrufung der Dämonen geschehen.

Anders bei folgenden abergläubischen Beobachtungen und Manipulationen. Sie kommen ohne ausdrückliche Dämonenanrufung zustande. Man kann hier zwei Arten unterscheiden. Je nachdem man etwas betrachtet nach bestimmten Verhältnissen unter Dingen[294]: etwa die Sterne und ihre Bewegungen; dann spricht man von Astrologie[295]; oder den Flug der Vögel[296], das Niesen eines Menschen[297], oder das plötzliche Zucken eines Gliedes[298], dann hat man es mit einem Augurium zu tun[299], oder mit einem Auspicium[300], das jedoch allein die Beobachtung des Vogelfluges meint; oder irgendwelche Worte von Menschen, die anders gemeint waren als verstanden[301], das ist ein Omen[302], oder die Linie der Hand, dann redet man

---

[284] *praestigia*, II. II. 95, 3.
[285] S. oben S. 94 ff.
[286] S. 204 f.
[287] S. oben S. 207 ff.
[288] *per aliquas figuras vel signa quae in rebus inanimatis apparent*, II. II. 95, 3.
[289] S. oben S. 214 f.
[290] S. 214 ff.
[291] S. 214 f.
[292] Ebd.
[293] S. 171, 190 f.
[294] *aliquid considerare in dispositionibus aliquarum rerum*, II. II. 95, 3.
[295] S. oben S. 181 ff.
[296] S. 89 ff.
[297] S. 81 f.
[298] S. 81 f.
[299] S. 189.
[300] Ebd.
[301] *consideratio circa verba hominum alia intentione dicta*, 95, 3.
[302] S. oben S. 188 f.

von Chiromantie[303]; oder Figuren, wie sie auf dem Schulterblatt eines Tieres erscheinen können: man nennt das Spatulimantie[304].

Anderseits je nachdem, was für Manipulationen angestellt werden, um etwas Verborgenes zu enthüllen. Dieser Komplex begreift die verschiedenen Formen des Losens: wenn man (unüberlegt) eine Reihe von Punkten macht und aus deren Verhältnis Schlüsse zieht[305], flüssiges Blei in Wasser gießt und die Figuren betrachtet, die dabei entstehen[306]; wenn man Zettel versteckt und darauf achtet, wer wen zieht, oder ungleich lange Stäbchen ziehen läßt[307]; oder würfelt, wer mehr Augen erzielt[308]; oder wenn man danach geht, was einem ins Auge fällt, wenn man blindlings ein Buch aufschlägt[309].

Soweit also der THOMAS geläufige Umfang der *superstitio divinationis*. Wie beurteilt THOMAS die Dinge im einzelnen?

Die Astrologie ist verboten, weil sie Wirkungen der Sterne, deren Einfluß auf die materielle Welt und die unvernünftige Natur THOMAS nicht abstreitet, auch auf Ereignisse voraussetzt, die entweder durch Zufall zustande kommen: etwa daß jemand, der ein Grab schaufelt, einen Schatz findet[310], oder in die freie Entscheidung des Willens gegeben sind.

Über Träume ist zu sagen, daß sie den aufgewachten Menschen anregen können, dieses oder jenes zu tun oder zu lassen. Insofern sie aber für Zeichen gehalten werden, so muß man unterscheiden zwischen Träumen, die durch innere Ursachen *(causa interior)*, und solchen, die durch äußere Ursachen *(causa exterior)* bewirkt werden. Die ersteren können im Gemüt ihre Ursache haben *(causa animalis)*, etwa durch bestimmte Wünschen veranlaßt, die man tagsüber hegt, oder in der körperlichen Verfassung des Träumenden. Von außen verursachte Träume können wiederum von Körpern bewirkt werden, etwa durch die Luft, die den Schlafenden umgibt, oder durch den Einfluß der Sterne. Geistig sind äußerliche Ursachen, die eine Offenbarung Gottes oder der Engel bewirken, aber auch, wenn von den Dämonen etwas eingegeben wird. Setzt man also all das hintan, was die natürliche Traumgenese betrifft, so muß von den göttlichen Offenbarungsträumen gesagt werden, daß man sie nicht erwarten kann. Erwartet man aber von Träumen mehr als sie leisten können, so setzt das stillschweigendes Einvernehmen *(tacita pacta)* mit den Dämonen voraus, jene würden solche Träume bringen. Wenn die

---

[303] S. 189 f.
[304] S. 176, 189 f.
[305] S. 192.
[306] Ebd.
[307] Ebd.
[308] Ebd.
[309] S. 191 ff.
[310] II. II. 95, 5.

Dämonen jedoch ausdrücklich um Träume gebeten werden, so ist das ein ausdrücklicher Dämonenpakt:

> *Si autem huiusmodi divinatio causetur ex revelatione daemonum cum quibus pacta habentur expressa, quia ad hoc invocantur; vel tacita, quia huiusmodi divinatio extenditur ad quod se non potest extendere: erit divinatio illicita et superstitiosa.*[311]

Ähnlich geht THOMAS VON AQUIN vor in seiner Untersuchung darüber, wie ein Augurium entstehen kann[312], also Divination aus der Beobachtung von Tieren. Das Verhalten der Tiere kann nämlich durch körperliche und geistige Ursachen bestimmt werden. Tiere besitzen nur ein sensitives Seelenvermögen *(anima sensitiva)*. Dieses aber unterliegt den Einflüssen der Umwelt. Sofern das Verhalten der Tiere also nicht durch ihren Instinkt, worüber sie keine Gewalt haben, bestimmt wird, kann es durch ihre Umgebung veranlaßt werden, oder durch den Einfluß der Himmelskörper. Ihr Verhalten kann somit nur insoweit auf etwas Zukünftiges hindeuten, soweit das für ihr Leben von Bedeutung ist. Das heißt, sofern etwas Zukünftiges durch den Umlauf der Gestirne bewirkt wird, die Sterne aber zugleich die Bewegungen der Tiere bestimmen können, kann durch das Verhalten der Tiere nur das erkannt werden, was die Bewegungen der Sterne bewirken.

Das Verhalten der Tiere kann aber auch durch geistige Ursachen bestimmt werden: Man denke etwa an die Taube, die auf Veranlassung Gottes auf Jesus herabgeschwebt sei. Doch auch die Dämonen können die Tiere lenken. Um die Gemüter mit törichten Gedanken zu beunruhigen, betreiben das die Dämonen:

> *qui utuntur hujusmodi operationibus brutorum animalium ad implicandas animas vanis opinionibus ... Sic igitur dicendum quod omnis huiusmodi divinatio, si extendatur ultra id ad quod potest pertingere secundum ordinem naturae vel divinae providentiae, est superstitiosa et illicita.*[313]

Über die Beurteilung der Lose durch THOMAS ist schon oben[314] das Wichtigste mitgeteilt worden. Wir begnügen uns deshalb hier mit der Feststellung, daß auch die genannten Losarten nichts anderes bewirken als die Einmischung der Dämonen: *non carens daemonum ingestione.*[315]

Bleibt noch die *superstitio observationum* (3.)[316] zu besprechen, soweit nicht schon von uns darauf eingegangen worden ist[317]. Sie umfaßt vier nur unscharf und mehr äußerlich unterschiedene Untereinteilungen:

---

[311] II. II. 95, 6.
[312] II. II. 95, 7.
[313] Ibd.
[314] S. oben S. 191 ff.
[315] II. II. 95, 8.
[316] II. II. 96, 1—4.
[317] S. oben S. 76 ff.

1. Die *ars notoria*. Sie dient dazu, „Kenntnisse zu erwerben" allerdings auf unerlaubte Weise. Denn indem sie Mittel gebraucht, denen keine Kraft innewohnt, Kenntnisse zu vermitteln, etwa wenn man irgendwelche Figuren betrachtet oder unbekannte Worte murmelt und dergleichen mehr. Deshalb kann die *ars notoria* nicht als eine Kunst *(ars)* angesehen werden, die etwas durch Ursachen, sondern nur als solche, die etwas bewirkt durch Zeichen. Daher gehört sie zu den ‚*pacta quaedam significationum cum daemonibus*' etc., von denen AUGUSTINUS spricht.[318]

2. Die *observatio ordinata ad corporum immutationem, ad sanitatem etc.*[319] Sofern hier Dinge angewandt werden, die keine natürliche Ursache für die Erhaltung der Gesundheit oder Heilung von Krankheiten sein können, Charaktere etwa oder Amulette, können auch sie nur *ex operatione daemonum* Wirkungen haben:

> *Si autem naturaliter non videantur posse tales effectus causare, consequens est quod non adhibeantur ad hos effectus causandos tanquam causae, sed solum quasi signa. Et sic pertinent ‚ad pacta significationum cum daemonibus inita'. Unde Augustinus dicit, ‚Illiciuntur daemones per creaturas, quas non ipsi, sed Deus condidit, delectabilibus pro sua diversitate diversis, non ut animalia cibis, sed ut spiritus signis, quae cujusque delectationi congruunt, per varia genera lapidum, herbarum, lignorum, animalium, carminum, rituum'.*[320]; [321]

3. Die *observatio ordinata ad praecognoscenda aliqua fortunia vel infortunia.*[322] Hierher gehört der Angangsglaube, der Glaube an unheilkündende Zeichen u. ä. Auch das kann wieder nicht genommen werden als Ursache zukünftigen Geschehens, sondern als Zeichen; Zeichen, die durch menschliche Torheiten und dämonische Schurkereien[323] eingeführt worden sind.

4. Der letzte Artikel zum Thema Superstition ist der Frage gewidmet, ob es erlaubt sei, sich Texte der Hl. Schrift umzuhängen.[324] Wir haben die hier gemeinten christlichen Amulette besprochen.[325] Sofern solche Umhängsel keine unbekannten Namen enthalten oder irgendwelche Zeichen, das Kreuzzeichen ausgenommen[326], sofern man auch nicht auf eine besondere Form der Beschriftung oder der Applikation vertraue, ist dagegen nichts einzuwenden. Alles andere aber muß man ansehen als *ad invocationes daemonum pertinens*[327] — was zur Anrufung der Dämonen gehört.

*

---

[318] II. II. 96, 1.
[319] II. II. 96, 2.
[320] AUGUSTINUS, De civ. dei XXI 6.
[321] II. II. 96, 2.
[322] II. II. 96, 3.
[323] *ex vanitate humana, cooperante daemonum malitia*, ibd.
[324] *suspendere divina verba ad collum*, II. II. 96, 4.
[325] S. oben S. 237 f.
[326] Ebenda.

Die Lehre über das Wesen der Superstition, wie sie THOMAS VON AQUIN vorträgt, ist also völlig an der dämonologischen Interpretation AUGUSTINS orientiert. Wie dieser, so begreift THOMAS den Aberglauben als ein Zeichensystem, das der Kommunikation mit den Dämonen dient. Die Manipulationen, Sprüche und Riten der Superstition haben keine kausative, sondern semantische Funktion. Da sie der Verständigung zwischen Menschen und Dämonen dienen, bedarf es einer Übereinkunft über ihre semantische Bedeutung. So liegt auch der Sprache der Menschen eine Übereinkunft, gewissermaßen ein Sprachvertrag, zugrunde, dessen Verbindlichkeit jeder anerkennt, der sich in dieser Sprache verständlich machen will. Man kann sich aber der Sprache bedienen und verständlich sprechen, ohne daß man sich der Voraussetzung dieser verbindlichen Übereinkunft versichern muß: man setzt sie stillschweigend voraus. Für das abergläubische Mittel gilt analog: es setzt die Übereinkunft stillschweigend voraus, sofern der Handelnde sich jenes Signifikations- und Kommunikationspaktes mit den Dämonen nicht bewußt wird: Es setzt also ein *pactum tacitum* voraus. Sofern man sich aber bewußt jener Kommunikationsmöglichkeiten mit Dämonen bedient, ist das ein ausgesprochenes Bündnis mit den Dämonen. Keine Superstition aber, ob die Dämonen nun durch eine *expressa invocatio* oder *absque expressa invocatione* zu ihrem Tun veranlaßt werden, kann ohne die Tätigkeit der Dämonen geschehen: Denn AUGUSTINUS sagt, daß sie durch einen Vertrag mit den Dämonen, der den Gebrauch bestimmter Zeichen regelt, zustandekommen: Deshalb sind sie *pacta significationum cum daemonibus inita*.[328]

Unter diese Kommunikationsabkommen mit den Dämonen aber fallen Tausende törichter Gewohnheiten:

> *ad pacta cum daemonibus inita pertinent millia inanium observationum: puta si membrum aliquod salierit; sic junctim ambulantibus amicis lapis aut canis aut puer medius intervenerit; limen calcare cum ante domum suam aliquis transit; redire ad lectum si quis, dum se calceat, sternutaverit; redire domum si procedens offenderit; cum vestis a soricibus roditur, plus timere superstitionem mali futuri quam praesens damnum dolere.*[329]

Anhand der semasiologischen und dämonologischen Interpretation des Aberglaubens und unter Voraussetzung, daß alles, was in der Welt geschieht, durch Dämonen geschehen kann — *Omnia, quae visibiliter fiunt in hoc mundo, possunt fieri per daemones*[330] —, ist Aberglaube nun in der Tat zu einer unheimlichen Bedrohung gemacht worden — wie es denn auch der spätmittelalterliche Hexenwahn so empfunden hat.

---

[327] II. II. 96, 4.

[328] AUGUSTINUS, De doctr. christ. II, c. 20; THOMAS VON AQUIN, S. Th. II. II. 92—96, pass.

[329] THOMAS VON AQUIN, S. Th. II. II. 96, 3 nach AUGUSTINUS, De doctr. christ. II, c. 20.

[330] THOMAS VON AQUIN, Quaestiones disputatae de malo, qu. 16, art. 9.

Rückblick und Ausblick

Die Kenntnisse der untersuchten Texte über Superstitionen erwiesen sich der stofflichen Seite nach als weitgehend literarisch vermittelt und konnten kaum einmal als Reflex je zeitgenössischer Fakten bestimmt werden. Sie kommen zumeist von CAESARIUS VON ARLES bzw. dessen Ausschreibern her und gehen häufig auf spätantik-mediterrane Zustände zurück. Entsprechende Überlieferungszusammenhänge traten überall sehr deutlich zutage. Das bedeutet, was die historische Faktizität der gerügten Superstitionen angeht, daß der kirchlichen Literatur nur ein sehr geringer Zeugniswert zukommt. Das Bild der Kirche vom Aberglauben ist nahezu ausschließlich literarisch-traditionell. Es fixiert im wesentlichen spätantiken Aberglauben und ist angesichts zeitlich und räumlich anderer Verhältnisse als Fiktion anzusehen.

Theorie- und Systemversuche über Aberglauben sind ebenfalls traditioneller Art. Sie gehen auf Augustinus zurück. Konstruktive Elemente des mittelalterlichen Aberglaubensbegriffs sind: Aberglaube ist Rest von Heidentum, und zwar Rest als historisches und anthropologisches Faktum. Wie Heidentum ist er Dämonenkult. Die dämonologische Interpretation des Aberglaubens betrachtet die abergläubische Praxis als Zeichen, die dazu dienen, Dämonen um Hilfe anzugehen. Die einzelnen Zeichen sind als Elemente einer Sprache anzusehen. Wie die Sprache unter Menschen auf Übereinkunft beruht und ihr Gebrauch stillschweigende Anerkennung ihrer Verbindlichkeit voraussetzt, so wird auch die abergläubische Praxis als Zeichensprache unter Menschen und Dämonen durch ein *pactum significationis cum daemonibus* begründet.

Die Superstitionssysteme des Mittelalters haben nur sehr geringen Bezug auf zeitgenössische Verhältnisse. Sie sind im wesentlichen gelehrter Tradition verpflichtet und wurzeln in spätantiker, durch Augustinus vermittelter Begrifflichkeit.

Für die Entwicklung des genuin christlich-abendländischen Aberglaubensbegriffs ist die theologische und theologisch-anthropologische Interpretation des Aberglaubens als Rest von Heidentum wichtig. Ihr sind in der Folge verschiedene Relikttheorien vergleichbar: Die reformatorische (Rest 'papistischen Götzendienstes') — die humanistische (Rest römisch-antiker Kultgebräuche), die aufklärerische (Reste des Mittelalters) und die mythologische (Reste germanischer Mythologie).

*

Unter der axiomatischen Voraussetzung durchgehender Kontinuität germanisch-deutschen Glaubensgutes aus vorchristlicher Zeit bis auf ihre Zeit sah die mythologische Forschung des 19. Jahrhunderts in den behandelten mittelalterlichen Zeugnissen Stationen der Aufbehaltung mythologischer Stoffe in literarischer Spiegelung je zeitgenössischer Fakten als Reste, aus denen eine germanische Mythologie und Religion zu rekonstruieren sei.

Der überlieferungsgeschichtliche Befund zeigt jedoch in andere Richtung: auf spätantik-mediterrane Verhältnisse. Zudem erwiesen sich die Zeugnisse nur in seltenen Fällen als Reflex zeitgenössischer Superstitionen; sie sind vielmehr in großräumige literarische Vermittlungsprozesse eingebunden.

Bricht dieser literarische Vermittlungsprozeß zum Thema Aberglaube nun mit Aufkommen einschlägiger deutschsprachiger Texte des Spätmittelalters ab oder geht er ein in die volkssprachliche Literatur — die mehr noch als unsere lateinischen Zeugnisse für Berichte über Zeitgenössisches gehalten wurden —, kommt es also zur Eindeutschung lateinischer Superstitionstopoi in spätmittelalterlicher Zeit? Und wie wirkt das dann weiter beim Benützer der Texte?

Geht man von jenen deutschsprachigen Texten des späten Mittelalters — Predigt- und Traktatliteratur, Katechismus- und Erbauungsliteratur, Sündenspiegel, Beichtbücher, Bußsummen etc. — aus und auf die behandelten lateinischen Zeugnisse des Früh- und Hochmittelalters zu, so werden in der Tat bald Autoren und Zeugnisse älterer und ältester theologisch-kirchlicher Superstitionsliteratur sichtbar. Natürlich betrifft das nicht die Texte insgesamt und in gleicher Weise. Doch wird vor dem Hintergrund der hier aufbereiteten lateinischen Literatur das literarisch Vermittelte, sowohl der stofflichen wie der begrifflichen Seite nach, zu ermitteln und der Repräsentanzwert der Texte für zeitgenössische Verhältnisse genauer zu bestimmen sein.

Mit vorliegender Untersuchung hofft der Verfasser ein bescheidenes, gewiß noch mancher Ergänzungen bedürftiges Hilfsmittel mediävistischer Superstitionsforschung vorzulegen und bald durch eine Untersuchung zur spätmittelalterlichen Superstitionsliteratur ergänzen zu können.

319

Quellenverzeichnis mit Quellenkonkordanz

Folgende Verzeichnisse enthalten Angaben über Quellen, Autoren, benützte Ausgaben sowie fallweise über ermittelte Abhängigkeiten (= Quellenkonkordanz). Die Quellenkonkordanz zitiert zuerst das abhängige, bzw. das verwandte Zeugnis nach Werkkapiteln oder Seiten der benützten Ausgabe. Nach dem Doppelpunkt folgt die Quelle, bzw. das verwandte Zeugnis. Wo die genannte Stelle auf eine ältere Quelle zurückzuführen ist, ist letztere nach einem weiteren Doppelpunkt angeführt; zusätzliche Quellen folgen nach einem Semikolon. Die kursiven Ziffern verweisen auf Seiten vorliegender Arbeit. Nähere Nachweise findet man dort, wobei Abhängigkeit von CAESARIUS V. ARLES ggf. allein durch Hinweis auf die Quellenkritik bei BOESE oder BOUDRIOT angezeigt ist.

1. Christliche Literatur

a. Konzilien

Aenham ca. a. 1009, c. 4, 22, ed. MANSI 19, 306 sq.

Agde a. 506, c. 5, 42, 68, ed. MANSI 8, 332. C. 5: Caesarius v. Arles *52, 56, 63, 74.* — 42: Konzil v. Vennes *199.* — 68: Konzil v. Laodikeia *236.*

Ankyra a. 314, c. 24, ed. MANSI 2, 522.

Ansa bei Lyon a. 994, c. 6, ed. MANSI 19, 102.

Arles a. 443 seu 452, c. 23, ed. MANSI 7, 881. C. 23: Caesarius v. Arles *55.*

Arles a. 524, c. 5, 10, ed. MANSI 8, 631 (unterschobene Stücke; BURCHARD v. WORMS, Decr. X 22, 3). C. 5: CAESARIUS V. ARLES *255 f.*

Auxerre ca. a. 573—603, ed. MG Leg. 3 I 179. C. 1: CAESARIUS V. ARLES 131. 138. — 3: CAESARIUS *54, 58, 74.*

Braga a. 563, ed. MANSI 9, 774 sqq.

Braga a. 572, ed. MANSI 9, 835. C. 22: CAESARIUS V. ARLES; Konzil v. Arles a. 443. seu 452, *74.*

Châlone/Saône ca. a. 639—654, c. 19, ed. MG Leg. 3 I 212.

Châlone/Saône a. 813, ed. MANSI 14, 91—106.

Clichy a. 626 seu 627, c. 16, ed. MG Leg. 3 I 199.

Erstes Deutsches Nationalkonzil a. 743, c. 5, ed. MG Leg. 3 II 3 sq.

Eauze a. 551, c. 3, ed. MG Leg. 3 I 144.

Elvira a. 305 seu 306, c. 6, ed. MANSI 2, 6.

Frankfurt a. 794, c. 42, 43, 52, ed. MG Leg. 2 I 77 sq.

Fritzlar ca. a. 1244—1246, c. 4, ed. MANSI 23, 726 sq.

Juliobonense a. 1080, c. 34, ed. Mansi 20, 563.

Konstantinopel (Quinisextum; Trullanum) a. 691, c. 61, 62, ed. Mansi 11, 970 sq.

Laodikeia saec. 4.II, c. 35, 36, ed. Mansi 2, 569.

Leges presbyterorum Northumbrensium saec. 10, c. 47, 48, 54, ed. Mansi 19, 69 sq.

Leptinä a. 743, c. 4, ed. MG Leg. 3 II 5.

London a. 1075, ed. Mansi 20, 454.

Mainz a. 847, c. 21, ed. MG Leg. 2 II 181.

Mainz a. 1261, c. 30, ed. Mansi 23, 1091.

Mettense a. 859, c. 8, ed. MG Leg. 2 II 444.

Nantes ca. a. 658, c. 20, ed. Mansi 18, 172. C. 20: Caesarius v. Arles *61, 66 f., 74.*

Narbonne a. 589, c. 14, 15, ed. Mansi 9, 1017. C. 15: Caesarius *157.*

Neuching a. 772, c. 6, ed. MG Leg. 3 II 100 sq.

Orleans a. 511, c. 30, ed. MG Leg. 3 I 9.

Orleans a. 533, c. 12, 20, ed. MG Leg. 3 I 63 sq.

Orleans a. 541, c. 15, 16, ed. MG Leg. 3 I 90.

Paris a. 825, ed. MG Leg. 3 II 473—551.

Paris a. 829, c. 69, ed. MG Leg. 3 II 669 sq.

Pavia a. 850, c. 23, ed. MG Leg. 2 II 122.

Reims a. 624 seu 630, c. 14, ed. MG Leg. 3 I 204.

Reisbach-Freising a. 799 seu 800, c. 10, ed. MG Leg. 3 II 209.

Rom a. 743, c. 9, ed. MG Leg. 3 II 15 sq. C. 9: Bonifatius: Caesarius v. Arles *127, 144.*

Rom a. 826, c. 35, ed. MG Leg. 2 I 376.

Rouen a. 650, c. 4, 13, 17, ed. Mansi 10, 1200 sq. C. 4: Caesarius v. Arles *74.* — 17: Caesarius *125.*

Seligenstadt a. 1022, c. 6, ed. Mansi 19, 393 sq.

Szabolch a. 1092, c. 22, 34, ed. Mansi 20, 772, *777.*

Toledo a. 589, c. 23, ed. Mansi 9, 999.

Toledo a. 633, c. 29, ed. Mansi 10, 611.

Toledo a. 681, c. 11, ed. Mansi 11, 1037 sq.

Toledo a. 693, c. 2, ed. Mansi 12, 69 sq.

Toledo a. 694, c. 5, ed. Mansi 12, 99.

Tours a. 567, c. 23 (al. 22), ed. MG Leg. 3 I 133. C. 23: Caesarius v. Arles *51, 74, 122.*

Tours a. 813, c. 42, ed. MG Leg. 3 II 292.

Tribur a. 895, c. 50, ed. MG Leg. 2 II 241.

Trier a. 1227, c. 6, ed. Mansi 23, 30 sq.

Trier a. 1238, c. 37. ed. Mansi 23, 484.

Vennes ca. a. 461—491, c. 16, ed. Mansi 7, 955.

b. Staatliche Verordnungen

Admonitio generalis a. 789, c. 16, 18, 22, 42, 64, 65, 78, ed. MG Leg. 2 I 55—60, C. 62: CAESARIUS V. ARLES *66*.

Capitula cum Italiae episcopis deliberata ca. a. 790—800, c. 2, 3, ed. MG Leg. 2 I 202.

Capitula de examinandis ecclesiasticis a. 802, c. 15 (al. 16), ed. MG Leg. 2 I 109 sq.

Capitula e canonibus excerpta a. 813, c. 17, ed. MG Leg. 2 I 174.

Capitula post a. 805 addita, ca. a. 806—813, c. 1, ed. MG Leg. 2 I 142. C. 41: Admonitio generalis *62;* CAESARIUS V. ARLES *66*.

Capitulare a. 742, c. 5, ed. MG Leg. 2 I 25.

Capitulare a. 769 (oder etwas später), c. 5, 6, 7, ed. MG Leg. 2 I 44—46.

Capitulare Aquisgranense a. 809, c. 10, ed. MG Leg. 2 I 149.

Capitulare Carisiacense, a. 873, c. 7, ed. MG Leg., 2 II 345.

Capitulare de villis, a. 800 (oder früher?), c. 51, ed. MG Leg. 2 I 88.

Capitulare ecclesiasticum, a. 818—819, ed. MGH, Leg. 2 I 275—280.

Capitulare Haristallense a. 779, c. 16, ed. MG Leg. 2 I 51.

Capitulare incerti anni ca. a. 744, c. 10, 12, ed. HARTZHEIM I 424 sq.: CAESARIUS V. ARLES *66*.

Capitulare missorum Aquisgranense primum a. 809, c. 21, ed. MG Leg. 2 I 150.

Capitul. missorum item speciale ca. a. 802—803, c. 40, 41, ed. MG Leg. 2 I 104.

Capitulare Suessionense a. 744, c. 6, 7, ed. MG Leg. 2 I 29 sq.

Capitulatio de partibus Saxoniae ca. a. 775—790, c. 6, 7, 9, 21, 23, ed. MG Leg. 2 I 68 sq.

Childeberti I regis praeceptum ca. a. 511—558, ed. MG Leg. 2 I 2.

Duplex legationis edictum a. 789, c. 20, 26, 34, ed. MG Leg. 2 I 64.

Edictum ROTHARI a. 643, ed. MG Leg. 1 IV 48.

KNUD DER GROSSE, Leges ecclesiasticae, a. 1032, ed. MANSI, 19, 555—564.

c. Bußbücher (Pönitentialien)

Poenitentiale Arundel saec. 9, ed. SCHMITZ I 437—465. C. 17: Konzil v. Mainz *229*. — 92: CAESARIUS V. ARLES *53;* Excarpsus CUMMEANI *74*. — 94: Konzil v. Rouen *242*.

BARTHOLOMÄUS V. EXETER, Liber poenitentialis, ca. a. 1150—1170, ed. A. MOREY, Bartholomew of Exeter, Bishop and Canonist. Cambridge 1937, 175—299. C. 90: CAESARIUS V. ARLES u. MARTIN V. BRAGA *142 f.* — 104: AUGUSTINUS *76, 168;* ISIDOR: Konzil v. Vennes *199*.

Ps.-BEDAE, saec. 8, ed. SCHMITZ I 550—564. Prol. 33: CAESARIUS V. ARLES. — C. 30,3: CAESARIUS *53, 75*.

Bobiense, saec. 8, ed. WASSERSCHLEBEN 407—412. C. 23: Poen. Ps.-BEDAE: CAESARIUS V. ARLES *174*. — 27: CAESARIUS *53*. — 136: Poen. XXXV capitulorum *136*.

Burgundunense, saec. 8.I, ed. SCHMITZ II 319—322.

XXXV capitulorum, saec. 8/9, ed. WASSERSCHLEBEN 505—526 (= Poen. capitula judiciorum, ed. SCHMITZ II 204—251). C. 1: Poen. Ps.-BEDAE *174*; CAESARIUS V. ARLES MARTIN V. BRAGA: Konzil v. Ankyra. — 16: Ankyra *102*. — 17: Excarpsus CUMMEANI *74;* CAESARIUS *53*. — 19: ISIDOR *248*.

Casinense, saec. 8/9, ed. SCHMITZ I 388—432. C. 48: Excarpsus CUMMEANI *74*. — 58: CAESARIUS V. ARLES *53*. — 70: Poen. Ps.-BEDAE: CAESARIUS *87, 174*. — 105: MARTIN v. BRAGA: Konzil v. Ankyra.

Civitatense, saec. 11, ed. WASSERSCHLEBEN 688—705.

Corrector s. BURCHARD V. WORMS.

Excarpsus CUMMEANI, saec. 8, ed. SCHMITZ I 611—645. C VII 3: Poen. Ps.-BEDAE; CAESARIUS V. ARLES *87, 174*. — VII 6: CAESARIUS *53*. — VII 9: Poen. XXXV capitulorum *136*. — VII 16: Konzil v. Ankyra.

EGBERTI, saec. 9, ed. R. SPINDLER. London 1934, ed. SCHMITZ I 565—587 (zit.). C. VIII 1: CAESARIUS *54, 75*. — VIII 3: CAESARIUS *255 f.* — VIII 4: BURCHARD V. WORMS CAESARIUS *156*.

ROBERT V. FLAMBOROUGH, Liber poenitentialis, (1208/1213), ed. J. J. FIRTH (= Pontifical Institute of Mediaeval Studies and Texts 18). C. V 6, 3: HRABANUS MAURUS: Poen. EGBERTI *200;* Konzil v. Nantes: CAESARIUS V. ARLES *74;* MARTIN V. BRAGA: Konzil v. Ankyra *197;* ISIDOR *248;* Poen. EGBERTI: CAESARIUS *75;* CAESARIUS u. MARTIN V. BRAGA *142 f.*

Floriacense, saec. 8.ex·, ed. WASSERSCHLEBEN 422—425. C. 27: CAESARIUS V. ARLES *53*.

Ps.-GREGORII III, saec. 9, ed. WASSERSCHLEBEN 535—425. C. 23: ISIDOR: CAESARIUS V. ARLES *86 f.*, *156*. — 26: CAESARIUS *75*.

HALITGARI, ca. a. 817—831, ed. SCHMITZ I 719—729. C. 12: GREGOR D. GR. *172.* — 33: Excarpsus CUMMEANI *248*. — 26: MARTIN V. BRAGA *169, 185*.

HRABANI MAURI, a. 841, ed. PL 110, 467—494. C. 30: Poen. EGBERTI *200;* CAESARIUS V. ARLES *54, 75*.

Hubertense, saec. 9, ed. WASSERSCHLEBEN 377—386. C. 24: Poen. Ps.-BEDAE *174:* CAESARIUS V. ARLES *88, 174*. — 42: CAESARIUS u. MARTIN V. BRAGA *142 f.*

Mediolanense des KARL BORROMÄUS, gedr. 1584, ed. WASSERSCHLEBEN 705—727. 706: BURCHARD V. WORMS, Corrector *155*. — 707: MARTIN V. BRAGA: Konzil v. Ankyra *197*.

Merseburgense a., saec. 9, ed. WASSERSCHLEBEN 387—407. C. 22: CAESARIUS V. ARLES *88*. — 27: Excarpsus CUMMEANI *74;* CAESARIUS *52 f.* — 32: Poen. Ps.-Romanum *135*. — 167: Excarpus CUMMEANI *248*.

Merseburgense b., saec. 9, ed. WASSERSCHLEBEN 429—433. C. 32: Poen. Hubertense: CAESARIUS V. ARLES u. MARTIN V. BRAGA *142 f.*

Ordo poenitentiae, saec. 9?, ed. SCHMITZ I 741—751. 748: Poen. Ps.-BEDAE: CAESARIUS v. ARLES *174*. — 749: CAESARIUS *138*.

Parisiense, saec. 8, ed. SCHMITZ I 677—697. C. 13: Konzil v. Ankyra *102*. — 14: CAESARIUS V. ARLES *53*. — 21: CAESARIUS *53*. — 26: Poen. Ps.-Romanum *135*.

Parisiense II, saec. 8, ed. SCHMITZ II 326—330. C. 21: Excarpsus CUMMEANI *74*.

Ps.-Romanum, ca. a. 817—831, ed. SCHMITZ I 478. C. 32: Excarpsus CUMMEANI *248.* — 34: Poen. Ps.-BEDAE *174;* CAESARIUS V. ARLES *88.* — 36: Poen. Floriacense *135.* — 38: Excarpsus CUMMEANI *74;* CAESARIUS *52, 60.*

Sangallense tripartitum, saec. 8, ed. SCHMITZ II 175—182. C. 16: Poen. XXXV capitulorum *136.*

Ps.-THEODORI, ca. a. 690—740, ed. SCHMITZ I 510—550. C. 15: MARTIN V. BRAGA: Konzil v. Ankyra *173;* Konzil v. Ankyra *102.* — 18: CAESARIUS V. ARLES *53.* — 19: CAESARIUS *136, 138.*

Valicellanum I, saec. 10, ed. SCHMITZ I 227—342. C. 82: LEO? *233.* — 83: Poen. Parisiense *228.* — 86: Poen. Ps.-BEDAE: CAESARIUS V. ARLES *174;* CAESARIUS *88.* — 88: Poen. Ps.-Romanum *135.* — 89: Poen. Merseburgense *227;* CAESARIUS *75.* — 113: Excarpsus CUMMEANI *74;* CAESARIUS *53, 55.*

Valicellanum II, saec. 10, ed. SCHMITZ I 342—388. C. 59: MARTIN V. BRAGA *88.* — 61: Excarpsus CUMMEANI *74;* CAESARIUS V. ARLES *53.*

Vigilanum, saec. 8, ed. WASSERSCHLEBEN 527—534.

Viniai, a. 589, ed. SCHMITZ I 497—509.

Vindobonense, saec. 9.II, ed. WASSERSCHLEBEN 418—422.

d. Sonstige Quellen

ADELARD V. BATH, engl. Philosoph des 12. Jh.
De eodem et diverso (1105—16), ed. H. WILLNER: Beiträge zur Geschichte der Philosophie des Mittelalters 4 (1906).

AGOBARD V. LYON, * 799 Spanien, † 840 Lyon. Erzbischof v. L. (seit 816), führender Theologe seiner Zeit; u. a. kritisch-polem. Werke zur Bilderfrage, zum Judentum u. über Gottesurteile.
Epistola de Judaicis superstitionibus, ed. PL 104, 77—100.
Liber contra insulsam vulgi opinionem de grandine et tonitruis (um 820), ed. Pl. 104, 147—158.
Liber contra eorum superstitionem qui picturis et imaginibus sanctorum adorationis obsequium deferendum putant, ed. PL 104, 199—228.

ALANUS AB INSULIS (ALEIN DE LILLE od. DE RYSSEL), * um 1120 Lille, † 1202 Cîteaux. Zisterzienser, scholast. Theologe, Philosoph.
De fide catholica contra haereticos libri IV, ed. PL 210, 305—430.
Sermo 2 In annuntiatione beatae Mariae, ed. PL 210, 200—203.

ALCHER V. CLAIRVAUX, 12. Jh. Zisterzienser v. C.
Liber de spiritu et anima (um 1162), ed. PL 40, 669—832.

ALDHELM (V. MALMESBURY), * um 639, † 709 Doulting. Benediktinerabt v. M. (seit 675), 705 Bischof v. Sherborne, Verfasser angelsächs. Lieder (verloren), latein. Gedichte und Prosawerke.
De laudibus virginitatis (De virginitate [prosa]), ed. J. A. GILES, Aldhelmi ex abbate Malmesburiensi episcopi Schireburniensis opera quae extant. Oxford 1844. Reprod. PL 89, 105—162 (zit.); ed. MG Auct. ant. 15, 226—323. C. 25: Silvesterakten? *148 f.*

1. Christliche Literatur

Aelfrik (Alfrid) Grammaticus, * um 955, † vor 1020. Angelsächs. Benediktinerabt (Eynsham), Übersetzer, Grammatiker u. Verfasser angelsächs. Homilien.
Homilia de falsis diis, ed. B. Thorpe. London 1844—46. Suppl. J. C. Pope 1967—68. Ed. C. R. Unger, Fragment af en alliteret angelsachsisk Homili etc.: Annaler for nordisk Oldkyndighed og Historie 1846, 67—81. Teilweise abhängig von Martin v. Braga 163.

Alkuin, * um 730 York, † 804 Tours. Angelsächs. Lehrer, Theologe u. Bildungsorganisator am Hof Karls d. Gr.
Commentaria super ecclesiasten, ed. PL 100, 665—722.
Epistola 295 (ad Carolum), ed. Jaffé 6, 884—886 (Nr. 295).

Ps.-Alkuin, De divinis officiis, ed. PL 101, 1174—1286. C. 5: Isidor: Augustin 186. — 13: Isidor 86 f., 174 f.; Isidor: Konzil v. Vennes 199.

Ambrosius, * wahrscheinl. 339 Trier, † 397 Mailand. Bischof v. Mailand (seit 374), Prediger, Seelsorger, Theologe, latein. Kirchenlehrer.
Exameron, ed. CSEL 32, 1, 3—261.
De interpellatione Iob et David, ed. CSEL 32, 3, 211—296.

Ps.-Ambrosius, Sermo 7 De Kalendis Januariis, ed. PL 17, 617—618.

Ps.-Ambrosius (Ambrosiaster). Unbekannter Kommentator von Paulusbriefen z. Z. Damasus' (366—384).
Commentarium in epistolam B. Pauli ad Corinthios I., ed. PL 17, 183—276.
Commentarium in epistolam B. Pauli ad Galata, ed. PL 17, 337—372.

Ansegis v. Fontenelle, † 833. Benediktinerabt, karoling. Klosterreformator u. Rechtsgelehrter.
Capitularum collectio, ed. MG Leg. 2 I 394—450. C. 62: Admonitio generalis 79.

Anselm v. Canterbury, * 1033/34 Aosta, † 1109. Erzbischof v. C. Theologe, Philosoph.
Proslogion, ed. F. S. Schmitt, S. Anselmi Cantuarienis archiepiscopi opera omnia. I. Edinburgi 1946, 92—122. Dt. v. E. Happ.

Atto v. Vercelli, * um 885, † 960. Bischof v. V., Theologe u. Kanonist.
Capitula (Capitulare), ed. PL 134, 9—916. C. 38: Konzil v. Toledo 172. — 49: Konzil v. Rom: Caesarius v. Arles 127.
Epistola 2 Ad omnes fideles suae dioecesis, ed. PL 134, 109—105.
Sermo 3 In festo octavae domini, ed. PL 134, 835—838.
Sermo 13 In annuntiatione beati praecursoris et martyris domini nostri Jesu Christi Joannis Baptistae, ed. PL 134, 850—851.

Augustinus, * 354 Tagaste, † 430 Hippo. Latein. Kirchenlehrer, Bischof von Hippo.
Contra Academicos, ed. CSEL 63, 3—81.
Contra Faustum, ed. CSEL 25, 251—797.
De civitae dei, ed. CSEL 40, 1—2; übers. C. J. Perl. I—III. Salzburg 1951—1953.
De beata vita, ed. CSEL 63, 89—116.
De bono coniugali, ed. CSEL 41, 187—231.
De diversis quaestionibus ad Simplicianum, ed. PL 40, 101—148.
De diuinatione daemonum, ed. CSEL 41, 597—618.
De doctrina christiana, ed. CSEL 80, 1—169; übers. BKV, 49.
De genesi ad litteram, ed. CSEL 28, 1, 3—435.

De ordine libri II, ed. CSEL 63, 121—185.
Enarratio in Ps. 30, Sermo 2, ed. PL 36, 239—247.
Enarraritio in Ps. 40, ed. PL 36, 452—463.
Enarratio, in Ps. 91, ed. PL 37, 1171—1181.
Enarratio, in Ps. 95, ed. PL 35, 1227—1237.
Enchiridion de fide spe et caritate, ed. u. übers. J. Barbel (= Testimonia 1). Düsseldorf 1960.
Epistola 36, ed. CSEL 34, 2, 31—62.
Epistola 46 Ad Publicolam, ed. CSEL 34, 123—129.
Epistola 55 Ad inquisitiones Ianuarii, ed. CSEL 34, 2, 169—213.
Epistolae in Galatas expositionis liber I 35, ed. PL 35, 2105—2148.
Sermo 168, ed. PL 38, 911—915.
Sex quaestiones contra paganos expositae seu Epistola 102, ed. CSEL 34, 545—578.
Tractatus 7 In Joannis evangelium, ed. PL 35, 1437—1450.

Ps.-Augustinus, 8. Jh.
De Homilia de sacrilegiis, ed. C. P. Caspari, Eine Augustin fälschlich beigelegte Homilia de sacrilegiis. Christiania 1886. C. 2: Caesarius v. Arles 69, 75. — c. 3: Caesarius 75. — c. 9: Caesarius 87. — c. 12: Martin v. Braga: Caesarius 169; Konzil v. Narbonne: Caesarius u. Martin v. Braga 157. — c. 18: Caesarius 66. — c. 23: Caesarius 122. — c. 24: Caesarius 138—141. — c. 25: Konzil v. Auxerre 132. — c. 27: Caesarius 168.

Ps.-Augustinus, Cf. Clauis Patrum Latinorum (= Sacris eruditi 3). ²Brugis 1961, Nr. 361.
Principia dialecticae, ed. PL 32, 1409—1420.

Ps.-Augustinus; Ps.-Eligius v. Noyon.
Tractatus de rectitudine catholicae conversionis, ed. PL 40, 1169—1190.

Ps.-Augustinus (= Ambrosiaster). Vgl. unter Ps.-Ambrosius.
Quaestiones veteris et novi testamenti, ed. CSEL 50.

Basileios d. Gr., * zwischen 329/31 Kaisarea, † 379. Griech. Kirchenlehrer, Erzbischof v. K. (seit 370).
Homilia 11 De invidia, ed. PG 31, 371—386.

Beda Venerabilis, * 672/73, † 735 Kloster Jarrow. Latein. Kirchenlehrer, Historiograph.
Historia ecclesiastica gentis Anglorum, ed. C. Plummer, Venerabilis Bedae opera historica. I. Oxford 1896.

Ps.-Beda Venerabilis.
De auguriis vel divinationibus, ed. PL 94, 573.
De minutione sanguinis, sive de phlebotomia, ed. PL 90, 959—962.
De tonitruis libellus ad Herefridum, ed. PL 90, 609—614.
Prognosticum temporum, ed. PL 90, 951—952.

Benedkt v. Aniane, * um 750, † 821 Kornelimünster. Benediktinerabt, Klosterreformer.
Concordia regularum, ed. PL 103, 703—1380.

Berthold v. Regensburg, * um 1210 Regensburg, † 1272 ebd. Franziskaner, Volksprediger.
Predigten, lat., ed. E. Bernhardt. 1905; deutsch, ed. F. Pfeiffer u. J. Strobl. 1—2. 1862—1880.

BONIFATIUS, ✳ 672/75 Wessex, † 754 b. Dokkum. Angelsächs. Germanenmissionar.
Epistola 50 (ad Zachariam papam) (742), ed. MG Ep. ²3, 299—302. 301: CAESARIUS
v. ARLES *126, 144.*
Epistola 78 (ad Cudberthum archiepiscopum Cantabrigiensem) (747), ed. MG Ep. ²3,
350—356.

PS.-BONIFATIUS.
Sermo 5 De fide et operibus dilectionis, ed. PL 89, 852—855.
Sermo 6 De capitalibus peccatis et praecipuis Dei praeceptis, ed. PL 89, 855—856:
Ratio de cathecizandis rudibus: Karolingische Musterpredigt *56.*
Sermo 8 Qualiter hic vivatur, qualiter in futurum vivendum sit, ed. PL 89, 859—860.
Sermo 15 De abrenuntiatione in baptismate, ed. PL 89, 870—872.

PS.-BONIFATIUS, ca. a. 800—840.
Statuta, c. 21, 33, ed. HARTZHEIM I 73, 75.

BRUNO DER KARTÄUSER, ✳ 1030/35 Köln, † 1101 Kartause S. Stefano. Stifter des Kartäuser-
ordens.
Expositio in epistolam ad Colossenses, ed. PL 153, 373—398.

BRUNO V. SEGNI od. ASTI, ✳ 1045/49 Solero, † 1123. Bischof v. S., Exeget.
Expositio in Exodum, ed. PL 164, 233—378.
Expositio in psalmum 11, ed. PL 164, 732—734.

BRUNO V. WÜRZBURG, † 1045 Persenburg. Bischof v. W. (seit 1034).
Expositio psalmorum, ed. PL 142, 39—568.

BURCHARD V. Worms, ✳ um 965, † 1025; Bischof v. Worms (seit 1000). Der Corrector (s.
Medicus) ist ein in lib. XIX aufgenommenes Bußbuch.
Decretorum libri XX (Decretum collectarium), ed. PL 140, 537—1090. I, c. 94 (cf. X
32, 42): CAESARIUS v. ARLES *52, 56;* Konz. v. Adge: CAESARIUS *63, 74.* — X 1: REGINO
v. PRÜM: Canon episcopi *97, 265.* — X 2: CAESARIUS *51, 66, 75.* — X 3: GREGOR D.
GR. *174, 195.* — X 4: GREGOR D. GR. *196.* — X 6: MARTIN V. BRAGA: Konz. v. An-
kyra *197.* — X 9: CAESARIUS *54;* HRABANUS MAURUS: Poen. EGBERTI *200.* — X 10:
CAESARIUS *61;* Konzil v. Nantes *64, 69;* Konzil v. Nantes: CAESARIUS *66, 67, 74.* —
X 11: AMBROSIUS *121, 170.* — X 13: MARTIN V. BRAGA *169, 185.* — X 15: MARTIN
v. BRAGA *125, 132.* — X 16: Konz. v. Rom: CAESARIUS *128, 144.* — X 17: Konz. v.
Rouen *133;* CAESARIUS *125.* — X 18: Konz. v. Rouen *242;* CAESARIUS *74.* — X 21:
Konz. v. Arles *74;* CAESARIUS *55.* — X 23: GREGOR D. GR. *172.* — X 27: ISIDOR:
Konz. v. Vennes *200.* — X 28: ISIDOR *248.* — X 30: REGINO v. PRÜM *173 f.;* CAE-
SARIUS *75.* — X 32 (cf. I 42, 94): Konz. v. Agde: CAESARIUS *63, 74;* CAESARIUS *52,
56.* — X 33 (cf. Corrector 92): CAESARIUS *156.* — X 34: REGINO v. PRÜM *79:* Ps.-
Arelatense IV. *275.* — X 37: LEO *233.* — X 39: Poen. Merseburgense b.: CAESARIUS
u. MARTIN V. BRAGA *142 f.* — X 43: ISIDOR: AUGUSTINUS *186.* — X 48: Konz. v.
Toledo *172.* — XI 68: ISIDOR *176.*
Corrector (= Decr. lib. XIX). C. 53: CAESARIUS u. MARTIN V. BRAGA *256.* — 56: CAE-
SARIUS *244.* — 57: CAESARIUS *57.* — 62: PIRMIN V. REICHENAU? CAESARIUS *129 f.;*
Konz. v. Rom: CAESARIUS *144.* — 63: Konz. v. Rouen *242.* — 63 CAESARIUS *74.* —
68 ISIDOR *248.* — 90: Canon episcopi *97.* — 99: CAESARIUS *138.*

Ps.-BURKHARD VON WÜRZBURG, 8. Jh. Cf. D. MORIN: Revue bénédictine 13 (1896) 97 sqq., 193 sqq.

Homiliae 19, 20, 23, 24, 25, ed. G. v. ECKHART, Commentarium de rebus Franciae orientalis et episcopatus Wirceburgensis. I. Würzburg 1729, 840—844. CAESARIANische Stücke; cf. 75, 240 f.

CAESARIUS VON ARLES, * 470/71 b. Chalon-sur-Saône, † 542 Arles. Erzbischof v. A. (seit 503 Bischof), Paganienpredigier.

Sermo 13 In parochiis necessarius (= Ps.-AUGUSTIN. Sermo 265, ed. PL 39, 2237 bis 2240), ed. CCL 103, 64—68.

Sermo 14, Homilia ibu populus admonetur (= C. P. CASPARI, Kirchenhistorische Anekdota. I. Christiania 1883, 215—224), ed. CCL 103, 68—72.

Sermo 33 De reddendis decimis: Ante natale sancti Ionnis Baptistae (= Ps.-AUGUSTIN. Sermo 277, ed. PL 39, 2266—2268), ed. CCL 103, 142—147.

Sermo 52 Ammonitio ut fana destruantur (= BURKHART V. WÜRZBURG Homilia 23, ed. ECKHART I 843), ed. CCL 103, 230—233.

Sermo 54 Commonito ad eos qui non solum auguria adtendunt, sed quod gravius est divinos aruspices et sortilegos secundum pananorum morem inquirunt (= Ps.-AUGUSTIN. Sermo 278, ed. PL 39, 2268—2271), ed. CCL 103, 235—240.

Sermo 77 (= Ps.-AUGUSTIN. Sermo 286, ed. PL 39, 2285—2287), ed. CCL 103, 318—323.

Sermo 184 De martyribus vel phylacteriis, ad locum Apostoli Hebr. XI. (= Ps.-AUGUSTIN. Sermo 279, ed. PL 39, 2271—2274), ed. CCL 104, 748—752.

Sermo 192, De Kalendis Ianuariis (= Ps.-AUGUSTIN. Sermo 129, ed. PL 39, 2001 bis 2003), ed. CCL 104, 779—782.

Sermo 193 Sancti Sedati episcopi De Kalendis Ianuariis (= Ps.-AUGUSTIN. Sermo 130, ed. PL 39, 2003—2005), ed. CCL 104, 782—786.

Sermo 204 De pascha Domini (= Ps.-AUGUSTIN. Sermo 168, ed. PL 39, 2070—2072), ed. CCL 104, 819—822.

Canon episcopi. Auszug eines karolingischen Kapitulars oder Konzils, überliefert bei REGINO V. PRÜM, Libri duo de synodalibus causis etc. S. bei REGINO V. PRÜM.

CASSIODOR * um 485 Squillace, † nach 580. Römischer Staatsmann, Gelehrter, Klostergründer.

Institutiones divinarum et saecularium litterarum, ed. R. A. B. MYNORS. Oxford 1937, Nachdr. 1963. Ed. PL 70, 1149—1220 (zit.).

CHRYSOSTOMUS s. JOHANNES I. CHRYSOSTOMUS.

CRESCONIUS. Dem Namen wird eine Kirchenrechtssammlung zugeordnet, die um 690 in Afrika entstand. Breviarium canonicum, ed. PL 88, 817—942.

Corrector s. BURCHARD V. WORMS, Decr. XIX.

CYPRIAN V. KARTAGO, * 200/210 Kartago, † 258. Bischof v. K. (seit 248/49), Kirchenschriftsteller.

Quod idola dii non sint (Liber de idolorum vanitate), ed. PL 4, 563—582; ed. CSEL 3, 1, 19—31.

De spectaculis, ed. CSEL 3, 3, 3—13.

DANIEL V. WINCHESTER. Bischof v. W. (705—744), Berater u. Helfer Bonifatius'.
Epistola ad Bonifatium (723/24), ed. MG Ep. ²3, 271—273.

Didache (Doctrina XII Apostolorum), zwischen 80—100, Syrien oder Palästina. Kompilation von Institutionen für die Gemeindeinstruktion. Ed. K. BIEHLMEYER, Die apostolischen Väter (= Sammlung ausgewählter kirchen- und dogmengeschichtlicher Quellenschriften II 1, 1). ²Tübingen 1956. Ed. J. SCHLECHT. Friburgi 1900.

DURANDUS V. MENDE, WILHELM d. Ä. * 1230/31 Puymisson, † 1296 Rom. Bischof v. M. (1285), Kanonist u. Liturgiker.
Rationale divinorum officiorum (vor 1291), frz. übers. CHR. BARTHÉLEMY. 1—5. Paris 1848—1854.

PS.-ELIGIUS V. NOYON.
Musterpredigt, eingeschoben in die Vita Eligii, ed. MG Script. rer. Merow. IV 705—708. Als Vorlage gilt der Tractus de rectitudine etc., s. u. II 15 sq.: CAESARIUS *53, 58, 64, 66, 74 f., 82, 87, 131, 138, 168, 256* u. MARTIN V. BRAGA *156*; Konzil v. Nantes *64*.
Praedicatio de supremo iudicio, ed. MG Script. rer. Merow. IV 751.
Tractatus de rectitudine catholicae conversionis. Vorlage oder Extrakt der Vita Eligii, s. PS.-ELIGIUS. Ed. PL 1169—1190: 1172: CAESARIUS V. ARLES *75*.

Epistola canonica, saec. 6, ed. PL 56, 890—893. Teilweise CAESARIANisch *130, 138, 156*.

EUSEBIOS V. KAISEREIA, * um 265, † 339. Bischof v. K. (seit 313), Historiograph, Apologetiker.
Demonstratio evangelica, ed. PG 22, 3—792.

FERRANDUS V. KARTHAGO, 6. Jh. Die Breviatio ist erste afrikanische Kirchenrechtssammlung.
Breviatio canonum, ed. PL 67, 949—962; 88, 817—830.

FILASTRIUS (FILASTER) V. BRESCIA, † spätestens 397. Bischof v. B.
Diversarum hereseon liber, ed. CCL 9, 207—324.

GAUDENTIUS V. BRESCIA, 4./5. Jh. Bischof v. B.
Tractatus 9 De evangelii lectione II., ed. PL 20, 898—912.
Sermo 4 De exodi lectione IV., ed. PL 20, 867—871.

GOTTFRIED V. ADMONT, † 1165. Abt. v. A. (seit 1138), Kirchenschriftsteller u. Prediger.
Homilia 65 In dominicam II post pentecosten secunda, ed. PL 174, 449—459.

GRATIAN, * spätestens Anfang 12. Jh., † vor 1179. Magister in Bologna.
Concordantia discordantium canonum (Decretum) (im wesentlichen um 1142 vollendet), ed. AE. L. RICHTER u. AE. FRIEDBERG, Corpus Iuris Canonici. I—II. ²Leipzig 1879. Reprod. Graz 1955.
II 26, 1, 1: ISIDOR, Konz. v. Vennes *200*. — II 26, 2, 6: ISIDOR: AUGUSTINUS: *186, 241.* — II 26, 2, 7: ISIDOR, LACTANTIUS *104 f., 205.* — II 26, 3 et 4, 1: ISIDOR *176, 208:* AUGUSTINUS *186*; HRABANUS MAURUS *200.* — II 26, 5, 1: GREGOR D. GR *172.* — II 26, 5, 3: MARTIN V. BRAGA *169, 185:* Konzil v. Ankyra *197.* — II 26, 5, 5: Konzil v. Toledo *172.* — II 26, 5, 6: GREGOR D. GR. *196, 199*; ISIDOR: Konzil v. Vennes *199 f.* — II 26, 5, 9: Konzil v. Orleans *200.* — II 26, 5, 12: Canon episcopi *97.* — II 26, 5, 13: Konzil v. Toledo *222 f.* — II 26, 5, 14: ISIDOR: AUGUSTINUS *241.* — II 26, 6, 10: GREGOR D. GR. *174, 196.* — II 26, 2, 7: ISIDOR: LACTANTIUS *176.*

II 26, 7, 13: MARTIN V. BRAGA *132*. — II 26, 7, 14: BURCHARD V. WORMS: CAESARIUS V. ARLES *128*; Konzil v. Rom: CAESARIUS *144*. — II 26, 7, 16: MARTIN V. BRAGA *88, 107, 131*. — II 26, 7, 17: AGUSTINUS *76, 168*.

GREGOR I. D. GR., ∗ um 540 Rom, † 604 ebd. Papst (seit 590), Kirchenlehrer.

Epistola ad Brunigildam reginam Francorum (597), ed. MG Ep. 2, 5—8.

Epistola ad Agnellum episcopum Terracinensem, ed. MG Ep. 2, 21.

Epistola ad Januarium Caralitanum episcopum, ed. MG Ep. 2, 191—193.

Epistola ad Adrianum notarium, ed. MG Ep. 2, 302.

Epistola ad Adilbertum regem Anglorum (601), ed. MG Ep. 2, 308—310.

Epistola ad Mellitum Abbatem, ed. MG Ep. 2, 330 sq.

Epistola ad Augustinum episcopum (601), ed. MG Ep. 2, 332—343.

Epistola ad Theodelindam reginam, ed. MG Ep. 2, 430—432.

Ps.-GREGOR D. GR.

In primum Regum expositiones, ed. PL 79, 17—468.

GREGOR II., ∗ 669 Rom, † 731 ebd. Papst (seit 715), beauftragte BONIFATIUS mit der Germanenmission.

Epistola ad Karolum Martellum (= BONIFATII et LULLI ep. 21) (722—23), ed. MG Ep. ²3, 269.

Ad universum populum provinciae Altsaxonum(72/3), ed. MG Ep. ²3, 269—270.

Capitulare, ed. HARTZHEIM I 36.

GREGOR III. Papst (731—741).

Epistola ad Bonifatium (= BONIFATII et LULLI ep. 28) (um 732), ed. MG Ep. ²3, 278 bis 280.

Epistola ad optimates et populum provinciarum Germaniae (= BONIFATII et LULLI ep. 43) (um 737), ed. MG Ep. ²3, 291.

Epistola ad episcopes Baioariae et Alamanniae (= BONIFATII et LULLI ep. 44) (um 737), et MG Ep. ²3, 292.

GREGOR V. TOURS, ∗ 538 Clermont-Ferrand, † 594. Bischof v. T. (seit 573), Geschichtsschreiber, Hagiograph.

Historiarum libri X (Historia od. Gesta Francorum) (591), ed. MG Script. rer. Merow. 1 I; übers. R. BUCHNER. I—II. (= Ausgewählte Quellen zur deutschen Geschichte des Mittelalters. Freiherr vom Stein-Gedächtnisausgabe II—III). Darmstadt 1955 bis 1956, I: Darmstadt ⁵1977.

Libri VIII Miraculorum, ed. MG Script. rer. Merow. 1, 484—820. VII: Caesarius v. Arles *58*.

HAIMO (AIMON) V. FLEURY, ∗ um 965 Francs, † nach 1008. Benediktiner in F. Hagiograph u. kompilatorischer Historiograph.

Historia Francorum (Gesta regum Francorum) (wohl vor 1004), ed. C. LE STUM, L'„Historia Francorum" d'Aimoin de Fleury. Etude et édition critique (Ms.). Ed. PL 139, 387—414, 627—802 (zit.).

HERARD V. TOURS. Erzbischof v. T. (seit 855).

Capitula (um 858), ed. PL 121, 763—774.

HERIGER V. LOBBES, ∗ um 950, † 1007 Lobbes. Benediktinerabt v. L. (seit 990).

Gesta episcoporum Leodiensium, ed. MG Script. 7, 162—189.

HIERONYMUS, * um 347 Stridon, † 420. Latein. Kirchenvater, Bibelübersetzer (Vulgata).
Commentaria in Danielem, ed. PL 25, 491—584.
Commentaria in Jonam, ed. PL 25, 1117—1152.
Commentaria in Michaeam, ed. PL 25, 1151—1230.
Commentaria in Evangelium Matthaei, ed. PL 26, 15—218.

HILARIUS V. POITIERS, * um 315, † 367. Bischof v. P. (etwa seit 350).
Tractatus in psalmum 134, ed. PL 9, 752—767.

Ps.-HILDEBERT V. LAVARDIN. Cf. W. LAMPEN: Antonianum 19 (1944) 144—168.
Sermo 11 In nativitate domini, ed. PL 171, 390—394.
Sermo 111 De Adae peccato, ed. PL 171, 845—853.

HINKMAR V. REIMS, * um 806, † 882 Épernay. Erzbischof v. R. (seit 845).
De divortio Lotharii regis et Tetbergae reginae, ed. PL 125, 619—772. Interrogatio
15: ISIDOR *175 f.*, ISIDOR: AGUSTINUS *206, 215, 241.*

Homilia de sacrilegiis s. Ps.-AUGUSTINUS.

Homilia Dies dominicas, ed. A. NÜRNBERGER, Aus der literarischen Hinterlassenschaft des
hl. Bonifatius und des hl. Burchardus: 24. Bericht der wiss. Gesellschaft Philomatie
in Neisse. Neisse 1888, 175—177: CAESARIUS V. ARLES *74.*

Homilia saec. 8, ed. D. G. MORIN, Textes inédits relativs au symbole et à la vie chré-
tienne: Revue bénédictine 22 (1905) 505—524.

Homilia ubi populus admonetur = CAESARIUS, Sermo 14.

HONORIUS AUGUSTODUNENSIS. Mönch in Regensburg (?) und Canterbury, Scholastiker des
12. Jh.
De imagine mundi, ed. PL 172, 115—188; unvollständig ed. V FINZI: Zeitschrift für
romanische Philologie 17 (1893) 490—543, 18 (1894) 1—73.

HRABANUS MAURUS, * 780 Mainz, † 856 ebd. Benediktinerabt in Fulda (822—842), Erzbischof von Mainz (seit 847). Theologe der Karolingerzeit, literarischer Vermittler
zwischen Patristik und Mittelalter.
De consanguineorum nuptiis et de magorum praestigiis falsisque divinationibus, c. De
magicis artibus, ed. PL 110, 1095—1110.
De ecclesiatica disciplina, ed. PL 112, 1191—1262.
Homilia 16 In sabbato s. Paschae, ed. PL 110, 33 sq. 34: CAESARIUS V. ARLES *244.*
Homilia 42 Contra eos qui in lunae defectu clamoribus se fatigant, ed. PL 110, 78
bis 80: MAXIMUS V. TURIN *254, 258, 260 ff.*
Homilia 43 Contra paganicos errores, quos aliqui de rudibus christianis sequuntur, ed.
PL 110, 80 sq. 81: CAESARIUS *82, 87, 168 f.*
De institutione clericorum, ed. A. KNÖPFLER. München 1901.
Poenitentiale s. unter Bußbücher.
De rerum naturis seu De universo (nach 842), ed. PL 111, 9—614. XV 4: ISIDOR *82,
175, 208*; ISIDOR: Konzil v. Vennes *199*; ISIDOR: AUGUSTINUS *186, 206, 215, 241*;
ISIDOR: LACTANTIUS *104 f., 205.*

HUGO V. ST-VICTOR, * Ende 11. Jh., † 1141 Paris. Augustiner; Theologe, Philosoph, Mystiker.

Didascalion de studio legendi, ed. CH. H. BUTTIMER: Studies in Medieval and Renaissance Latin 10 (1939). VI 15: ISIDOR *176, 215;* ISIDOR: AUGUSTINUS *206, 241.*

De sacramentis christianae fidei, ed. PL 176, 173—618.

Summa sententiarum, ed. PL 176, 41—174.

Indiculus superstitionum et paganiarum, 8. Jh., ed. MG Cap. reg. Franc. 2 I 222 sq. Nr. 8: Karolingingische Musterpredigt *162.* — Nr. 20: Karolingische Musterpredigt *162.* — Nr. 29: CAESARIUS V. ARLES *58, 74.*

IRENÄUS V. Lyon, † um 202. Bischof v. L. (seit 177/78), Missionar Ostgalliens (?). Adversus haereses, ed. W. W. HARVEY. 1—2. Cambridge 1857.

ISIDOR V. SEVILLA, * um 560, † 633. Erzbischof v. S. (seit kurz vor 600), Kirchenlehrer, Enzyklopädist.

Etymologiae seu Origines, ed. W. M. LINDSAY, Isidori Hispalensis episcopus etymologiarum sive originum libri XX. II. (= Scriptorum Classicorum Bibliothecae Oxoniensis. Lat. 8, 1—2). Oxonii 1911. VIII 9: Konzil v. Vennes *199;* AUGUSTINUS *34, 82, 186, 241.*

De officiis eclesiasticis, ed. PL 83, 737—826. I 41: MARTIN V. BRAGA *142,;* CAESARIUS *139.*

Differentiae, ed. PL 83, 9—130.

Quaestiones in vetus testamentum. In exodum, ed. PL 83, 207—424. C. 29, 15: AUGUSTINUS *272.*

IVO V. CHARTRES, * um 1040 b. Beauvais, † 1116. Bischof v. Ch. (seit 1090). Kanonist. Die Kanonessammlungen entstanden um 1094/96.

Decretum, ed. PL 161, 47—1022. II 68: ISIDOR: AUGUSTINUS *186.* — IV 1: REGINO V. PRÜM *147;* AMBROSIUS *121, 170.* — VIII 66: ISIDOR: AUGUSTINUS *186.* — X 38: Konzil v. Nantes *69;* Konzil v. Nantes: CAESARIUS V. ARLES *74.* — X 1: GREGOR D. GR. *172.* — XI 4: ISIDOR Konzil v. Vennes *199 f.* — XI 5: Konzil v. Toledo *172.* — XI 7: ZACHARIAS *78, 132.* — XI 9: HIERONYMUS *86.* — XI 13: ISIDOR: AUGUSTINUS *241.* — XI 16: CAESARIUS *131 f.* — XI 18: AUGUSTINUS *168.* — XI 19: AUGUSTINUS *76.* — XI 22: ISIDOR: Konzil v. Vennes *200.* — XI 30: REGINO V. PRÜM: Canon episcopi *97.* — XI 31: BURCHARD V. WORMS: CAESARIUS *51;* CAESARIUS *66, 75.* — XI 32: GREGOR D. GR. *174, 195.* — XI 33: GREGOR D. GR. *196.* — XI 34: MARTIN V. BRAGA: Konzil v. Ankyra *197.* — XI 37: HRABANUS MAURUS: Poen. EGBERTI *200;* CAESARIUS *54, 75.* — XI 38: Konzil v. Nantes *64;* Konzil v. Nantes: CAESARIUS *66;* Konzil v. Arles *74.* — XI 40: MARTIN V. BRAGA *169, 185.* — XI 42: MARTIN V. BRAGA *125, 132.* — XI 43: Konzil v. Rom: CAESARIUS *144;* CAESARIUS *128.* — XI 44: Konzil v. Rouen *133;* CAESARIUS *125.* — XI 45: Konzli v. Rouen *242;* CAESARIUS *74.* — XI 48: CAESARIUS *55, 61.* — XI 53: ISIDOR *248.* — XI 55: REGINO V. PRÜM *173 f.* — XI 57: Konzil v. Agde: CAESARIUS *63, 74;* CAESARIUS *52, 56.* — XI 59: REGINO V. PRÜM *79.* — XI 62: LEO *233.* — XI 64: CAESARIUS u. MARTIN V. BRAGA *142 f.* — XI 66: ISIDOR: LACTANTIUS *104 f., 176, 205.* — XI 67: ISIDOR: AUGUSTINUS *206, 215.* — XI 68: ISDOR *176, 208, 214 f.;* ISIDOR: Konzil v. Vennes *200.* — X I73: Konzil v. Toledo *172.* — XI 75: BURCHARD V. WORMS *227.* — XI 95: GREGOR D. GR. *174, 195.*

Panormia, ed. PL 161, 1041—1344. VIII 65: ISIDOR: AUGUSTINUS *206, 215*. — VIII 66: ISIDOR *176, 208, 214 f.*; ISIDOR: Konzil v. Vennes *200*. — VIII 67: ISIDOR: AUGUSTINUS *241*. — VIII 69: ISIDOR: Konzil v. Vennes *200*. — VIII 75: REGINO v. PRÜM *265*. — VIII 80: AUGUSTINUS *76*. — VII 81: AUGUSTINUS *168*.

JOHANNES CASSIANUS, * um 360, † 430/435. Anachoretischer Mönch, Kirchenschriftsteller.
Collationes patrum (426—428), ed. PL 49, 477—844 (zit.); ed. CSEL 13.

JOHANNES I. CHRYSOSTOMUS, * 34/54 Antiocheia, † 407 Komana. Prediger, griech. Kirchenvater, Patriarch von Konstantinopel.
Commertarius in epistolam ad Galatas, ed. PG 61, 611—682.
Homilia in Kalendas, ed. PG 48, 953—962.
Homilia 10 In epistolam I. ad Timotheum, ed. PG 62, 547—555.
Homilia 12 In epistolam ad Ephesios, ed. PG 62, 87—94.
Homilia 43 In Matthaeum, ed. PG 57, 455—464.

JOHANNES V. DAMASKUS, * um 650, † um 750. Griech. Kirchenlehrer, Gelehrter, Dichter.
De draconibus et strygibus, ed. PL 94, 1599—1604.

JOHANNES V. SALISBURY, * um 1115 S., † 1180 Chartres. 1176 Bischof von Chartres. Engl. Philosoph.
Policraticus sive De nugis curialium et vestigiis philosophorum libri VIII, ed. C. C. I. WEBB. I—II. Oxford 1909. I 12: ISIDOR: AUGUSTINUS *206*.

JONAS V. ORLEANS, * vor 780, † 843. Bischof v. O. (seit 818).
De cultu imaginum (840), ed. PL 106, 305—388.

Kaiserchronik, zwischen 1160—1165, ed. MG Script. qui vernacula lingua usi sunt I 79—392.

Karolingische Musterpredigt, wohl 8. Jh., Mainz. Ed. W. SCHERER, Eine lateinische Musterpredigt aus der Zeit Karls des Großen: ZfdA 12 (1856) 436—446. 439: Ratio de cathecizandis rudibus: nachbonifatianischer Sermo 6: karolingische Musterpredigt *63, 56, 160 ff.*

KLEMENS V. ALEXANDRIEN, * 140/50 wahrsch. Athen, um 216/17 tot. Lehrer in A., Kirchenschriftsteller.
Pädagogus, ed. PG 8, 247—682.

KYRILLOS V. JERUSALEM, * um 313, † 387. Bischof v. J. (seit 348/50). Kirchenlehrer.
Catecheses mystagogica, ed. Florilegium patristicum 7, 2 (²1935); übers. BKV 41.

LACTANTIUS, * um 250 Afrika. Rhetor, christl. Schriftsteller.
Diviae institutiones (304—313), ed. CSEL 19, 1—672.
Epitome divinarum institutionum, ed. CSEL 19, 673—761; übers. BKV 36, 131—218.

Ps.-LEO I. D. GR. — Der Codex canonum entstand um 500 in Gallien od. Rom. Nach P. QUESNEL heißt die Sammlung: Quesnelliana (collectio canonum).
Codex canonum ecclesiae et constitutorum Sanctae Sedis Apostolicae, ed. PL 56, 359—746.

Lex Dei. Anfang 4. Jh. Gegenüberstellung mosaischer u. röm. Rechtssatzungen.
Ed. TH. MOMMSEN: Collectio librorum iuris anteiustiniani. 3. Berolini 1890, 107—198.

Ps.(?)-Marbod v. Rennes. M. v. R. * um 1035, † 1123.
Synodalrede, ed. B. Hauréau, Notices et extraits de quelques manuscripts de la Bibliothèque Nationale. I. 1890.

Martin v. Braga (Bracara), * um 515 Pannonien, † 580 B. Bischof v. Dumium (seit 556). Seit 550 Suebenmissionar im nordwestl. Spanien bzw. Portugal.
Capitula ex orientalium Patrum synodis a Martino episcopo ordinata atque collecta (verlesen auf der Synode v. Braga 572), ed. C. W. Barlow, Martini episcopi Bracarensis opera omnia. New Haven 1950.
De correctione rusticorum (572—74), ed. ibd. C. 16: Caesarius *55, 64, 74, 82, 87.*

Martin v. León (Legionensis, auch: Presbyter), † 1203.
Sermo 7 In Septuagesima, ed. PL 208, 559—608. 566: Isidor: Lactantius *105.*

Maximinus s. Ps.-Maximus v. Turin.

Maximus v. Turin, † wahrsch. um 420. Bischof v. T.
Homilia 16 De calendis Januariis, ed. PL 57, 253—258.
Homilia 100 De defectione lunae (I), ed. PL 57, 483—486.
Homilia 101 De defectione lunae (II), ed. PL 57, 485—490: Ambrosius *226.*
Homilia 103 De calendis gentilium, ed. PL 57, 491—494.

Ps.-Maximus v. Turin, vielmehr Maximinus, arian. Gotenbischof um die Wende des 4./5. Jh.
Tractatus contra paganos, ed. PL 57, 781—794.

Minucius Felix. Um die Wende des 2./3. Jh. Apologet.
Octavius, ed. CSEL 2, 3—56; übers. BKV 14.

Origines, * um 185, † 254. Griech. Kirchenlehrer.
Contra Celsum (246—48), ed. PG 11, 641—1632; übers. BKV 52.

Orosius, Paulus, * wahrsch. Braga, † nach 418. Latein. Kirchenschriftsteller.
Historiae adversum paganos, ed. CSEL 5, 1—564.

Pacianus, † vor 392. Bischof von Barcelona.
Paraenesis sive Exhortatorius libellus ad paenitentiam, ed. R. Fernández. Barcelona 1958 (mit span. Übers.); ed. PL 13, 1081—1090 (zit.).

Petrus v. Blois (Blesensis), * um 1135 Blois, † um 1204. Polit. Berater u. Sekretär Wilhelms II. u. Heinrichs II., Archidiakon von London.
Epistola 65, ed. PL 207, 190—195.

Petrus Cantor, * um 1130 Gerberoy, † 1197 Longpont. Theol. Lehrer in Reims, Cantor in Notre-Dame Paris.
Verbum abbreviatum, ed. PL 205, 23—370.

Petrus Chrysologus, * um 380 b. Imola, † 450 ebd. Bischof von Ravenna (seit etwa 431), Prediger dort, Kirchenlehrer. Ed. CCL 24 noch nicht abgeschlossen.
Sermo 5 De eisdem Judaeum et Gentilem figurantibus, ed. PL 52, 197—210; übers. BKV ²43, 218—225.
Sermo 18 De socru Petri infirma et sanata, ed. PL 52, 246—249.
Sermo 155 De Kalendis Januariis, quae varia gentium superstitione polluebantur, ed. PL 52, 609—611; übers. BKV ²43, 349—352.
Sermo 156 De epiphania et magis, ed. PL 52, 611—614; übers. BKV ²43, 28—34.
Homilia de pythonibus et maleficis, ed. Mai, Spicilegium Romanum X 222.

1. Christliche Literatur

PETRUS COMESTOR (MANDUCATOR), * um 1100 Troyes, † um 1179 Paris. Kanzler der Kathedralschule Paris (1164—1168).
Historia scholastica (1169—1173). ed. PL 198, 1053—1644. Lib. deuteron. c. 8: ISIDOR 208.

PETRUS DAMIANI, * 1007 Ravenna, † 1072 Faenza. Benediktiner, Kardinal (seit 1057), Kirchenlehrer.
Epistola 15 Ad Alexandrum II. Romanum pontificem, ed. PL 144, 225—235.

PETRUS LOMBARDUS, * um 1095 Norditalien, † 1160 Paris. Bischof von Paris (seit 1159), scholast. Theologe.
Collectanea in epistolas Pauli, ed. PL 191, 1297—1696; 192, 9—520.
Sententiarum libri IV (beendet 1158), ed. ²Quaracchi 1916.
In epistolam I ad Cor., ed. PL 191, 1533—1696. 1625 sq.: ISIDOR: AUGUSTINUS 241; AUGUSTINUS 33, 186.

PIRMIN V. REICHENAU, † 753 Hornbach. Frühkaroling. Klosterbischof, Gründer von Kloster Reichenau.
Dicta de singulis libris canonicis (Dicta Pirminii, Scarapsus) (710—24), ed. G. JECKER, Die Heimat des hl. Pirmin, des Apostels der Alamannen (= Beiträge zur Geschichte des alten Mönchtums und des Benediktinerordens 13). Münster/Westf. 1927, 34—73 (zit.); U. ENGELMANN Der heilige Pirmin und sein Pastoralbüchlein, eingeleitet u. ins deutsche übertragen. Sigmaringen 1976. C. 22: Konzil v. Auxerre: CAESARIUS V. ARLES 74; MARTIN V. BRAGA 83, 133; MARTIN V. BRAGA: CAESARIUS 169; CAESARIUS u. MARTIN V. BRAGA 142 f.; CAESARIUS 53, 58, 75, 82, 88, 173.

PROSPER V. AQUITANIEN, * um 390 (Limoges?), † nach 455. Augustinist. Laientheologe, nach 440 wohl Gehilfe Leos I.
Sententiarum ex operibus s. Augustini delibatarum liber unus (450—51), ed. PL 51, 472—496.

PRUDENTIUS, * Calahora, † nach 405 Spanien. Altchristl., latein. Dichter.
Contra Symmachum (402—03), ed. PL 60, 111—276 (zit.); ed. L. TAORMINA u. G. STRAMONDO. I—II. Catania 1956 (mit ital. Übersetzung).

RATHERIUS V. VERONA, * um 890 b. Lüttich, † 974 Namur. Bischof v. V. (931—34 u. später).
Praeloquia (935—37), ed. PL 136, 145—344.

Ratio de cathecizandis rudibus, um 800.
Ed. J. M. HEER, Ein karolingischer Missionskatechismus (= Biblische und Patristische Forschungen 1). Freiburg 1911: karolingische Musterpredigt: nachbonifatianischer Sermo 6 56.

Rede an Getaufte (Ms. des 10./11. Jh.), ed. CASPARI, Anekdota, 193—202. 199: MARTIN V. BRAGA: CAESARIUS 74. — 199 f.: CAESARIUS 64. — 200: Vita Eligii: CAESARIUS 82; MARTIN V. BRAGA: CAESARIUS 169.

Rede an Getaufte (Ms. des 12. Jh.), ed. CASPARI, Anekdota, 202—212. 204: REGINO V. PRÜM: MARTIN V. BRAGA 147; PIRMIN V. REICHENAU 75; MARTIN V. BRAGA 83, 133; MARTIN V. BRAGA: CAESARIUS 74; CAESARIUS 53. — 205: Ps.-ELIGIUS: CAESARIUS 82; CAESARIUS 87.

REGINO V. PRÜM, * um 840 b. Speyer, † 915 Trier. Benediktinerabt in Prüm, Eifel (892—99), dann in Trier.

Libri duo de synodalibus causis et disciplinis ecclesiasticis (um 906), ed. WASSERSCHLEBEN. Leipzig 1840. II 43: Konzil v. Agde: CAESARIUS *63, 74;* CAESARIUS *52, 56.* — II 44: Konzil v. Rouen *242;* CAESARIUS *74.* — II 51: Konzil v. Rouen *133;* CAESARIUS *125.* — II 159: Konzil v. Nantes: CAESARIUS *66.* — II 253: ISIDOR *248.* — II 309: CAESARIUS *61.* — II 348: MARTIN V. BRAGA: Konzil v. Ankyra *197.* — II 349: GREGOR D. GR. *172.* — II 351: GREGOR D. GR. *196.* — II 352: Konzil v. Toledo *172.* — II 358: HRABANUS MAURUS: Poen. EGBERTI *200;* CAESARIUS *54, 75.* — II 359: Konzil v. Nantes: CAESARIUS *67, 69.* — II 360: Konzil v. Nantes: CAESARIUS *74.* — II 365: AMBROSIUS *121, 170.* — II 366: MARTIN V. BRAGA *169, 185.* — II 371: Canon episcopi *97.* — II 373: Canon episcopi *97.*

ROBERT PULLUS, * um 1080 England, † 1146 Rom. Theol. Lehrer in Oxford u. Paris.

Sententiarum libri VIII, ed. PL 186, 639—1010.

RUDOLF (RADULF) V. BOURGES, † 866. Erzbischof v. B. (seit 840/41).

Capitula (Instructio pastoralis), ed. PL 119, 703—726. C. 38: MARTIN V. BRAGA *169. 185;* Konzil v. Orleans *200;* Konzil v. Ankyra *102.*

RUPERT V. DEUTZ, * 1075/80, † 1129/30 Deutz. Abt in D. (seit 1120).

Commentaria in XII prophetas minores, In Michaeam liber I, ed. PL 168, 441—472. Commentariorum de operibus S. Trinitatis libri 42, In genesim lib. 9, ed. PL 167, 529—566.

SALVIAN V. MARSEILLE, * um 400 Gallien, † nach 480. Presbyter v. M. (um 439), Kirchenschriftsteller.

De gubernatione dei (De praesenti iudicio) libri VIII (nach 440), ed. PL 53, 25—158; ed. CSEL 8, 1—20; übers. ²BKV, 2. Serie 11.

Statuta ecclesiae antiqua (in heutiger Form um 475 in Gallien zusammengestellt), ed. PL 56, 863—898; ed. CCL 148, 162—188.

TERTULLIAN, * um 160 Karthago, † wohl nach 220. Apologet.

Apologeticus adversus gentes, ed. PL 1, 257—536; ed. CSEL 69. De idolatria, ed. PL 1, 661—696, ed. CSEL 20, 30—58.

THOMAS V. AQUIN, * wahrsch. 1225 Roccasecca, † 1274 Fossanova. Philosoph, Theologe, Kirchenlehrer.

De veritate catholicae fidei contra gentiles (1259—um 1267): Opera omnia 5. Parmae 1855 (zit.); Editio Leonina 13—15. Rom 1918—30. De sortibus ad dominum Jacobum de Tonengo (1270—71), ed. P. MANDONNET, Opuscula omnia genuina quidem necnon spuria melioris notae debito ordine collecta III. Parisiis 1927, 144—162. Summa theologiae (um 1267—72). 1—60. London u. New York 1964—66 (mit engl. Übers.). Quaestiones disputatae de malo (1269—72); Opera omnia 15. Parmae 1855.

Tractatus de rectitudine catholicae conversionis s. Ps.-ELIGIUS V. NYON.

WILHELM V. AUVERGNE (od. PARIS), * um 1180 Aurillac, † 1249 Paris. Bischof v. Paris (seit 1228), Theologe, Apologet.
Magisterium divinale (lib. 2: De universo; lib. 5: De fide et legibus) (1223—1240), ed. Paris u. Orléans 1674—75. Reprod. Frankfurt 1963.

WILHELM V. CONCHES, * um 1098 Conches, † um 1154. Philosoph der Schule von Chartres. De philosophia mundi (um 1124), ed. PL 172, 30—102.

ZACHARIAS, Papst (741—752).
Brief an Bonifatius (743) (= BONIFATII et LULLI ep. 51), ed. MG Ep. ²3, 302—305.
Brief an Bonifatius (748?) (= BONIFATII et LULLI ep. 80), ed. MG Ep. ²3, 356—361.

e. Verzeichnis der Quellensammlungen

BKV: Bibliothek der Kirchenväter, hg. v. O. BARDENHEWER, TH. SCHERMANN, J. ZELLINGER und C. WEYMANN. 1911 ff.

CCL: Corpus Christianorum. Series Latina. 1953 sqq.

CSEL: Corpus scriptorum ecclesiasticorum latinorum. Wien 1866 ff.

HARTZHEIM, J., Concilia Germaniae. 1—12. Köln 1759—1790. Reprod. Aalen 1970 ff.

HEFELE, C. J. v., Conciliengeschichte. 1—9 (8—9 v. J. HERGENRÖTHER). Freiburg i. Br. 1855—1890; 2. Aufl. (Bd. 1—6) 1873—1890.

MG : Monumenta Germaniae historica
Auct. ant.: Auctores antiquissimi
Cap. : Capitularia
Conc. : Concilia
Ep. : Epistolae
Leg. : Leges
Script. : Scriptores

PG: Patrologia Graeca, ed. J. P. MIGNE. 1—161. Paris 1857—1866.

PL: Patrologia Latina, ed. J. P. MIGNE. 1—221. Paris 1878—1890.

JAFFÉ, PH., Bibliotheca rerum Germanicarum. 1—6. Berlin 1864—1873.

MAI, A., Spicilegium Romanum, 1—10. Rom 1839—1844.

MANSI, J. D., Sacrorum conciliorum nova et amplissima collectio. 1—31. Florenz—Venedig 1757—1798. Reprod. Paris 1899—1927.

2. Vorchristliche Literatur

CICERO, MARCUS TULLIUS (106—43 p. Chr.), De divinatione libri II, ed. A. S. PEASE 1920—1923. Reprod. Darmstadt 1963.
— De finibus bonorum et malorum, ed. und übers. A. KABZA. (München) 1960.
— De natura deorum, ed. A. S. PAESE. Cambridge. Massachusetts 1958.
— Oratio de domo sua, ed. G. PETERSON. 5. Oxonii 1910; übers. W. BINDER. Stuttgart 1869.
— In C. Verrem actionis secundae liber IV, ed. A. KLOTZ, M. Tulli Ciceronis scripta quae mansuerunt omnia. 13. Lipsia 1949.

DONATUS, AELIUS (saec. 4), Terenzkommentar, ed. P. WESSNER. 1—2. 1902. Stuttgart 1963.

ENNIUS, QUINTUS (* 239—169 a. Chr.), Alexander, ed. H. H. JOCELYN, The tragedies of Ennius. The fragments (Cambridge Classical Texts and Commentaries 10). Cambridge 1967.

FESTUS, SEXTUS POMPEJUS (saec. 2 p. Chr.), De verborum significatu, ed. Glossaria Latina 4 (1930. Reprod. 1965).

GELLIUS, AULUS (ca. a. 130—170 p. Chr.), Noctes Atticae, ed. C. HOSIUS, A. Gellii noctium Atticarum libri XX. Lipsiae 1903.

HORATIUS FLACCUS, QINTUS (65—8 a. Chr.), Epistulae, ed. G. WIRTH u. übers. C. M. Wieland. 1963.

JUSTINUS, MARCUS JUNIANUS (saec. 3 p. Chr.). Epitoma Historiarum Philippicarum Pompeii Trogi, ed. O. SEEL. Lipsiae 1935.

LIVIUS, TITUS (59 a. Chr.—17 p. Chr.), Ab urbe condita, ed. W. WEISSENBORN u. H. J. MÜLLER, Titi Livi ab urbe condita libri. 1—10. Berlin 1962.

LUCRETIUS CARUS, TITUS (99/96—55 a. Chr.), De rerum natura libri VI, ed. H. DIELS. Berolini 1923.

MACROBIUS, AMBROSIUS THEODOSIUS (ca. a. 400 p. Chr.), Commentarii in somnium Scipionis, ed. F. EYSSENHARDT, Lipsiae ²1893.
— Saturnalia, ibd.

NONIUS, MARCELLUS (wohl saec. 4), De compendiosa doctrina libri XX, ed. W. M. LINDSAY. 1—3. Lipsia 1903. Reprod. Hildesheim 1964.

OVIDIUS NASO (43 a. Chr.—ca. a. 18 p. Chr.), Fastorum libri VI, ed. L. CASTIGLIONI. Turin 1944. Reprod. 1967.

PETRONIUS ARBITER, GAIUS († 66 p. Chr.), Satyricon, ed. F. BUCHELER u. W. HERAEUS. 1958.

PLAUTUS, TITUS MACCIUS (250?—184 a. Chr.), Amphitruo, ed. W. B. SEDWICK. Manchester 1960.
— Curculio, ed. J. COLLART. Paris 1962.
— Rudens, ed. F. MARX. Amsterdam 1959; dt.: Antike Komödien. Plautus/Terenz. 2 Bde. Darmstadt 1966.

QUINTILIANUS, MARCUS FABIUS (ca. a. 36—96 p. Chr.), Institutio oratoria, ed. L. RADERMACHER. 1—2. Lipsiae 1959.

SENECA, LUCIUS ANNACAEUS (ca. a. 4 a. Chr. — 65 p. Chr.), Epistola 8, 95, 123, ed. L. D. REYNOLDS, L. Annaei Senecae ad Lucilium epistolae morales. 1—2. Oxonii 1965.

2. Vorchristliche Literatur

SERVIUS GRAMMATICUS (saec. 4), Vergilkommentar, ed. G. THILO u. H. HAGEN, Servii Grammatici qui feruntur in Vergilii carmina commentarii. 1—3. 1881—1887. Reprod. Hildesheim 1961.

TACITUS, P. CORNELIUS (ca. a. 55—120 p. Chr.), Agricola, ed. H. HAAS. Heidelberg 1949.
— Annales (Ab excessu divi Augusti libri), ed. H. FUCHS. 1—2. Frauenfeld 1946—1949.
— Germania, ed. F. GALL. Rom 1964.

TIBULLUS, ALBIUS (ca. a. 54—19 a. Chr.), Elegiae, ed. J. ANDRÉ. Paris 1965.

VARRO, MARCUS TERENTIUS (116—27 a. Chr.), De lingua latina, V, ed. R. G. KENT. London 1958.

VERGILIUS, Maro (70—19 a. Chr.), Aeneis, ed. u. übers. J. GÖTTE, Vergil. Aeneis und die Vergil-Viten (= Tusculum-Bücherei). O. O. 1958.
— Georgica, ed. u. übers. J. GÖTTE. München 1949.

Literaturverzeichnis

ABT, A.,

Die Apologie des Apuleis von Madaura und die antike Zauberei. Beiträge zur Erläuterung der Schrift de magia (= Religionsgeschichtliche Versuche und Vorarbeiten IV 2). Gießen 1908.

ACHTERBERG, H.,

Interpretatio Christiana. Verkleidete Glaubensgestalten der Germanen auf deutschem Boden (= Form und Geist. Arbeiten zur Germanischen Philologie 19). Leipzig 1930.

ALBERS, B.,

Wann sind die Beda-Egbertschen Bußbücher verfaßt worden, und wer ist ihr Verfasser? Archiv für Kath. Kirchenrecht 81—82 (1901—1902).

B. ALTANER/A. STUIBER,

Patrologie. 7. völlig neu bearb. Aufl. Freiburg, Basel, Wien 1966.

ALTHEIM, F.,

Römische Religionsgeschichte. 1—2. ²Berlin 1956.

d'ARGENTRE, C. DU PLESSIS,

Collectio judiciorum de novis erroribus qui ab initio duodecimi seculi post Incarnationem Verbi, usque ad annum 1713. in Ecclesia proscripti sunt et notati. I—III. Editio nova. Paris 1755.

ARNOLD, C. F.,

Caesarius von Arelate und die gallische Kirche seiner Zeit. Leipzig 1894.

ARNOLD, K.,

Konrad von Megenberg als Kommentator der „Sphaera" des Johannes von Sacrobosco: Deutsches Archiv für Erforschung des Mittelalters 23 (1976) 147—186.

AXTERS, S.,

Scholastik Lexicon. Antwerpen 1937.

BAETKE, W.,

Die Aufnahme des Christentums durch die Germanen. Ein Beitrag zur Frage der Germanisierung des Christentums. Darmstadt 1959. Nachdr. Darmstadt 1962.

BAHLMANN, P.,

Deutschlands katholische Katechismen bis zum Ende des sechzehnten Jahrhunderts. Münster 1894.

BARACK, K. A.,

Die Handschriften der Fürstl.-Fürstenbergischen Hofbibliothek zu Donaueschingen. Tübingen 1865.

BARACK, K. A.,

Katalog der kaiserlichen Universitäts- und Landesbibliothek in Straßburg. Elsaß-Lothringische Handschriften und Handzeichnungen. Straßburg 1895.

BARDENHEWER, O.,

Geschichte der altkirchlichen Literatur. 1—5. Freiburg i. Br. 1902—1932.

—

Patrologie. ³Freiburg 1910.

BARION, H.,   Das fränkisch-deutsche Synodalrecht des Frühmittelalters (= Kanonistische Studien und Texte 5 u. 6). Bonn/Köln 1931.

BARLOW, C. W.,   Martini episcopi Bracarensis opera omnia. New Haven 1950.

BARTSCH, E.,   Die Sachbeschwörungen der römischen Liturgie (= Liturgiewissenschaftliche Quellen und Forschungen). Münster 1967.

BARTSCH, H. W.,   Die Anfänge urchristlicher Rechtsbildungen. Studien zu den Pastoralbriefen (= Theologische Forschung 34). Hamburg-Bergstedt 1965.

BARTSCH, K.,   Die altdeutschen Handschriften der Universitäts-Bibliothek in Heidelberg (= Katalog der Hss. der Universitäts-Bibl. in Heidelberg I). Heidelberg 1887.

BAUER, W.,   Rechtsgläubigkeit und Ketzerei im älteren Christentum (= Beiträge zur historischen Theologie 17). [2]Tübingen 1964.

BAUS, K.,   Altchristliches Latein: Trierer Theologische Zeitschrift 61 (1952) 192—205.

BECKER, A.,   Die deutschen Handschriften der Stadtbibliothek zu Trier (= Beschreibendes Verzeichnis d. Hss. d. Stadtbibl. zu Trier, VII). Trier 1911.

—   Die deutschen Handschriften der kaiserl. Universitäts- und Landesbibliothek zu Straßburg. Straßburg 1914.

BEITL, R.,   Wörterbuch der deutschen Volkskunde. [3]Stuttgart 1974.

BEZZOLD, F. v.,   Das Fortleben der antiken Götter im mittelalterlichen Humanismus. 1922. Nachdr. Aalen 1962.

BIEDERMANN, H.,   Handlexikon der magischen Künste von der Spätantike bis zum 19. Jahrhundert. 2. verbess. u. vermehrte Aufl. Graz 1973.

BIHLMEYER, K.,   Die apostolischen Väter. Neubearbeitung der Funkschen Ausgabe (= Sammlung ausgewählter kirchen- und dogmengeschichtlicher Quellenschriften II, 1, 1). [2]Tübingen 1956.

BIHLMAYER, K./BÜCHLE, H.   Kirchengeschichte. 1—3. [16]Paderborn 1958—1959.

BILFINGER, G.,   Das germanische Julfest (= Programm des Eberhard-Ludwig-Gymnasiums Stuttgart). Stuttgart 1901.

BINTERIM, A. J.,   Die vorzüglichsten Denkwürdigkeiten der christkatholischen Kirche aus den ersten, mittleren und letzten Zeiten. Mit besonderer Rücksichtnahme auf die Disciplin der katholischen Kirche in Deutschland. Mainz 1825—1829.

341

BINTERIM, A. J., Pragmatische Geschichte der deutschen National-Provinzial- und vorzüglichsten Diözesanconcilien vom 4. Jahrhundert bis auf das Concilium zu Trient. Mainz 1848.

BINZ, G., Die deutschen Handschriften der Universitätsbibliothek Basel. Basel 1907.

BISCHOFF, B., u. HOFMANN, J., Libri Sancti Kiliani. Die Würzburger Schreibschule und die Dombibliothek im VIII. und IX. Jahrhundert (= Quellen und Forschungen zur Geschichte des Bistums und Hochstifts Würzburg VI). Würzburg 1952.

BLUM, C., Studies in the Dream-Book of Artemidorus. (Diss.) Uppsala 1936.

BLUM, E., Das staatliche und kirchliche Recht des Frankenreichs in seiner Stellung zum Dämonen-, Zauber- und Hexenwesen (= Veröffentlichungen der Görres-Gesellschaft, Sektion für Rechts- und Staatswisssenschaft 72). 1936.

BLUMENKRANZ, B., Raban Maur et s. Augustin, compilation ou adaption?: Revue du moyen âge latin 7 (1951) 97—110.

BÖCHER, O., Christus Exorcista. Dämonismus und Taufe im Neuen Testament (= Beiträge zur Wissenschaft vom Alten und Neuen Testament. 5. Folge, Heft 16). Stuttgart, Berlin, Köln, Mainz 1972.

BÖCKENHOFF, K., Die römische Kirche und die Speisesatzungen der Bußbücher: Theologische Quartalschrift 88 (1906) 192 ff.

— Speisesatzungen mosaischer Art in mittelalterlichen Kirchenrechtsquellen des Morgen- und Abendlandes. Münster 1907.

BOEHM, M. H., Geomantie: Handwörterbuch des deutschen Aberglaubens. Bd. 3. Berlin und Leipzig 1930—31.

— Los, losen, Losbücher: Ebd. 5, 1351—1401.

BÖHNHOFF, L., Aldhelm von Malmesbury. Ein Beitrag zur angelsächsischen Kirchengeschichte (Diss. Leipzig). Dresden 1894.

BOESE, R., Superstitiones Arelatenses e Caesario collectae. (Diss.) Marburg 1909.

BOLL, F., Sternglaube und Sterndeutung. Die Geschichte und das Wesen der Astrologie. 4. Aufl. v. W. GUNDEL. Berlin 1931.

BONOMO, G., Caccia alle streghe. La credenza nelle streghe dal sec. XIII al XIX con particolare riferimento all' Italia. Palermo 1971.

BORETIUS, A., Die Capitularien im Langobardenreich. Halle 1864.

— Beiträge zur Capitularienkritik. Leipzig 1874.

BOUDRIOT, W., Die altgermanische Religion in der amtlichen kirchlichen Literatur des Abendlandes vom 5.—11. Jahrhundert (= Untersuchungen zur allgemeinen Religionsgeschichte 2). Bonn 1928. Nachdr. Darmstadt 1964.

BOUSSET, W., Hauptprobleme der Gnosis (= Forschungen zur Religion und Literatur des Alten und Neuen Testaments 10). Göttingen 1907.

BRINKMANN, H., Die Zeichenhaftigkeit der Sprache, des Schrifttums und der Welt im Mittelalter: Zeitschrift für deutsche Philologie 93 (1974) 1—11.

BROWE, P., Die Eucharistie als Zaubermittel im Mittelalter: Archiv für Kulturgeschichte 20 (1930) 134—154.

BRÜCKNER, A., Die Slaven (= Religionsgeschichtliches Lesebuch 3). Tübingen 1926.

BRÜCKNER, W., Bildzauber: Handwörterbuch zur deutschen Rechtsgeschichte. I. Berlin 1971, 428—430.

BUDGE, E. A. W., Amulets and Talismans. New York 1968.

BULENGERUS, J. C., De sortibus, de auguriis, de ominibus, de prodigiis: Thesaurus Antiquitatum Romanorum congestus a J. G. GRAEVIO. V. Lugduni Batavorum 1696, 361—514.

BULTMANN, R., Das Urchristentum im Rahmen der antiken Religionen (= rowohlts deutsche enzyklopädie 157/158). 1962.

BÜNGER, F., Geschichte der Neujahrsfeier in der Kirche. Göttingen 1911.

BYLOFF, R., Das Verbrechen der Zauberei (crimen magiae). Ein Beitrag zur Geschichte der Strafrechtspflege in Steiermark. Graz 1902.

DU CANGE, Ch. DUFRESNE, Glossarium mediae et infimae latinitatis. 1—7. Paris 1840—1850.

CASPARI, C. P., Kirchenhistorische Anekdota. I. Christiania 1883.

— Martins von Bracara Schrift De correctione rusticorum. Christiania 1883.

— Eine Augustin fälschlich beigelegte Homilia de sacrilegiis. Christiania 1886.

CASSEL, P., Weihnachten. Ursprünge, Bräuche und Aberglauben. Ein Beitrag zur Geschichte der christlichen Kirche und des deutschen Volkes. Berlin 1862. Nachdr. Wiesbaden 1973.

COLSON, F. H., The Week. Cambridge 1926.

COENEN, L., Theologisches Begriffslexikon zum Neuen Testament. 1 ff. Wuppertal 1967 ff.

CHRIST, K.,   Eine unbekannte Handschrift der ersten Fassung der Dionysiana und der Capitula e canonibus excerpta a. 813: Festschrift für Georg Leidinger. München 1930, 25—36.

CORRAIN, C., et ZAMPINI, P.,   Documenti etnografici e folkloristici nei Sinodi diocesani del Piemonte e della Liguria: Palestra del Clero (Rovigo) 45 (1966) 994—1029, 1081—1095.

CROMBIE, A. C.,   Von Augustinus bis Galilei. Die Emanzipation der Naturwissenschaft. ²Köln, Berlin 1965.

CRUEL, R.,   Geschichte der deutschen Predigt im Mittelalter. Detmold 1879. Nachdr. Darmstadt 1966.

CUMING, G. J., u. BAKER, D.,   Popular Belief and Practice (= Studies in Church History 8). Cambridge 1972.

CUMONT, F. V. M.,   Astrology and Religion among the Greeks and Romans (= American Lectures on the History of Religion ser. 8). New York u. London 1912.

DEDO, R.,   De antiquorum superstitione amatoria. (Diss.) Gryphiae 1904.

DEFERRARI, R.,   A Lexicon of St. Thomas Aquinas Based on the Summa Theologica and Select Passages of His Other Works. Baltimore 1948.

DELATTE, A.,   La catoptromancie grecque et ses dériviés: Bibliothêque de la faculté de philosophie et lettres de l'université de Liège 48 (1932) 13 f.

DELIUS, W.,   Die Bilderfrage im Karolingerreich. (Diss.) Halle 1928.

DEMPF, A.,   Die Ethik des Mittelalters (= Handbuch der Philosophie 3 C). München 1923.

—   Die Hauptform mittelalterlicher Weltanschauung. München 1925.

DENEKE, B.   Zur Tradition der mythologischen Kontinuitätsprämisse: Kontinuität? Festschrift für Hans Moser. Hg. v. H. BAUSINGER u. W. BRÜCKNER. Berlin 1969.

DIEDERICH, E.,   Das Dekret des Bischofs Burchard von Worms. Beiträge zur Geschichte seiner Quellen. (Diss. Breslau) Jauer 1908.

DIEFENBACH, J.,   Der Hexenwahn vor und nach der Glaubensspaltung in Deutschland. Mainz 1886.

DIEFENBACH, L.,   Glossarium latino-germanicum mediae et infimae aestatis. Francofurti 1857.

—   Novem Glossarium latino-germanicum mediae et infirmae aetatis. Frankfurt 1867.

DIELS, H. A.,
Beiträge zur Zuckungsliteratur des Okzidents und Orient. 1. Die griechischen Zuckungsbücher. 2. Weitere griechische und außergriechische Literatur und Volksüberlieferung. 1—2. Berlin 1907—1908.

DITTRICH, O.,
Die Systeme der Moral. Geschichte der Ethik vom Altertum bis zur Gegenwart. 1—4. Leipzig 1923.

DOBSCHÜTZ, E. v.,
Christusbilder. Untersuchungen zur christlichen Legende (= Texte und Untersuchungen zur Geschichte der altchristlichen Literatur, N. F. 3). Leipzig 1899.

DODDS, E. R.,
Telepathie und Hellsehen in der klassischen Antike. Übers. H. BENDER: Parapsychologie. Entwicklung, Ergebnisse, Probleme (= Wege der Forschung 4). Darmstadt 1966, 6—25.

DÖLGER, F. J.,
Sphragis. Eine christliche Taufbezeichnung. Paderborn 1911.

—
Beiträge zur Geschichte des Kreuzzeichens: Jahrbuch für Antike und Christentum 1 (1958) — 6 (1961).

DÖLLINGER, J. J. I. v.,
Die Papst-Fabeln des Mittelalters. Ein Beitrag zur Kirchengeschichte. München 1863.

DÜNNINGER, J.,
Brauchtum: Deutsche Philologie im Aufriß. III. Hg. v. W. Stammler. ²Berlin 1962, 2571—2640.

ECKHARDT, K. A.,
Die Gesetze des Karolingerreiches 714—911. 1—23. Weimar 1934.

ECKART, J. G. v.,
Commentarium de rebus Franciae orientalis et episcopatus Wirceburgensis. I. Würzburg 1729.

EICKEN, H. v.,
Geschichte und System der Mittelalterlichen Weltanschauung. ⁴Stuttgart u. Berlin 1923.

EIS, G.,
Wahrsagetexte des Spätmittelalters (= Texte des späten Mittelalters 1). Berlin, Bielefeld, München 1956.

—
Altdeutsche Zaubersprüche. Berlin 1964.

FAHZ, L.,
De poetarum Romanorum doctrina magica quaestiones selectae (= Religionsgeschichtliche Versuche und Vorarbeiten II, 2). Gießen 1904.

FALK, F.,
Die Dekalog-Erklärungen (bis 1525): Historisch-politische Blätter 109 (1893).

FANFARI, L. G.,
Manuale theoretico-practicum theologiae moralis ad mentem D. Thomae. III. Romae 1950.

FÄRBER, E.,
Der Ort der Taufspendung: Archiv für Liturgiewissenschaft 13 (1971) 36—114.

FEHR, J.,
Der Aberglaube und die katholische Kirche des Mittelalters. Stuttgart 1857.

345

FEHRLE, E., Inwieweit können die Predigtanweisungen des hl. Pirmin als Quelle für alemannischen und fränkischen Volksglauben angesehen werden?: Oberdeutsche Zeitschrift für Volkskunde 1 (1927) 97-109.

FEINE, H. E., Kirchliche Rechtsgeschichte. Neubearb. Aufl. Köln und Graz 1964.

FIEDLER, W., Studien zum antiken Wetterzauber. (Diss. Würzburg). Bamberg 1930.

— Antiker Wetterzauber: Würzburger Studien zur Altertumswissenschaft 1 (1931).

FLADE, G., Germanisches Heidentum und christliches Erziehungsbemühen in karolingischer Zeit nach Regino von Prüm: Teologische Studien und Kritiken 106 (1934/35) 210 bis 240.

— Zur Germanen-Mission: Zeitschrift für Kirchengeschichte 54 (1935) 301—322.

FLASKAMP, F., Die homiletische Wirksamkeit des hl. Bonifatius (= Geschichtliche Darstellungen und Quellen 7). Hildesheim 1926.

FLEISCHER, Über das vorbedeutende Gliederzucken bei den Morgenländern: Berichte über die Verhandlungen der kgl. sächsischen Gesellschaft der Wissenschaften zu Leipzig, phil.-hist. Klasse 1 (1849) 244—256.

FORCELLINI, E., Totius Latinitatis Lexicon I—IV. Patavii 1771. Reprod. Patavii 1940.

FÖRSTER, M., Die Kleinliteratur des Aberglaubens im Altenglischen: Archiv für das Studium der neueren Sprachen und Literaturen NS 10 (1903) 346—358.

— Beiträge zur mittelalterlichen Volkskunde: Archiv für das Studium der neueren Sprachen und Literaturen 15—19 (1908—1912).

FRANZ, A., Die Messe im deutschen Mittelalter. Beiträge zur Geschichte der Liturgie und des religiösen Volkslebens. Freiburg i. Br. 1902. Nachdr. Darmstadt 1963.

— Die kirchlichen Benediktionen im Mittelalter. I. Freiburg i. Br. 1909. II. Graz 1909.

FRIEDBERG, E., Aus deutschen Bußbüchern. Halle 1868.

— Corpus iuris canonici, pars II: Decretalium collectiones. 1879. Reprod. Graz 1955.

FRINGS, T., Germania Romana (= Teuthonista Beiheft 4). Halle 1932.

GEERLINGS, H. J., De antieke daemonologie en Augustinus geschrift de divinatione daemonum. (Diss.) Amsterdam 1953.

GEFFCKEN, J.,   Der Ausgang des griech.-römischen Heidentums. (Religionswissenschaftliche Bibliothek 6). Heidelberg 1920.

—   Das Christentum im Kampf und Ausgleich mit der griechisch-römischen Welt (= Natur- und Geisteswelt 54). ³Leipzig 1920.

GÖBL, P.,   Geschichte der Katechese im Abendlande vom Verfall des Katechumenats bis zum Ende des Mittelalters. Kempten 1880.

GOETZ, G.,   Corpus glossariorum latinorum. 1—7. Lipsiae et Berolini 1888—1923.

GOLDAMMER, K.,   Wörterbuch der Religionen. Stuttgart 1962.

GOTHEIN, M.,   Die Todsünden: Archiv für Religionswissenschaft 10 (1907) 416—484.

GRABMANN, M.,   Die Geschichte der scholastischen Methode. 1—2. Freiburg i. Br. 1909—1911. Nachdr. Darmstadt 1961.

—   Mittelalterliches Geistesleben. 1—3. München 1926 bis 1956.

—   Die Geschichte der katholischen Theologie seit dem Ausgang der Väterzeit. Freiburg i. Br. 1933. Nachdr. Darmstadt 1961.

—   Augustins Lehre von Glauben und Wissen und ihr Einfluß auf das mittelalterliche Denken: Mittelalterliches Geistesleben 2 (1936) 35—61.

GRAF, A.,   Miti, leggende e superstizioni del medio evo. 1—2. Torino 1892—93.

GRIMM, J.,   Deutsche Mythologie. 1—3. 4. Aufl. v. E. H. MEYER. Nachdr. Tübingen 1953.

GROSS, J.,   Entstehungsgeschichte (resp. Entwicklungsgeschichte) des Erbsündendogmas. 1—2. München, Basel 1960—1963.

GROTZ, J.,   Die Entwicklung des Bußstufenwesens in der vornicänischen Kirche. Freiburg i. Br. 1955.

GRUBMÜLLER, K.,   Vocabularius Ex quo. Untersuchungen zu lateinisch-deutschen Vokabularen des Spätmittelalters (= Münchner Texte und Untersuchungen zur deutschen Literatur des Mittelalters 17). München 1967.

GRÜNDEL, J.,   Die Lehre von den Umständen der menschlichen Handlungen im Mittelalter (= Beiträge zur Geschichte der Philosophie und Theologie des Mittelalters 39). Münster 1963.

GRUNDMANN, H.,   Der Typus des Ketzers in mittelalterlicher Anschauung: Kultur- und Universalgeschichte. Goetz-Festschrift. Berlin 1927, 91—107.

— Religiöse Bewegungen im Mittelalter (1. Aufl. 1935). Mit einem Anhang: Neue Beiträge zur Geschichte der religiösen Bewegungen im Mittelalter. Darmstadt 1961.

GUERIKE, F. H. E., De schola, quae Alexandriae floruit, catechetica commentatio historica et theologica etc. I—II. Halis Saxonum 1824—1825.

GUNDEL, W., Geheimwissenschaften in der Antike. Asrologie, Mantik und Magie als Forschungsprobleme. Hg. v. H. G. GUNDEL: Hessische Blätter für Volkskunde 49/50 (1958) 44—51.

— Sternglaube, Sternreligion und Sternorakel. Heidelberg 1959.

HACHMANN, R., Die Germanen. München, Genf, Paris 1971.

HAHN, A., Disputatio de superstitionis natura ex sententia veterum, imprimis Romanorum. Uratislaviae 1840.

HAHN, CH. U., Geschichte der Ketzer im Mittelalter, besonders im 11., 12. und 13. Jh., nach den Quellen bearbeitet. 1—3. Stuttgart 1845—1850.

HAHN, H., Die angeblichen Predigten des Bonifaz: Forschungen zur deutschen Gesichte 24 (1884) 585—625.

HAIN, M., Burchard von Worms (+ 1025) und der Volksklaube seiner Zeit: Hessische Blätter für Volkskunde 47 (1956) 39—50.

HALBLITZL, J. B., Hrabanus Maurus. Freiburg 1906.

HANSEN, J., Zauberwahn, Inquisition und Hexenprozeß im Mittelalter und die Entstehung der großen Hexenverfolgung (=Historische Bibliothek 12) München 1900. Nachdr. Aalen 1964.

— Quellen und Untersuchungen zur Geschichte des Hexenwahns und der Hexenverfolgung im Mittelalter. Bonn 1901. Nachdr. Hildesheim 1963.

HÄRING, N. M., Charakter, Signum, Signaculum: Scholastik. Vierteljahrsschrift für Thelologie und Philosophie 30 (1955) 481—512, 31 (1956) 182—212.

HARMENING, D., Aberglaube und Alter. Skizzen zur Geschichte eines polemischen Begriffes: Volkskultur und Geschichte. Festschrift für Josef Dünninger. Hg. v. D. HARMENING, G. LUTZ, B. SCHEMMEL, E. WIMMER, Berlin 1970, 210—235.

— Neue Beiträge zum deutschen Cato: Zeitschrift für deutsche Philologie 89 (1970) 346—368.

— Aberglaube, Superstition: Lexikon des Mittelalters. Bd. 1. Zürich u. München 1977, 29—32.

HARNACK, A. v., Die Mission nach Ausbreitung des Christentums in den ersten drei Jahrhunderten. 1—2. ⁴Leipzig 1924.

— Lehrbuch der Dogmengeschichte. 1—3. ⁵Tübingen 1931 bis 1932.

HARTTUNG, J., Beiträge zur Geschichte Heinrichs II. Die Synode von Seligenstadt und Burchards Decretum: Forschungen zur deutschen Geschichte 16 (1876) 587—598.

HASKINS, CH. H., Studies in the History of Medieval Science. ²Cambridge 1927.

HAUCK, A., Kirchengeschichte Deutschlands. 1—2. Leipzig 1922. ⁹Berlin 1958.

HAUTKAPPE, F., Über die altdeutschen Beichten und ihre Beziehungen zu Cäsarius von Arles: Forschungen und Funde 4, 5 (1917) 67—72.

HDA Handwörterbuch des deutschen Aberglaubens. Hg. v. H. BÄCHTOLDT-STÄUBLI mit E. HOFFMANN-KRAYER. 1—9. Berlin und Leipzig 1927—1942.

HEER, J. M., Ein karolingischer Missions-Katechismus. Ratio de Cathecizandis Rudibus und die Tauf-Katechesen des Maxentius von Aquileija und eines Anonymus im Kodex Emmeram. XXXIII saec. XI. (= Biblische und Patristische Forschungen 1). Freiburg i. Br. 1911.

HEIM, R., Incantamenta magica graeca latina: Jahrbücher für classische Philologie Suppl. 1 (1893) 463—575.

HELBLING-GLOOR, B., Natur und Aberglaube im Policraticus des Johannes von Salisbury (Diss. Zürich) (= Geist und Werk der Zeiten 1.). Einsiedeln 1956.

HELLINGER, W., Die Pfarrvisitation nach Regino von Prüm: Zeitschrift der Savigny-Stiftung für Rechtsgeschichte, Kanonistische Abteilung 48 (1962) 1—116, 49 (1963) 76—137.

HELLMANN, G., Die Wettervorersage im ausgehenden Mittelalter (XII. bis XV. Jarhundert): Beiträge zur Geschichte der Metereologie 2 (Berlin 1917) 167—229.

HELM, K., Altgermanische Religionsgeschichte. 1—2. Heidelberg 1913—1953.

HENDRIKS, E., Astrologie, Waarzeggerij en Parapsychologie bij Augustinus: Augustiniana 4 (Heverlee-Löwen 1954) 325 bis 352.

HENNE AM RHYN, O., Der Aberglaube in der deutschen Kulturgeschichte: Germania. Illustrierte Monatsschrift für Kunde der deutschen Vorzeit 1 (Leipzig 1896) 40—48, 78—87, 102—111, 139—145.

HERTEL, G., Abergläubische Gebräuche aus dem Mittelalter: Zeitschrift des Vereins für Volkskunde 11 (1901) 272—279.

HEYSE, E., Hrabanus Maurus' Enzyklopädie „De rerum naturis". Untersuchungen zu den Quellen und zur Metode der Kompilation (= Münchener Beiträge zur Mediävistik und Renaissance-Forschung 4). München 1969.

HILDENBRAND, K., Untersuchungen über die germanischen Pönitentialbücher. Würzburg 1851.

HIRSCHFELD, O., De incantamentis et devictionibus amatoriis apud Graecos Romanosque. (Diss.) Regism. 1863.

HOFMANN, F., Der Kirchenbegriff des hl. Augustinus in seinen Grundlagen und in seiner Entwicklung. München 1933.

HOLTZMANN, H., Die Katechese des Mittelalters: Zeitschrift für praktische Theologie 20 (1898) 1—18, 117—130.

HOMANN, H., Der Indiculus superstitionum et paganiarum und verwandte Denkmäler. (Diss.) Göttingen 1965.

HOPF, L., Thierorakel und Orakelthiere in alter und neuer Zeit. Eine ethnologisch-zoologische Studie. Stuttgart 1888.

HOPFNER, T., Griechisch-ägyptischer Offenbarungszauber. 1—2. (= Studien zur Palaeographie und Papyruskunde 21. u. 23). Leipzig 1921 und 1924.

HÖRMANN, W. v., Bußbücherstudien: Zeitschrift der Savigny-Stiftung für Rechtsgeschichte 32—35. Kanonistische Abteilung 1—4. Weimar 1911—1914.

HORST, G. K., Geschichte des Glaubens an Zauberei und dämonische Wunder. Frankfurt a. M. 1818.

HUSCHKE, PH. E., Lex dei sive Mosaicarum et Romanarum legum collatio. Iurisprudentiae anteiustinianae quae supersunt. Leipzig 1886, 645—705.

IVANKA, E. v., Römische Ideologie in der „Civitas Dei": Augustinus Magister. Congrès International Augustinien 3 (Paris 1955) 411—417.

JAHN, U., Die deutschen Opfergebräuche bei Ackerbau und Viehzucht. Breslau 1884.

JENKINS, C., Saint Augustin and Magic: Science, Medicine and History, ed. E. A. UNDERWOOD. Oxford 1953.

JONES, C. W., Bedae Pseudepigraphia. Ithaca 1939.

JONES, E., Der Alptraum in seiner Beziehung zu gewissen Formen des mittelalterlichen Aberglaubens, dt. v. E. H. SACHS (= Schriften zur angewandten Seelenkunde 14). Leipzig und Wien 1912.

JORDAN, H., Topographie der Stadt Rom im Alterthum. 1—2. Berlin 1871—1907.

KAHANE, H. and R., Christian and Un-Christian Etymologies: The Havard Theological Review 57 (1964) 23—38.

KASER, M., Römische Rechtsgeschichte. München und Berlin ²1967.

Katalog: „Ausstellung Archäologische Funde der Volksrepublik China". Österreichisches Museum für angewandte Kunst 23. Februar—20. April 1974. Hg. v. Österreichischen Museum für angewandte Kunst Wien. 2. Aufl.

KEHR, U., Quaestionum magicarum specimen: Programm des Gymnasiums zu Hadersleben (Progr. Nr. 1884, 255). Hadersleben 1884.

KERÉNYI, K., Die antike Religion. Zürich 1952.

KERNER, M., Studien zum Dekret des Bischofs Burchard von Worms (Diss.). Aachen 1969.

KEYSER, P. DE, Vlaamsche Waarzeggerij uit de 12ᵉ eeuw: Annales de la Société d'émulation de Bruges 76 (1933) 39—64.

KIBRE, P., Alchemical Writings Ascribed to Albertus Magnus: Speculum 17 (1942) 499—518.

KITTEL, G., Theologisches Wörterbuch zum Neuen Testament. 1—4. 1933—1944.

KLAP, P. A., Agobard van Lyon: Theologisch Tijdschrift 29 (1895) 15—48; 2, 121—151, 385—407.

KLAPPER, J., Das Aberglaubenverzeichnis des Antonin von Florenz: Mitteilungen der schlesischen Gesellschaft für Volkskunde 21 (1919) 63—101.

KLAUSER, R. u. MEYER, O., Clavis mediaevalis. Wiesbaden 1962.

KLINCK, R., Die lateinische Etymologie des Mittelalters (= Medium aevum 17). München 1970.

KLUGE, F., Etymologisches Wörterbuch der deutschen Sprache. 19. Aufl. bearb. v. W. MITZKA. Berlin 1963.

KNAPPICH, W., Geschichte der Astrologie. Frankfurt a. M. 1967.

KNOBLOCH, J., Hornung ‚Februar': eine lateinische Lehnübersetzung?: Zeitschrift für vergleichende Sprachforschung 88 (1974) 122—125.

KOBBERT, M., De verborum „religio" atque „religiosus" usu apud Romanos quaestiones selectae. (Diss.) Königsberg 1910.

KOCH, H., Die altchristliche Bilderfrage nach den literarischen Quellen (= Forschungen zur Religion und Literatur des Alten u. Neuen Testaments 27). Göttingen 1917.

KÖNIG, F., Religionswissenschaftliches Wörterbuch. Freiburg 1956.

KOEP, L., „Religio" und „Ritus" als Problem des frühen Christentums: Jahrbuch für Antike und Christentum 5 (1962) 40—59.

KONEN, W., Die Heidenpredigt in der Germanenbekehrung. (Diss.) Bonn 1909.

351

Köstlin, K., Relikte. Die Gleichzeitigkeit des Ungleichzeitigen: Kieler Blätter zur Volkskunde 5 (1973) 135—157.

Kramer, K.-S., Aberglaube und Recht: Handwörterbuch zur deutschen Rechtsgeschichte. München 1964.

Krawutzcky, Das katechetische Lehrsystem des hl. Maximus von Turin: Magazin für Pädagogik. Kath. Zeitschrift für Volkserziehung und Volksunterricht NF 39 (1876) 144—157, 193—202.

Kröger, L., Pythagoreisches aus der Handlesekunst: Oberdeutsche Zeitschrift für Volkskunde 4 (1930) 32—42.

Künssberg, E. Frhr. v., Hühnerrecht und Hühnerzauber: Jahrbuch für historische Volkskunde 1 (1925) 125—126.

— Rechtliche Volkskunde (= Volk. Grundriß der deutschen Volkskunde in Einzeldarstellungen 3). Halle/Saale 1936.

Kyll, N., Zum Fortleben der vorchristlichen Quellenverehrung in der Trierer Landschaft: Festschrift Matthias Zender. Studien zu Volkskultur, Sprache und Landesgeschichte. Bonn 1972, 497—510.

Landgraf, A. M., Einführung in die Geschichte der theologischen Literatur der Frühscholastik unter dem Gesichtspunkt der Schulenbildung. Regensburg 1948.

Lang, A., Die Gliederung und die Reichweite des Glaubens nach Thomas v. Aquin und den Thomisten. Ein Beitrag zur Klärung der scholastischen Begriffe: fides, haeresis und conclusio theologica: Divus Thomas 20—21 (1942 bis 1943).

Lasić, D., Hugonis de Sancto Victore theologia perfectiva. Roma 1956.

Latte, K., Römische Religionsgeschichte. München 1960.

Lea, H. C., A History of the Inquisition. 1—3. Dt. v. J. Hansen, Bonn 1905—13.

— Materials toward a History of Witchcraft. Hg. v. A. C. Howland. 1—3. Philadelphia 1939. 2. Aufl. New York 1957.

Leeuw, G. van der, Phänomenologie der Religion. 2. erw. Aufl., Tübingen 1956.

Lehmann, P., Pseudo-antike Literatur des Mittelalters (= Studien der Bibliothek Warburg 13). Leipzig und Berlin 1927.

— Dicta Pirminii: Studien und Mitteilungen zur Geschichte des Benediktiner-Ordens 47 (1929) 45—51.

LEIST, Die literarische Bewegung des Bilderstreits im Abendlande, besonders in der fränkischen Kirche (= Bericht über das königliche Dom-Gymnasium zu Magdeburg von Ostern 1870 bis Ostern 1871). Magdeburg 1871.

LEITMAIER, CH., Die Kirche und die Gottesurteile: Wiener rechtsgeschichtliche Arbeiten 2 (1953).

LEITSCHUH, F., u. FISCHER, H., Katalog der Handschriften der königlichen Bibliothek zu Bamberg. 1—3. Bamberg 1895—1912.

LENFANT, F. D., Concordantia Augustiniana. 1—2. Paris 1656—1665. Nachdr. Brüssel 1963.

LENTZEN-DEIS, F., Die Taufe Jesu nach den Synoptikern. Literaturkritische und gattungsgeschichtliche Untersuchungen (= Frankfurter Theologische Studien 4). Frankfurt a. M. 1970.

LEUBUSCHER, R., Über die Wehrwölfe und Thierverwandlungen im Mittelalter. Berlin 1850.

LEVI, E., Geschichte der Magie. 1—2. Wien, München, Leipzig 1926.

LIEBERMANN, F., Zur Herstellung der Canones Theodori Cantuariensis: Zeitschrift der Savigny-Stiftung für Rechtsgeschichte. Kanonistische Abteilung 12 (1922) 387—409.

LIETZMANN, H., Gnosis und Magie: Kleine Schriften I: Studien zur spätantiken Religionsgeschichte, hg. v. K. ALAND. Berlin 1958, 84—86.

LINDSAY, W. M., Glossaria latina. 1—5. Paris 1926—1931.

LINKOMIES, E., Superstitio: Arctos, Acta Historica Philologica Philosophica Fennica 2 (Helsinki 1931) 73—88.

LOHSE, B., Augustins Engellehre: Zeitschrift für Kirchengeschichte 70 (1959).

LORDAUX, W., u. VERHELST, D., The Concept of Heresy in the Middle Ages (= Mediaevalia Lovaniensia. Series I. Studia IV). Löwen u. Den Haag 1976.

LThK Lexikon für Theologie und Kirche, begr. v. M. BUCHBERGER, neubearb. v. J. HÖFER u. K. RAHNER. 1—11. Freiburg 1957—1967 (zit. LThK).

LUCCHESI, G., Clavis S. Petri Damiani: Biblioteca Cardinale Gaetano Cicognani 5 (Faenza 1961).

LUCIUS, E., Die Anfänge des Heiligenkults in der christlichen Kirche, hg. v. G. ANRICH. Tübingen 1904.

MAASS, E., Die Tagesgötter in Rom und den Provinzen. Berlin 1902.

— Die Griechen in Südgallien: Jahreshefte des Österreichischen Archäologischen Instituts 10 (1907).

23

MAASSEN, F.,   Geschichte der Quellen und Literatur des kanonischen Rechts. Graz 1870.

MACHIELSEN, D. L.,   De Indiculus superstitionum et paganiarum (742—754). Een capitulare van Karlomann of Pepijn de Korte: Leuvense Bijdragen 51 (1962) 129—149.

MACKENSEN, L.,   Minnetrinken: Handwörterbuch des deutschen Aberglaubens. VI. 1934/1935, 375—380.

MADOZ, J.,   Una nueva recensión del „De correctione rusticorum", de Martín de Braga (Ms. Sant Cugat, N. 22): Estudios ecclesiásticos 19 (Madrid 1945) 335—353.

MAI, A.,   Thesaurus novus latinitatis sive lexicon vetus e membranis nunc primum erutum (= Classicorum auctorum e Vaticanis codicibus editorum 8). Romae 1836.

MAIER, A.,   Codices Burghesiani Bibliothecae Vaticanae. 1952.

MANITIUS, K.,   Naturwissenschaften im beginnenden Mittelalter. Crimmitschau 1924.

MANNHARDT, W.,   Wald- und Feldkulte. 1—2. Berlin 1875—1877.

MANSER, G. M.,   Thomas von Aquin und der Hexenwahn: Divus Thomas. Jahrbuch für Philosophie und spekulative Theologie II 9 (1922) 17—49.

MARTIN, A. v.,   Mittelalterliche Welt- und Lebensanschauung im Spiegel der Schriften Collucio Salutatis. München, Berlin 1913.

MASSMANN, H. F.,   Die deutschen Abschwörungs-, Glaubens-, Beicht- u. Betformeln vom achten bis zum zwölften Jahrhundert (= Bibl. der gesamten deutschen Nationalliteratur 7). Quedlinburg u. Leipzig 1839.

MAURY, A.,   La Magie et l'astrologie dans l'antiquité et au moyen age. Paris 1860.

MAUSBACH,   Die außerordentlichen Heilswege für die gefallene Menschheit und der Begriff des Glaubens: Der Katholik. Zeitschrift für katholische Wissenschaft und kirchliches Leben 80 (1900).

MAYER, A.,   Religions- und kulturgeschichtliche Züge in bonifatischen Quellen: St. Bonifatius. Gedenkgabe zum 1200. Todestag. Fulda 1954.

MAYER, F. A.,   Abhandlungen über die von dem Liptinensischen Koncilium aufgezählten abergläubischen und heidnischen Gebräuche der alten Teutschen. Ingolstadt (1820).

MAZAL, O., u. UNTERKIRCHNER, F.,   Katalog der abendländischen Handschriften der Österreichischen Nationalbibliothek. Series nova (Neuerwerbungen) (= Museion. Veröffentlichungen der Österreichischen Nationalbibliothek. N. F. IV 2, 1—3). Wien 1963—1967.

McKELLAR, P.,   Denken und Vorstellung: Bild der Wissenschaft 6 (1969) 423.

McKENNA, S.,   Paganism and Pagan Survivals in Spain up to the Fall of the Visigotic Kingdom (= The Catholic University of America Studies in Mediaeval History). Washington 1938.

MEER, F., VAN DER   Augustinus als Seelsorger. Leben und Wirken eines Kirchenvaters. Übers. v. N. GREITEMANN. Köln 1951.

MEIER, G.,   Catalogus codicum manu scriptorum, qui in bibliotheca monasterii Einsidlensis O. S. B. servantur. Tom. I complectens centurias quinque priores. Lipsiae 1899.

MÉNARD, N.-H.,   Notae et observationes in s. Gregorii magni librum sacramentorum. Paris 1624 (= PL 78, 263—582).

MEYER, C.,   Der Aberglaube des Mittelalters und der nächstfolgenden Jahrhunderte. Basel 1884.

MEYER, W.,   Die Handschriften in Göttingen (= Verzeichnis der Handschriften im Preußischen Staate I 1—3). Berlin 1893.

MICHAEL, E.,   Geschichte des deutschen Volkes seit dem 13. Jahrhundert bis zum Ausgang des Mittelalters. 1—4. Freiburg i. Br. 1897—1915.

MILLEMANN, H.,   Caesarius von Arles und die frühmittelalterliche Missionspredigt: Zeitschrift für Missionswissenschaft 23 (1933).

MOGK, E.,   Über Los, Zauber und Weissagung bei den Germanen: Festschrift zum deutschen Historikertag in Leipzig Ostern 1894. Leipzig 1894, 81—90.

MOHLBERG, C.,   Mittelalterliche Handschriften (Katalog der Handschriften der Zentralbibliothek Zürich). Zürich 1932—42.

MOMBRITIUS, B.,   Sanctuarium seu Vitae Sanctorum. 1—2. Nov. Ed. F. A. BRUNET. Parisiis 1910.

MOMMSEN, TH.,   Mosaicarum et Romanorum legum collatio: Cellectio librorum iuris anteiustiniani. III. Beroline 1890, 107—198.

—   Römisches Strafrecht, Leipzig 1899.

MONTER, E. W.,   European Witchcraft. New York 1969.

MORGAN, B. Q., and STROTHMANN, W.,   Middle High German Tanslation of the Summa Theologica by Thomas Aquinas. (= Stanford University Publications. Universiti Series. Language and Literature VIII 1). Stanford, California 1950.

MORIN, D. G.,   Sancti Caesarii Arelatensis sermones. I 1—2. Maretioli 1937.

MORSAK, L., Zum Tatbestand der Abtreibung in der Lex Baiuvariorum: Festschrift für Ferdinand Elsener. Sigmaringen 1977.

MOSER, H., Maibaum und Maienbrauch: Bayerisches Jahrbuch für Volkskunde 1961, 115—159.

— Variationen um ein Thema vermeintlicher Brauchgeschichte. Das „Weberschiff von Saint-Trond": Volkskultur und Geschichte. Festschrift für Josef Dünninger. Hg. v. D. HARMENING, G. LUTZ, B. SCHEMMEL, E. WIMMER. Berlin 1970, 236—266.

MUCH, R., Die Germania des Tacitus. 3. erw. Aufl. Hg. v. W. LANDE. Heidelberg 1967.

MÜLLENHOFF, K., u. SCHERER, W., Denkmäler deutscher Poesie und Prosa aus dem VIII. bis XII. Jahrhundert. 3. Aufl. v. E. STEINMEYER. Berlin 1892.

MÜLLER, K., Der Umschwung in der Lehre von der Buße während des 12. Jahrhunderts: Theologische Abhandlungen. Freiburg i. B. 1892, 287—320.

MÜLLER-GRAUPA, Primitiae, II, 4 superstitio: Glotta. Zeitschrift für griechische und lateinische Sprache 19 (1931) 62—64.

MÜLLER-STERNBERG, R., Die Dämonen. Wesen und Wirkung eines Urphänomens (= Sammlung Dieterich 292). Bremen 1964.

MUUSS, R., Die altgermanische Religion nach den kirchlichen Nachrichten aus der Bekehrungszeit der Südgermanen. (Diss.) Bonn 1914.

NILSSON, M. P., Studien zur Vorgeschichte des Weihnachtsfestes: Archiv für Religionswissenschaft 19 (1916—1919) 50—150.

— Primitive Time-Reckoning. A Study in the Origine and First Development of the Art of Counting Time among the Primitive and Early Culture Peoples. Lund 1920.

— Die Religion in den griechischen Zauberpapyri: Bulletin de la Société Royale des Lèttres de Lund. Årsberättelse 1947—1948, 59—93.

— Geschichte der griechischen Religion. Bd. 1. ³1967. Bd. 2. ²München 1961.

NITZSCH, I., Über den Religionsbegriff der Alten: Theologische Studien und Kritiken 1 (1828) 527—545, 725—754.

NÜRNBERGER, A., Aus der literarischen Hinterlassenschaft des hl. Bonifatius und des hl. Burchardus. Neiße 1888.

OHLY, E. F., Sage und Legende in der Kaiserchronik. Untersuchungen über Quellen und Aufbau der Dichtung (= Forschungen zur deutschen Sprache und Dichtung 10). Münster i. W. 1940. Nachdr. Darmstadt 1968.

OHM, T., Die Stellung der Heiden zu Natur und Übernatur nach dem hl. Thomas von Aquin (= Missionswissenschaftliche Abhandlungen und Texte 7). Münster i. W. 1927.

OHRT, F., Fluchtafel und Wettersegen: Folklore Fellows Communications 86 (1929) 3—16.

OPELT, I., Christianisierung heidnischer Etymologen: Jahrbuch für Antike und Christentum 2 (Münster 1959) 70—85.

OTTO, W. F., Religio und Superstitio: Archiv für Religionswissenschaft 12 (1909) 533—554, 14 (1911) 406—422.

PAULY, A., Realencyklopädie der klassischen Altertumswissenschaft. Neubearb. v. G. WISSOWA u. W. KROLL. Stuttgart 1893 ff.

PEUCKERT, W.-E., Geschichte der Seherwissenschaften. 1. Astrologie. Stuttgart 1960.

PFEIFFER, E., Studien zum antiken Sternglauben (= ΣΤΟΙΧΕΙΑ Studien zur Geschichte des antiken Weltbildes und der griechischen Wissenschaft 2). Leipzig, Berlin 1916. Nachdruck Amsterdam 1967.

PFISTER, F., Zur Geschichte der technischen Ausdrücke der Wahrsagekunst: Oberdeutsche Zeitschrift für Volkskunde 7 (1933) 44—55.

PISCHON, F. A., Denkmäler der deutschen Sprache von den frühesten Zeiten bis jetzt. 1. Berlin 1838.

POSCHMANN, B., Die abendländische Kirchenbuße im frühen Mittelalter (= Breslauer Studien zur historischen Theologie 16). Breslau 1930.

PRADEL, F., Griechische und süditalienische Gebete, Beschwörungen und Rezepte des Mittelalters (= Religionsgeschichtliche Versuche und Vorarbeiten III 3). Gießen 1907.

PREISENDANZ, K., Papyri Graece magicae. Die griechischen Zauberpapyri. Leipzig 1931.

PRIEBSCH, R., Deutsche Handschriften in England. 1—2. Erlangen 1896—1901.

PRÜMM, K., Religionsgeschichtliches Handbuch für den Raum der altchristlichen Umwelt. Freiburg 1943.

RAHNER, H., Pompa diaboli. Bedeutungsgeschichte des Wortes pompa in der urchristlichen Taufliturgie: Zeitschrift für katholische Theologie 55 (1931) 239—273.

RANKE, F. v., Zur Geschichte des Homiliarums Karl's des Großen: Theologische Studien und Kritiken 28 (1855) 382 bis 396.

RANKE, K., Pompa diaboli. Etymologisches und Volkskundliches zur Wortfamilie pump(er): Beiträge zur deutschen Volks- und Altertumskunde 1 (1954) 79—106.

357

REDSLOB, G. M.,   Sprachliche Abhandlungen zur Theologie. Leipzig 1840.

RENTSCHKA, P.,   Die Dekalog-Katechese des hl. Augustinus. Kempten 1905.

RESCH, A.,   Der Traum im Heilsplan Gottes. Deutung und Bedeutung des Traums im Alten Testament. Freiburg 1964.

RICHTER, AE. L./FRIDBERG, AE.,   Corpus Iuris Canonici I—II. ²Leipzig 1879. Reprod. Graz 1955.

ROBBINS, R. H.,   The Encyclopedia of Witchcraft and Demonology. New York 1959.

RÖSCHEN, F. A.,   Die Zauberei und ihre Bekämpfung. Gütersloh 1886.

ROOTH, E.,   Kleine Beiträge zur Kenntnis des sog. Honorius Augustodunensis: Studia Neophilologica 12 (1913/1940) 120 bis 135.

ROSE, H. J.,   Griechische Mythologie. München 1955.

ROSE, V.,   Verzeichnis der lateinischen Handschriften der kgl. Bibliothek zu Berlin. 1—3 (3 von F. SCHILLMANN). Berlin 1893—1919.

ROSENBERG, A.,   Engel und Dämonen. München 1967.

RUBIN, W.,   Lud w polskim ustawodawstwie synodalnym do rozbiorów Polski: Sacrum Poloniae Millennium 1. Romae 1955, 131—154.

RÜCKERT, H.,   Culturgeschichte des deutschen Volkes in der Zeit des Uebergangs aus dem Heidenthum in das Christentum. 1—2. Leipzig 1853 bis 1854.

RUSSEL, J. B.,   Witchcraft in the Middle Ages. Ithaca and London 1972.

SANDNER, G.,   Spätmittelalterliche Christtagsprognosen (Diss. Masch.). Erlangen 1948.

SAUPE, A.,   Der indiculus superstitionum et paganiarum. Ein Verzeichnis heidnischer und abergläubischer Gebräuche und Meinungen aus der Zeit Karls des Großen, aus zumeist gleichzeitigen Schriften erläutert (= Programm des städtischen Realgymnasiums zu Leipzig). Leipzig 1891.

SAXL, F.,   Verzeichnis astrologischer und mythologischer illustrierter Handschriften des lateinischen Mittelalters in römischen Bibliotheken. 1 (= Sitzungsberichte der Heidelberger Akadademie der Wissenschaften, phil.-hist. Klasse 1915, 6. und 7. Abhandlung), 2 (Die Handschriften der Nationalbibliothek Wien; Sitzungsberichte der Heidelberger Akadademie der Wissenschaften 1925/26, 2. Abhandlung), 3 (Manuscripts in English Libraries). Heidelberg (3: London) 1915—1953.

SCHERRER, G.,   Verzeichnis der Handschriften der Stiftsbibliothek von St. Gallen. Halle 1875.

SCHINDLER, H. B.,   Der Aberglaube des Mittelalters. Ein Beitrag zur Culturgeschichte. Breslau 1858.

SCHLECHT, J.,   ΔΙΔΑΧΗ ΤΩΝ ΔΩΔΕΚΑ ΑΠΟΣΤΟΛΩΝ. Doctrina XII Apostolorum. Friburgi Brisgoviae 1900.

SCHMELLER, J. A.,   Die deutschen Handschriften der k. Hof- und Staatsbibliothek zu München. 1—2 (= Catalogus Codicum Manu Scriptorum Bibliothecae Regiae Monacensis V-VI). München 1866.

SCHMID, F.,   Die Zauberei und die Bibel: Zeitschrift für katholische Theologie 26 (1902) 107—130.

SCHMIDLIN, J.,   Katholische Missionsgeschichte. Steyl (1924).

SCHMITT, W.,   Deutsche Fachprosa des Mittelalters (= Kleine Texte für Vorlesungen und Übungen 190). Berlin, New York 1972.

SCHMITZ, H. J.,   Die Bußbücher 1—2 (1: Die B. und die Bußdisziplin der Kirche; 2: Die B. und das kanonische Bußverfahren). Düsseldorf 1898. Nachdr. Graz 1958.

SCHMITZ, W.,   Der Einfluß der Religion auf das Leben beim ausgehenden Mittelalter, besonders in Dänemark (= Ergänzungshefte zu den „Stimmen aus Maria=Laach" 61). Freiburg i. Br. 1894.

SCHNEIDER, F.,   Über Kalendae Ianuariae und Martiae im Mittelalter: Archiv für Religionswissenschaft 20 (1920/21) 82—134, 360—410.

SCHNÜRER, G.,   Die Bekehrung der Deutschen zum Christentum. Bonifatius (= Weltgeschichte in Karakterbildern II 2). Mainz 1909.

SCHNÜRER, G.,   Kirche und Kultur im Mittelalter. Paderborn 1929.

SCHOLZ, H.,   Glaube und Unglaube in der Weltgeschichte. Ein Kommentar zur Augustinus De civitate Dei. Leipzig 1911.

SCHÖNBACH, A. E.,   Studien zur Geschichte der altdeutschen Predigt. Zweites Stück: Zeugnisse Bertholds von Regensburg zur Volkskunde: Sitzungsberichte der philosophisch-historischen Classe der kaiserlichen Akademie der Wissenschaften 142 VII. Wien 1900, 1—156.

—   Zeugnisse zur deutschen Volkskunde des Mittelalters: Zeitschrift des Vereins für Volkskunde 12 (1902) 1—14.

SCHOPENHAUER, A.,   Parerga und Paralipomena. II. Sämtliche Werke 6. Wiesbaden 1950.

SCHREINER, G.,   Ein mittelalterlicher Katechismus: Katechetische Blätter 42 (1916) 9—13, 44—47, 68—74.

SCHRÖDER, E.,   Fuldas literarische Bedeutung im Zeitalter der Karolinger: Fuldaer Geschichtsblätter 28 (1936) 33—44.

SCHRÖDER, F. R.,   Die Germanen (= Religionsgeschichtliches Lesebuch 12). Tübingen 1929.

SCHULZ, E.,   Die Kunst des Bauchredens. Mit einer gründlichen Anweisung, diesselbe zu erlernen und geeigneten Übungs-Dialogen versehen. ⁵Erfurt 1927.

SCHUMANN, H. J. v.,   Träume der Blinden vom Standpunkt der Phänomenologie, Mythologie und Kunst (= Psychologische Praxis 25). Basel 1959.

SCHÜTZ, L.,   Thomas-Lexikon. ²Paderborn 1895, Nachdr. Stuttgart 1958.

SEELIGER, G.,   Die Kapitularien der Karolinger. München 1893.

SILVESTRE, H.,   Incipits des traités médiévaux des sciences expérimentales dans les mss. latins de Bruxelles: Scriptorium. Revue internationale des études relatives aux manuscrits. International review of manuscript studies 5 (1951) 145—160.

SOLDAN, W. G.,   Geschichte der Hexenprozesse, neu bearb. von H. HEPPE. 1—2. München ³1912, Nachdr. Darmstadt 1969 (M. BAUER).

SOLIGNAC, A.,   La Condition de l'homme pécheur d'apres saint Augustin: Nouvelle Revue théologique 88 (1956) 367—376.

SOMMERLAND, T.,   Umwandlung germanischen Brauchtums durch die Kirche: Thüringisch-Sächsische Zeitschrift für Geschichte 23 (1935).

SPAMER, A.,   Romanusbüchlein. Historisch-philologischer Kommentar zu einem deutschen Zauberbuch. Aus dem Nachlaß bearb. von J. NICKEL (= Veröffentlichungen des Instituts für deutsche Volkskunde 17). Berlin 1958.

SPROCKHOFF, P.,   Althochdeutsche Katechetik. Literarhistorisch-stilistische Studien. (Diss.) Berlin 1912.

STAMMLER, W.,   Albert der Große und die deutsche Volksfrömmigkeit des Mittelalters: Freiburger Zeitschrift für Philosophie und Theologie 3 (1956).

STEIN, S.,   Die Ungläubigen in der mittelhochdeutschen Literatur von 1050 bis 1250. (Diss.) Heidelberg 1932. Nachdr. Darmstadt 1963.

STELZENBERGER, J.,   Die Beziehungen der frühchristlichen Sittenlehre zur Ethik der Stoa. München 1933.

STEMPLINGER, E.,   Antiker Aberglaube. Stuttgart 1948.

STÖCKL, A.,   Geschichte der Christlichen Philosophie zur Zeit der Kirchenväter. Mainz 1891.

STREWE, A., Die Canonessammlung des Dionysius Exiguus in der ersten Redaktion (= Arbeiten zur Kirchengeschichte 16). Berlin und Leipzig 1931.

STÜBE, R., Der Himmelsbrief. Ein Beitrag zur allgemeinen Religionsgeschichte. Tübingen 1918.

STUMPFL, R., Kultspiele der Germanen als Ursprung des mittelalterlichen Dramas. Berlin 1936.

SULLIVAN, R. E., The Carolingian Missionary and the Pagan: Speculum. A Journal of Mediaeval Studies 28 (1953) 705—740.

TELLE, J., Beiträge zur mantischen Fachliteratur des Mittelalters: Studia Neuphilologica. A Journal of Germanic and Romance Philology 42 (1970) 180—206.

THORKELSSON, J., Nokkur blöd úr Hausbók. Reykjavik 1865.

THORNDIKE, L. and KIBRE, P., A Catalogue of Incipits of Mediaeval Scientific Writings in Latin. Revised and Augmented Edition. London 1963.

THORNDIKE, L., A Historiy of Magic and Experimental Science During the First 13 Centuries of Our Era. 1—2. New York 1923.

— Traditional Medieval Tracts Concerning Engraved Astrological Images: Mélanges Auguste Pelzer. Louvain 1947, 217—274.

TIDNER, E., Didascaliae Apostolorum Canonum Ecclesiasticorum Traditionis Apostolicae versiones Latinae (= Texte und Untersuchungen zur Geschichte der altchristlichen Literatur 75). Berlin 1963.

TRIEBS, F., Studien zur Lex Dei. 1—2. Freiburg i. Br. 1905—1907.

TRUSEN, W., Forum interum und gelehrtes Recht im Mittelalter. Summae confessorum und Traktate als Wegbereiter der Rezeption: Zeitschrift für Rechtsgeschichte. Kanonistische Abteilung 57 (1971) 83—126.

TURBERVILLE, A. S., Mediaeval Heresy and Inquisition. Londres 1921.

TYLOR, E. B., Primitive Culture. I. 4London 1871. Nachdr. 1929.

UNTERKIRCHER, F., Katalog der abendländischen Handschriften der Österreichischen Nationalbibliothek. Series Nova (Neuerwerbungen) (= Museion. Veröffentlichungen der Österreichischen Nationalbibliothek NF. 4. Reihe II 1). Wien 1963.

VEIT, L. A., Volksfrommes Brauchtum und Kirche im deutschen Mittelalter. Freiburg 1936.

VINCKE, J., Volkstum u. Recht aus kirchenrechtlicher und volkskundlicher Sicht (= Forschungen zur Volkskunde 28). Düsseldorf o. J.

VOGEL, G.,   Bußbücher: Lexikon für Theologie und Kirche. II. Freiburg i. Br. 1958, 802—805.

VÖGTLE, A.,   Woher stammt das Schema der Hauptsünden?: Theologische Quartalschrift 122 (1941) 217—237.

—   Achtlasterlehre: Reallexikon für Antike und Christentum 1 (1950) 74 ff.

VRIES, J. DE,   Altgermanische Religionsgeschichte. 1—2 (=Grundriß der germanischen Philologie 12/I—II). Zweite neu bearb. Aufl. Berlin 1956—1957.

WACKERNAGEL, W.,   Altdeutsche Predigten und Gebete aus Handschriften. Basel 1876.

WALDE, A., u. HOFMANN, J. B.,   Lateinisches Etymologisches Wörterbuch. 2. ³Heidelberg 1954.

WALTHER, H.,   Proverbia sententiaeque latinitatis medii aevi. Lateinische Sprichwörter und Sentenzen des Mittelalters in alphabetischer Anordnung. V. Göttingen 1967.

WASSERSCHLEBEN, F. W. H.,   Die Bußordnungen der abendländischen Kirche. Halle 1951. Nachdr. Graz 1958.

WEBER, M.,   Wirtschaft und Gesellschaft. 4. Aufl. v. J. WINCKELMANN. Tübingen 1956.

WEDEL, T. O.,   The Mediaeval Attitude toward Astrology Particularly in England (= Yale Studies in English LX). New Hawen 1920.

WEIDENHILLER, P. E.,   Untersuchungen zur deutschsprachigen katechetischen Literatur des späten Mittelalters. Nach den Handschriften der Bayerischen Staatsbibliothek (= Münchener Texte und Untersuchungen zur deutschen Literatur des Mittelalters 10). München 1965.

WEINHOLD, K.,   Die deutschen Monatsnamen. Halle 1869.

WEINZIERL, K.,   Kirchliche Strafen im Dekret Gratians: Ecclesia et ius. Festgabe für Audomar Scheuermann. München, Paderborn, Wien 1968, 677—689.

WEISMANN, W.,   Kirche und Schauspiele. Die Schauspiele im Urteil der lateinischen Kirchenväter unter besonderer Berücksichtigung von Augustin (= Cassiciacum 27). Würzburg 1972.

WENDLAND, P.,   Christentum und Hellenismus in ihren literarischen Beziehungen: Neue Jahrbücher für das Altertum, Geschichte und deutsche Literatur und für Pädagogik 9. Leipzig 1902, 1—19.

WERNER, K.,   Die Kosmologie und Naturlehre des scholastischen Mittelalters. Wien 1873.

WESCHE, H.,   Der althochdeutsche Wortschatz im Gebiete des Zaubers und der Weissagung. Halle 1940.

WIDLAK, F.,   Die abergläubischen und heidnischen Gebräuche der alten Deutschen nach dem Zeugnisse der Synode von Liftinae im Jahre 743: Jahres-Bericht des k. k. Gymnasiums in Znaim für das Schuljahr 1903/1904. Znaim 1904, 3—36.

WIEDEMANN, H.,   Karl der Große, Widukind und die Sachsenbekehrung. Münster 1949.

WIEGELMANN, G.,   Zender, M., Heilfurth, G., Volkskunde. Eine Einführung (= Grundlagen der Germanistik 12). Berlin 1977.

WIKENHAUSER, A.,   Das Evangelium nach Johannes (= Regensburger Neues Testament 4). ²Regensburg 1957.

WILDHABER, R.,   Kirke und die Schweine: Heimat und Humanität. Festschrift für Karl Meuli. Basel 1951.

WILPERT, G. v.,   Lexikon der Weltliteratur. Stuttgart 1971.

WINDELBAND, W.,   Lehrbuch der Geschichte der Philosophie. 15. Aufl. v. H. HEIMSOETH. Tübingen 1957.

WITTMANN, M.,   Die Ethik des hl. Thomas von Aquin. München 1933.

WOHLEB, L.,   Die lateinische Übersetzung der Didache kritisch und sprachlich untersucht (= Studien zur Geschichte und Kultur des Altertums 7, 1). Paderborn 1913.

WOLF, W.,   Der Mond im deutschen Volksglauben (= Bausteine zur Volkskunde und Religionswissenschaft 2). Bühl/Baden 1929.

WRESZINSKI, W.,   Tagewählerei im alten Ägypten: Archiv für Religionswissenschaft 16 (1913) 86—100.

WUNDT, W.,   Die Entwicklung des Kultus. Völkerpsychologie. II. Leipzig 1909.

WURM, H.,   Studien und Texte zur Dekretalensammlung des Dionysius Exiguus (= Kanonistische Studien und Texte 16). Bonn 1939.

WUTTKE, A.,   Der deutsche Volksaberglaube der Gegenwart. 4. Aufl. bearb. v. E. H. MEYER. Leipzig 1925.

ZATOČIL, L.,   Der Neusohler Cato. Berlin 1935.

ZELLINGER, J.,   Die Genesishomilien des Bischofs Severian von Gabala. Münster/Westf. 1916.

—   Augustin und die Volksfrömmigkeit. Blicke in den frühchristlichen Alltag. München 1933.

ZENDER, M.,   Die Frauen machen im Februar das Wetter: Dona Ethnologica. Beiträge zur vergleichenden Volkskunde. Leopold Kretzenbacher zum 60. Geburtstag. Hg. v. H. GERNDT und R. SCHROUBEK. München, 1973, 340—347.

ZENKER, G.,   Germanischer Volksglaube in fränkischen Missionsberichten (= Forschungen zur deutschen Weltanschauungskunde und Glaubensgeschichte 3). Stuttgart, Berlin 1939.

ZETTINGER, J.,   Das Poenitentiale Cummeani: Archiv für Katholisches Kirchenrecht 82 (1902) 502—540.

ZIMMER, E.,   Verzeichnis der astronomischen Handschriften des deutschen Kulturgebietes. München 1925.

ZOECKLER, O.,   Geschichte der Beziehungen zwischen Theologie und Naturwissenschaft, mit besonderer Rücksicht auf Schöpfungsgeschichte. Gütersloh 1877.

ZOEPFL, F.,   Deutsche Kulturgeschichte. 1. Vom Eintritt der Germanen in die Geschichte bis zum Ausgang des Mittelalters. Freiburg i. Br. 1928.

Autorenregister

(Moderne Autoren werden mit abgekürztem Vornamen angeführt.
Herausgeber sind nicht aufgenommen)

Abt, A., 103, 218, 222 f., 226, 228, 292, 235
Adelath v. Bath 188
Aelfric 163 f., 280
Agnellus v. Terracina 71
Agobard v. Lyon 40, 220, 246, 259, 265 bis 268, 278, 284
Alanus de Insulis 37
Albertus Magnus 219
Alcher v. Clairvaux 102 f., 111—114, 263
Aldhelm 148 f., 150, 153 f.
Alkuin 33, 78 f., 80, 82, 109, 150, 174 f., 186, 199, 219, 272 f., 303
Altheim, F., 19, 27
Ambrosiaster 188
Ambrosius 34 f., 40, 76 f., 82, 133, 140, 144 f., 170, 226, 233, 252 f., 298
Anrich, G., 203, 292
Ansegis 55, 79, 100, 208, 219, 221, 240, 269
Anselm v. Canterbury 46, 292, 297
Apuleius 293
Aristoteles 93, 183, 310
Astexanus de Ast 272
Athanasius 287
Atto v. Vercelli 38, 40, 51, 69, 123 f., 127 f., 131, 146 f., 172, 185, 219, 223, 279, 285, 287, 298
Augustinus 13, 21, 24, 33—40, 52 f., 57, 76 f., 82—85, 87—89, 91 f., 97, 99 f., 102—104, 107, 109—111, 116, 118, 121 f., 124, 126—128, 131, 164, 168, 173, 181, 184—188, 193 f., 200, 203, 206, 210, 213, 215 f., 218, 219, 227, 231, 233, 236, 239, 241 f., 246, 255, 263 f., 268 f., 271 f., 278 f., 285, 287—290, 292—298, 300—307, 309, 311 f., 316 f.

Balbus, Q. Lucilius, 38
Bardenhewer, O., 301

Barthélémy, Ch., 167
Bartholomäus v. Exeter, 76, 142, 168, 199, 225, 236
Bartsch, E., 224, 238, 246 f., 253, 292
Baus, K., 285
Beda 50, 53, 60, 62, 71, 75, 120, 134, 138, 166, 171, 174, 198
Beets, Johannes, 272
Beitl, R., 153
Bender, H., 102
Berthold v. Regensburg 126, 131, 171, 174, 207—210, 212
Bertholet, A., 147
Bezzold, F. v., 55, 181 f.
Biedermann, H., 198
Bihlmeyer, K., 185, 229
Bilfinger, G., 67, 132
Binder, W., 22
Binterim, A. J., 198, 234
Blum, C., 111
Boehm, M. H., 192 f., 198 f., 202 f.
Boese, R., 12, 49, 51—53, 55—57, 60 f., 63 f., 66, 74 f., 82, 87 f., 101, 132, 172, 174
Böcher, O., 238
Böckenhoff, K., 231
Bönhoff, L., 148
Bömer, F., 148
Boll, F., 119 f., 169 f., 179, 182 f.
Bonifatius 37, 39 f., 53, 58, 63, 78 f., 100, 105, 126—128, 132, 144, 146, 160—162, 197 f., 240, 243 f., 275 f., 279, 298
Borromäus, Karl, 270
Boudriot, W., 12, 49, 52 f., 58 f., 61, 66 bis 68, 73—75, 101, 130, 148, 156 f., 160, 173, 248 f., 255
Brinkmann, H., 304
Browe, P., 223
Brox, N., 300 f.
Brückner, A., 202

Brückner, W., 222
Bruno der Karthäuser 40
Bruno v. Würzburg 295
Bünger, F., 126
Burchard v. Worms 35, 40, 49—58, 60
  bis 64, 66 f., 69—71, 73—76, 79, 88 f.,
  98, 121, 125—130, 132 f., 138, 142, 144,
  155 f., 169 f., 172—174, 176, 185 f.,
  195 f., 197 f., 200, 219 f., 223, 225,
  227 f., 231, 233, 236, 242, 244, 248 f.,
  254 f., 265, 273—276, 279, 292
Burkhard v. Würzburg 75, 230, 240 f.
Byloff, F., 25, 97 f., 180, 218, 225, 250

Caesarius v. Arles 35, 49—64, 66 f., 69,
  73 f., 74, 77—79, 82, 85, 87 f., 91, 101,
  118 f., 122—128, 130—132, 136—145,
  151, 156—158, 162—164, 169, 172—174,
  196, 219, 230, 240 f., 243 f., 246, 249,
  254—256, 268, 273—276, 278 f., 298, 318
Cardanus, Hieronymus 104
Caspari, C. P., 35, 53—56, 63 f., 66, 73 f.,
  78, 81—84, 87, 103—118, 130—133,
  138 f., 141, 143, 146—148, 150—153,
  157—159, 164, 168 f., 190, 195, 198,
  200 f., 208, 223—225, 227 f., 230, 235,
  239, 241, 249, 252, 254—257, 273 f.,
  279 f., 284 f., 297
Cato 85
Celsus 86, 90 f.
Cicero 14, 17—22, 24—26, 28, 30 f., 38,
  102, 111, 120, 300
Coenen, L., 30
Colson, F. H., 155
Coluccio Salutatis 183
Cresconius Africanus 220, 275
Cruel, R., 87
Cuming, G., 13
Cummeanus 53, 57, 60, 62, 74, 79, 87,
  102, 136, 140, 174, 185, 200, 228, 230 f.,
  248, 273, 276
Cyprian v. Karthago 35, 270, 298
Cyrill v. Jerusalem 86, 287

Daniel v. Winchester 97, 278 f.
Delatte, A., 104
Deneke, B., 11
Didymus 287
Diederich, E., 12, 50, 98
Diels, H., 30, 83
Dodds, E. R., 102, 106

Dölger, F. J., 238
Döllinger, J. J. I. v., 148
Donatus, Aelius, 29 f.
Du Cange, Ch. Dufresne, 30, 138, 146,
  152, 242
Dünninger, J., 11
Du Plessis d'Argentré, C., 119
Durandus, Wilhelm, 167

Eckhardt, K. A., 228
Eckhart, J. G. v., 230, 241
Egbert v. York, 54, 60, 75, 79, 156, 198,
  200, 219, 225, 227, 248, 254, 255
Eis, G., 192
Ennius 15
Euhemeros 27, 122
Eusebius 223
Eyssenhardt, F. 102, 148

Fahz, L., 206
Favre, L., 138
Fehr, J., 97, 167, 185, 235
Ferrandus v. Karthago 220, 223
Festus 286
Filastrius v. Brescia 39, 209 f., 278
Fischer, H., 116
Fleischer 83
Forcellini, E., 242
Förster, M., 107 f., 118—120, 133 f., 166
Franz, A., 203, 222 f.
Frings, Th., 150, 153
Fussenegger, G., 111

Gaudentius v. Brescia 34, 57, 273
Geffcken, J., 272
Geilhofen, Arnold, 272
Gellius, Aulus, 16, 19 f.
Gerson, Johannes, 272
Gervasius v. Tilbury 185
Goldammer, K., 147, 159, 212
Götte, J., 20
Gottfried v. Admont 210, 212
Goetz, G., 26, 30, 33, 34, 38 f.
Gratian 40, 76—79, 82, 88, 97 f., 100,
  104, 107, 128, 131, 165, 168 f., 172, 176,
  185 f., 194, 196 f., 199 f., 205, 208 f.,
  214 f., 217, 219 f., 223, 225, 227, 233,
  236, 238, 241, 274 f., 292
Gregor I d. Gr. 51, 61 f., 71, 73, 75, 78 f.,
  87, 156, 172, 174, 195 f., 198, 219, 245,
  287, 298

Gregor II 40, 100, 104
Gregor III 53, 73, 75, 87, 197, 200, 218, 220, 244
Gregor v. Nazianz 287
Gregor v. Nyssa 183
Gregor v. Tours 58, 194, 287, 302
Grimm, J. 11, 14 f., 28, 31, 83 f., 98, 148, 192, 207
Grimmelshausen, H. J. Chr. v., 185
Gross, J., 287—289
Gundel, W., 169, 183

Hahn, A., 15, 17, 21
Haimo 228
Hain, M., 12, 50, 129
Halitgar v. Cambrai 40, 68, 79, 169, 172, 185, 219, 248, 275
Hamp, V., 212
Hansen, J., 97, 98, 180, 225, 250
Häring, N. M., 238
Harmening, D., 14, 45, 106, 143, 274
Harnack, A. v., 61, 181, 285 f.
Hasak, V., 272
Haskins, Ch., 190
Hauck, A., 129
Heilfurth, G., 151
Helbling-Gloor, B., 84, 93 f., 104, 109, 112, 115, 187, 190, 198, 213
Hellinger, W., 97
Hellmann, G., 133
Helm, K., 85
Heppe, H., 309
Herard v. Tours 100, 105, 219, 249
Herolt, Johannes, 272
Heyse, E., 175
Hieronymus 29, 39, 79 f., 86, 186, 194, 211—213, 217—219, 244 f.
Hinkmar v. Reims 40, 169, 175 f., 190, 206, 212, 217, 241, 303
Hoffmeister, G., 107
Hofmann, F., 308
Homann, H., 12, 50, 64, 73, 82, 86, 130, 150, 153, 155, 157 f., 160, 162, 198, 201 bis 203, 241 f., 247, 249, 251 f., 254—257
Honorius Augustodunensis 182
Hopf, L., 83, 153
Hopfner, Th., 114, 256
Horaz 252
Hrabanus Maurus 33, 37, 39 f., 40, 68, 75, 77, 78 f., 82, 84, 86 f., 104, 168, 175 f., 186, 199 f., 205, 208—210, 214 f.,

217, 220, 228, 241, 244, 254—260, 262 bis 265, 268, 273, 276, 278 f., 293—295, 297 f.
Hugo v. Santalla 190
Hugo v. St-Victor 37 f., 176, 182, 187, 206, 215, 219 f., 279, 302 f.
Huschke, Ph. E., 186

Innozenz II 121
Isidor v. Sevilla 26, 30, 33 f., 38—40, 82, 84, 86 f., 104 f., 109, 139, 142, 144, 150, 175—177, 182, 186, 189, 199 f., 205—210, 215, 217 f., 220, 239, 241, 248, 251, 271 f., 286 f., 295, 302 f.
Ivo v. Chartres 35, 40, 50, 52, 54—56, 60—62, 64, 66, 69, 71, 74—76, 79 f., 82, 86, 97 f., 104, 125, 128, 131—133, 142, 144, 147, 156, 165, 168—170, 172 f., 176, 185 f., 194 f., 197—200, 205 f., 208—210, 214 f., 217, 219 f., 227, 230, 233, 236, 241 f., 248, 250, 254 f., 265, 273, 275 f., 292

Jahn, U., 203
Jeremias 92
Johannes Cassianus 40, 219, 301
Johannes Chrysostomus 82, 84, 86
Johannes de Burgo 272
Johannes v. Damaskus 219
Johannes v. Hagen 190
Johannes Laurentius Lydos 120
Johannes v. Salisbury 84, 93—95, 104, 109, 111—116, 188, 190, 206 f., 210, 263, 303
Jones, C. W., 120, 166
Jordan, H., 149
Justinus, Junianus, 16
Justinus Martyr 296, 298, 301
Juvenal 170

Kahane, H. u. R., 286
Karl d. Gr. 53, 57, 146, 151 f., 195 f., 198, 244, 275, 279
Karl II 269
Karlmann 78, 151, 244, 279
Kaser, M., 218
Kerner, M., 50
Keyser, P. de, 190
Kibre, P., 108
Kittel, G., 30
Klapper, J., 82 f., 214

Klemens v. Alexandrien 231
Klinck, R., 286, 294 f.
Kluge, F., 34, 150, 152, 155, 160, 220, 244
Knobloch, J., 154
Kobbert, M., 18
König, F., 28
Konstantin d. Gr. 218
Kötting, B., 236
Kraus, J., 209
Krawutzcky 260, 285
Kröger, L., 190
Kyll, N., 75

Lactantius 17 f., 21, 27 f., 31, 34, 37 f., 86, 99, 105, 176, 181, 205, 218, 278, 285, 295, 297 f.
Latte, K., 29
Leander v. Sevilla 287
Leeuw, G. v. d., 19
Leitschuh, F., 166
Lentzen-Deis, F., 89
Leo d. Gr. 101 f., 105, 130, 156
Linkomies, E., 29
Livius 24
Lourdaux, W., 13
Lucius, E., 203, 292
Ludolf v. Göttingen 272
Ludwig, W., 15
Lukrez 29 f.

Mackensen, L., 203
Maier, A., 120
Makrobius 102 f., 111—114, 148
Mandonnet, Petrus, 192
Mannhardt, W., 67, 132, 142
Manser, G. M., 309
Marbod v. Rennes 222
Marcellus, Nonius, 28
Marcianus 67
Marquard v. Lindau 272
Martialis 67
Martianus 67
Martin, A. v., 183
Martin v. Braga 35, 53—55, 64, 67, 77 bis 83, 87 f., 101, 107, 121, 123—125, 131—133, 142 f., 147 f., 157—159, 163, 169, 173, 185, 197, 219 f., 225, 227, 237, 256, 273, 275, 278 f., 280, 283 f., 286 f., 290, 298
Martinus Legionensis 105

Marx, F., 15
Maximus v. Turin 35, 131, 138 f., 225 f., 254 f., 257 f., 260—263, 265, 268, 278 f.
Mayer, A., 64
Mazal, O., 120, 134
McKellar, P., 114
Meer, F. v. d., 35, 123
Meier, G., 134
Meyer, C., 12
Meyer, W., 119
Michael v. Mailand 272
Millemann, H., 161
Minucius Felix 37, 91, 294 f., 298
Mirandola, Andrea Corvo de, 190
Mitzka, W., 150
Mohlberg, C., 108, 119, 134, 166
Mombritius, Boninus, 149 f.
Mommsen, Th., 180
Morsak, L., 229
Moser, H., 11, 142
Much, R., 202
Müller-Graupa, E., 29

Nicolaus de Lyra 272
Nider, Johannes, 272
Nigidius Figulus 20
Nikolaus v. Dinkelsbühl 272
Nilsson, M. P., 121, 127, 131, 138, 141, 145 f., 155, 164, 205, 215, 292
Nitzsch, C. I., 17 f.
Nobis, H. M., 182
Numa Pompilius 206
Numenios v. Apamea 300
Nürnberger, A., 74

Ohly, E. F., 148, 151
Ohrt, F., 247
Origines 86, 90—92, 181, 231, 239, 287
Orosius 286
Otto, W. F., 14 f., 17—19, 22, 25, 31
Ovid 148

Pacianus 137
Panzer, F., 11
Paulus 66, 76 f., 92, 94, 121, 165, 168, 193, 213, 239, 263, 286, 289
Pausanias 104
Pelagius 287
Peterson, G., 21
Petronius 31
Petrus v. Blois 40, 82, 84, 94 f., 100, 103, 116, 263

Petrus Chrysologus 103, 122—125, 140 f., 143, 164, 187, 274, 278 f.
Petrus Comestor 109, 177, 206, 208 f., 212, 214, 219
Petrus Lombardus 33, 186, 241, 272, 292, 298
Pfeiffer, E., 182
Pfister, F., 190, 205
Pirmin v. Reichenau 53 f., 58, 63, 65, 73 bis 75, 82 f., 88, 124, 130 f., 133, 136, 138, 142 f., 147, 159, 169, 173, 244, 277, 280, 287
Platon 188, 294, 300
Plautus 15
Plutarch 30, 212
Polemius v. Asturica 280
Pompeius Trogus 16
Poseidonios 300
Preisendanz, K., 238
Priscillian 247
Prosper v. Aquitanien 99
Pythagoras 206

Quintilian 16, 24

Ranke, K., 273
Ratherius v. Verona 38
Regino v. Prüm 35, 40, 52, 54, 56, 60 f., 63, 66 f., 69, 71, 74 f., 79, 97—99, 121, 125, 133, 147, 169 f., 170, 172—174, 185, 196—198, 200, 219 f., 223, 225, 228, 231, 234, 242, 248, 254, 265, 273, 275 f.
Rentschka, P., 271 f.
Resch, A., 96
Reuter, H., 267
Robert v. Flamborough 74 f., 142, 174, 195, 197, 200, 225, 230, 236, 248, 250
Rose, H. J., 212
Rose, V., 108
Rothari 252
Rudolf v. Bourges 169, 185
Rupert v. Deutz 96, 113

Sabinus, Masurius, 19
Salvian v. Marseille, 33, 35
Sandner, G., 120
Saupe, A., 251
Saxl, F., 166, 240
Saxo Grammaticus 202
Scherer, G., 63, 78 f., 119, 160 f., 166, 244, 273, 287

Schindler, H. B., 12
Schlecht, J., 185
Schmeller, J. A., 108, 120, 134
Schmitt, W., 107
Schneider, F., 126 f., 129, 133, 135, 137 bis 139, 141, 152, 154
Schnürer, G., 55, 280
Schönbach, A. E., 126, 131, 171, 179, 207 bis 209, 212, 219, 287
Schopenhauer, A., 29
Schröder, F. R., 202
Schulz, 212
Seneca 21, 24, 112
Servian v. Gabala 141
Servius Grammaticus 24, 29 f.
Silvestre, H., 166
Soden, H. v., 34
Sokrates 24
Soldan, W. G., 98, 218, 225, 250
Solignac, A., 296
Stahl, W. H., 111
Stenzel, M., 212
Stephan v. Landskrona 272
Stübe, R., 240
Stumpfl, R., 150

Tacitus 24 f., 85, 201—203
Tatian d. Assyrer 301
Telle, J., 108, 119 f.
Tertullian 35, 65, 91, 103, 145 f., 187, 231, 298, 301
Theodor v. Canterbury 53, 60, 62, 74, 78 f., 102, 105, 136, 138, 173, 219, 227, 230, 232, 234, 240, 255, 276
Theophilus v. Antiochien 287
Thomas v. Aquin 13, 35, 37, 41, 44 f., 77, 80, 89, 91—94, 110—112, 114—116, 121, 177—183, 188—192, 194, 204 f., 207 bis 209, 214 f., 217, 219, 237 f., 240, 246, 263 f., 272, 292, 295, 308—312, 314 f., 317
Thomas Ebendorfer v. Haselbach 219
Thorkelsson, J., 163
Thorndike, L., 108, 119 f., 134, 165 f., 182, 190, 192, 240
Thorkelsson, J., 163
Tibertus, Antiochus, 190
Tibull 252
Trithemius, Johannes 207
Tylor, E. B., 14, 28, 31

Unterkircher, F., 120

Varro   21, 23, 36, 147 f., 206, 214 f.
Vergil   16, 17, 20, 24, 94, 153, 185
Vincentius v. Beauvais   190
Vivaldus, Ludovicus,   272

Walde, A.,   29
Walther, H.,   34
Weber, M.,   23
Wedel, O.,   181
Wesche, H.,   86
Weidenhiller, P. E.,   272
Weismann, W.,   35
Wiegelmann, G.,   13, 151
Wildhaber, R.,   151, 153

Wilhelm v. Chartres   188
Wilhelm v. Conches   93
Wilpert, G. v.,   212
Wohleb, L.,   34
Wreszinski, W.,   167
Wundt, W.,   18
Wuttke, A.,   28

Zacharias   78, 126—128, 132, 244
Zatočil, L.,   106
Zellinger, J.,   164, 233
Zender, M.,   151, 153
Zimmer, E.,   166

Sachregister

(Vgl. auch die Stichwörter des Inhaltsverzeichnisses)

abor(t)us, aborsus, abortivus 62, 70, 230,
s. a. Abtreibung, avorsus
Abraham 182, 303
Abtreibung(strank) 228—230
Abtreibungszauber 72
Ackermann von Böhmen 190
Aderlassen 171
Aeromantie 191, 208, 214 f., 313
Ägypten 167, 182, 300, 303
ägyptische Tage 165—168, 171
Alptraum 114
Altersbeweis 301
Amulett 44, 47, 116, 179, 185, 217, 220,
223, 227, 236—238, 240—244, 273, 276,
316
Analogieaugurien 131, 134
Anfang 81, 118, 121 f., 124
Anfangszauber 134
Angang 44, 80, 83 f., 94, 103, 117, 273,
316
angulus 45, 53, 56, 60, 62, 65, 70, 270,
277
Animismus 29
annicula 51, 139, s. a. hinnicula
Antikonzeptionalia 229
antiquum delictum 292
Apollo 211
Apollo Pythios 213
Apollostatuen, weinende 103
Aposteldekret 231
Apostelkonzil 39
Apostellose 199
ariolus 45, 79, 87 f., 100 f., 173—175,
177, 196, 218, 268 f., 277
Arius 155
arma in campo ostendere 130
ars magica 231, 236, 21, 307
ars maleficiorum 173
ars notoria 217, 316
aruspex 59, 62, 70, 82, 87 f., 172—174,
176 f., 195, 198, 218, 271, 277

aruspicium 102, 104, 171, 173, 176 f.,
204 f., 313
aruspicina 105
astrolabium 271
astrologia legere 118, 195
astrologia naturalis 182
Astrologie 33, 38, 44, 105, 170, 178, 181 f.,
184, 187 f., 205, 207, 269, 272 f., 303,
313 f.
, antike 171, 187
s. a. Volksastrologie, constellatio, inspectores astrorum, Konstellation, Wochentagsastrologie
astronomia 182
Atlas 182
augur 62, 70, 82, 86—88, 173, 177, 189,
271
auguratio 104 f., 176, 205
Augurien, augurium 19, 40, 43, 47, 53,
63, 77—79, 84, 86—90, 92, 94, 101—103,
130, 132, 151, 153 f., 160 f., 173 f., 181,
189, 197—199, 204, 217 f., 225, 269, 271,
273, 277, 313, 315
, Kritik der 85
Auspizien, auspicium 19, 79, 86, 89, 91,
101, 181, 189
auspex 189
avorsus 174, 196, s. a. abortus
avis 87 f., s. a. avicella, avicula, passeres,
Vogel
avicella 88, s. a. avis
avicula 87, 173, 277, s. a. avis

Bauchrednerin 212
Bauchwahrsager 212
Bauernpraktik 118
Baumkult 48—75, 124, 230
Becherorakel 92, 103, 118, 190, s. a. Ka-
toptromantie, Kylikomantie, Lekanoman-
tie, Spiegelorakel
Beichtpraxis 69

belisa 249
Benediktionen 224
Besessenheit 227, 251
Beschwörung 44, 224, s. a. Sachbeschwö-
rung
Besprechen 223, 226 f.
Bethlehem, Stern von, 187 f.
Bibellose 194 f., 203
Bibeltexte 237
Bilder s. imagines, Lehmpuppen, sculptile,
Wachsbilder
Bildzauber 222
bivium 53, 55, 58 f., 242
Blei 240
Bleigießen 191 f., 309
Brauch 11, 78, 80
Brevien 238
broma 127, 146, s. a. brum-
Brontologien 118, s. a. Donnerbücher
Bronze 256
Brot 55 f., 243
Brot backen 130
Brotopfer 133
bruma 146
Brumalien, brumalia 145 f.
brumaticus 146
Bußbücher 12, 49, 52, 68 f., 70
Bußerschwerungen 69
Bußfasten 71
Bußpraxis 68
Bußzeit 69
Bußzumessungen 68 f., 105
Buchlose, -orakel 193, 198 f., 203, 271,
314

candela 52, 55 f., 61, 63
cancellus 52 f., 62, 70, 88, 174, 198
caracter 155, 196, 239, s. a. character
carag(i)us 59, 172, s. a. caraius, karagus
caraius 52, 59, 173, s. a. caragus
casula 53
carmen 58, 196, 218, 220, 224 f., 251, 277,
311
carmen veneficiorum 226, 235
carmina diabolica 242
carmina et venena 226, 235
Cato, Der deutsche, 106
cauculator 101, 208
Chaldäer 22, 182, 186 f., 218, 300, 303
Cham 302
cheiromantis 190, s. a. Chiromantie

Chiromantie 181, 189 f., 208, 214, 314,
s. a. cheiromantis
character 52, 82, 196, 237—240, 316, s. a.
caracter, karaktir
Chartres, Schule von, 93
Chrisma 222 f.
Christtagsprognose 120
Chus 302
cereolus 53—55, 64
cervolus 131, 135—137, s. a. cervulus
cervulus 51, 135—139, 277
cingulum mensurari 196
collum 196
conjector somniatorum 45, 268
conjector somniorum 109, 177
conjectores, fanatici 109, 150
constellatio 34, 186
Corvey 223
cretici dies 166, s. a. critici d.
crimen magiae 25, 218
critici dies 166, 222

dadsisas 205
Dämonen 29, 43, 57, 63 f., 67, 90, 96,
100, 106 f., 110, 116 f., 122 f., 140, 180,
187, 213, 215, 246, 250, 253, 288—290,
293 f., 300
Dämonenanrufung 180, 191, 204, 214
Dämonenbeschwörung 207, 219
Dämonen, Betrug der, 36
Dämonendarstellung 140 f.
Dämonen, Etymologie 294
Dämonengeschlechtsverkehr 246
Dämonenglaube, spätantiker 247
Dämonisierung 65
Dämonenkult 35, 63, 99, 191, 220, s. a.
Götzendienst, Idolatrie
Dämonenlehre, antike 92
Dämonen, luftartig 91
Dämonen, Erfinder von Magie u. Divina-
tion 295
Dämonen, erfanden Orakel 103
Dämonenpakt 117
, scharfsinnig 91
, schnell 91
, schicken Träume 99, 111, 115
, täuschen 264
Dämonen als vermittelnde Instanzen 290
und Vögel 91
, erfinden Wahrsagekünste 105

, Wesen der 292
, machen Wetter 247
Dämonologie, neuplaton. 13, 219
dämonolog. Interpretation 122, 187, 213
deisidaimonia 29 f.
Dekalog 45, 269—273, 278
Dekalogfrevel 45, 65
Dekalogkatechese 65, 211 f., 272
Diana 96, 141, 156, 265, 282
Divination, divinatio 53, 81 f., 87, 101 f., 109—111, 113, 173, 196
Divinationskategorien 34
divinus 45, 52, 59, 87 f., 100 f., 151, 172 f., 177, 196—198, 268, 312
Donner 81, 118 f.
Donnerbücher 118, 120, s. a. Brontologien, Tonitrualien
Donnerprognostik 118—120, 178
Donnerstag 168
Donnerstagsheiligung 155, 158—160
Drache in Rom 148 f.
Dreikönig 85, 121, 187

Edda 11, 102
Ebenbeichtag 134
erbaria 196, s. a. herbaria
eidololatreia 34, 41
Eingeweideschau 171, 175, 177, 190 f., 240
Endor, Sybille von 210, 212, 213
Engastrimant 212
Engel, gefallene 293
Engelnamen 240
Engelkult 239 f.
ephialtes 114
Epilepsie 227, 251 f.
Erbsünde 67
Erbsündenfolge 46
Erbsündentheologie 46, 287 ff., 291
Esra 133
Etrusker 120
Eucharistie als Zaubermittel 223
Euhemerismus 27 f., 122 f., 147
Exkommunikation 68 f.
Exkommunikation im Zauber 223
Exorzismus 224

facula 54 f., 61
fanatica lustratio 154
fanatici conjectores 109, 150
fanaticus 150, 154
fanum 53

fanorum aedificia 62
fascinationes 58, 272
Fatalismus, astrologischer, 188
fausta tempora 76, 165, 168
fausti dies 80, 217, s. a. Glückstage
Festtage 35, 145, 170, 271
Festmahl 125
Feuerorakel 130
fi(y)lacterium 47, 52, 59, 63, 151, 161, 170, 172 f., 197 f., 220, 277, 243 f., 250, s. a. Phylakterien
flumen 65, 270
fornax 196
fonticola 51
Frauen im Zauber 251 f.
Freitagsheiligung 158 f.
Fremdkulte 24, 28, 37, 41
Fruchtbarkeitsriten 152
fruges excantare 218
Frühlingsbeginn 121, 170
Frühlingsfeste 152

Gabriel 240, 247
Galater 165
Gallien 50, 73
Gebetsriemen 244
Gelage 123
Gelübde 51, s. a. votum
geneses 186
genethliacus 33, 185 f.
gentiles 286
Geomantie, geomantia 191 f., 204, 208, 214 f., 313
Gertrud, hl., 234
Gertrudenminne 203
Gesang 123, 143
Gespensterglaube 29
Gliederzucken 80—82, 85, 189, 313
Glockentaufe 248 f.
Glückstage 165, s. a. fausti dies
Goëtie 219
Gottesurteil 269, 271
Götterbilder 61
Götterminne 204
Götzendienst 34 f., 39, 41—45, 63 f., 67, 99, 122, 140, 160, 175, s. a. Dämonen-kult, Idolatrie

haeresis 37, 222, s. a. heresis, semihere-ticus
Häretiker, haeretici 208 f.

haruspex 23, 79, 87 f., 171—175, 177, 190 f.
hariologus 222
hariolus 87, 172 f., 231
haruspicium 190 f.
haruspicina 171
haruspicus 88
Hasenfleisch 231
Heidentum 28, 34, 36 f., 41—45, 48 f., 57, 63 f., 66, 78, 80, 124, 135, 140
Heiligenkult 58
Heiligenlose 199—201
Heiligenminne 204
Heiligtümer 61
Heilkult 58
Heilpraxis 59
Heilsegen 40
Heilzauber 246
herba 52, 58, 155, 227 f., 277, 311, s. a. Kräuter
herbae medicinales 225
herbarius, -a 196, s. a. erbaria
Herdfeuer 132
Herdorakel 79
heresis de Pythonissa 208 f.
Hexe 13, 256, 264, 276
Hexenflug 98, 115
Hexenhammer 265
Hexeninquisition 209
Hexenprozeß 97
Hexensekte 308
Hexenverfolgung 98, 308 f.
Hexenwahn 309
Himmelsbrief 240
Hirschmasken 138, 140 f., s. a. Maskeraden
Hirschmetapher 252
Hokuspokus 221
Hör-Omina 193
Horoskop 170, 178
hororoscopus 177, s. a. Nativitätssteller
horoscopia 186, s. a. nativitas
horuspex 171, 176
Hundeheulen 83
Hunnen 190
Hydromantie, hydromantia 104, 191, 204, 206, 208, 214—216, 313
hydromantius 215

Idolatrie, idolatria 34, 37, 43—45, 48, 61, 63, 67, 69—70, 80, 99, 106, 140, 219, s. a. Dämonenkult, Götzendienst

Idolatrie, Geschichte 292
Idolatrievorwurf 65
idolorum cultus 34
idolorum servitus 34
Illusion 98 f., 115
imagines astronomicae 237
imagines cereae 222
imagines propter incantationes 196, 222
immissor tempestatis 247—249
incantatio 40, 58, 63, 79, 132, 151, 160, 172, 198, 220 f., 224—227, 236, 245, 271
incatatio sancta 225, 237 f.
incantator 45, 100 f., 172, 177, 197, 208 f., 220, 235 f., 248 f., 268 f.
incantatrix 235, 271
infausti dies 80, 217
infausta tempora 76, 165, 168
infidelitas 310
influentia caeli 188
Inklination 183
Inkubation 59
Inkubustraum 114
Innovationszentrum, nachantikes 151
inpuriae 129, 277
insomnium 102, 111, 113
inspectores astrorum 177
Inquisition 72, 98, 308

Jahresanfang 121, 133, 146, s. a. Neujahr, Kalendae Januarii
Jahrzeitenprognostikon 120, 133
Jakob 184
Janus 122—124, 140, 147
Johannesminne 203
Josef 96, 182
Judaismus 39—41
Julfest 146
Juno 281
Jupiter 28, 52, 141, 156—164, 271, 281 bis 283

Kalendae Januarii 35, 121—123, 125 f., 129, 131 f., 135—137, 141 f., 144 f., 152 bis 154, 170 f., 271, 282
Kalenden des März 145 f.
Kalenden, Nachtag 168
Kalendenbräuche 125, 127, 137
Kalendenfeier 138
Kalendenklotz 132 f.
Kalendensuperstition 124, 133, 152, 252
Kanonessammlungen 50, 70

Kapitularien, karolingische 68
karagius 173, 277, s. a. caragus
karactir 227, s. a. character
Katoptromantie 104
Kaiserchronik 148 f.
Kirchenrechtsquellen 50
Klimajahr 12, 135, 153
Knochen 241
Konsekrationsformel 221
Konstellation 183 f., 188
Kontinuität 11, 61, 319
Konzilsstatuten 49, 67 f., 102
Kosmologie, neuplatonische 293
Krankensalbung 59
Kräuter 227, 241, 243, 303, s. a. herba
Kräutersegen 40
Kräutertrank 223, 228, s. a. potio herba-
rum
Kreuzweg 130, 243, s. a. bivium, quadru-
vium, trivium
Kreuzwegkreuze 242
Kreuzzeichen 237 ff., 316, s. a. signum
crucis
Kultmähler 57, 232 f.
Kultspeisen 35
Kultstätten 49, 61
Kultverbote 49
Kupfer 240
Kylikomanteia 103, 190, s. a. Becherora-
kel, Lekanomantie, Spiegelorakel

Lamia 282
Lampen als Neujahrsgeschenke 127
lapis 311, s. a. Steine
Lärmzauber 254—257, 277
lauros ponere 131, 277
Lekanomantie 103, 118, s. a. Becherorakel
Lehmpuppen 95
Lichter 55
Lichtmeß 150
Liebestrank 228, 231, 276, s. a. pocula
amatoria
Liebeszauber 72, 228, 230
ligamen 235, 238, 249
ligamentum 58, 238, 242 f.
ligare 241
lignei homines 58
lignicola 50
ligatura 47, 58, 220, 227, 235—238, 241
bis 244, 248, 271, 307, 309, 311, s. a.
suballigatura

literae secretae 240
Los(en) 191—194, 202 f., 314 f.
Losdeuten 196, 273
Lospraktiken, germanische 201—204
Losstäbe 202
Lostafeln 193
Lostag, metereologischer 121
lucus 53, 56 f., 61, 66, 197
luminaria 53, 55, 62, 208, 269
Luperkalien 152, 154
lustratio 61, 102, 154, 197
Lustrationsumzüge 154
luxuria 145

magicum 229
Magie(r) 43, 105, 110, 182, 187, 217, 303
Magieverdacht 243
Magonia 266
magus 45, 100, 172 f., 186, 217—220,
222, 225, 268, 271, 277, 231, 236
Maibrauch 142
Mainz 56
majo, -a 142
maleficiatus 219
maleficium 102, 219 f., 228, 230, 250, 256
maleficius 173, 222
maleficus 45, 52, 100 f., 173, 177, 198,
217 f., 220, 225, 228, 248, 268—270, 277
malleus maleficarum 218
Mantik 85, 90, 118
, asiatische 190
, germanische 82
, orientalische 83
, spätantike 214
, aus den Elementen 191
Mars 123 f., 147, 158, 162—164, 281—283
März, 1., 121
März, 25., 121
Maskeraden 123, 135—143, 275, s. a.
Hirschmasken, Neujahrsmaskeraden,
mathematica sciencia 186
mathematicus 33, 82, 168, 173, 182, 185,
218, 236, 271
Maus 234
Mäusetage 148
Maustrank 234
medicamenta mala 229
membra ex ligno facta 277
Merkur 157—164, 281—183
Mesopotamien 182
Michael 240

Minerva 55, 58, 61, 68, 71, 124, 156 f., 277, 281
Minnetrinken 203
Mittwochsheiligung 158—160
Mond und Traum 107
Mondfinsternis 40, 250—256, 258—261, 264, 277, 312
Mondphasen 117
monströs 122, 139—142, 145
mosaisches Gesetz 39
Mottentage 148
murium, murorum dies 147 f., 156
murmur magicum 221
Mysterienkult 23
Mysteriensprache 154
Mythologie 11 f., 23, 123, 319
mythologische Forschung 11 f., 49, 98, 139
mythologisierende Interpretation 139
Mythos 12, 36, 221

Nachtfahren 96—98, 115, 250
nativitas 186, s. a. horoscopia
Nativitätssteller 185, 186, s. a. horoscopus
Naturgottheit 64
Naturjahr 121
Naturkult 233
Naturphilosophie 188, 219
necromanticus 206
Nekromantie, necromatia 104 f., 176, 179, 205 f., 208, 214—216, 221
Neujahr 76, 120 f., 124—127, 130, 135, 140, 143 f., 150, 154, 170, 274 f., s. a. Kalendae Januarii, Weihnachtszeit
Neujahrsaugurien 153
Neujahrsbräuche 125, 273
Neujahrsfasten 145
Neujahrsgelage 144
Neujahrsgeschenke 131 f.
Neujahrsmaskeraden 133, 135—137, 252, s. a. Maskeradne
Neptun 156, 282
Neptunalien 54, 145, 147, 154
nied fyr 151, 198
niesen 80—82, 85, 189, 313, 317
nigromant(c)ia 204 f., 207, 313
nimidas 53
nomina ignota 237, 240
Norwegen 55
Numa 104
numen 52, 55 f., 63
Nympha 282

obligator 101, 208, 248 f., 269
Obszönität 145
Ochsenhaut 130
Öl 196, 223
omen 21, 82, 103, 132, 181, 189, 313
omen principii 121
Opferfleisch 232 f.
Opfermahl 56
Opferspeisen 79, 271
Orakel 19, 23, 40, 80, 90, 95, 100, 102, 104 f., 111—114, 176, 192 f., 205 f.
Orakel von Delphi 211
Orakel, Kritik der 103
Orakelbräuche 121
Orakelknochen, chinesische 190
Orakelpraxis, griechische 192
Orakelspruch 103, 193
Orakeltag 121
Orakeltermin 153
Orcus 142, 156
Ostern 121

paganalia 145, 148
pagania 63, 78, 160 f., 198
Paganienkritik 48, 65
Paganiensurrogat 58
Paganieverdacht 140
paganus 285—286
Panmythologismus 124
Papier 240
parentalia 273
Parzen 125
passeres 87, 89, s. a. avi-, Vogel
pedem observare 277
Pergament 240
Perser 214 f.
phantasma 113 f.
Phylakterien, phylacterium 39, 79, 82, 155, 160, 220, 221, 226, 236, 238, 242, 242—245, s. a. filacterium
Planetengötter 157—159, 170
Planetenwoche 181
potio herbarum 228, s. a. Kräutertrank
pocula amatoria 228, 250, s. a. Liebestrank
pompa daemonum 141
Portugal 55
praecantatio 196, 205 f., 225, 273
praecantator 52, 59, 82, 173, 277
praestigium 177, 204, 220, 250
Priester im Angang 81, 83
Priester als Magier 223

Prodigien 21
Prognostiken 133 f., s. a. Wetterprognostik, Sonnenaufgangsprognosen, Sonnenschein-prognosen
Prophet(in) 25, 31, 213
Provence 118
phycius 210, s. a. pythones
Pythia 207, 211, 213
Pythius 208—211
Python 211, 213
pythonicus, -a, 208, 210, 214, 221
p(h)y(i)t(h)ones 101, 177, 204, 207—210, 221 f., 268 f., 313
py(i)t(h)onissa 207—209, 212—214
Pyromantie, pyromantia 191, 204, 208, 214 f., 313
puteus 56, 192

quadruvium 88, s. a. Kreuzweg
Quellenkult 48—75

Rafael 240
Rauchorakel 130
Regenzauber 249
Reinigungsopfer 151
religio, Etymologie von 17
religio externa 24, 26
religio falsa 37 f., 40
religio muliebris 21
Religion 18 f., 21 f., 33, 36, 41, 80, 106, 181, 310
religiones novas 24
Religion, germanische, 49 f., 73
Religionsphilosophie, stoische 26
Relikte 11, 44, 71, 81, 124, 217, 274, 276, 278, 291, s. a. Rest
Relikttheorie 44, 285 f., 318
Reliktträger 286
reliquiae idolatriae 217
Reliquien 61, 217
Remedien, remedia 227, 238, 241, 307
Renaissance-Magie 219
Residualbereich 123, s. a. Relikte, Rest
Rest 28, 44, 80, 124 f., 275, 284, 291 f.

Sachbeschwörungen 224, s. a. Beschwörung
sacrificium 56, 63
sacrificia mortuorum 160 f., 197
Sakralbezirk 63
Sakrileg, sacrilegium 50, 62 f., 71, 78, 160 f.

sacrilega verba 222
Sakramentsflüche 222
salisatores 82
Salomon 239
salomonicas scripturas 239
Samuel(-Erzählung) 209 f., 212, 268
Saturn 141, 145, 158, 162, 281—283
Saturnalien 145 f., 154
Saul 209 f., 212
Schenk-Augurien 132
Schwein als Orakeltier 153 f.
Schweineopfer 150 f., 153
Schwertgürtung 129 f.
Schwurformeln, heidnische, 35
sculptile 58 f., 65
Seelentische 126
Segensspruch 223
semihereticus 208 f.
sentis 54, 58
Servatorien 238
signum caeli 81
signum crucis 225, s. a. Kreuzzeichen
signum diaboli 225
Silvesterakten 148 f., 151
Skandinavien 163
somnialia scripta 107, s. a. Traumbücher
somniarius 109, s. a. conjector s.
somnium 101 f., 111, 113, 173, 269
sompnile Danielis 108, s. a. Traumbücher
Sonnenaufgangsprognosen 120
Sonnenscheinprognosen 120
Sonnenwende 121, s. a. Wintersonnen-wende
sors 53, 79, 191—194, 200, 202 f., 273
sors consultoria 191 f.
sors divinatoria 192
sors divisoria 191 f.
sortes Homericae 193
sortes Vergilianae 193
sortes sanctorum 109, 197—201, 203
sortes tollere 203
sortiaria 270
Sortilegien, sortilegium 196, 199, 220
sortile(o)gus 45, 59, 62, 70, 88, 100 f., 151, 172—174, 195—198, 201, 268, 271, 277
Soldatenbrauch 138
Spatulimantie, spatulimantia 176, 181, 189—191, 208, 314
Speiseverbote 231 f., 234

Spiegelorakel 103 f., s. a. Becherorakel
Spiel 140
Spiele, öffentliche, 35
Sporkel 150, 153
Spukgeist 29
spurcalia 148—151
spurcitiae 151 f., 198
spurci dies 150—153
Spurkelmonat 152
Spurkeltage 152—154
Steine 227, 303
Steinkult 48—75
stercora equorum et bovum 88 f.
Sterndeuter 182, s. a. horoscopus
Sterne, Einfluß der 93, 182 f., 187 f., s. a.
  influentia caeli, Inklination
Sternglaube 182
sternutatio 82, 87 f.
sternutus 88, 173, 277
Stoa 22 f., 27
stolpern 80, 83
streneae 131 f., 137
striga 252
Stundenwahl 164, 169
suballigatura 273, s. a. ligatura
suc(c)inus 52, 155
suffitor 130
Sündenfall 46, 287 f., s. a. Erbsünde
superfluus 39—41
superinstitutus 40
suspendere 241
survial 14, 28, s. a. Relikt, Rest

Tabu 19
Tagewahl 40, 76, 133, 164, 169 f., 178
Tänze 143, 154, 275, 277
Taube 89 f.
Taufe Jesu 89, 315
Taufwasser 223
tectum 196
Tempelraub 62 f.
tempestarius 101, 208, 248, 269, 277
tempestuarius 249
Theurgie 219
Tiere, Heiligkeit der 90—94
Tiermasken 135—139, 141, 143
tiniarum dies 147 f., 156
Tischbereitung 123, 125—127
Tische weissagen 91
Todeszauber 220
Toledo 179

Tonitrualien, tonitrualia 118, 120, 195,
  s. a. Donnerbücher
Totenbeschwörung 221, s. a. Nekromantie
Totenmesse für Lebende 223
Totbeten 222
Totenfeier 79, s. a. parentalia
Totenkult 205
Totenopfer 79
Traum 19, 23, 79, 85, 92, 94 f., 97—103,
  106 f., 109, 111—117, 204, 263, 314
Traumbücher 107—109, 239, s. a., som-
  nialia scripta, sompnile Danielis
Traumdeuter 109 f., 113, 154, s. a. som-
  niarius
Traumdeutung 95 f., 105, 109, 112, 115,
  179, 276
Traumkategorien 111, 113
Traumsymbole 115
Traumsystematik 108, 111, 114
trivium 53—55, 58, 63 f., 242, 277, s. a.
  Kreuzweg

Unglückstage 80, 165, 167 f., s. a. infausti
  dies
Umzüge 123, 133, 144, 154

vecu(o)la 135 f., 277, s. a. vetula
Vegetationsjahr 135, 153
vehicula 136, s. a. vetula
veluculo 136, s. a. vetula
veneficium 221, 226, 273
veneficus 45, 100, 198, 220, 235, 268, 270
venenata 235
venenum diaboli 235
vetu(o)la(o) 131, 134—138
Venus 158 f., 162, 164, 277, 281—283
verba sacra 217, 237
veriloquium 26 f.
Verweigerungen 132, 137
verworfene Tage 167, 169, s. a. ägyptische Tage, Unglückstage
vestimentum infirmi 196
vicu(o)la(o) 136, s. a. vetula
Visionen, visio 94 f., 102, 111, 113, 263
vitulus 138, s. a. vetula
visum 102, 111
voce Thessala 252
Vögel 22, 80, 85, 87, 89 f., 92, 94, s. a.
  avis, passeres
Vogelflug 83, 86 f., 91, 93 f., 189, 313
Vogelschrei, -gesang, 81—83, 86 f., 189

Vogelweissagung 85 f., 89, 92, 263
Vo(u)lkanalien 145, 147, 154, 170, 277
Vorzeichen 22, 33, 40, 78, 80 f., 95
Volksastrologie 133, s. a. Astrologie
Votivgaben 58, 60
votum 51, 53—56, 58—63, 65, 67, s. a.
 Gelübde
Vulcanus 141

Wachsbilder 95, 222 f.
Wahnsinn, prophetischer 31
Wahrsagegeist 213 f.
Wahrsagen 15 f., 20, 25, 29, 33, 67, 79 f.,
 109, 115 f., 150, 154, 172, 180 f., 196 f.,
 212—214, 273, 309, s. a. Weissagen
Wallfahrtskult 58
Wasservögel 93 f., s. a. Vögel
Weihnachtszeit 120 f.
Weissagevögel 86
Weissagen 15, 33, 79, 91, s. a. Wahrsagen
Werwölfe 250
Wetterdämonen 247
Wettermachen 259, 266, 284, s. a. Wetter-
 zauber
Wetterprognostik 93 f., 119 f., 133—135,
 153 s. a. Sonnenscheinprognosen, Wind-
 prognosen
Wetterregeln 118
Wetterzauber 246 f., 249 f., 276, s. a. Wet-
 termachen
Wieseltrank 234
Windprognosen 120
Winteraustreiben 152 f.

Wintersonnenwende 146, s. a. Sonnen-
 wende
Wochentage 162, 169, 178
Wochentagsastrologie 158 f., 163, s. a.
 Astrologie
Wochentagsgötter 155, 157—159, 162 f.,
 268
Wochentagsheiligung 155, s. a. Donners-
 tags-, Freitags-, Mittwochsheiligung
Wolkenschiffe 266
Wort, magische Funktion 221
Wurzeln 241
Wurzeltrank 228
Würfel 191, 193

Zarathustra 302
Zauber 29, 43, 67, 10, 196
Zaubereigesetzgebung, mosaische 268—270
Zaubereivorwurf 243
Zauberkategorie 226
Zauberlieder 221, s. a. carmen
Zaubermittel 226 f.
Zauberrequisit 226
Zauberspruch 221, 226 f., 252
Zaubertrank 228
Zauberworte 232
Zehngebote, s. Dekalog
Zeichen 81, 95, 109—111, 116—118, 188
Ziegen weissagen 91
Zeitgötter 170
Zipfelquasten 39
Zodiakus 120
Zwölftafelgesetz 218
Zwölften 120

Volkskunde

Ein Handbuch zur Geschichte ihrer Probleme

herausgegeben von Gerhard L u t z
mit einem Geleitwort von Josef Dünninger

236 Seiten, Gr.-8°, Ganzleinen mit Schutzumschlag, DM 29,—

Dieses Handbuch legt die richtungweisenden Schriften, die für jeden volkskundlich Interessierten wichtig, aber sonst meist nicht mehr zugänglich sind, in einer kommentierten, systematisch geordneten Sammlung vor. Die hier wiedergegebenen Texte vermitteln ein genaues Bild der geschichtlichen Entwicklung der Volkskunde. Daneben bieten diese prinzipiellen Erörterungen eine Einführung in die wissenschaftlichen Hauptprobleme und methodischen Grundlagen des Faches.

Bildnis und Brauch

Studien zur Bildfunktion der Effigies

von Wolfgang B r ü c k n e r

361 Seiten, 8 Bildtafeln mit 18 Abb., Gr.-8°, Ganzleinen mit Schutzumschlag, DM 54,—

Das Porträt konnte als figürliche Nachbildung oder in bildhafter Darstellung sowohl im herrscherlichen Zeremoniell wie im Strafvollzug in Europa früher den toten oder abwesenden Menschen vertreten. Brückner untersucht diese Phänomene in ihrer konkreten geschichtlichen Gestaltung im Wandel der Zeiten, in ihrer jeweiligen kulturellen Bedeutung und verfolgt die geistesgeschichtlichen Hintergründe solcher Entwicklungen. Er gelangt zu aufschlußreichen, klärenden Bestimmungen des differenzierten Bildnisgebrauchs im Staatskult und in der Hochgerichtsbarkeit insbesondere in den nachmittelalterlichen Jahrhunderten.

Volkserzählung und Reformation

Ein Handbuch zur Tradierung und Funktion von Erzählstoffen und Erzählliteratur im Protestantismus

Unter Mitarbeit zahlreicher Fachgelehrter
herausgegeben von Wolfgang B r ü c k n e r

904 Seiten, 11 Abb., Gr.-8°, Ganzleinen mit Schutzumschlag, DM 195,—

Dieses Handbuch dient durch seine systematische Aufbereitung der Quellen als Grundlage für alle weiteren Arbeiten zur Historisierung der volkskundlichen Erzählforschung. Ausführliche Literaturkapitel ergänzen die monographischen Beiträge über einzelne Autoren, Œuvre-Kataloge und bibliographische Bestandsaufnahmen. Zwei umfangreiche Motivkataloge und ausführliche Leseproben einschlägiger Texte sind beigegeben, ebenso ein Gesamt-Motivregister, ein umfassendes Namenregister sowie Gesamtverzeichnisse der Quellen und der Sekundärliteratur. Das Handbuch dient daher zugleich als Arbeitsmittel wie als Nachschlagewerk für Volkskundler, Literarhistoriker, Theologen und Historiker.

 ERICH SCHMIDT VERLAG